LA COLLANA
DEI CASI
141

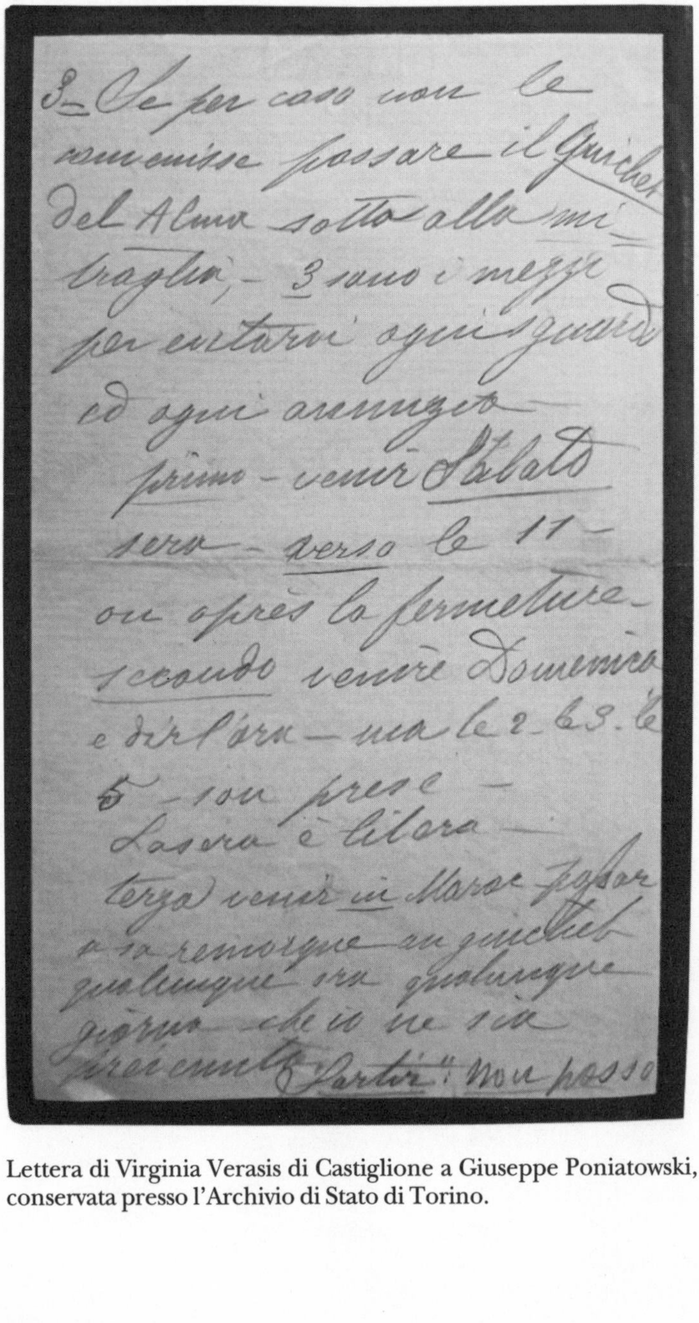

3 – Se per caso non le
convenisse passare il Guichet
del Almo sotto alla mi-
traglia, – 3 sono i mezzi
per evitarvi ogni sguardo
ed ogni avvenuto –
primo – venir Sabato
sera – verso le 11 –
ou après la fermeture –
secondo venire Domenica
e dir l'ora – ma le 2. le 3. le
5 – son prese –
La sera è libera –
terza venir in Marsc fissar
o se remorque au guichet
qualunque ora qualunque
giorno che io ne sia
preavvisata – Partir! non posso

Lettera di Virginia Verasis di Castiglione a Giuseppe Poniatowski, conservata presso l'Archivio di Stato di Torino.

Benedetta Craveri

LA CONTESSA

VIRGINIA VERASIS DI CASTIGLIONE

ADELPHI EDIZIONI

Tutte le traduzioni sono di Davide Tortorella

WWW.ADELPHI.IT

ISBN 978-88-459-3619-7

Anno				Edizione						
2024	2023	2022	2021	1	2	3	4	5	6	7

INDICE

LA CONTESSA

VIRGINIA VERASIS DI CASTIGLIONE

a mio fratello Piero
in ricordo dei nostri nonni piemontesi

PREMESSA

« Io son io! », « Moi c'est moi! ». A vent'anni come a quaranta, Virginia Verasis di Castiglione rivendica, nelle sue due lingue d'elezione, il diritto di essere se stessa e di vivere una vita consona alla sua posizione sociale, alle sue esigenze, alle sue doti intellettuali – ma erano pretese troppo in anticipo sull'epoca.

Dotata di una bellezza che aveva costituito per i genitori « un affar serio » sin da quando era adolescente, appena raggiunta la maggiore età era già una gloria del passato. Ex regina della cronaca mondana di Parigi e del Secondo Impero ed ex amante di Napoleone III, non aveva potuto scegliersi da sola nemmeno il ruolo di seduttrice, avendolo esercitato per conto terzi e in nome dell'indipendenza italiana. Usata come esca politica da Cavour e Vittorio Emanuele II – i quali, una volta stipulata l'alleanza franco-sabauda che sfociò poi nella seconda guerra d'indipendenza, l'avevano abbandonata al suo destino –, separata da un marito da lei umiliato e ridotto sul lastrico e assediata da schiere di amanti, Virginia giurò a se stessa che non avrebbe più avuto padroni. Voleva essere libera, perché la libertà era per lei, come per i gatti, un istinto insopprimibile. E a questo programma si sarebbe rigorosamente attenuta, fedele solo al volubile vessillo del suo io, all'insegna del motto « I think for myself ».

Prefigurazione delle celebrità da rotocalco, a Parigi come a Londra o a Baden Baden interpretò con uguale efficacia tutti i ruoli del repertorio teatrale, dall'*allumeuse* alla donna del mistero, dalla *femme fatale* all'eminenza grigia, alternando la commedia brillante al melodramma, l'intreccio avventuroso alla tragedia romantica e dosando con sapienza le sue performance, inframmezzate da non meno clamorose scomparse dalla scena pubblica che prefigurano quelle delle dive moderne. Ricca di estro creativo, trovò poi nella fotografia il mezzo espressivo a lei più congeniale e immortalò la propria bellezza in una serie di capolavori che colpiscono come altrettante premonizioni di tendenze artistiche a venire. Ma il suo vero talento, e la sua invenzione più in anticipo sui tempi, è il culto della personalità, l'inconfondibile genio di « essere famosa per essere famosa ».

Dopo avere affascinato i contemporanei e posto per prima le fondamenta della sua stessa leggenda – leggenda di cui Robert de Montesquiou si sarebbe fatto aedo con *La divine comtesse* –, Virginia ha continuato a suscitare l'interesse di storici, saggisti, biografi e l'ammirazione postuma di legioni di fan. A partire dalla biografia di Alain Decaux, che poté prendere visione dei documenti e delle lettere gelosamente conservati dalla contessa, i suoi cultori hanno sopperito alla mancanza di fonti di prima mano facendo ricorso alle molteplici testimonianze dei memorialisti e dei giornalisti a lei contemporanei e ai passi della sua corrispondenza che figurano nel catalogo della storica vendita all'asta di Drouot del 1953. Parallelamente, le grandi mostre fotografiche a lei dedicate dal Metropolitan Museum nel 1999 e dal Musée d'Orsay nel 2000 hanno riportato alla luce la sua straordinaria autobiografia per immagini, offrendo nuove chiavi di lettura.

Questo libro ha scelto un'altra strada e ha preferito restituire la parola a Virginia, intrecciando la sua voce a quella di coloro che l'avevano intimamente conosciuta: la madre, il padre, il marito, il figlio e gli uomini che più l'avevano amata. Innumerevoli documenti inediti conservati negli archivi italiani e francesi consentono infatti di ricostruire la sua personalità e la sua vita sulla base di dati nuovi – a cominciare dai rapporti familiari, sempre problematici. E la lunghissima relazione di Virginia con Vittorio Emanuele II mostra bene come, se pure Parigi fu per lei una seconda patria, l'Italia rimase sempre la prima. Né la contessa smise mai di rivendicare il suo inconfutabile contributo al processo unitario.

Abituata fin dall'adolescenza a far parte per se stessa e a non lasciar trasparire i propri sentimenti, altera e ammantata di mistero, capace di tenere in scacco decine di amanti senza mai consentire loro di avere su di lei la benché minima presa, Virginia continuerebbe a rappresentare anche per noi un autentico enigma se non avessimo le lettere da lei scritte – in un momento cruciale della sua esistenza – all'unico uomo a cui avrebbe dichiarato: «Non esiste un'altra affezione come la nostra». Si trattava del principe Giuseppe Poniatowski, un vecchio amico di famiglia diventato senatore dell'Impero, con il quale, all'epoca della sua trionfale missione parigina, Virginia strinse un patto di complicità assoluta e che per moltissimi anni rimase la sola persona al mondo con cui poté concedersi il lusso di essere se stessa. Nelle duemila pagine di questo straordinario monologo epistolare sentiamo forte e chiara la sua voce nell'italiano spontaneo e colorito dell'infanzia. Lettera dopo lettera, la giovane donna si interroga sul modo di riprendere in mano la propria vita e ne passa crudamente in rassegna i mezzi; e il feroce individualismo, la fiducia nella forza irresistibile del suo fascino e la volontà di rivalsa si scontrano con la solitudine, l'angoscia, la paura e la rabbia, riuscendo ogni volta ad averne ragione. Il suo desiderio di libertà era sfociato in una ribellione a tutto campo contro le regole di abnegazione familiare, pudore, sottomissione, rispettabilità imposte alle donne dall'etica del secolo borghese: una ribellione che ha mantenuto intatta la sua forza incendiaria e che ancora oggi disturba, sconcerta, scandalizza.

FIRENZE
(1837-1853)

Chiusa la parentesi napoleonica, Firenze conobbe, con il ritorno dei Lorena, un lungo periodo di stabilità e di pace. « Dal 1814 al '48 » avrebbe ricordato un protagonista della vita culturale e politica dell'epoca « corsero per la Toscana tempi facili e riposati, nei quali chi era al governo ben poteva dire che il mondo andava da se [*sic*], perché sembrava che andasse nel senso di chi comandava ... per Firenze, furono trent'anni di lieto vivere. Governo tollerante, nobiltà oziosa, popolo ben pasciuto, cittadinanza spettatrice contenta e partecipe dell'universale tripudio, forestieri spensierati sicuri di tutto osare e cupidi di tutto comprare, garbate maniere, costume arrendevole, religione accomodante, facevano di Firenze la città più gaia d'Italia ».[1]

Fin dai tempi della Rivoluzione francese la capitale aveva accolto una folla di emigrati e di controrivoluzionari, celebri tra tutti Vittorio Alfieri e la contessa d'Albany, la quale aveva fatto del suo salotto sul lungarno un punto di riferimento della cultura europea. A sua volta la caduta di Napoleone provocò una nuova ondata di arrivi: fra gli stranieri di maggior spicco figuravano vari membri della famiglia Bonaparte, a cominciare da due fratelli di Napoleone, Luigi e Girolamo, che, deposti dai rispettivi troni di Olanda e di Vestfalia, presero entrambi dimora nella capitale toscana.[2] Nelle sue memorie, anche la figlia di Girolamo, la principessa Matilde, che andò in sposa nel 1840 al ricchissimo mecenate e conte russo Anatole Demidoff e regnò ventenne sulla società fiorentina, non avrebbe mancato di celebrarne, con piena cognizione di causa, la dolcezza del vivere: «La Toscana era una nazione privilegiata, governata dal Granduca con saggezza e mano leggera. Era un angolo di mondo dove chiunque, al riparo dalle preoccupazioni, si godeva la vita, e dove gli sventurati trovavano un rifugio sicuro. L'allegrezza, il brio, il buon umore, davano alla città una fisionomia particolare. I suoi abitanti avevano l'aria felice; e potevano esserlo davvero».[3]

Ma è Massimo d'Azeglio, che a Firenze aveva trascorso un'infanzia[4] felice e la considerava la sua «città nativa più di Torino»,[5] a spiegarci le ragioni di questo clima di tolleranza del tutto eccezionale nell'Europa emersa dal Congresso di Vienna: «La Toscana» avrebbe scritto nei suoi *Ricordi* «viveva sotto una legge non scritta in nessun codice, disarmata d'ogni funzione apparente, eppure talmente rispettata ed ubbidita, che non lo è ugualmente la Costituzione inglese; e poteva veramente dirsi la *Magna Carta* della Toscana. Le era soggetto, volesse o non volesse, anche il Granduca; e se questi le voleva disobbedire, tutti lo piantavano di fatto e si trovava solo. La formula ufficiale di questa legge non esisteva. Si sentiva e si seguiva senza darle le forme delle parole. Se dovessi esprimerla, lo farei con queste due: *lasciar correre.*

«Le sue applicazioni negl'individui, ne' privati, nel Governo erano continue, innumerabili. Se un giovane era scapato, se una ragazza faceva l'amore, se una donna era civetta, dopo un po' di tramenìo per la forma... *lasciamo correre.* Se una famiglia si dissestava, se i contadini, i fattori rubavano, si gridava un momento... poi, *lasciamo correre.* Se la polizia faceva una legge e nessuno le badava, erano ventiquattr'ore di qualche rigore, e poi... *lasciamo correre*».[6]

In questa oasi di libertà e sorridente edonismo, appena sfiorata dal vento della Restaurazione, la futura contessa di Castiglione vide la luce il 22 marzo del 1837 e trascorse i suoi primi sedici anni di vita.

Cugini di primo grado,[7] i suoi genitori, il marchese Filippo Oldoini e Isabella Lamporecchi, si erano sposati nel 1836, a Firenze, non ancora ventenni,[8] e alla nascita le imposero i nomi di Virginia, Elisabetta, Luisa, Carlotta, Antonietta.[9] Presto ribattezzata in famiglia Ninny, Niny, Nini, Ninì, Nicchia, Bisisi, la bambina sarebbe stata la loro unica figlia.

Nato a La Spezia il 15 febbraio 1817, il padre discendeva da un'antica famiglia originaria di Cremona, trasferitasi a Genova nel 1424 e poi a La Spezia, dove nel corso del XVIII secolo aveva preso il cognome Rapallini.[10] Suddito della monarchia sabauda, Filippo era un bell'uomo, elegante, attento alle forme, fiero delle sue proprietà spezzine e del suo prestigio sociale. Dopo due mandati come deputato ligure al Parlamento subalpino,[11] nel 1849 optò per la carriera diplomatica, il mestiere più idoneo per un gentiluomo. Grazie all'amico Massimo d'Azeglio,[12] nominato proprio allora presidente del Consiglio dei ministri del governo sardo, Filippo ottenne, dopo un breve tirocinio al ministero, di essere inviato come segretario di legazione a Dresda e poi, nel 1852, a Londra. Ma quest'ultimo e più importante incarico, che aveva beneficiato dell'avallo compiacente di Emanuele d'Azeglio, nipote di Massimo e capo della legazione sabauda presso Sua Maestà britannica, fu oggetto di più di un commento malevolo. Oldoini, infatti, non godeva di buona reputazione negli ambienti diplomatici,[13] e Cavour non mancò di criticare aspramente la decisione di colui che si preparava a soppiantare alla presidenza del Consiglio: «Azeglio, quando si tratta di favorire i suoi,» scriveva a La Marmora «non bada né all'interesse di servizio, né all'opinione pubblica». E del *protégé* del ministro Cavour tracciava un ritratto degno di un moralista del Grand Siècle: «Oldoini ha tutti i difetti di [Emanuele] d'Azeglio senza compenso alcuno. Entrambi sono <u>fat</u> e leggeri. Ma Azeglio è fat con spirito, e l'altro lo è scioccamente! Azeglio veste stranamente, ma ciò non dispiace alle donne. E col piacere a queste, giunge talvolta a ottenere quello di cui ha bisogno con i mariti. Ma Oldoini non piace a nessuno, nemmeno alla propria moglie. Azeglio, finalmente, come nipote di Massimo, ha una bella posizione nel mondo di Londra, ove i uomini e le parentele sono tenuti in gran caso ma Oldoini, come marito di una donna galante, non ha titoli alcuni al rispetto dei saloni di quella città».[14]

Benché assai poco cavalleresco, visto che colei che stigmatizzava come «donna galante» era un'amica sincera a cui lui stesso non mancava di fare la corte,[15] il giudizio di Cavour era un verdetto senza appello. Succeduto dunque a d'Azeglio,[16] lo statista non avrebbe fatto mistero della sua disistima per il marchese, definendolo un «ciola»,[17] e mostrandosi sordo alle sue richieste di avanzamento di grado. Dal canto suo, pur non nutrendo dubbi sul proprio uso di mondo e sulle proprie capacità professionali, Oldoini era psicologicamente instabile, ipocondriaco, splenetico e, perennemente insoddisfatto, era sempre alla ricerca di nuove destinazioni. La prima a venirgli in soccorso era la moglie che, ridimensionando bonariamente le critiche – «non sarà Metternich ma fa bene il suo mestiere» –,[18] non si stancava di raccomandarlo ad amici e conoscenti.

Nata a Firenze un anno prima del marito[19] e dotata di una forte personalità, Isabella era figlia del cavaliere Ranieri Lamporecchi,[20] illustre giurista e avvocato di spicco del foro fiorentino, noto per la sua dottrina e integrità morale. Nonostante le idee repubblicane e l'adesione entusiastica alla politica di riforme di Napoleone, e pur non facendo mistero del culto che portava all'imperatore, a cui avrebbe dedicato un lungo poema,[21] Lamporecchi aveva mantenuto intatto il suo credito anche al ritorno dei Lorena. Inoltre, grazie al talento di avvocato e mediatore, poté accumulare una fortuna tale da consentirgli, nel 1846, di comprare sul lungarno Corsini il prestigioso Palazzo Gianfigliazzi, già appartenuto alla contessa d'Albany e residenza di Luigi Bonaparte, padre del futuro Napoleone III.

Patriarca burbero ma affettuoso, Lamporecchi aveva però dei figli[22] inaffidabili e con le mani bucate e, allorché rimase vedovo nel 1852, poté contare soprattutto sull'appoggio di Isabella per tenere unita la famiglia. Legatissima al padre, intelligente e generosa, la giovane marchesa Oldoini non passava tuttavia per un modello di parsimonia e di virtù. Pronta a prodigarsi per i suoi, era anche decisa a compensare le carenze sentimentali di un matrimonio combinato conducendo una vita il più possibile gradevole. Bella, elegante, spigliata, Isabella aveva abitudini da gran signora, amava il lusso, non badava a spese. «I vostri vizi e capricci vi hanno già fatto sprecare buona parte del vostro per altro sì pingue patrimonio...»[23] si indignava nel 1852 il suo avvocato, e lei, sia pure troppo tardi, avrebbe finito per fare ammenda e prodigarsi per salvare il salvabile. Era infatti Isabella ad amministrare le proprietà di La Spezia e a tenere i cordoni della borsa[24] di un marito preoccupato soprattutto di fare bella figura nella vita diplomatica.

Pur rimanendo affettuosamente solidali, i coniugi Oldoini conducevano di comune accordo vite diverse,[25] e la marchesa, separata di fatto da un marito per la maggior parte del tempo in missione all'estero, non scoraggiava i propri ammiratori. Ma se la lettera di Cavour a La Marmora non lascia dubbi sulla sua reputazione di «galanteria» e mostra bene come nel mondo chiuso della nobiltà torinese questa pesasse come un macigno, nella società fiorentina, cosmopolita, edonista e incline al *lasciar correre* illustrato da d'Azeglio, la disinvoltura di Isabella e la sua schiettezza non suscitavano scandalo. Tra gli amanti che le vennero attribuiti, due avrebbero contato non solo nella sua vita ma pure in quella della figlia: il primo fu proprio Massimo d'Azeglio,[26] che oltre a promuovere la carriera di Oldoini avrebbe sviluppato un certo affetto per la piccola Virginia e caldeggiato il suo matrimonio con Castiglione; il secondo fu il principe Giuseppe Poniatowski.

Fu dunque a Firenze che Virginia trascorse un'infanzia a prima vista serena, in una famiglia singolare ma coesa, nella quale tutti facevano a gara per viziarla. E La Spezia, dove ogni estate la marchesa portava la figlia in villeggiatura nei possedimenti familiari, diventò presto per la bambina il luogo mitico di cui lei sola deteneva le chiavi. Benché fosse abituata sin da piccola a imporre i propri desideri, alle soglie dell'adolescenza Virginia imparò a mascherarli. «La bambina Oldoini» constatava infatti Massimo d'Azeglio nei primi giorni di primavera del 1849 «ha cambiato col crescere, è entrata anche lei nel progresso, ed ha rinunziato al potere dispotico. È ora una ragazzina di dodici anni, carina e perbene, e perciò ha fatto pienamente la mia conquista».[27] Riservata e silenziosa, quella nuova Virginia si arrischiava raramente a parlare, ma ascoltava e osservava con attenzione il caleidoscopio della società in cui si trovava a vivere.

C'era il mondo patriarcale e severo di Palazzo Lamporecchi, dove magistrati, avvocati, studiosi, eruditi, clienti importanti andavano a rendere omaggio al suo illustre nonno, cosa che la riempiva di fierezza. C'era la Firenze elegante dei teatri, dei concerti, delle feste, dove la madre e lo zio Alessandro, legatissimi tra loro, mietevano successi. Ultimo dei figli Lamporecchi, Sandro suscitava ammirazione per l'eleganza, lo spirito, l'imperturbabile buonumore.[28]

C'erano i fastosi, frequentatissimi ricevimenti musicali dati a Palazzo Capponi dal principe Stanislao Poniatowski, duca di Monterotondo, figlio del fratello dell'ultimo re di Polonia, che fin dagli anni Venti, su invito del granduca, si era stabilito nella capitale toscana con la famiglia. E proprio a Firenze, al teatro Standish, nel 1838 il figlio Giuseppe[29] aveva mandato in scena la sua prima opera, *Giovanni da Procida*, per poi ottenere, due anni dopo, la nomina di direttore della Società filarmonica.

Gli inviti più ambiti dalla buona società fiorentina erano però quelli di Henry Edward Fox, quarto barone di Holland, che dal 1839 al 1846 ricoprì la carica di ministro[30] del Regno Unito presso il granduca di Toscana. Abituato sin dall'infanzia a viaggiare per l'Europa, fautore degli ideali liberali e al centro di una rete di contatti che spaziavano da Metternich ai vari esponenti della famiglia Bonaparte, Lord Holland era un gran signore che univa a una notevole cultura una squisita cortesia. La moglie, Lady Mary Augusta, minuta come una bambola e dotata di un viso incantevole, appassionata d'arte e di linguistica, contribuiva a fare di Palazzo Amerighi e della villa medicea di Careggi luoghi d'incontro privilegiati delle élite cosmopolite che si davano appuntamento a Firenze. Privata delle gioie della maternità e sensibile alla bellezza, Lady Holland riservava un'accoglienza del tutto speciale alla bambina che la marchesa Oldoini le portava in visita. Ribattezzata « Darling Beauty »,[31] Virginia fece con la grande dama inglese la sua prima conquista importante.

Isabella non era la sola ad amare la figlia. Anche Filippo, che la moglie teneva costantemente informato, ne seguiva i progressi; e la stessa Virginia scriveva puntualmente al padre, dolendosi per la sua lontananza. Sveglia e intelligente, la piccola Oldoini si rivelò un'ottima scolara e dimostrò un dono speciale per le lingue. Oltre a padroneggiare perfettamente il francese – che in Italia era la lingua d'uso delle élite e a cui si sarebbe attenuta nella sua corrispondenza –, imparò in pochi mesi un inglese senza accento sotto la guida di Lady Holland e, intorno ai dodici anni, era in grado di scrivere al padre anche in inglese e in tedesco. Databili tra il 1849, quando il marchese Oldoini aveva iniziato la carriera diplomatica come segretario di legazione a Dresda, e il 1851-52, epoca del suo trasferimento a Londra, le molte lettere scritte al suo « cher papa » in una calligrafia che da infantile si va facendo decisa ed elegante, sono tenere e affettuose.[32] In quella del novembre 1852, ormai quindicenne, Virginia esprime tutta la sua tristezza al pensiero che il padre non potesse prender parte al « dinner » familiare di Natale; in un'altra, dello stesso periodo, conforta il marchese, che soffriva di « spleen », mostrando di conoscere perfettamente il significato della parola.

Vezzeggiata da tutti, Virginia, che di tanto in tanto accompagnava la madre a teatro e in società, andava acquistando una crescente consapevolezza dei suoi *atout* fisici. Ancora bambina, i suoi coetanei la chiamavano « la madonna viva »[33] e, ormai quindicenne, la cronaca mondana del bisettimanale fiorentino « L'Arte » non esitava a presentarla come « una delle più portentose bellezze fiorentine del giorno ... dotata di una venustà poco terrestre », la cui apparizione a uno spettacolo teatrale aveva catalizzato i binocoli « dei meglio fashionables spettatori ».[34]

«La sua reputazione è un affar serio e t'assicuro che sempre più imbellita è un affare serio di mostrarla ove vado» scriveva Isabella al marito, inviandogli il ritaglio del giornale. «Due sole volte l'ho condotta da Cavalli e vedi da qui accluso foglio cosa dicono di lei. Ha la reputazione anche di non sentir nulla per nessuno, e di questo io ne sono felicissima ... Quel suo carattere scontroso e molto risentito le ha dato questa taccia, ma ciò prova che non è civetta come per legge lo sono tutte le ragazze d'oggi».[35] In compenso, Virginia non faceva mistero dell'attaccamento viscerale che provava nei riguardi di tutto ciò che considerava suo. Come Isabella riferiva al marito, quando aveva saputo che i genitori intendevano mettere in vendita una delle proprietà spezzine Virginia era scoppiata in un pianto dirotto.[36] E lei stessa ricorderà nel suo diario che da bambina, «à force de pleurer et de rire et far la cara»,[37] era riuscita a ottenere in dono dalla nonna, con tanto di atto notarile, la proprietà del Torretto, un vecchio mulino a vento in riva al mare che fin dall'infanzia considerava il suo regno. All'epoca la madre preferiva attribuire quel senso della proprietà a una sensibilità fuori dal comune che mostrava bene come avesse «bisogno di un marito che fosse la gentilezza personificata».[38]

La ricerca di un buon partito per quella meraviglia era in effetti il problema a cui i coniugi dovettero far fronte in quei primi anni Cinquanta, tanto più che la loro situazione economica era tutt'altro che brillante. La diretta interessata, invece, non sembrava condividere la preoccupazione dei genitori: «Ninì non vuole vedere pretendenti» riferiva Isabella al marito «perché dice che non vuole maritare e non vuole prendere impegni, che dopo l'inverno vuole andare a Parigi, vedere tutto e tutti e poi scegliere...».[39] Molti anni dopo, una Virginia ormai anziana avrebbe scritto: «Se mia madre non fosse stata una stupida mi avrebbe portato a Parigi e l'Imperatore avrebbe sposato me e non Eugenia».

La famiglia Oldoini, tuttavia, non era né abbastanza prestigiosa né abbastanza ricca per poter maritare la figlia con un grande nome fiorentino – i buoni partiti scarseggiavano, confidava Isabella a Filippo –,[40] sicché, al sopraggiungere di un corteggiatore piemontese con tutte le carte in regola, la madre non nascose il proprio sollievo.[41]

Nato a Torino il 9 aprile 1826, Francesco Verasis Asinari, nono conte di Costigliole d'Asti e sesto conte di Castiglione Tinella, era arrivato a La Spezia nel luglio del 1853 al seguito della regina Maria Adelaide di Savoia, di cui era gentiluomo d'onore. Stremata da otto gravidanze ravvicinate, la moglie trentunenne di Vittorio Emanuele II andava a recuperare le forze sulla costiera ligure.[42] Castiglione era un aitante nobiluomo dai modi impeccabili che poteva vantare un albero genealogico illustre e godeva di un importante patrimonio, ma che la vita aveva già messo duramente alla prova: rimasto orfano molto presto di entrambi i genitori, nel 1851 il conte aveva visto morire di parto la giovane moglie,[43] seguita poco dopo nella tomba dal bambino che le era costato la vita.

Folgorato dalla bellezza di Virginia, Verasis se n'era perdutamente innamorato: ne sono una prova le lunghe lettere che le indirizzò nel corso dell'estate del 1853. Non abbiamo le risposte di Virginia, ma l'ansioso moltiplicarsi delle dichiarazioni d'amore del conte mostra con quanta sorprendente perizia la « scontrosa » sedicenne sapesse incoraggiare lo spasimante per poi tenerlo sulla corda. Sin dalla prima lettera Francesco si consegna – « la mia sorte è nelle vostre mani » – al beneplacito dell'amata; e quando lei accondiscende a inviargli una ciocca dei suoi capelli, la benedice « mille volte per il tesoro » ricevuto in dono, confidandole che nel momento in cui l'aveva tenuto in mano il suo cuore batteva così forte che per un istante aveva creduto che stesse per spezzarsi. Pronto a vedere nell'iniziativa di Virginia non già un gesto scontato, in linea con la prassi sentimentale imperante, bensì la promessa di una vita nuova, Francesco non esita a compiere un gesto simbolico decisamente sacrilego: « Avevo un medaglione dove serbavo come una reliquia una ciocca recisa dal capo di mio figlio, cui un sonno eterno ha chiuso gli occhi. L'ho sostituita con la vostra. Eppure fino ad ora il ricordo del mio Angioletto perduto era la cosa più preziosa che possedevo; ditemi, signorina, adesso credete al mio amore senza limiti? Potevo forse offrirvene una prova più eloquente? ».[44] Anche il ricordo della moglie morta veniva cancellato con un colpo di spugna: « Siete il mio primo amore che durerà in eterno, vivrò solo per rendervi felice ».[45] Ma a quanto pare questo non bastava a convincere Virginia – che si mostrava persino gelosa di un'improbabile signora – della resa incondizionata di Francesco: « Ma che debbo mai fare per convincervi dell'immensità del mio amore? »[46] si disperava il poveretto, sforzandosi di trovare sempre nuove metafore per ribadire la sua sudditanza amorosa: « Siete per me il mistero profondo della pietra filosofale, tutto ciò che toccate diventa oro ai miei occhi e quest'oro non lo scambierei con tutte le ricchezze del mondo ».[47] Alla fine, Virginia cedette alle sue suppliche: per la prima volta aveva modo di constatare il potere magnetico che era in grado di esercitare sugli uomini e probabilmente si innamorò dell'amore incondizionato di cui il conte di Castiglione le offriva l'esempio inaugurale. Già prima della fine del mese di luglio, ricordava commosso Francesco, « senz'altri testimoni all'infuori di Dio », lei gli aveva detto di sì davanti alla chiesa dei Cappuccini, e lui aveva prontamente comunicato le sue intenzioni matrimoniali ai genitori di Virginia. Il marchese Oldoini, che a quell'epoca si trovava a La Spezia, aveva spesso avuto modo di incontrare il conte, di fare amicizia con lui e prestare ascolto alle sue richieste. Ligio alle forme, Francesco incaricò il fratello minore Clemente di prendere l'iniziativa – che sarebbe spettata al padre se fosse stato in vita – di chiedere ufficialmente per lui al marchese la mano della figlia. Nei primi giorni di settembre, mentre la regina e il suo seguito si preparavano a riguadagnare la capitale piemontese, Oldoini ricevette dunque una lettera di Clemente di Castiglione datata 31 agosto. Entrando in medias res, Clemente dava per scontato che Filippo conoscesse ormai abbastanza il fratello per sapere che era « uomo d'onore », che sposava Virginia « per inclinazione » e avrebbe fatto di tutto per renderla felice ».[48] Non meno protocollare, il marchese gli rispondeva il 3 settembre: « Ho ricevuto con gioia la richiesta e, reduce da casa di Francesco, mi affretto a comunicarti che ho appena concesso al futuro genero la mano di mia figlia, nella certezza di averle assicurato la felicità»,[49] e di averne assecondato «l'inclinazione».[50]

In realtà, sulle prime, e a differenza della moglie che si era subito mostrata a favore del pretendente piemontese, il marchese non nascose le sue perplessità:[51] il conte aveva, è vero, un patrimonio consistente, ma era un pessimo amministratore, e per rammodernare con sfarzo eccessivo tanto il castello di Costigliole quanto la residenza torinese aveva contratto troppi debiti. Ma gli ascendenti familiari di Castiglione, la sua posizione di prestigio alla corte sabauda,[52] la benevolenza che gli dimostravano sia il re che la regina, la prospettiva di trovare in lui un appoggio per la propria personale carriera, come pure l'autorevole patrocinio di Massimo d'Azeglio e, certo non ultima, la volontà della figlia, avevano finito per convincere Oldoini a dare il suo consenso. Così, il 9 gennaio 1854, una volta concluse le laboriose trattative riguardo alla dote e alla tutela degli interessi patrimoniali di entrambi i coniugi, Virginia (non prima di aver consegnato alla sua insegnante l'ultimo compito, un lungo riassunto della storia della Toscana), splendida nel suo abito bianco in pizzo a punto Venezia, andò sposa al conte Francesco Verasis di Castiglione nella chiesa della SS. Annunziata.[53] Poi, l'11 gennaio, dopo una breve sosta a La Spezia, la coppia partì per Torino accompagnata da un profluvio di raccomandazioni della marchesa Oldoini, che non si stancava di ripetere al genero di avere la massima cura della giovane moglie, per la prima volta lontana dalla famiglia, e di vigilare sulla sua salute delicata. A diciassette anni non ancora compiuti, Virginia iniziava dunque una nuova vita al fianco di un marito che per lei costituiva un'incognita, in una Torino di cui conosceva usi e abitudini solo per sentito dire. Il diario su cui annotava quasi quotidianamente le sue occupazioni, le lettere che si spedivano lei e i genitori, quelle che si scambiavano gli Oldoini e quelle che Castiglione inviava ai suoceri ci consentono di seguirla da vicino nei due anni successivi al matrimonio.

Rimesso sfarzosamente a nuovo dal marito, il palazzo dove gli sposi andarono ad abitare era situato in via Lagrange,[54] nel cuore della città settecentesca, a una decina di minuti dal palazzo reale. Vi si accedeva sia dall'entrata principale, che si apriva sul cortile d'onore, sia da un cancello in ferro battuto, all'estremità del vasto giardino.

In una lettera del 20 marzo Francesco informava il suocero, con cui aveva stabilito un'intesa affettuosa fondata su un « legame di reciproca intimità » e sull'« affinità di pensiero », in merito alla salute della moglie: « Niny è un fiore » gli scriveva. Nessuno dei due corrispondenti sembrava però convinto che Virginia avesse la maturità sufficiente per farsi carico dei suoi nuovi doveri di donna sposata, ed entrambi ritenevano che bisognasse guidarne discretamente i passi. Francesco si premurava dunque di mettere via via al corrente il suocero dei progressi della figlia.

Ecco Virginia applicarsi a essere gentile con i vari membri della famiglia Castiglione, « che fanno il possibile per conquistarsene l'affetto »,[55] apprezzare l'arredo della camera a lei destinata – soprattutto il grande letto a baldacchino dalle colonne dorate, che porterà sempre con sé nelle sue diverse residenze –, introdurre una nota personale nella disposizione dei mobili della sua nuova casa e mostrare interesse per il giardino.[56] Ma l'arrivo nel castello avito di Costigliole, un rituale a cui Francesco aveva dedicato molte cure, fu, come egli stesso avrebbe confidato a Oldoini, una delusione su tutti i fronti: « Rare volte, credo, una Castellana è stata accolta come Niny: Archi di trionfo, Musica, Versi, Autorità in Gran tenuta, Campane, Spari d'Artiglieria –, ma purtroppo, come sai, il suo carattere rifugge da codeste espansioni, e le ha ricevute come una medicina ».[57] E quattro mesi dopo, in un'altra lettera, sempre spedita al suocero da Costigliole, il conte era costretto a prendere atto dell'ingovernabilità della moglie e si rassegnava ai suoi sbalzi di umore: « She is in very good spirits and if she continues... possiamo portare un voto alla Madonna ».[58]

Se l'imprevedibilità del carattere di Virginia poteva sorprendere Francesco e, in una qualche misura, anche il marchese, che non aveva avuto modo di seguirla da vicino negli anni dell'adolescenza, per sua madre non era certo una novità. E, per quanto inizialmente rassicuranti, le notizie dei due sposi che le giungevano da Torino, e che lei trasmetteva al marito, non bastavano a tranquillizzarla. La marchesa sembrava tutt'altro che sicura del buon esito di un matrimonio che pure aveva tanto caldeggiato: «Di Niny ho buone nuove. Castiglione mi scrive spesso, è veramente un buon Diavolo. Dio voglia che siano felici e che anche loro non li finiscano [che il loro matrimonio tenga], ne ho una gran paura»;[59] «Niny mi ha scritto oggi, e grazie al Cielo pare sempre molto contenta, è vero che non mi direbbe né mi scriverebbe mai nulla, ma spero presto di vedere da me»;[60] «Niny mi ha scritto in questo momento e pare felice. Dio lo voglia. Castiglione povero ragazzo mi pare che sia veramente un buon figliolo».[61]

Isabella aveva tutte le ragioni di preoccuparsi: dopo meno di un mese di vita coniugale, Virginia annotava già sul suo diario l'insorgere delle prime liti con il marito. «Ho bisticciato con Francesco» scriveva il 28 gennaio; e di nuovo il 3 febbraio: «Verasis si è arrabbiato»; e il 13 febbraio: «Dopo cena, nel mio boudoir, Verasis ha detto che voleva separarsi, poi è venuto a fare la pace».[62]

Piuttosto che per l'infantilismo, come generalmente si afferma, il diario della contessa in questi primi anni, di cui abbiamo purtroppo solo una conoscenza parziale, colpisce semmai per la sua anaffettività. Con un distacco assoluto, senza lasciar trapelare la minima emozione, la giovane sposa registra gli avvenimenti che scandiscono le sue giornate. Non una parola sulla prima notte di nozze, sui sentimenti che le ispira il marito, sulla nuova vita piemontese. E neppure sulle liti, le lacrime, la solitudine. La scelta dei vestiti e le prime avventure extraconiugali sembrano avere per lei la stessa importanza. Si limita ad annotare i fatti, talvolta indulge a qualche breve descrizione, ma non si spinge oltre.

Quel che invece appare chiaro è che fin dai primi dissapori coniugali, per nulla intimidita da un marito di dieci anni maggiore di lei e pronto a far valere la propria autorità, Virginia si rivelava capace di mettere a punto un comportamento in grado di disorientarlo. Freddezza, distacco, estraniamento privavano l'interlocutore di qualsiasi possibilità di aprirsi un varco nel muro della sua indifferenza. A quella strategia avrebbe fatto sistematicamente ricorso negli anni a venire con i molti uomini della sua vita, ma per il momento era solo la punizione per un marito non all'altezza delle aspettative. Dopo averla messa su un altare, aver giurato di obbedire a ogni suo desiderio, essersi dichiarato pronto a qualsiasi sacrificio pur di farla felice, il suo schiavo d'amore aveva gettato la maschera e si comportava da padrone. A Torino non aveva trovato la libertà sognata ma una vita già pianificata nei minimi dettagli, fatta di obblighi e rituali a cui non era in alcun modo preparata. Trasformatosi in un fastidioso pedagogo, Castiglione la trattava come una bambina da educare, vezzeggiare, accattivare con qualche costoso «regaluccio», e pensava di potere esercitare sulla moglie un'autorità che lei non era disposta a concedere a nessuno. Forte del sentimento di superiorità che le veniva dalla bellezza, abituata sin dall'infanzia a imporre i propri capricci, Virginia si serviva delle forme esteriori per mantenere le distanze dal marito, sottraendosi a una pretesa di intimità coniugale che avvertiva come un'imposizione indebita. E il rifiuto caparbio di accondiscendere alla richiesta di Francesco – il quale se ne lamentava anche con il suocero – di dargli del tu[63] mostra la sua volontà di non stabilire con lui un rapporto di confidenza.

La ribellione sempre più esplicita di Virginia alla vita coniugale costrinse Castiglione a prendere atto che quella giovane moglie di cui andava tanto fiero aveva il potere di metterlo in discussione e fargli perdere le staffe. «Quando si mette in testa una cosa» confidava al suocero «non c'è verso di farle cambiare idea». Il peggio era che Virginia, chiusa in se stessa, restava per lui un enigma: «del resto conosci il suo carattere e sai che nei rapporti con gli altri è sempre piuttosto fredda».[64] Per quanto la scusasse – «Ha soltanto 17 anni fra qualche mese, ma sono certo che una volta pervenuta a maturità di giudizio sarà praticamente perfetta» –, e ripetesse che bisognava aspettare che «una corretta valutazione delle cose di questo mondo le faccia capire qual è la via da seguire, e che fra marito e moglie i doveri sono reciproci»,[65] il poveretto doveva presto rendersi conto che non solo la moglie era armata di una volontà implacabile, ma si divertiva a tenergli testa e a umiliarlo con la sua indifferenza. Debole e innamorato, ma anche impulsivo e collerico, Francesco reagiva con sfuriate terribili quanto inutili, e alla fine toccava sempre a lui scusarsi.

Il conte non era il solo a fare le spese del carattere della moglie. Virginia approfittava della lontananza per affrancarsi anche dalla madre, con cui aveva da sempre avuto un rapporto conflittuale. Eppure sapeva bene che Isabella avrebbe fatto qualsiasi cosa per lei e che vedeva nella sua felicità «una consolazione per tutti i dispiaceri» che aveva avuto nella vita.[66] Ma proprio perché la madre la conosceva come nessun altro e ne decifrava gli umori, le impuntature, i silenzi, Virginia intendeva, una volta sposata, sottrarsi al suo controllo. Lo dimostrò chiaramente in occasione della visita di Isabella ai primi di giugno: un'iniziativa affettuosa che finì nel peggiore dei modi.[67] Virginia eluse le domande pressanti della madre facendosi scudo del marito e trattandola come un'intrusa, e la marchesa, dopo avere manifestato la sua indignazione, ripartì furibonda. La stessa situazione si sarebbe riproposta subito dopo la nascita del nipotino, quando la marchesa, accorsa trepidante a Torino, sarebbe stata ricevuta «come una perfetta estranea» e le sarebbe stato concesso di vedere la figlia non più di un'ora al giorno.[68]

Isabella sapeva però che l'unica possibilità per non mettere a repentaglio la continuità del legame affettivo con quella figlia difficile a cui tutto sembrava dovuto era armarsi di pazienza. E pur sapendo che la sua era una preghiera impossibile non rinunciava a chiederle: «Amami come t'amo io».[69] Al di là degli sbalzi di umore di Virginia e dell'ansia che questi le procuravano, la marchesa si sforzava costantemente di tener viva una conversazione epistolare in cui gli eventi familiari, gli assilli finanziari, la preoccupazione per la salute del marito si alternavano ai pettegolezzi fiorentini e ai commenti sulle novità della moda. Ma ciò che più le stava a cuore era avere notizie della salute della figlia, saperla allegra e felice, applaudire i suoi successi e ricordarle, quanto più le era possibile, che aveva avuto la fortuna di trovare « uno sposo raro »,[70] un marito « il cui solo difetto [era] di essere troppo buono »,[71] un « povero figliuolo » che le raccomandava di non « far piangere ».[72] Poco importava che Virginia non le desse ascolto e si ricordasse di lei solo quando le faceva comodo, Isabella non demordeva. Se la figlia le ingiungeva di non immischiarsi più nei suoi affari, le rispondeva di non averne alcuna intenzione e le ricordava che poteva sempre contare su di lei.[73] Viceversa, la marchesa non si faceva scrupolo di sfogare il proprio cattivo umore sul genero, diffidandolo duramente dall'intromettersi nei suoi rapporti con la figlia.[74]

Le cose andavano in modo assai diverso tra Virginia e il padre. Tanto la madre – diretta, irruenta, « sguaiatella » –[75] le sembrava mancare di distinzione, tanto il padre – elegante, misurato, dotato di perfetto uso di mondo – la colmava di ammirazione. Complice la lontananza, il marchese costituiva per Virginia un modello di comportamento, e le affinità di temperamento si rivelavano decisive. Entrambi, come avrebbe ribadito più volte il padre, avevano « una volontà di ferro »,[76] coltivavano un'alta idea di sé ed erano determinati a mostrarsi all'altezza delle proprie ambizioni. Entrambi però erano anche umorali, ipocondriaci e inermi di fronte alla depressione.[77]

Quel padre così affine, e al tempo stesso quasi sempre lontano, era stato il primo uomo di cui Virginia aveva tentato la conquista. Fin da bambina gli inviava letterine in perfetto stile *petite fille modèle* per informarlo dei suoi progressi, in italiano come nelle altre lingue che andava imparando. Finché, giunta alle soglie dell'adolescenza, gli rivolse un'imperiosa dichiarazione d'amore: « Mio caro papà, ho tanto desiderio di rivedervi, sono sicura che sarete anche contento di vedere come sono cresciuta e *che bella raggaza* [*sic*] *mi sono fatta* [in italiano nel testo]. La mamma dice che adesso dovete pensare a trovarmi un marito e a prepararmi una bella dote. Questo lo dice la mamma, ma quello che dico io è che voglio stare un po' con voi, perciò venite presto».[78] L'esigenza di avere la stima del padre e il desiderio di suscitare la sua ammirazione l'avrebbero accompagnata a lungo. Diventata adulta e in grado di ottenere ascolto in alto loco, Virginia si sarebbe resa indispensabile per consentire al marchese di realizzare le sue ambizioni diplomatiche e avrebbe fatto della più che problematica carriera paterna una battaglia personale.

All'inizio della campagna di conquiste la grande seduttrice era stata però tenuta in scacco dal primo uomo che aveva amato e da cui aveva desiderato di essere amata: murato nel suo egocentrismo, il padre non sarebbe mai stato capace di darle l'attestato di amore, considerazione e riconoscenza a cui lei anelava. Pur servendosi dell'influenza che la figlia era in grado di esercitare con metodi non esattamente ortodossi, il marchese non avrebbe smesso di recitare con lei la parte del padre nobile, evitando di prenderla di petto, tentando un'opera di prudente conciliazione dei conflitti che la opponevano alla madre, al marito e infine al figlio, e continuando a predicarle quei princìpi di rispettabilità, di decoro, di prudenza a cui lei aveva da tempo voltato le spalle.

Una lettera dell'estate del 1854 rivela quanto il trattamento che Virginia riservava al padre fosse diverso da quello che non si faceva scrupolo di infliggere al marito e alla madre. Con lui la *petite fille modèle* ritrovava il sorriso, per riservargli il meglio di sé. Scopertasi incinta, ne aveva dato la notizia alla madre, lasciando al marito, pazzo di gioia, il piacere di informare il suocero. Subito dopo, però, decideva di commentare lei stessa l'avvenimento con il padre mettendolo gioiosamente al centro dell'evento: «Come avete appreso dalla lettera di Francesco credo di avere *in strada* [in italiano nel testo] un Picchinicchi di due mesi al più, cosa che farà di voi un Nonno ... e avrete un nipote che vi vorrà bene e vi divertirà, e quando avrete lo spleen ve lo farà passare».[79]

La sua allegria doveva però rivelarsi di breve durata e sarebbe stata lei la prima a soccombere allo spleen. Quel figlio in arrivo la consegnava infatti senza possibilità di scampo a un marito che non aveva più ragione di amare e a una vita che le era già venuta a noia. Nei mesi successivi, il diario rileva i sintomi – malesseri fisici, accessi di pianto, tristezza, senso di solitudine – di una crisi depressiva da cui Virginia sarebbe riemersa fermamente decisa a far parte per se stessa. Salutata il 29 marzo 1855 da un'esplosione di felicità generale – telegrammi, lettere, regali –, la venuta al mondo del piccolo Giorgio Verasis di Castiglione, subito chiamato Georges dai genitori, segnò anche la nascita di una nuova contessa di Castiglione, risoluta a prestare ascolto solo alle esigenze mutevoli del proprio io.

Il suo primo atto liberatorio fu quello di prendersi un amante. Tre mesi dopo il parto Virginia aprì infatti le braccia ad Ambrogio Doria, un bell'ufficiale genovese che conosceva sin da bambina e che, trasferitosi a Torino come aiutante di campo di Sua Altezza Reale il duca di Genova, era diventato il migliore amico del conte di Castiglione. La mattina del 29 giugno, approfittando dell'assenza di Francesco, Ambrogio le dichiarò la sua passione. Per tutta risposta, Virginia lo introdusse nella sua camera da letto, si spogliò davanti a lui e, con indosso solo « la sua vestaglia bianca »,[80] si abbandonò ai baci e alle carezze, rinviando ai giorni successivi il dono completo di sé. Inaugurò anche, con lui, un rudimentale codice cifrato con cui avrebbe poi annotato nel diario i diversi gradi di intimità concessi ai suoi spasimanti, dove *b* stava probabilmente per baci, *bx* per abbracci e carezze intime, *f* per atto sessuale completo.[81]

Se il diario di Virginia si limita a fornirci le indicazioni di scena di quel primo adulterio, le lettere di Ambrogio – « Vi amo alla follia...! e non c'è niente al mondo che non sia pronto a fare per voi – avete tutti i diritti di pretenderlo, perfino di abusarne »;[82] « Vi amo come nessuno vi ha mai amata, né vi amerà mai »[83] – sono abbastanza inequivocabili: davano a Virginia la conferma della sua regalità e la vendicavano di un marito che osava farla scendere dal piedistallo su cui l'aveva innalzata due anni prima per trattarla alla stregua di una semplice moglie. Ma proprio perché la posta in gioco consisteva nella conferma del suo potere di seduzione, questo necessitava di continue verifiche. Nel corso di quella stessa estate del 1855, tornata dopo un anno a La Spezia con il piccolo Giorgio, balia e cameriera al seguito, Virginia non avrebbe perso tempo e si sarebbe messa d'impegno a far girare la testa ad Andrea e Marcello Doria, i due fratelli minori di Ambrogio, pur continuando a intrattenere con quest'ultimo un'infuocata corrispondenza. Al suo ritorno a Torino, conclusa la stagione balneare, riprese la relazione con lui ma, finito l'incanto degli inizi, lo raggelò presto con l'indifferenza che aveva riservato fino allora al marito. A sua volta, incapace di far fronte all'aggravarsi della crisi coniugale, Francesco alternava con uguale insuccesso un patetico paternalismo – « un briciolo di tenerezza elargito di tanto in tanto è il sistema migliore per una moglie di ottenere tutto quello che vuole » –[84] a richieste altrettanto inutili: « Per il mio ritorno, cercate di fare provvista di amabilità e di buon umore ».[85]

Ma nei mesi successivi a cambiare l'umore di Virginia sarebbe stata la prospettiva di un'avventura finalmente all'altezza delle sue ambizioni.

TORINO
(1854-1856)

Se il matrimonio con il conte di Castiglione si era annunciato problematico fin dall'inizio, il debutto di Virginia nel bel mondo torinese era andato a meraviglia. Preceduta dalla fama della sua bellezza, la si attendeva al varco per vedere se la reputazione non fosse usurpata. « I curiosi di Torino, sono oggi preoccupati dall'arrivo della sposa Castiglioni [*sic*] » annotava nel suo diario Margherita di Collegno, mostrando che già le critiche erano in agguato. « Lorenzo Litta[1] entra in grande orgasmo, che diviene quasi furore, perché questa sposa, la quale ebbe la fortuna di nascere e crescere in Toscana, affetta di non sapere parlare che il francese. È una fanciullaggine che indica una testa meschina ».[2] Le riserve non avevano però impedito alla giovanissima contessa di superare brillantemente l'esame, e grazie alla perfetta padronanza di sé e all'assoluta naturalezza aveva suscitato l'ammirazione di una società aristocratica poco incline all'indulgenza. « Il debutto torinese della contessa di Castion [Castiglione in dialetto piemontese] è stato mirabolante. Tutti correvano a vederla, si affollavano sotto il suo palco, andavano in brodo di giuggiole, insomma, un avvenimento memorabile »[3] scriveva Costanza d'Azeglio al figlio Emanuele, e il duca Borea d'Olmo, gran Cerimoniere di Corte, ricorderà in seguito che a un ballo a palazzo reale molti invitati erano saliti sulle sedie per poter assistere al suo ingresso.[4] Massimo d'Azeglio si mostrava fiero dei successi della sua protetta: « La sposa ha fatto la sua comparsa sull'orizzonte con pieno incontro. L'hanno trovata bella come se l'aspettavano, e non è poco. Poi s'è mostrata garbata con tutti e questo non se l'aspettavano, perché c'era chi aveva predetto il contrario. Sono persuaso che tutto si metterà bene, e che potrò felicitarmi d'essere stato il fortunato promotore di questo matrimonio ».[5]

Ma che cosa pensava la giovane fiorentina della nuova città in cui era andata a vivere, e che doveva apparirle assai diversa da quella in cui era nata?

Non vi era traccia di *lasciar correre*, non vi era ombra della scanzonata irriverenza toscana negli usi e costumi dell'aristocrazia piemontese, che da secoli si distingueva per la fedeltà a Casa Savoia e il coraggio sui campi di battaglia (i morti di Novara ne erano la prova più recente). Fiera della sua antichità, gelosa delle sue tradizioni, ligia al potere della Chiesa nello Stato sabaudo e ai suoi precetti, la nobiltà imponeva ai propri membri il rispetto rigoroso delle forme, un'educazione « incompleta per certi aspetti » ma « severa »,[6] ed esigeva dalle donne una condotta irreprensibile. Era la nobiltà a detenere le chiavi della vita di società e non ammetteva intrusioni di sorta. La pur colta e informatissima marchesa d'Azeglio non confessava forse di non conoscere la borghesia?[7] Luogo identitario per eccellenza, la corte costituiva per le grandi famiglie un punto di riferimento essenziale e obbediva a sua volta a un cerimoniale anacronistico che non mancava di stupire i diplomatici stranieri.[8] Benché provinciale e conservatrice, la nobiltà sabauda era imparentata con il fior fiore dell'aristocrazia europea, e le giovani spose che arrivavano da oltralpe portavano inevitabilmente con sé il retaggio di un'educazione più consona ai tempi nuovi. Inoltre, l'esperienza della dominazione napoleonica aveva lasciato il segno sull'organizzazione militare e sul costume, rafforzando i legami con le élite francesi. La vita di corte, tuttavia, non era al riparo dagli strappi alle regole: se madre e moglie di Vittorio Emanuele II – entrambe principesse Asburgo –, si assoggettavano con grazia ai rigidi dettami dell'etichetta e presiedevano con affabilità ai balli e ai ricevimenti, il re non nascondeva il fastidio per le costrizioni impostegli dal cerimoniale.[9] Brusco e insofferente, quando era obbligato a presenziare ai banchetti ufficiali non apriva nemmeno il tovagliolo, non toccava cibo e si rifiutava di ballare.[10]

Ma se a corte poteva continuare a dettar legge, per il governo del suo paese doveva tenere conto dei limiti impostigli dalla Costituzione. Fuori dalla roccaforte conservatrice della nobiltà vi erano infatti la Torino di una borghesia imprenditoriale dedita al commercio, alla finanza e all'agricoltura e la Torino dell'università e dei giornali progressisti, che aveva come punto di riferimento non la corte ma il Parlamento. Entrambe chiedevano a gran voce la modernizzazione del paese, abbracciando le idee dei moltissimi patrioti che avevano trovato rifugio nel Regno sardo in seguito all'ondata di repressione abbattutasi sull'Italia con il fallimento dei moti rivoluzionari del 1848: dai meridionali Bertrando Spaventa e Francesco De Sanctis agli emiliani Marco Minghetti e Carlo Farini, dal siciliano Giuseppe La Farina ai lombardi Cesare Correnti e Cesare Cantù e a Niccolò Tommaseo, reduce dall'insurrezione di Venezia, filosofi, scrittori, intellettuali provenienti da tutta la penisola contribuivano a diffondere anche in Piemonte « la nuova cultura del nazionalismo italiano di stampo romantico », ponendo « le premesse dell'imminente lotta decisiva per l'unità nazionale ».[11]

Vittorio Emanuele II non aveva alcuna simpatia per le idee liberali, e suo padre – da cui era sempre stato tenuto a distanza – non lo aveva coinvolto nella decisione di muovere guerra all'Austria. Proprio il disastroso esito della prima guerra d'indipendenza, con la disfatta di Novara, aveva indotto Carlo Alberto, nel 1849, ad abdicare e a metterlo anzitempo sul trono. A ventotto anni, senza nessuna esperienza politica, Vittorio Emanuele aveva dunque iniziato a regnare in un clima da tragedia. Il nuovo sovrano non vedeva di buon occhio il progetto politico paterno di cui il paese faceva ora così dolorosamente le spese, ma, vuoi per senso dell'onore, vuoi per orgoglio dinastico, vuoi per realismo politico, aveva mantenuto lo Statuto concesso dal padre e finito per affidare la presidenza del Consiglio a un uomo che aveva goduto della sua fiducia.[12] Sarebbe stato infatti il liberale Massimo d'Azeglio a guidare con equilibrio e prudenza il regno in uno dei momenti più drammatici di tutta la sua storia. Patriota sincero, d'Azeglio era restio a coltivare propositi di rivincita e a intraprendere un progetto unitario, convinto che l'Italia dovesse farsi da sola, nella lunga durata, e raggiungere l'autonomia sotto forma di una confederazione di Stati governati dai rispettivi sovrani legittimi. In compenso, in accordo con lo Statuto, avviò una politica di riforme volta ad arginare il potere della Chiesa, a promuovere la laicizzazione dello Stato, a ridurre i privilegi della nobiltà. E accrebbe, al tempo stesso, il prestigio della monarchia costruendo intorno a Vittorio Emanuele II il mito del « re galantuomo ».

Fu Camillo Benso di Cavour, succeduto a d'Azeglio con un governo di centro-sinistra,[13] a istillare in Vittorio Emanuele II la convinzione che la causa dell'indipendenza italiana rappresentava un'occasione preziosa per il Regno sabaudo, il cui avvenire era tutt'altro che certo. Frutto della tenace politica di espansione di Casa Savoia e di una spregiudicata politica di alleanze con Francia e Austria – le due grandi potenze fra cui il territorio fungeva da spartiacque –, l'antico ducato era andato ampliando progressivamente i suoi possedimenti grazie a una serie di annessioni e di scambi, fino ad acquisire lo statuto di regno,[14] ma la mancanza di omogeneità « lo esponeva al rischio di disgregazione, se non peggio, in caso di grandi conflitti continentali »[15] e la sua fragilità politica era palese a molti.

« Questo piccolo regno » diceva Margherita Trotti Bentivoglio, moglie milanese del patriota piemontese Giacinto Provana di Collegno « consiste di quattro provincie senza alcun sentimento in comune. C'è la Sardegna, solo a metà incivilita e sotto il dominio dei preti. C'è Genova, che ha verso il Piemonte proprio gli stessi sentimenti che la Lombardia ha verso l'Austria ... Si sperava che i mercanti genovesi ci mandassero utili membri commerciali: non ci hanno mandato che incendiari, violenti, democratici e un prete rinnegato [il canonico sardo Giorgio Asproni]. La Savoia è l'altro estremo: più di metà dei suoi membri sono ultra conservatori ... il Piemonte è la sola parte sana della monarchia: ma il Piemonte non ha la coscienza politica».[16] Vittorio Emanuele non aveva tardato a capire i vantaggi che potevano venire alla sua dinastia da una politica italiana, e Cavour ne avrebbe infuso la piena «coscienza» ai piemontesi.

Per guadagnare forza e coesione bisognava ingrandire in modo omogeneo il territorio dello Stato cacciando gli austriaci dalla Lombardia e dalle Venezie e dando vita a un Regno d'Alta Italia in nome non più della «politica a carciofo»[17] di Casa Savoia ma di un ideale di libertà e di indipendenza comune agli abitanti di tutta la penisola. A differenza di d'Azeglio, Cavour era convinto che per sbarazzarsi del giogo austriaco fosse necessario assicurarsi l'appoggio dell'Inghilterra e della Francia. Nel maggio del 1853, l'inizio della guerra di Crimea, che vedeva Inghilterra e Francia andare in soccorso dell'Impero ottomano contro le mire espansionistiche russe, fornì a Cavour l'occasione di inserire il Piemonte nel concerto delle grandi potenze. Anche Vittorio Emanuele non vedeva l'ora di cancellare «la macchia di Novara» restituendo «all'esercito sardo il prestigio che nobilita la forza materiale»,[18] e all'inizio del 1855, dopo un lungo alternarsi di incertezze e speranze,[19] il Regno di Sardegna si alleava finalmente con gli anglofrancesi. Il 4 marzo dichiarava guerra alla Russia e a fine aprile inviava in Crimea un corpo di spedizione di diciottomila uomini sotto il comando del ministro della Guerra, il generale Alfonso La Marmora.

Nel bel mezzo di questa intensa attività politica e diplomatica, in un clima di tensione,[20] Virginia muoveva i primi passi nella società torinese. Il 25 gennaio 1854, sfoggiando un vestito rosso e argento, faceva il suo ingresso ufficiale a corte al braccio del marito. Fu però, ancora una volta, Massimo d'Azeglio a interpretare il ruolo di nume tutelare: «mi ha presentato il Re, con cui ho parlato» annota lei nel diario,[21] senza mostrare la minima emozione per un avvenimento così importante, e ribaltando, per di più, il significato della cerimonia, visto che era lei a dover essere presentata al sovrano e non viceversa. D'Azeglio si rallegrava per il buon esito della serata – « La sposa Oldoini è intronizzata nella società di Torino col massimo applauso » –[22] e osservava come l'aria del Piemonte avesse « sciolto la lingua »[23] della sua protetta. Virginia non sembrava sorpresa di suscitare tanta attenzione, né si stupiva che Vittorio Emanuele si intrattenesse volentieri con lei e che, « a cavallo e vestito come un assassino »,[24] scortasse per un lungo tratto la carrozza che la riportava insieme alla contessa Carolina Vimercati dal casino di caccia di Stupinigi a Torino. A sua volta, il conte di Castiglione riferiva fiero al suocero il successo riscosso dalla moglie durante il loro soggiorno al castello di Agliè, ospiti del duca e della duchessa di Genova.[25] Inoltre, introdotta da Francesco e dai cognati Clemente e Maria di Castiglione nel bel mondo torinese, la contessa stringeva amicizia con i loro amici, dimostrandosi, quando non era in tête-à-tête con il marito, allegra, spiritosa e amante del divertimento.

Virginia si sentiva ormai pienamente partecipe della vita di corte, e lo dimostrò con il dolore sincero per la morte della regina Maria Adelaide il 20 gennaio 1855 e il rispetto per quello del marito[26] che, addetto al servizio della sovrana, partecipò a tutti i rituali funebri. Di ritorno dalla cerimonia di sepoltura a Superga il 24 sera, Francesco fu accolto dalla moglie con inconsueta gentilezza: « In lacrime, è entrato nel mio boudoir, » racconta lei stessa nel diario « aveva pianto come un bambino sulle violette fresche prese da un mazzo e gettate alla Regina – e sulla pansé secca staccata da una ghirlanda deposta sulla tomba della Regina, dov'è rimasta e rimarrà per sempre. Quella pansé l'ha data a me, dono prezioso che ho assai apprezzato ... Poi si è spogliato e alle 8 si è coricato. Gli ho riscaldato il letto e dato il tè, si è addormentato ... Sono andata nel mio boudoir a scrivere queste righe. Pensato alla povera Regina, versate molte lacrime ».[27] Certo, erano lacrime e violette mortuarie tipiche del sentimentalismo romantico, ma probabilmente sincere. Se il marito era per tradizione familiare e per scelta personale strettamente legato alla Casa reale, Virginia era stata educata fin da piccola al rispetto della monarchia – dopotutto suo padre era un alto funzionario del Regno sardo e sua madre intima di Massimo d'Azeglio e amica del conte di Cavour che, per giunta, era cugino del conte di Castiglione.[28]

La progressiva entrata in vigore delle leggi Siccardi, che in ottemperanza allo Statuto sancivano la separazione tra Stato e Chiesa, aveva incendiato gli animi: in particolare quella, presentata dal ministro Rattazzi, che sopprimeva, confiscandone i beni, gli ordini religiosi che non svolgevano attività assistenziali o educative. Nei primi mesi del 1855 si giunse a vedere nel terribile susseguirsi dei lutti che continuavano a colpire la famiglia reale[29] un monito divino, eppure, messo con le spalle al muro da Cavour, Vittorio Emanuele si decise a firmare la legge, attirandosi la scomunica papale. Di sicuro Virginia colse il rilievo politico del provvedimento, che costituiva un'implicita sfida all'assolutismo austriaco filopapista, come pure l'importanza della convenzione militare stipulata con l'Inghilterra e la Francia. Anche se la nascita del figlio e soprattutto la giostra amorosa con i fratelli Doria l'avevano tenuta assai impegnata, tali questioni erano al centro delle preoccupazioni di amici e parenti, a cominciare dal padre diplomatico. La presa di Sebastopoli del 16 agosto, a cui il contingente piemontese aveva contribuito dando buona prova di sé nella battaglia della Cernaia, avrebbe di lì a poco segnato la resa della Russia. L'azzardo di Cavour si era rivelato vincente. Il piccolo Regno sabaudo poteva ora sperare nella riconoscenza dell'Inghilterra e della Francia per l'aiuto prestato, ma in una situazione politica europea in rapida evoluzione l'impresa non si annunciava facile. Si decise quindi, in attesa della pace, di sondare le intenzioni degli alleati, dando al contempo visibilità internazionale al Piemonte. Così, alla fine di novembre, accompagnato da Cavour, d'Azeglio e un gruppo scelto di esponenti della Real Casa, Vittorio Emanuele II si recò in visita ufficiale in Francia e in Inghilterra. Oggetto, a Parigi come a Londra, di un'infinità di commenti, il bizzarro aspetto fisico, i modi diretti e la libertà di linguaggio giocarono in fin dei conti a suo favore. Del resto, in Vittorio Emanuele la disinvoltura andava di pari passo con l'intransigente consapevolezza del rispetto dovuto al suo rango, e le sole forme che contavano per lui erano quelle inerenti alle sue condizioni di sovrano. Membro della più antica dinastia regnante d'Europa, Vittorio Emanuele II si aspettava, a prescindere dalle dimensioni del suo regno, di essere ricevuto in Francia con gli stessi onori che erano stati tributati qualche mese prima alla regina Vittoria. E Napoleone III, desideroso di conquistarsi la simpatia dei sovrani legittimi e di far dimenticare di essersi assicurato la corona con un colpo di Stato, lo accontentò. « Con la finezza e il tatto che gli sono propri » ricorderà Fleury, all'epoca *grand-écuyer* dell'imperatore « non ha mancato di tributare una degna accoglienza all'erede al trono a lui più vicino ... mostrando quanta importanza annettesse alla visita di Vittorio Emanuele ».[30]

Il 23 novembre, ricevuto dal principe Napoleone, cugino dell'imperatore, all'arrivo del treno alla Gare de Lyon, decorata per l'occasione con le sue cifre e con il nome di Traktir, Vittorio Emanuele montò dunque su una grande berlina dorata, scortato dal maresciallo Magnan, dal colonnello Fleury, e da un drappello delle Cento guardie. Diretto alle Tuileries, il corteo percorse i *quais* su cui erano schierate due ali di soldati. « Nell'uniforme scintillante degli ussari, alto di statura, con quella fisionomia strana »,[31] il re sfoggiava la sua aria più marziale, ma vi era in serbo per lui una sorpresa che non si aspettava. Il conte di Reiset aveva provveduto a comunicare all'imperatore l'inno piemontese, « e quando gli incomparabili musici della banda militare hanno attaccato la fanfara di Casa Savoia e l'inno nazionale piemontese, mentre gli evviva prorompevano da ogni petto, la commozione gli si leggeva in volto. Per quanto cercasse di dissimularla dietro i lunghi baffi, quegli occhi buoni, tondi e sporgenti, erano meno asciutti di quanto avrebbe voluto ».[32] Vittorio Emanuele non ebbe bisogno di ulteriori incoraggiamenti per indulgere durante tutto il viaggio ai suoi modi da caserma, collezionando commenti salaci sulle donne e gaffe diplomatiche, senza però dimenticare quale fosse il suo obiettivo. E poiché era apparso chiaro che, pur mostrando simpatia per il sovrano di un regno costituzionalista e anticlericale, il governo inglese si guardava bene dal prendere in considerazione le aspettative piemontesi di un compenso tangibile per l'intervento in Crimea,[33] le speranze di Vittorio Emanuele e di Cavour si concentrarono sulla Francia. L'imperatore aveva infatti insistito perché, di ritorno da Londra, il re si fermasse ancora qualche giorno a Parigi, non nascondendo però – con irritazione di Vittorio Emanuele – che preferiva parlare di politica con il suo ministro. Fu proprio a Cavour che l'8 dicembre, nel corso dell'ultima cena alle Tuileries, Napoleone III disse a bruciapelo: « Scrivete confidenzialmente a Walewski quel che voi credete che io possa fare per il Piemonte e per l'Italia ».[34] Come ha osservato Rosario Romeo, « esplicitare il significato » di questa frase « e tradurne in atto le potenzialità sarà l'opera alla quale per gran parte resta legato nella storia il nome di Cavour »,[35] la cui prima richiesta fu quella di consentire al governo sardo di partecipare a pieno titolo al Congresso di Parigi, dove due mesi dopo le grandi potenze europee avrebbero discusso le modalità del trattato di pace, e di sollevare in quella occasione la questione italiana.

Ancor prima del viaggio promozionale, però, Vittorio Emanuele e Cavour, decisi a non lasciare alcunché d'intentato per promuovere la causa patriottica, avevano convenuto di chiedere aiuto alla bella Castiglione. E tuttavia, contrariamente a quanto si ripete, non furono né Cavour né il re a indurre Virginia a partire per la Francia.

Già all'inizio della primavera, poco dopo la nascita del figlio, il conte di Castiglione aveva annunciato al suocero di voler portare la moglie a Parigi per almeno quattro o cinque mesi, sperando di arrivare in tempo per farle visitare la Grande Exposition che si sarebbe inaugurata il 15 maggio.[36] Avendo incaricato gli avvocati di saldare i debiti con la vendita di alcune proprietà piemontesi, si sarebbe anche risparmiato l'imbarazzo di trovarsi a Torino in quelle spiacevoli circostanze.[37] Fu costretto però a contrarne altri, di debiti, per sostenere le spese del viaggio.[38]

Venuti a conoscenza del progetto di un soggiorno parigino dell'improvvido conte, re e primo ministro pensarono dunque di mettere le risorse di sua moglie al servizio della ragion di Stato. La grande bellezza di Virginia non costituiva soltanto un'indubbia pubblicità per l'immagine del paese, ma le avrebbe sicuramente aperto tutte le porte, consentendole di riferire a Torino quello che si diceva della questione italiana in alto loco. Oltre che bella, era intelligente, parlava varie lingue e a Parigi poteva già contare su conoscenze importanti che risalivano all'infanzia: il nonno materno era stato l'avvocato di fiducia del padre di Napoleone III, e non era improbabile che lo stesso imperatore l'avesse vista bambina. Sempre a Firenze, Virginia aveva avuto modo di conoscere la principessa Matilde, e i suoi genitori erano legatissimi al clan Poniatowski, che proprio allora stava mettendo radici nella capitale francese. Nel 1854 Napoleone III aveva infatti chiamato a Parigi il principe Giuseppe, nominandolo senatore, e figlia di una Poniatowski era anche l'incantevole Maria Anna di Ricci, seconda moglie del conte Walewski, che proprio quell'anno aveva ricevuto la carica di ministro degli Esteri. Anche il rappresentante del Regno sardo a Parigi, il marchese Salvatore Pes di Villamarina, era un vecchio amico degli Oldoini, e gli anni del suo mandato presso i duchi di Lorena[39] avevano coinciso con l'adolescenza di Virginia. Resta da chiedersi se Cavour e Vittorio Emanuele non avessero validi motivi per contare anche sulla disinvoltura della contessa in campo erotico; certo è che quest'ultimo non avrebbe tardato ad assicurarsene di persona. Per quanto scarne, le annotazioni del diario parlano chiaro.

Ai primi di novembre del 1855, mentre fervevano i preparativi in vista della spedizione parigina prevista per l'inizio dell'anno seguente, il conte Enrico Martini di Cigala, zio materno di Castiglione e aiutante di campo del re, intensificò le visite alla giovane coppia. La sera di giovedì 13, approfittando della partenza di Francesco per Milano, si intrattenne a lungo con la nipote e le annunciò per la sera successiva una visita del re. Per l'occasione, Virginia indossò un vestito di velluto nero e ordinò al domestico di chiudere l'ingresso di casa tenendo aperta solo la porta del giardino. Di lì, al calare della notte e protetto dall'oscurità, Vittorio Emanuele la raggiunse nel suo salotto e rimase con lei per due ore. « Il Re ha parlato di questo e di quello, delle sue sventure, dei crucci, della guerra » scrive Virginia. Prima ancora del ritorno di Vittorio Emanuele dalle visite di Stato in Francia e in Inghilterra, un certo Brémontier andò più volte a « copiare l'alfabeto », il codice segreto per comunicare con Cavour. Il giorno stesso del suo arrivo il sovrano passò a trovarla e la sera del 15 fu Cavour a farle visita. Il 16, « avvolta in un mantello nero e con un cappello rosso », la contessa si recò a palazzo reale per accomiatarsi da Vittorio Emanuele, incontrandolo nella Sala delle Armi e parlandogli del « Papa, di Centurioni,[40] di François ». In quell'occasione il re le diede il « Floron »[41] che le aveva portato da Londra. Il 17, suo ultimo giorno a Torino – Francesco era già partito per Genova –, Virginia ultimò i bagagli tra un susseguirsi di visite. Nel pomeriggio si recò a salutarla anche Marcello Doria, con cui continuava a intrattenere una relazione, e fece l'amore con lui sul pavimento. Poi, mentre era intenta a chiudere le ultime valigie, l'aiutante di campo del re, il conte di Persano, andò ad annunciarle che « il Re aspettava fuori! ». Evidentemente voleva dirle addio un'altra volta. Senza perdere la calma, Virginia si prese il tempo necessario per pettinarsi, indossare di nuovo il vestito di velluto nero, mandare via tutto il personale e consegnare a Persano la chiave del giardino. Quando, dopo un lungo colloquio, riaccompagnò il re fino alla porta del giardino, egli la fece sua. Una volta di più, nel confidare al diario l'assalto subìto dal sovrano, Virginia si astiene dai commenti e lo annovera tra i gesti di quotidiana normalità: « Sono andata nella toilette a sistemare le cose. Finito i bauli con Antonio al quale ho dato 20 franchi; raccomandato la Posta. Alle 12 finito tutto – sono andata a dormire ».[42]

Eppure, alla luce del suo comportamento nei giorni successivi, è lecito sospettare che l'imperturbabilità di Virginia fosse solo apparente e che le emozioni delle ultime settimane avessero modificato la percezione che aveva di se stessa. Fino allora si era accontentata di rispecchiarsi nell'ammirazione che suscitava ovunque si mostrasse, e come altre giovani mogli del suo ceto si era consolata della delusione matrimoniale prendendosi un amante. Ora però, scommettendo sulla sua intelligenza e sulla sua capacità di seduzione, le si chiedeva di mettersi al servizio del paese, la si investiva di un compito che la esonerava dal rispetto delle regole morali e delle convenzioni sociali di cui le donne erano prigioniere. Stava imparando a fare i conti anche con la spregiudicatezza della politica e la brutalità del potere, che si servivano del suo corpo come di una merce di cui disporre a piacimento. Non aveva che da trarne le conseguenze e, abbandonata ogni remora, sentirsi libera di fare l'amore come, quando e con chi le piaceva.

Lasciatasi alle spalle Torino, Virginia passò a salutare la madre a Firenze, e lì si concesse al conte Lao Bentivoglio, un amico dei genitori conosciuto da bambina.[43] Dopo avere santificato le feste concedendogli i suoi favori, lo lasciò con il cuore spezzato e raggiunse Genova, dove il marito l'aspettava per imbarcarsi per Marsiglia. Vi trovò anche Ambrogio Doria, venuto a dirle addio nonostante la freddezza che gli aveva dimostrato negli ultimi mesi. Non si vedevano da una ventina di giorni, e anche se al momento di lasciarsi lei si mostrò « intenerita », Ambrogio si accorse di trovarsi davanti a una persona ben diversa dalla Bisisi di una volta: « Il giorno che siete partita da Genova avevate l'aria alquanto stanca, mi ha colpito trovarvi tanto cambiata in sì breve tempo ».[44] Non si sbagliava, ma il cambiamento era molto più profondo di quanto potesse immaginare.

PARIGI
(1856-1857)

Non era solo il conte di Cavour, erano tutte le cancellerie europee a interrogarsi sui progetti di Napoleone III in materia di politica estera. Quelli che aveva avviato in patria erano invece evidenti. Da quando, il 2 dicembre del 1852, a un anno esatto dal colpo di stato, aveva cambiato la carica di principe presidente con quella di imperatore, Luigi Napoleone Bonaparte aveva puntato ad assicurarsi sia il consenso popolare sia quello delle élite, promettendo la stabilità e l'ordine e venendo incontro a due istanze ampiamente diffuse e a malapena conciliabili: la fedeltà alla Rivoluzione e il rimpianto per la monarchia e per l'epopea napoleonica. Si era sforzato di soddisfare la prima promuovendo la modernizzazione, l'industrializzazione e il rilancio dell'economia di stampo liberale, assicurandosi l'appoggio del mondo della finanza e adoperandosi per migliorare le atroci condizioni di vita delle plebi urbane.[1] Quanto alla seconda, Napoleone III aveva voluto legittimare il nuovo regime imperiale ritornando ai fasti della monarchia d'Antico Regime, con il doppio obiettivo di affascinare i contemporanei grazie a uno sfarzo che non temeva confronti e di « iscrivere il regime nella storia: a parte l'esperienza rivoluzionaria e la Seconda Repubblica, la Francia era sempre stata retta da un monarca circondato da una corte ».[2] La Parigi che accolse all'inizio del 1856 i coniugi Castiglione era la perfetta illustrazione del « cesarismo democratico »[3] dell'imperatore. La capitale, che contava ormai più di un milione di abitanti, era l'immagine stessa della modernità, con la sua rete di trasporti, l'illuminazione a gas e quella elettrica in arrivo, i grandi magazzini, l'abbondanza di teatri e luoghi di ritrovo pubblici, e già da due anni il prefetto Haussmann aveva dato inizio ai lavori faraonici per « abbellirla, renderla politicamente sicura e potenziarne lo sviluppo economico ».[4] A differenza di Baudelaire, Théophile Gautier non sembrava avere rimpianti: « La reggia del sovrano non è la sola ad abbellirsi: l'intera città prende aria, diventa più sana e pulita, fa un bagno di civiltà; via i quartieri fatiscenti, via i vicoli mefitici, via le catapecchie fradice dove la miseria si accoppia alla malattia e troppo spesso anche al vizio ».[5] Dalle finestre dell'elegante appartamento preso in affitto – incoraggiante omonimia – in rue de Castiglione, Virginia poteva vedere le cime degli alberi dei giardini delle Tuileries, dove il potere imperiale si metteva in scena in tutto il suo splendore. Da sempre le cerimonie e le feste avevano costituito per la monarchia occasioni privilegiate di propaganda: il matrimonio dell'imperatore con Eugenia de Montijo, contessa di Teba, celebrato a Notre-Dame nel 1853, la spettacolare accoglienza riservata alla regina Vittoria e il successo dell'Esposizione universale avevano già dimostrato la capacità del nuovo regime di promuovere un'immagine all'altezza delle sue ambizioni. Vi era però, in questa strategia 'promozionale' ad ampio raggio, una predilezione così marcata per le feste da ballo che presto il termine *fête impériale* sarebbe diventato sinonimo di Secondo Impero. Quale occasione migliore, infatti, per consentire all'imperatore di riunire a corte e ricevere con uguale amabilità esponenti della nobiltà, funzionari della pubblica amministrazione, politici, banchieri, notabili dell'alta borghesia, speculatori senza scrupoli e nuovi ricchi impresentabili? La solennità del cerimoniale – ricalcato su quello del Primo Impero –[6] e il dispiego del lusso non erano d'altronde destinati soltanto agli invitati, ai quali davano l'impressione di godere di un privilegio esclusivo: anche i giornali erano puntualmente chiamati a fare la cronaca dei ricevimenti di corte, consentendo a un pubblico molto più vasto di prendervi parte a distanza, conoscerne le modalità, memorizzare i nomi dei partecipanti più in vista, essere tenuto al corrente delle ultime novità della moda. E niente appassionava i lettori quanto le notizie riguardanti la corte e la giovane e avvenente imperatrice. Per gli invitati, i balli erano un'occasione di avvicinare l'imperatore, rivolgergli la parola, avanzargli richieste, visto che al di fuori delle mondanità ufficiali i sovrani conducevano vita ritirata. Ma anche Napoleone III ne approfittava per avere contatti informali, tessere piani segreti, favorire affari sottobanco.

Questa grandiosa messinscena di una corte che doveva la sua esistenza a un colpo di Stato non mancava di indignare gli oppositori del regime. Esegeti nostalgici degli usi e costumi della Versailles del Settecento, i fratelli Goncourt ne denunciavano l'impostura, definendola « Una corte di fortuna e d'avventura, fatta di nomi nuovi, di titoli usurpati di fresco, una corte da parata e da parapiglia ... una corte senza gerarchia, alla rinfusa, dove basta entrare per accaparrarsi un posto e spesso un posto importante ».[7]

Il primo dei parvenu era l'imperatore stesso, che di quello status aveva fatto « un vessillo e un titolo d'onore ».[8] Fin dal lontano 1820, quando aveva solo dodici anni, sua madre Ortensia lo aveva preparato all'eventualità di regnare, ricordandogli che i suoi titoli erano di data recente, e che « il ruolo dei Bonaparte era di essere amici di tutti, di giocare il ruolo di mediatori e di conciliatori ».[9] Nel corso di una vita avventurosa Luigi non avrebbe dimenticato l'insegnamento materno, e avrebbe perseguito una sovranità « più carismatica che legittima, democratica e al tempo stesso populista ».[10] Così, salito finalmente al trono, nell'annunciare il matrimonio con una nobildonna spagnola priva di ascendenti regali, poteva rivendicare con orgoglio « di fronte all'Europa la condizione di parvenu, titolo glorioso qualora si pervenga grazie al libero suffragio di un gran popolo ».[11] L'esperimento in corso alle Tuileries consisteva dunque nel dotare questa nuova forma di monarchia, nata dal suffragio universale, ovviamente maschile – di un cerimoniale all'altezza del passato ma consono alle esigenze del presente, e sia Napoleone III che sua moglie si comportavano di conseguenza. Primi autentici professionisti di una moderna promozione del potere, entrambi si prodigavano per assicurarne l'efficacia, puntando sull'immagine di una corte giovane ed elegante intenta a far festa e a ballare.

Alle Tuileries erano otto, tra « grandi » e « piccoli », i balli che si succedevano a cadenza regolare da gennaio a maggio. I « grandi » contavano dai tre ai quattromila partecipanti e richiedevano l'abito di gala per le donne e il *grand habit* – marsina nera, pantalone sotto il ginocchio e calze di seta nera – o l'alta uniforme per gli uomini. Gli invitati entravano dal grande scalone del Padiglione centrale delle Tuileries e sostavano nella Galleria della Pace, in attesa che la coppia imperiale espletasse i saluti rituali al corpo diplomatico nella Sala del Trono, per venire poi convogliati nell'immensa Sala dei Marescialli dove, accompagnato da una marcia solenne, l'imperatore faceva il suo ingresso dando il braccio all'imperatrice, la quale s'inchinava tre volte davanti all'assemblea. Erano solitamente loro ad aprire le danze con una quadriglia assieme agli ospiti d'onore, e alle undici si serviva il buffet nella Galleria di Diana. Poco dopo la mezzanotte i sovrani si ritiravano nei loro appartamenti, mentre gli invitati continuavano a ballare fino all'alba.

I « piccoli balli » erano molto più ristretti ma ugualmente regolati da una rigida etichetta; per consentire agli ospiti di riguardo di divertirsi e godere di una maggiore libertà, Eugenia aveva preso l'abitudine di riceverli, ogni lunedì, nei suoi appartamenti e utilizzare il Salone blu per le danze. Ma non era tutto. Come ricorderà la moglie dell'ambasciatore austriaco,[12] la principessa di Metternich, anche alle Tuileries avevano luogo « svariati balli in maschera veramente incantevoli. Gli uomini a cui non piaceva mettersi in costume erano autorizzati a indossare un mantello "alla veneziana" – una specie di tabarro corto, del colore che preferivano, chiuso sotto il bavero da un cordiglio »,[13] mentre le donne potevano sbrigliare la fantasia. « Sebbene questi balli fossero divertenti, e incomparabili quanto a lusso ed eleganza, le Loro Maestà preferivano quelli che si tenevano nei ministeri e nelle ambasciate, dove le maschere erano consentite, e i domino si mescolavano con i costumi: vi regnava un'atmosfera più gaia ».[14] Pur lasciando trasparire l'identità di coloro che le portavano – a far riconoscere l'imperatore, per esempio, bastava il suo modo di camminare –, le maschere permettevano di attaccare discorso, darsi del tu, e cagionavano scherzi e quiproquò divertenti.

Promosso dalle istituzioni, il gusto del travestimento rispondeva all'eclettismo dell'epoca. Per la prima volta, disorientata da quel susseguirsi di cambiamenti di regime – Primo Impero, Restaurazione, monarchia borghese di Luigi Filippo, Seconda Repubblica –, la Francia del Secondo Impero rinunciava a dotarsi di uno stile proprio e faceva indiscriminatamente ricorso a quelli che avevano connotato le grandi epoche della storia. Sembrava che, « diventato oramai superfluo per effetto di una combinazione storica, il regime imperiale si affidasse al passato per fabbricarsi un'identità sommaria e raccogliticcia ».[15] Coadiuvati da maestranze di grande perizia, architetti, scultori, pittori supplivano alla mancanza di originalità inaugurando un'estetica del falso destinata a lunga fortuna. Per piacere ai committenti nostalgici del tempo andato, così come ai nuovi ricchi bramosi di dotarsi di dimore e di arredi adeguati alla posizione raggiunta, si procedeva a una sistematica imitazione di tutti gli stili. Mentre Napoleone III, riprendendo la politica culturale di Luigi Filippo, continuava il censimento del patrimonio monumentale francese e finanziava i restauri di Viollet-le-Duc, la produzione artistica si ispirava all'antica Roma, al Medioevo e al Rinascimento, non meno che al Grand Siècle e al Settecento, assecondando i gusti ondivaghi di una società eterogenea e incline a identificarsi con il proprio potere d'acquisto. In ossequio all'esigenza della borghesia di disporre di case comode, dotate di tutti i servizi, e propizie all'intimità domestica, gli arredatori davano ulteriore prova di eclettismo appropriandosi della nuova idea di comfort proveniente dall'Inghilterra. Quale che fosse lo stile artistico prescelto, negli appartamenti dell'imperatrice alle Tuileries come in quelli dei parigini *à la page* comparivano immancabilmente i grandi divani imbottiti e le poltroncine capitonné d'oltremanica, emblemi dell'aspirazione alla *cosiness* di una società che pure non si stancava di mettersi in mostra.

Anche la moda obbediva a criteri nuovi, diventando oggetto di una riflessione sistematica da parte dei maggiori scrittori. Per Balzac e Baudelaire, come per Barbey d'Aurevilly, Théophile Gautier, e Mérimée, l'interesse per i vestiti, gli accessori, il trucco, l'artificio, poteva assumere forme e significati diversi, ma per tutti l'abbigliamento, non diversamente dalla letteratura, era un processo artistico che estetizzava la natura, la « ornava »,[16] sottraendo l'uomo alla sua animalità. Nel 1830, anno della caduta dei Borbone in Francia, Balzac pubblicò a puntate, sul giornale « La Mode », un *Trattato della vita elegante* rimasto incompiuto. Essenzialmente teorico, conferiva all'eleganza – che è « in certo qual modo la *metafisica* delle cose » – uno status filosofico. Nel suo incessante rinnovarsi, affermava l'autore, essa si mantiene fedele ai « princìpi immutabili che devono governare la manifestazione esteriore del nostro pensiero ».[17] Nella pratica quotidiana la moda rimaneva comunque appannaggio del sesso debole. Eterne minori sottomesse all'autorità maschile e agli imperativi della morale, le donne delle classi abbienti godevano però della libertà di decorare i luoghi che abitavano, di decidere dei loro svaghi e di vestirsi, pettinarsi, truccarsi e ingioiellarsi a seconda dell'umore, dell'inclinazione, del capriccio. E i balli – a cominciare da quelli in maschera – erano l'occasione per eccellenza di sfidare le convenzioni e indulgere liberamente alle proprie fantasie. Non deve dunque sorprendere che Virginia abbia approfittato della *fête impériale* per svolgere la missione affidatale. Ed è proprio di ballo in ballo e di travestimento in travestimento che possiamo seguirne la marcia trionfale.

Il teatro del suo debutto fu il palazzo della principessa Matilde, uno dei luoghi deputati dell'alta mondanità parigina, dove la cugina dell'imperatore teneva viva la tradizione aristocratica dell'*esprit* francese. Nata a Trieste e cresciuta in esilio tra Roma e Firenze, la figlia di Girolamo Bonaparte, ex re di Vestfalia, e di Caterina di Württemberg era stata, dopo la separazione dal marito, il plutocrate russo Anatole Demidoff, la prima dei Bonaparte a ottenere da Luigi Filippo l'autorizzazione a tornare in Francia. Intelligente, volitiva, decisa a « inventare » il proprio destino, la principessa si ergeva a custode dell'epopea napoleonica e, animata da un sincero interesse per l'arte e la letteratura, ambiva principalmente ad assicurarsi un ruolo di prestigio – il solo possibile per una donna – nella sfera della cultura. A coadiuvarla nell'impresa sarebbe stato in primo luogo l'amante, che aveva portato con sé da Firenze e con cui avrebbe intrattenuto per oltre un ventennio una relazione ufficiale: Alfred-Émilien O'Hara van Nieuwerkerke, « uno scapolo coi fiocchi, bello, alto, aitante, sguardo soave, voce ancor più soave »,[18] che aveva riscosso un certo successo come scultore e alla fine della Monarchia di luglio era entrato in stretto contatto con gli ambienti artistici parigini facendosene tramite con Matilde. L'arrivo a sorpresa a Parigi di Luigi Napoleone nel settembre del 1848 e la sua elezione a presidente della Repubblica il 10 dicembre avevano conferito al mecenatismo della principessa un'investitura politica. I due cugini non si vedevano dall'epoca del loro fidanzamento giovanile, andato a monte dopo il fallimento del colpo di Stato di Luigi a Strasburgo nel 1836 e l'esilio in America, ma la lontananza non aveva cancellato il ricordo del sentimento che li aveva uniti. A questo si aggiungeva l'ammirazione che Matilde aveva sempre votato alla regina Ortensia, argomento a cui il cugino era particolarmente sensibile. Non solo Luigi, che aveva trascorso la vita in esilio o in prigione e non conosceva la società parigina, aveva approfittato della rete di relazioni di Matilde, ma aveva anche potuto contare sul suo aiuto finanziario per la campagna presidenziale. E, una volta insediato all'Eliseo, le aveva chiesto di assolvere le funzioni di padrona di casa, compito che lei aveva svolto con autorità ed eleganza. Ancora bella, « di aspetto affabile e gentile, il tipo francese abbinato alla vivacità italiana, conversava con grazia e spirito, senza darsi arie da principessa ma pronta a diventarlo, se vuole, e quando occorre».[19] Il suo comportamento, insomma, suscitava il rispetto generale. Matilde aveva poi contribuito a finanziare il colpo di Stato del 2 dicembre 1851 e, una volta diventato imperatore, il cugino le aveva dimostrato la sua gratitudine conferendole il titolo di Altezza Imperiale, dotandola di un ricco appannaggio e concedendole in uso il bellissimo Hôtel de Bragance, in rue de Courcelles. Nel frattempo anche Nieuwerkerke, nominato fin dal 1849 direttore generale dei musei nazionali, accumulava riconoscimenti fino a diventare sovrintendente alle Belle Arti. Al tempo dell'arrivo di Virginia a Parigi, Matilde aveva già dovuto cedere il passo a Eugenia, ma conservava alle Tuileries un ruolo determinante, sia per i suoi legami con l'aristocrazia europea – particolarmente affettuosi quelli con la famiglia imperiale russa –, sia per i suoi contatti con il mondo artistico francese.[20] E il salotto di rue de Courcelles, sotto l'egida di Sainte-Beuve, si avviava a diventare la vetrina della vita letteraria francese. A prescindere dalle convinzioni politiche e dalle facili ironie – nessuno ignorava che il salotto godeva dell'appoggio dell'imperatore, consentendo tanto a Matilde quanto a Nieuwerkerke di costituire «un ministero bicefalo delle lettere e delle arti»[21] –, i maggiori scrittori francesi, da Gautier a Flaubert, dai fratelli Goncourt a Taine, a Renan, fino al giovane Proust, avrebbero subìto il fascino – reale o mitizzato – di quell'Altezza Imperiale che, nel solco delle grandi dame del passato, dipingeva, scriveva e conversava con grazia, e si prodigava con amabile bonomia ad assicurare loro i dovuti riconoscimenti. Sainte-Beuve le avrebbe reso merito coniando per lei il soprannome di «Notre-Dame des Arts».

Vi era tuttavia una causa politica che Matilde sosteneva a viso aperto, e per cui era pronta a dare battaglia: la questione italiana. Profondamente legata al Bel Paese, che aveva offerto rifugio ai Bonaparte nei lunghi anni dell'esilio, riconosceva ai suoi abitanti il diritto di rivendicare la loro identità nazionale e di liberarsi dall'oppressione straniera, e sfidando l'opinione dei cattolici francesi non mostrava alcuna indulgenza nei confronti della politica oscurantista del governo pontificio. La sua casa era sempre aperta agli italiani che si trovavano a Parigi, a cominciare dal rappresentante del Regno sardo, il marchese Pes di Villamarina, e i conoscenti fiorentini, Poniatowski in testa, ricevevano dalla principessa un'accoglienza particolarmente calorosa.

Anche Napoleone Girolamo Bonaparte – diventato, con l'avvento dell'Impero, il principe Napoleone tout court – amava l'Italia ed era uno strenuo sostenitore del movimento patriottico. Inoltre, il terzogenito del re Girolamo aveva fatto dell'anticlericalismo la propria bandiera: « clericalismo, per lui, significava sfruttare la religione a fini politici, allearsi con le dinastie nemiche della sua famiglia, opporsi alle libertà moderne ».[22] Il sostegno alla causa nazionale italiana è uno dei pochissimi impegni a cui il principe sarebbe rimasto fedele nel corso di una vita all'insegna della contraddizione e dell'azzardo. Pur fraternamente legato al cugino Luigi, che una volta salito al potere gli era stato prodigo di onori, appannaggi e incarichi prestigiosi, Plon-Plon – come veniva chiamato in famiglia sin da bambino – « non si rassegnava ad essere soltanto il secondo »[23] e lo dimostrava facendo sfacciatamente la fronda alla politica imperiale. Colto, dotato di un'intelligenza fuori del comune e di notevoli capacità oratorie, il principe si considerava il vero erede del lascito politico di Napoleone il Grande e contrapponeva al populismo autoritario di Napoleone « il Piccolo » un bonapartismo di sinistra di stampo giacobino.[24] Inoltre, non si faceva scrupolo di giocare sulla propria impressionante rassomiglianza fisica con l'illustre zio per alimentare i sospetti che circolavano sulla legittimità dei natali del cugino. Ciononostante, umorale e impaziente, era incapace di perseguire un progetto politico di lunga durata e si accontentava di mettere in difficoltà Napoleone III il più spesso possibile. « La cosa strana » ricorda l'amico Émile Ollivier « era che finiva per assumere le forme e i difetti di una pessima ambizione, senza tuttavia essere un vero ambizioso. Irrequieto più che intraprendente, impetuoso senza perseveranza, incapace di attendere, nella necessaria inazione, il corso degli eventi, sempre troppo frettoloso, si perdeva d'animo se appena l'obiettivo sembrava allontanarsi e in fondo non era che un velleitario ... La sua energia si consumava nelle parole: dopo avere come al solito fatto fuoco e fiamme misurando a grandi passi il suo studio, contrariato da coloro che lo esortavano a realizzare i suoi fieri proponimenti, di colpo piantava tutto e partiva per qualche viaggio ».[25]

Il principe avrebbe infatti cercato di dimenticare la frustrazione di un ruolo subalterno viaggiando molto e dedicandosi a un fastoso edonismo. Libertino impenitente, era però capace di forti passioni: una volta sottratti a Napoleone III i favori della grande attrice Rachel, aveva ideato in suo onore, in avenue Montaigne, una dimora in perfetto stile pompeiano destinata a fare epoca.[26] Ma neanche questa iniziativa era priva di un intento polemico, giacché, con quella scelta, « il principe Napoleone prendeva le distanze dal gusto della corte imperiale, che a quel tempo era affascinata dai fasti del XVIII secolo, e si poneva come l'erede stilistico del Primo Impero ».[27] In perenne conflitto con l'imperiale cugino, villano e oltraggioso nei confronti di Eugenia, arrogante con i potenti e le teste coronate, in società Plon-Plon si mostrava invece di una cortesia impeccabile, e al pari del salotto della principessa Matilde il Palais-Royal, che Napoleone III aveva dato in appannaggio a lui e a suo padre, era al centro della vita mondana e culturale parigina. Virginia avrebbe presto avuto modo di capire che il principe era destinato a svolgere un ruolo cruciale nelle relazioni tra la Francia e il Piemonte.[28]

E fu proprio in rue de Courcelles che il 9 gennaio 1856, preceduta da una campagna pubblicitaria sapientemente orchestrata dal milieu italiano,[29] la contessa di Castiglione prese parte, al braccio del marito, al primo grande ballo della stagione parigina. Sfoggiava per l'occasione un'acconciatura straordinaria, prima di una lunga serie, che esaltava la sua magnifica chioma castano dorato: « Aveva piume rosa tra i capelli gonfi sopra le tempie. Il resto della capigliatura era raccolto all'indietro con due boccoli pendenti. Sembrava una marchesa d'altri tempi, pettinata *à l'oiseau royal*»[30] ricorderà il conte di Reiset.[31] L'accoglienza calorosa riservata dalla principessa Matilde alla giovane coppia mise subito Virginia al centro dell'attenzione e tutti si affrettarono a riconoscere che la sua beltà era all'altezza della sua reputazione. Ma il momento clou della serata fu l'arrivo dell'imperatore, che vi prendeva parte da solo perché Eugenia, in stato di avanzata gravidanza, non lasciava più le Tuileries.

Napoleone III era ormai prossimo ai cinquant'anni e non poteva certo dirsi bello. Stando al medico del figlio, aveva un fisico singolare: spalle larghe e cadenti, busto lungo e massiccio, gambe corte. Anche la testa mancava di proporzioni, e il volto affilato, dalla fronte alta e stempiata, portava i segni di un precoce invecchiamento. Gli occhi azzurro chiaro, piccoli e leggermente velati, avevano « un'espressione ridente e benevola », che talvolta lasciava il posto a « qualcosa di vacuo, atono, decisamente strano ».[32] Erano « così opachi, così spenti » che al diplomatico austriaco Apponyi sembravano « vagare qua e là senza mai fermarsi su alcun oggetto », mentre lo sguardo gli conferiva « un'aria falsa, ma al tempo stesso mite e inoffensiva », che ispirava « pietà piuttosto che invidia ».[33] Aveva modi da gran signore che, come teneva a precisare la principessa di Metternich, non avevano niente del parvenu, uniti a una naturalezza e un'affabilità che lo facevano amare da tutti coloro che avevano modo di frequentarlo.[34] Anche la regina Vittoria, che nel 1855 lo aveva ricevuto in visita di Stato a Londra, ne tracciava un ritratto entusiasta ad Augusta di Prussia: « L'Imperatore è un uomo notevole e niente affatto ordinario; in ogni circostanza, in pubblico o da solo con noi in privato, il suo contegno è dignitoso, principesco, pieno di tatto e straordinariamente calmo. Si direbbe, a guardarlo, che abbia ricevuto un'educazione da principe ereditario. I suoi modi hanno un qualcosa che noi inglesi definiamo *fascinating*».[35]

Cosa aveva pensato Virginia nell'incontrare per la prima volta l'uomo da cui dipendeva il futuro del suo paese, e al quale doveva imperativamente piacere? Certo Napoleone III non dovette colpirla per la prestanza, visto che il soprannome che gli attribuì in seguito fu «il Vecchio». Né sappiamo cosa si dissero quando la principessa Matilde fece le presentazioni: forse, chissà, il sovrano rievocò i suoi soggiorni fiorentini, e chiese graziosamente notizie del vecchio Lamporecchi... Stando a Reiset, intimidita, Virginia «non seppe rispondere niente all'imperatore, il quale ne ricavò un'impressione sfavorevole, e dopo essersi congedato commentò: "È bella, ma sembra priva di *esprit*"».[36] Gli avrebbe presto dato modo di ricredersi.

Come annotò nel diario che aveva ripreso a tenere a Parigi, Virginia lo incontrò la seconda volta la sera del 26 gennaio. Invitata assieme al marito e al principe Poniatowski al ballo dato al Palais-Royal dal re Girolamo e dal figlio principe Napoleone, la contessa aveva insistito per andarvi a festa inoltrata, sicché vi arrivò proprio mentre l'imperatore stava uscendo. Incrociandola per le scale del palazzo, il sovrano le lanciò un: «Arrivate assai tardi, signora»,[37] a cui lei rispose con notevole disinvoltura: «Siete voi, Sire, che andate via assai presto».[38]

In compenso, quella sera Virginia fece la conoscenza del conte Charles de Morny, l'uomo chiave del regime, il quale esercitava un potere sotterraneo ben maggiore di quello conferitogli dal titolo di presidente del corpo legislativo: non solo era stato lui a organizzare il colpo di Stato del 2 dicembre e ad assicurarne il successo ma, nato dalla relazione clandestina della regina Ortensia con il conte di Flahaut, era fratellastro dell'imperatore. Napoleone lo aveva saputo soltanto alla morte della madre, e ne era rimasto profondamente turbato, poiché, se da un lato quel figlio adulterino costituiva una macchia incancellabile sulla reputazione di una donna a cui aveva votato un vero culto, dall'altro rischiava di accreditare le voci velenose che circolavano sulla legittimità della sua stessa nascita. Aveva dunque reagito alla notizia trincerandosi dietro un rigoroso riserbo, e invitando Morny a rispettare il segreto. Deluso per il mancato riconoscimento ufficiale, il conte aveva aggirato l'ostacolo scegliendosi per emblema un'ortensia con il motto «Tace sed memento» e mettendo in bella mostra, sulle pareti del suo salotto, i ritratti della regina Ortensia e del padre, il conte di Flahaut, il quale era, a sua volta, figlio naturale di Talleyrand, l'uomo che Morny aveva deciso di prendere a modello. Del celebre diplomatico il nipote aveva l'ambizione, l'intelligenza politica, il cinismo, la capacità di seduzione, l'eleganza, l'imperscrutabilità, il sangue freddo, la passione per il denaro e per le donne. Dopo essersi creato una fortuna sotto Luigi Filippo, Morny aveva giocato la carta bonapartista e organizzato nei minimi dettagli la presa del potere da parte del fratellastro, trovando il denaro necessario e prendendo l'iniziativa di ordinare l'arresto degli oppositori e di sparare sulla folla. Ed era stato sempre lui a organizzare il plebiscito trionfale del 21 e del 22 dicembre, che prolungava di dieci anni il mandato presidenziale di Bonaparte, provvedendo peraltro a ricavarne il massimo beneficio personale.

Virginia fu presentata a Morny da Giuseppe Poniatowski, il cui figlio Stanislao era in procinto di impalmare la figlia che Morny aveva avuto dall'amante, la ricchissima Fanny Le Hon. Virginia e lo stratega occulto del regime erano fatti per capirsi, e di ritorno a casa lei annotava sul diario: «Sono rimasta nel salone a chiacchierare con Beppino [Poniatowski] e Morny».[39] Fino a quel momento, dunque, aveva giocato su un terreno amico, ma tre giorni dopo, invitata al «grande ballo» delle Tuileries, avrebbe affrontato la prova del fuoco.

La sera del 29 gennaio, annunciati con voce stentorea dall'addetto al cerimoniale, i coniugi Castiglione fecero il loro ingresso nella Galleria della Pace e l'attraversarono, sotto gli sguardi di una folla di curiosi, per raggiungere la Sala dei Marescialli, dove si trovava la coppia imperiale.

In virtù di quale magnetismo, per bella che fosse, una diciottenne arrivata dall'Italia, e vestita con un abito da sera blu argento confezionato in casa, riusciva a calamitare su di sé l'attenzione? Per quale ragione la gente, a Parigi come già a Torino, era pronta a salire sulle sedie per ammirarla?[40] La risposta più verosimile è che quella capricciosa, viziata, instabile piccola provinciale era un'attrice nata, e la straordinaria scenografia di ori, luci e specchi delle Tuileries, con quel pubblico d'eccezione, era il palcoscenico di cui aveva bisogno per scoprire una vocazione profonda e acquisire la certezza del proprio talento. D'ora in poi, Virginia si sarebbe mostrata capace di interpretare un vasto repertorio di personaggi, anche se quello della Venere altera, scesa dall'Olimpo per una breve, folgorante apparizione, sarebbe stato per molto tempo il suo preferito. E se la lucidità con cui si metteva in scena era quella degli attori di professione, il narcisismo ne era la componente essenziale. Una generazione dopo la sua, la non meno bella e non meno narcisista contessa Greffulhe ci aiuta a capire il totale appagamento che Virginia provava a ogni comparsa in pubblico: «Credo che al mondo non esista godimento paragonabile a quello di una donna che si sente al centro degli sguardi di tutti, traendone vivacità ed energia».[41]

Virginia attraversò con calma regale anche la Sala dei Marescialli e, fatta la riverenza d'obbligo all'imperatore e all'imperatrice, andò a sedersi a un tavolo della sala da gioco «a chiacchierare con Beppino, Morny, Villamarina». E quando Napoleone III la raggiunse non diede segno di sorpresa: «L'imperatore è venuto a parlarmi. Poi tutti guardavano e venivano a vedermi, io ridevo, alle 2 sono andata via...».[42]

La scena era destinata a ripetersi nei giorni successivi: «Sabato 2 febbraio – Alle 9 sono andata al *petit bal* delle Tuileries e ci sono rimasta fino alle 2; parlato con l'imperatore che mi ha dato da mangiare delle arance ... Martedì 5 febbraio – sono andata al ballo di Le Hon dove ho parlato con l'imperatore in maschera...».[43]

In meno di un mese Virginia era dunque riuscita a catturare l'attenzione di Napoleone III e a conquistare la corte imperiale e i salotti di Parigi: «Decisamente» constatava Henri de Pène sul «Nord» «la regina della stagione è questa bellezza incomparabile venuta dall'Italia, la contessa di Castiglione. *L'Italiana in Parigi*, ecco il titolo di una sinfonia che l'ammirazione intona dalla mattina alla sera e dalla sera alla mattina. Si fa a gara nel decantarne il profilo, la capigliatura, gli occhi, e a definitiva consacrazione della sua regalità, si è conquistata perfino delle nemiche».[44]

Cavour, giunto a Parigi il 16 febbraio per partecipare al congresso che doveva ristabilire la pace dopo la guerra di Crimea, poteva dunque constatare che « la cugina dai begli occhi »[45] si stava rivelando una collaboratrice preziosa. Durante quel soggiorno, il conte avrebbe incontrato spesso Virginia, e non solo nei luoghi deputati della mondanità politica, che il ministro si faceva un dovere di frequentare, ma anche in rue de Castiglione o alla legazione italiana. Possiamo trovare traccia dei loro incontri nei diari di Virginia,[46] e anche nella corrispondenza di Cavour non mancano accenni che la riguardano. Se il 21 febbraio lei annotava di essere andata, « con un'acconciatura incipriata, adorna di perle e piume »,[47] al grande concerto offerto dall'imperatore per il corpo diplomatico, l'indomani Cavour scriveva a sua volta al ministro degli Esteri Luigi Cibrario: « Vi avverto che ho arruolato nelle file della diplomazia la bellissima contessa di Castiglione, invitandola a *coqueter* ed a sedurre, ove d'uopo, l'Imperatore ... Essa ha cominciata discretamente la sua parte al concerto delle Tuilerie [*sic*] di ieri ».[48] Davanti a tanto pragmatismo Cibrario sentiva l'esigenza – dopotutto si trattava pur sempre della moglie di un amico – di esprimere il suo plauso in forma più garbata: « Magnifico ritrovato è quello d'adoperare le Grazie nella Diplomazia. È un momento supremo. Conviene adoperare tutte le armi ».[49] Sempre nello stesso giorno il conte riteneva opportuno comunicarlo anche al ministro dell'Interno Urbano Rattazzi.[50] Evidentemente non la giudicava un'informazione irrilevante. Si asteneva però dal dire che il prezzo pattuito con la cugina in caso di successo era un incarico diplomatico di prestigio per il marchese Oldoini.[51] Oltre a scriverle direttamente,[52] Cavour parlava di Virginia anche nella corrispondenza con Vittorio Emanuele. Volendo condividere con il re la responsabilità della nomina di Oldoini, il conte non gli nascondeva la sua opinione sul marchese: « Ho recapitato a Ninì la lettera scritta da V.M. La mia bella cugina mi tiene il broncio perché non posso consigliare a V.M. di dare a quell'imbecille del padre una carica che è al di sopra delle sue capacità ».[53] Com'era prevedibile, il re gli rispose a stretto giro invitandolo all'indulgenza.[54] Erano comunque d'accordo sul disporre con disinvoltura delle attrattive di Virginia, e non solo con l'imperatore: « Sono in ottimi rapporti con i plenipotenziari russi. Per portarli dalla nostra parte, ieri sera ho presentato Orloff a *Ninì*. Se solo lei volesse *coqueter* un po' con lui, saremmo a cavallo ».[55]

Pur adoperandosi per conquistare simpatie politiche su molti tavoli, Cavour sapeva bene che il solo paese da cui il Piemonte poteva sperare di ricevere un aiuto concreto era la Francia. Il congresso che il 25 febbraio ebbe inizio nei grandiosi saloni del nuovo ministero degli Esteri al quai d'Orsay, per concludersi il 14 aprile, segnava il trionfo politico di Napoleone III. Agli occhi dell'imperatore era il momento giusto per rimettere in discussione l'assetto delle potenze europee e per riaffermare, dopo la rottura del fronte assolutista con la fine dell'alleanza austro-russa, la centralità politica della Francia sul continente. La sua era una esplicita rivalsa sulle decisioni prese dal Congresso di Vienna e segnava « l'inizio legale e condiviso dello sgretolamento dell'opera compiuta dai vincitori di Napoleone I ».[56] La questione delle autonomie nazionali, su cui il sovrano avrebbe richiamato l'attenzione dell'Europa, era destinata infatti a minarne le fondamenta. Cavour sapeva bene che a lungo termine l'Italia non poteva che trarre vantaggio da questo nuovo orientamento della politica estera francese, ma doveva ancora capire se e fino a che punto l'imperatore fosse disposto a sostenere nell'immediato le richieste di Torino.

I primi segnali furono promettenti. Il ministro degli Esteri francese, il conte Walewski, aveva assicurato a Cavour che la legazione subalpina sarebbe stata ammessa al congresso su un piano di parità. Il 21 febbraio il conte fu invitato alle Tuileries a una cena a cui non erano presenti i plenipotenziari austriaci, e il giorno successivo ricevette la visita del dottor Conneau, medico personale e amico fidato di Napoleone sin dai tempi della gioventù, che lo informò di essere autorizzato a servire da intermediario per tutte le informazioni segrete che il governo sardo riteneva utile far pervenire al sovrano. Come osserverà lo storico e diplomatico Imbert de Saint-Amand, che nel 1856 lavorava alla direzione politica del ministero degli Esteri agli ordini di Walewski, fra l'imperatore e Cavour si sarebbe stabilita un'intesa basata sulle molte cose che li accomunavano. «Fautori entrambi del libero scambio e del principio di nazionalità, perseguivano i loro scopi con perseveranza indefettibile. Confidavano, l'uno e l'altro, molto più nel potere della stampa che in quello della tribuna. Registi di prim'ordine, eccellevano nell'arte di dirigere e influenzare l'opinione pubblica; si servivano di agenti segreti, e alla politica ufficiale ne affiancavano sempre una occulta. Avevano il genio della cospirazione, e un temperamento da giocatori d'azzardo. Senza il conte di Cavour Napoleone III non avrebbe potuto fare niente contro l'Austria, e viceversa».[57] Si inaugurava così una diplomazia parallela che consentiva all'imperatore e allo statista italiano di sondare ufficiosamente le reciproche intenzioni, o meglio di indicare al secondo il margine di manovra che gli veniva concesso. Gli obiettivi immediati di Cavour erano tre: la revoca dei sequestri decretati dal governo austriaco sui beni dei patrioti lombardi rifugiati in Piemonte, un ingrandimento territoriale del regno, il ritiro delle truppe austriache nella penisola italiana al di fuori del Lombardo-Veneto. Dal canto suo, pur non nascondendo le proprie perplessità, l'imperatore continuava a mostrarsi possibilista, lasciando al ministro sabaudo il compito di tessere la sua tela diplomatica all'interno del congresso.

Ma, in questa diplomazia parallela, qual era la funzione che Cavour intendeva assegnare a Virginia? Quando il conte le scriveva: «Réussissez, ma cousine, par les moyens qu'il vous plaira, mais réussissez»,[58] a cosa poteva riferirsi se non all'obiettivo di stabilire un canale di comunicazione privilegiato tra l'imperatore e il governo sabaudo? Anche se era altamente improbabile che, diventata l'amante del sovrano, la giovane contessa riuscisse a esercitare una reale influenza politica su di lui, poteva almeno sondare le sue intenzioni, ottenere informazioni preziose, trasmettere messaggi confidenziali. Non a caso al direttore delle poste parigine fu chiesto di consegnare al conte Puliga, segretario della legazione sarda, le lettere a lei indirizzate fermo posta.[59]

Due enigmatici biglietti di pugno di Nigra, fidatissimo segretario di Cavour, sopravvissuti fortunosamente alla distruzione di tutte le carte relative alla «missione» della contessa, sembrano confermare questo ruolo. Se dal primo – «Cara contessa, ho per voi una comunicazione molto importante, ma non posso trasmettervela prima di domani alle 7 ½, a casa mia. Fatevi bionda, bionda come un campo di grano. È necessario. Siamo intesi?» –[60] possiamo solo avvertire l'urgenza di trasmettere un'informazione riservata e supporre che il colore dei capelli di Virginia costituisse una sorta di messaggio in codice, il secondo – «Ricordatevi di tirar fuori il verme dal naso del Vecchio pel discorso. Il discorso sarà prima in consiglio di domani» –[61] è assai più chiaro, ed è farina del sacco di Cavour: Nigra italianizza infatti la frase idiomatica francese *tirer les vers du nez* – spillare un'informazione a qualcuno – di cui Cavour si serviva proprio in quei giorni a proposito di un delicato colloquio con il barone Rothschild.[62] E il Vecchio in questione non poteva che essere l'imperatore, a cui come abbiamo visto Virginia aveva affibbiato quel poco amabile soprannome.

Per il momento Napoleone III aveva altre priorità, e sulla questione italiana si limitava a lasciare ben sperare per un prossimo futuro. Ma Cavour aveva bisogno di tornare a Torino con un risultato tangibile, e i lavori del congresso si conclusero per lui con un niente di fatto. L'unico riconoscimento ottenuto dal piccolo regno subalpino era stato quello di poter sedere al tavolo delle grandi potenze a condizione di non interferire nelle discussioni, e il rappresentante sabaudo aveva avuto diritto di parola solo alla fine, a trattato di pace ormai concluso. Dopo che Lord Clarendon, ministro degli Esteri della Gran Bretagna, aveva violentemente attaccato la politica pontificia nelle legazioni e l'oscurantismo del governo borbonico a Napoli, provocando la protesta furibonda del conte Buol-Schauenstein, primo ministro austriaco, Cavour aveva presentato un memorandum sulla necessità di una revisione della situazione italiana. Venuto infine il suo turno di parlare, il conte si era attenuto a una protesta formale sulla presenza austriaca nello Stato della Chiesa e aveva ribadito la necessità, già invocata da Francia e Inghilterra, di attuarvi riforme sostanziali. Quanto al Regno delle Due Sicilie, la politica di Ferdinando II di Borbone non solo screditava l'istituto monarchico ma « accresceva le forze del partito rivoluzionario e costituiva un vero e proprio pericolo per l'Italia ».[63]

Cavour rientrò a Torino profondamente deluso per non essere riuscito a realizzare neppure uno degli obiettivi sperati, ma l'accoglienza trionfale che gli fu riservata in patria gli fece capire di aver conseguito una vittoria molto più importante: « Tutti si erano accorti che, a Parigi, egli aveva compiuto un passo di grande rilievo: aveva assunto su di sé e sul Regno di Sardegna la questione italiana, facendone una questione europea nella quale erano coinvolte le diplomazie delle maggiori potenze del continente ».[64] In quel momento anche agli occhi dell'ala liberaldemocratica del movimento nazionale – dalla sinistra parlamentare subalpina a Garibaldi e Manin – la prospettiva di costruire un movimento nazionale italiano che vedesse unite le forze popolari e la potenza militare della monarchia costituzionale sabauda sembrava diventare realtà. Il passo successivo era dichiarare guerra all'Austria, ma per questo bisognava riprendere le trattative con Napoleone III.

Nel frattempo, a Parigi, Virginia eseguiva la missione che le era stata affidata, ottenendo un primo sostanzioso riscontro per il lavoro già svolto: nel maggio del 1856 Oldoini veniva infatti nominato primo segretario d'ambasciata a San Pietroburgo e ne rendeva merito alla figlia.

« Mio caro papà, » si inorgogliva lei con piglio professionale « grazie della vostra bella lettera che mi ha fatto un grande piacere annunciandomi l'evento a cui lavoravo da tempo, sono felice di essere riuscita a far cambiare idea, almeno su questo! E a farvi piacere, no? ».[65] E non mancava di scrivere a Cavour e al re ringraziandoli delle « bontés » che avevano avuto per il padre.[66]

Se Virginia poteva a giusto titolo ritenersi soddisfatta del cammino percorso in pochi mesi, era anche consapevole di non avere tempo da perdere. Era riuscita a catturare l'attenzione dell'imperatore, a suscitare la sua curiosità, a stabilire con lui un rapporto privilegiato, ma ora era necessario cristallizzare i suoi volubili desideri e diventarne l'amante in pianta stabile. Il momento non poteva esserle più favorevole: l'imperatrice, che il 15 marzo aveva dato alla luce l'erede al trono, si stava rimettendo da un parto difficile e, tutta presa dalle gioie della maternità, aveva allentato il controllo sulle *petites distractions* del marito; inoltre, da quando si era sposato, Napoleone III non aveva avuto un'amante *en titre.*

Nell'attesa, Virginia riusciva a trasformare ogni apparizione in un evento regolarmente ripreso dai giornali,[67] cambiando pettinatura e colore dei capelli e ideando spettacolari abiti da sera confezionati sotto la sua direzione da decine di lavoranti. Come osservò il giornalista Henri de Pène, l'alterigia e l'aria di sfida con cui esibiva la sua bellezza non mancavano di suscitare le prime critiche. Già alla fine del maggio di quell'anno Mérimée, che aveva provato per lei un'antipatia immediata, metteva in ridicolo la sua acconciatura: «All'ultimo ballo di Saint-Cloud Madame de Castiglione aveva la testa incipriata sul davanti e lo chignon lucido di *bandoline.*[68] Sembrava appena caduta su un sacco di farina».[69] E tuttavia lo scrittore era costretto ad ammettere che l'italiana era «non poco insolente e di una bellezza perfetta, quindi un tipo di gran moda».[70] Anche la principessa di Metternich rendeva omaggio alla sua bellezza tracciandone un ritratto giustamente celebre: «Confesso di essere rimasta di sasso davanti a questo miracolo di bellezza! Indossava un abito di tulle bianco trapunto da grandi rose a gambo lungo, e l'acconciatura consisteva solo nei suoi magnifici capelli disposti come un diadema di trecce sul suo capo. La figura era quella di una ninfa. Il collo, le spalle, le braccia, le mani – non portava i guanti, li teneva fra le dita – sembravano scolpiti nel marmo rosa! Questa magnifica creatura assomiglia talmente a una statua antica che la scollatura, quantunque eccessiva, non sembrava affatto indecente! E il viso non è da meno: ovale delizioso, incarnato di freschezza incomparabile, occhi verde scuro, vellutati, sopracciglia che paiono tracciate dal pennello di un miniaturista, un nasino alla Roxelana, sbarazzino e tuttavia perfettamente regolare, denti di perla. Insomma, Venere discesa dall'Olimpo! Mai ho visto una bellezza così, mai più ne rivedrò una eguale ».[71]

Che un estimatore del fascino femminile come l'imperatore non potesse mancare di onorare quello della contessa italiana era una convinzione talmente diffusa che, a fine maggio, il ministro degli Esteri della Gran Bretagna ne chiedeva conferma all'ambasciatore del Regno sardo. « Lord Clarendon » scriveva Emanuele d'Azeglio a Cavour « era di buon umore e ha cominciato subito a discutere se la bella Virginia fosse l'amante dell'imperatore o no. Lui propendeva per il sì ».[72] Per avere una risposta certa bisognava pazientare ancora un mese.

Il 27 giugno, mentre la corte era a Saint-Cloud, Virginia fu invitata dall'imperatrice a una serata *en plein air* in onore della granduchessa di Baden, cugina del sovrano, a Villeneuve-l'Étang, un castello che sorgeva nel vasto parco in prossimità di una romantica costellazione di stagni. Per l'occasione Virginia sfoggiò un abito di mussola bianca trasparente e un cappello con piume bianche di marabù; come avrebbe osservato Stéphanie Tascher de la Pagerie, figlia del gran maestro delle cerimonie della casa dell'imperatrice, per resistere alla provocazione di quella « *toilette d'apparition* » occorreva « fare appello a tutta la propria virtù ».[73] L'imperatore, a quanto pare, non ci riuscì, perché invitò la Castiglione a salire con lui su una delle imbarcazioni allestite per gli ospiti sulle rive di uno stagno illuminato da innumerevoli lampioncini colorati. Un *Embarquement pour Cythère* in piena regola: messosi ai remi, il sovrano si diresse verso l'isolotto al centro del laghetto e dopo l'approdo scomparve con la sua dama nel folto della vegetazione. Quando la coppia riguadagnò la riva, tutti notarono che Virginia era un po' « spiegazzata » e l'imperatrice lasciava trapelare un certo fastidio.[74] Facendo al conte di Clarendon il resoconto della serata, l'ambasciatore inglese Lord Cowley osservava: « La condotta di S.M. con la Castiglione ha scandalizzato tutta Parigi » e aggiungeva: « A quanto mi hanno riferito, la povera Imperatrice era in condizioni deplorevoli – colta da un impeto febbrile si è messa a ballare, ma essendo molto debole ha fatto una brutta caduta. Si trattava di un'orgia in piena regola, gli uomini hanno ballato con il cappello in testa. Tutto ciò è molto triste e danneggia l'Imperatore dal punto di vista politico, senza certo giovargli né al morale né al fisico».[75]

A distanza di undici giorni da quello che aveva definito il più bello della sua vita (quello del grandioso battesimo del figlio nella cattedrale di Notre-Dame), e nello stesso luogo in cui tre anni addietro aveva trascorso la luna di miele, l'imperatrice subiva così la sua prima umiliazione coniugale.

Eugenia de Montijo era una giovane donna romantica che amava il marito e lo aveva sposato nella certezza di esserne ricambiata. Non si era trattato di un matrimonio dettato dalla ragion di Stato, ma da sentimenti di natura personale improntati ai valori dell'etica borghese. Figlia di un grande aristocratico spagnolo che sotto il Primo Impero si era schierato con la Francia e di una madre per metà scozzese, la giovane donna era stata educata, insieme alla sorella maggiore María Francisca detta Paca, a Parigi, all'Istituto del Sacro Cuore. Se Paca si era assicurata il migliore dei partiti spagnoli, il duca d'Alba, Eugenia non sembrava aver fretta di trovare marito. Indipendente, piena di interessi, amazzone provetta, era alla ricerca di un'anima affine e non intendeva scendere a compromessi. Quando nel 1849 Luigi Napoleone Bonaparte, allora presidente della Repubblica, aveva incominciato a farle una corte assidua, era reduce da una delusione sentimentale, e messo in chiaro che, da cattolica osservante, la sola profferta che era disposta a prendere in considerazione «passava per l'altare», aveva acconsentito a farsi corteggiare. La sua scelta era ponderata, ma non per questo meno sentita. Eugenia ammirava l'intelligenza, il coraggio e la tenacia con cui, unico della famiglia, Luigi Napoleone aveva raccolto l'eredità politica del grande imperatore, ed era pronta a riconoscersi nei suoi ideali: «Appartenevamo alla medesima generazione di esaltati» ricorderà più tardi. «C'era, nella natura di entrambi, qualcosa del romanticismo del 1830 e dell'utopismo del 1848. Sognavamo di prodigarci per la felicità dei popoli, e di migliorare la sorte degli operai».[76] Grata al marito per averla voluta al suo fianco nel momento del trionfo, Eugenia gli aveva votato un amore coniugale in cui fierezza, solidarietà e stima si sommavano all'affetto. E lui, una volta arrivato al potere, aveva rinunciato alla sua vita di scapolo, troncando il legame con la bella e improponibile Miss Howard, una cortigiana d'alto bordo con cui intratteneva da tempo una relazione appassionata. Così, dopo un tentativo fallito di ottenere in moglie la principessa di una casa regnante, aveva deciso di sposare la donna di cui si era innamorato. Un matrimonio d'amore, peraltro, non poteva che assicurargli la simpatia popolare. L'imperatore era un uomo sensuale, e a indurlo a impalmare l'altrimenti inespugnabile Mademoiselle de Montijo aveva contribuito anche il desiderio fisico, ma non era certo l'unica ragione. Di ventidue anni più vecchio di Eugenia, duramente segnato dalla prigionia e dall'esilio, Luigi Napolone amava in lei la giovinezza, la spontaneità, l'entusiasmo, e ne ammirava l'idealismo, l'intransigenza morale, il senso dell'onore. Inoltre, andava fiero della sua bellezza: «L'imperatrice» ricorderà Amélie Bouvet de la Maisonneuve, entrata al suo servizio come lettrice «era di statura piuttosto alta. Aveva lineamenti regolari e un profilo da medaglia antica, con qualcosa di inesprimibile, un fascino speciale, quasi inconsueto, tanto che non la si poteva paragonare a nessun'altra ... occhi di un azzurro vivo e profondo, immersi nell'ombra, ma pieni di spirito, energia e dolcezza: occhi come quelli bastano a rendere memorabile un volto ... Le vene trasparivano nella carnagione delicata, facendo pensare al sangue blu dell'antica nobiltà spagnola. L'attaccatura del collo, lungo e delicato, era perfetta. Le spalle, il petto e le braccia erano degni delle statue più belle».[77]

Con il matrimonio l'imperatore aveva ritrovato nei quartieri privati delle Tuileries l'incanto di un'intimità domestica squisitamente femminile che lo riportava indietro nel tempo, alla piccola corte di donne su cui regnava la madre

Ortensia nell'esilio di Arenenberg. Le sue aspettative erotiche, invece, probabilmente furono deluse: l'amore fisico si riduceva a un dovere coniugale per Eugenia, la quale, dopo la nascita del figlio, avrebbe confidato a un'amica che si trattava di una « cosa sudicia ».[78]

In compenso, la giovane imperatrice coadiuvava il marito nello sforzo di conferire dignità e prestigio a una corte priva di legittimità e snobbata dalla vecchia aristocrazia francese, rimasta fedele all'uno o all'altro ramo di Casa Borbone.

Intelligente, energica, pienamente consapevole della posta in gioco sul piano della politica, Eugenia si era applicata a dare ordine e forma alle risorse su cui poteva contare: la nobiltà nata cinquant'anni prima sui campi di battaglia del Primo Impero e la nuova società francese che aveva come blasone la ricchezza. Per prima cosa si era allenata a comparire in pubblico, prendendo lezioni di portamento dalla celebre attrice Rachel. Competenza ed esperienza l'avrebbero aiutata ad associare l'etichetta all'amabilità, la solennità alla gaiezza, a fare delle Tuileries la vetrina del lusso e della moda francese... ma non ad assurgere a quello stile inimitabile che da sempre era il tratto distintivo di un'autentica sovrana.

Per rendersene conto basta guardare il celebre dipinto di Winterhalter che la ritrae due anni dopo il matrimonio insieme alle sue dame d'onore, che, disposte in cerchio intorno a lei, parate a festa, con le immense sottane aperte a corolla, banalmente graziose e pressoché interscambiabili, sembrano in posa per una rivista di moda. A Mérimée facevano l'effetto di un « branco di sartine scappate dal Bal Mabille »,[79] e sette anni dopo non dovevano avere compiuto progressi in materia di distinzione, se Lord Malmesbury, il ministro degli Esteri inglese, scrivendo a Walewski non esitava ad affermare: « All'infuori di Madame Walewska, le dame di compagnia dell'Imperatrice sono decisamente volgari ».[80] A distinguere Eugenia dalle dame d'onore nel bucolico *conversation piece* in stile Watteau sono solo la posizione elevata al centro del gruppo, la corona di caprifoglio e il mazzolino che impugna con la destra, a guisa di scettro. Anche se la sovrana era perfettamente consapevole della superiore dignità della sua investitura, il dipinto, esposto nel castello reale di Fontainebleau, costituiva nondimeno il suo biglietto da visita. Dopotutto l'imperatrice aveva l'educazione, la sensibilità, le aspirazioni delle donne della sua epoca e, femminista convinta, intendeva rimanere fedele a se stessa. Si lasciava così ritrarre con espressione sognante e romantica, vestita da odalisca, allungata languidamente su un divano, scegliendo pose non esattamente regali che sottolineavano la perfezione del collo e delle braccia, in conformità al canone estetico dell'epoca. Chiamata a dettar legge sulla moda, aveva improvvidamente scelto come modello Maria Antonietta, dimenticando quanto era costata all'infelice regina la passione per i vestiti. E se per Nancy Mitford una delle maggiori colpe imputabili all'Autrichienne era l'assoluta mancanza di buon gusto,[81] va detto che neppure l'Espagnole ne abbondava, con la sua rivisitazione caricaturale della moda settecentesca che alle feste di corte imponeva smisurate crinoline rese ancora più incongrue da ricami, balze, frange, nastri e passamanerie di ogni genere. Il suo diktat estetico avrebbe coinciso con il primo fortunato decennio del Secondo Impero, poi Eugenia si sarebbe saggiamente decisa a cedere lo scettro a una figura nuova, quella del grande sarto, alla cui autorità sarebbe stata la prima a inchinarsi: nel 1864, infatti, Charles Frederick Worth, stabilitosi a Parigi solo da due anni, sarebbe stato nominato fornitore ufficiale dell'imperatrice e avrebbe inaugurato l'era della haute couture, destinata a sopravvivere a tutti i cambiamenti di regime.

Non stupisce dunque che l'affronto pubblico di Villeneuve-l'Étang cogliesse Eugenia di sorpresa, ferendola nella dignità di moglie e di sovrana: quel marito che tanto ammirava, e a cui era così legata, non esitava a dare scandalo, dimostrandosi incapace di dominare la propria libidine. Eugenia era troppo orgogliosa per soffrire in silenzio, e da allora non avrebbe smesso di sottoporre il coniuge recidivo a terribili scenate e minacce di separazione. Al principe Napoleone, che gli consigliava di zittire la moglie con le maniere forti, l'imperatore avrebbe dato una risposta eloquente: «Per carità! Se solo mi azzardassi a minacciarla, Eugenia sarebbe capace di spalancare una finestra delle Tuileries gridando all'assassino».[82] L'imperatrice avrebbe finito col rassegnarsi alle avventure del marito, limitandosi a pretendere il rispetto delle forme, più per amore materno che per abnegazione coniugale: decisa ad assicurare il futuro dinastico di quell'unico figlio che le era quasi costato la vita,[83] avrebbe infatti continuato a sovrintendere ai fasti della *fête impériale*, ma avrebbe anche allargato la propria sfera di influenza interessandosi sempre di più alla politica e ai problemi economici e sociali del paese. «In seguito alla nascita del principe imperiale, e soprattutto ai primi segni della malattia che sarebbe stata fatale a Napoleone, capì che doveva prepararsi a gestire l'interim del potere. Seppe prepararvisi con intelligenza e dedizione».[84] Sarebbe stato proprio il marito, dimostrandole stima e fiducia, a incoraggiare la sua iniziazione politica, e questo avrebbe permesso al loro legame di sopravvivere alla fine dell'intimità coniugale.

Di tutte le amanti di Napoleone III, la contessa di Castiglione fu per Eugenia la più difficile da tollerare, e non solo perché fu la prima con cui le toccò misurarsi.

Non meno sfrontata che bella, l'italiana aveva il gusto della provocazione, e ogni suo gesto, puntualmente ripreso dai giornali, poteva costituire una fonte di imbarazzo per l'imperatore. Altrettanto allarmante era la sua reputazione di agente segreto di un paese che brulicava di terroristi e spie. Pur non rinunciando alle rimostranze coniugali, Eugenia adottò in pubblico un contegno imperturbabile, e solo di rado lasciò trapelare i suoi sentimenti. Non si opponeva alla presenza di Virginia ai ricevimenti di corte e la accoglieva con garbata indifferenza, ma la faceva sorvegliare ed era tenuta al corrente di ogni convegno segreto – ora, giorno, luogo – fra il suo imprudente marito e la pericolosa fiorentina. A detta dell'ambasciatore inglese, l'imperatore riceveva l'amante anche nel suo studio e non si faceva scrupolo di darle la precedenza sulle richieste di udienza dei diplomatici.[85] A partire dalla primavera del

1856 la polizia mise la visitatrice italiana sotto osservazione.[86]

Non ci è dato sapere cosa pensasse la diretta interessata della straordinaria avventura che si trovava a vivere a soli diciannove anni. Poiché non disponiamo, per questo periodo della sua vita, né del diario né della corrispondenza con l'imperatore, dobbiamo limitarci a vederla, come ha fatto assai bene Nicole G. Albert,[87] attraverso gli occhi dei giornalisti e dei memorialisti a lei contemporanei. I primi si concentravano sulle apparizioni sensazionali, descrivevano con profusione di dettagli i vestiti e le acconciature che ne consacrarono la reputazione di « vedette »; i secondi erano per lo più concordi sul fatto che in lei la bellezza andava di pari passo con l'antipatia. Effettivamente Virginia sembrava praticare in sommo grado quello che proprio in quegli anni Baudelaire definiva « il piacere aristocratico di rendersi sgradevole ». A Mérimée, che per metterla in imbarazzo le aveva chiesto se praticasse l'*androlatria*, aveva ribattuto « accentuando l'abituale smorfia di disprezzo nel viso meraviglioso: "Ci sono forse uomini che meritano di essere idolatrati?" ».[88]

Ecco i giudizi di cinque testimoni che l'hanno osservata da vicino. Imbert de Saint-Amand, suo amante infelice, constatava semplicemente che la contessa non si prodigava.[89] Il conte di Fleury, fedelissimo dell'imperatore e devoto a Eugenia, sarebbe stato molto più esplicito: « Narciso femmina in adorazione davanti alla propria beltà, senza tenerezza, senza dolcezza nel carattere, ambiziosa senza grazia, sprezzante senza motivo, finiva ben presto per disgustare l'uomo che voleva legare a sé ».[90] Per Madame Carette, lettrice e poi dama di palazzo dell'imperatrice, « Madame de Castiglione era di una bellezza definitiva, fuori dal tempo, ma in quella perfezione mirabile, perfino nella grazia che la pervadeva per intero, il fascino, incredibilmente, non c'era. Il bel viso sempre atteggiato a un'espressione di alterigia, di durezza, faceva pensare a quelle divinità che gli antichi cercavano di placare con i sacrifici ».[91] E la principessa di Metternich, dopo avere doverosamente celebrato la bellezza dell'italiana, constatava – *in cauda ve-*

nenum: «Alla contessa di Castiglione mancava una cosa essenziale: il fascino! Sembrava così compresa della propria trionfale bellezza, così totalmente assorbita da essa, che a esaminarla con attenzione finiva per dare ai nervi».[92]

Anche Guizot, che nel 1857 aveva incontrato Virginia in casa di amici, formula un giudizio analogo: la trova «veramente bellissima; degna della corte di Luigi XV, Venere dell'epoca e del genere di Madame de Pompadour», ma con un'aria «vanitosa, egoista, fredda, dura».[93]

Quell'«espressione di sovrano disdegno nei confronti dell'umanità intera»[94] rivelava semplicemente l'idea che Virginia aveva di se stessa. Nel corso di un ricevimento, vedendola annoiata, Morny la invitava a ritrovare il sorriso. «E perché mai? Chi sorride si arrende» replicava lei, alzando le spalle. «A che cosa pensate?» insisteva Morny. «Penso che regno e che disprezzo» tagliava corto Virginia, ricevendo di rimando un semplice: «Brrr».[95] Una ventina d'anni dopo, quando ormai il Secondo Impero era solo un ricordo, avrebbe ribadito la superiorità sulle rivali scrivendo in calce a una sua fotografia di quel periodo lontano: «Per nascita le eguaglio. Per bellezza le supero. Per spirito le giudico».[96]

Come spiegare tanta tracotanza? Il trionfo parigino aveva tramutato il narcisismo adolescenziale nella certezza di un'incomparabile superiorità? O era il ribaltamento del complesso di inferiorità di una ragazza di provincia nei confronti di una società che da secoli deteneva il primato della mondanità e dell'eleganza? La contessa si limitava a prendere atto che la corte delle Tuileries era un luogo di competizione e lei aveva più titoli per vincere? O era il primo sintomo di una pericolosa mitomania? In ogni caso, niente fermava la sua corsa.

Il 1856 si concluse trionfalmente con un invito a Compiègne: per assicurarselo Virginia aveva «mosso mari e monti».[97] Proprio quell'anno, nella dimora reale a un'ottantina di chilometri da Parigi dove Joséphine Beauharnais si era stabilita dopo il divorzio e Napoleone III si era dichiarato a Eugenia, iniziava un ciclo di ricevimenti che per oltre un decennio sarebbe stato il più esclusivo e ambìto fra gli eventi mondani del calendario di corte.

Ideate da Napoleone III e sovrintese dall'imperatrice, le *séries* di Compiègne consentivano ai sovrani di invitare nella splendida dimora campestre, « oltre ai grandi ufficiali della Corona e a quelli civili e militari, con le loro mogli »,[98] il fior fiore dell'aristocrazia europea, e di stabilire contatti privilegiati con gli esponenti più in vista delle élite francesi, fra cui scienziati, scrittori, musicisti e artisti di grido. Ogni settimana, da metà ottobre all'inizio di dicembre, la coppia imperiale riceveva una sessantina di ospiti scelti in base alla loro funzione e al loro prestigio sociale. Le *séries* potevano essere « serie », « eleganti », « diplomatiche », « militari » o « artistiche ». Gli invitati avevano a disposizione un treno speciale e un corteo di carrozze, e la principessa di Metternich rievoca il parapiglia nel cortile della reggia ingombro delle centinaia di immensi bauli che contenevano il guardaroba delle signore: « Era uno spettacolo unico, sembrava che tutta Parigi avesse traslocato ... Il cortile brulicava di domestici e cameriere che gridavano a squarciagola cercando di recuperare i bauli dei padroni in quel bailamme! ».[99]

Ciò detto, l'organizzazione era impeccabile e l'ospitalità sontuosa. Si provvedeva a intrattenere gli ospiti con passeggiate nella foresta, novità teatrali presentate dalle compagnie venute da Parigi, giochi di società, e non mancava mai una spettacolare battuta di caccia, seguita dalla cerimonia (che sarà immortalata da Émile Zola) della *curée*, ossia la distribuzione ai cani dei brandelli della preda, che avveniva alla luce delle fiaccole. Il tempo era scandito dal pranzo, dal tè delle cinque e dalla cena in pompa magna, servita nella grande galleria del castello da « venti maggiordomi in uniforme azzurra, con bottoni di metallo e spada al fianco, e cinquanta camerieri incipriati, in gran livrea con i galloni d'oro, silenziosi come automi ».[100] Eppure, malgrado gli sforzi dell'imperatrice, non mancavano momenti di noia: « le serate, che si protraevano fino alle undici e mezzo, erano il punto debole » annoterà la principessa di Metternich. Ma quando si ballava o « si rappresentavano sciarade, tableaux [vivants] o commedie, allora ci si divertiva davvero»,[101] e gli scrittori più in voga, da Mérimée a Théophile Gautier e Feuillet de Conches, erano chiamati a dare il loro contributo.

Arrivata insieme al marito a Compiègne lunedì 27 ottobre per la *série élégante*, e munita di un guardaroba all'altezza dell'occasione, la contessa non mancò di far parlare di sé. Una sera, durante uno spettacolo teatrale, abbandonò la sala con la scusa di un malessere e quando, poco dopo, l'imperatore uscì dal suo palco per non farvi più ritorno, nessuno degli spettatori, a cominciare da Eugenia e presumibilmente anche da Francesco, stentò a capire perché. Tuttavia, nel corso del soggiorno, la bella insolente ebbe modo di rendersi conto di quanto fosse profonda l'ostilità che la circondava.[102] Come ricorda nel suo diario un'altra ospite di Compiègne, la moglie del presidente del Consiglio di Stato Madame Baroche, Virginia incorse in un incidente «doppiamente increscioso»: durante una visita al seguito dell'imperatrice alle rovine del castello di Pierrefonds – che Viollet-le Duc si accingeva a ricostruire di sana pianta –, «saltando da una roccia all'altra, agile come una cerbiatta, fece un capitombolo, mostrando le gambe più belle del mondo. Purtroppo si era rotta un osso del polso. Le sue grida strazianti, però, non destarono la minima compassione: "Che smorfiosa," dicevano "non si è fatta un bel niente". Eppure, una volta tanto, la contessa aveva tutte le ragioni».[103] Pur non amandola, il conte di Fleury si sentì in dovere di «soccorrere quell'infelice Arianna, vittima dell'indifferenza generale»,[104] e provvide a farla ricondurre al castello.[105] Virginia tornò a Parigi con il polso destro fratturato, e per due mesi non si sentì più parlare di lei.

Invece a Firenze la famiglia, piena di sollecitudine, si preoccupava della sua salute. Ignara dei dettagli, la marchesa Oldoini le scrisse chiedendole se si fosse rotta il polso prendendo in braccio il figlio, se davvero, come correva voce, era stata invitata a Compiègne e se si era divertita.[106] In una lettera di pochi giorni dopo aggiungeva: «Adesso non penso che al tuo braccio rotto e non avrò pace finché non saprò che ti hanno tolto l'apparecchio ortopedico e che hai recuperato l'uso del polso. Per Dio, monterei su tutte le furie se il mio capolavoro venisse rovinato da un incidente simile».[107] Dal canto suo Castiglione scriveva al suocero che, nonostante l'incidente, la moglie era di ottimo umore[108] e, sul finire dell'anno, ribadiva: «Niny sta molto meglio, le hanno tolto l'apparecchio con l'amido e il braccio risulta guarito alla perfezione... in via cautelativa il medico vuole che porti ancora il braccio legato al collo per 12-15 giorni, cosa che le impedisce di andare in società, ma in compenso può uscire a spasso in carrozza».[109]

Ciononostante, Virginia non aveva dimenticato la «missione» di cui era stata investita. A ricordargliela, all'inizio del nuovo anno, fu il re in persona, in un dispaccio che le fece pervenire per il tramite della legazione italiana.[110] E non lascia dubbi la lettera da lei inviata a Napoleone III, verosimilmente nel corso del 1857, attraverso il suo primo ciambellano, il conte Baciocchi: «Sire, per arrivare in paradiso, sfuggendo alle insidie degli estranei, trovo più saggio rivolgersi direttamente a Dio invece che ai santi. Sono stata incaricata di una comunicazione particolare da recapitare a V. Maestà per vie traverse, ma ritengo più utile al paese che Napoleone vada dritto al punto, perciò sono a pregarvi, Sire, di concedermi un quarto d'ora di attenzione. L'udienza può avere luogo da Baciocchi ... oppure V. Maestà può incontrarmi per caso, come è già accaduto più volte, fra il Campo di Marte e Saint-Cloud. Io sono sempre a disposizione (Fleury è il miglior *accompagnatore* [in italiano nel testo] per la bisogna), altrimenti... se V. Maestà teme i pettegolezzi, quantunque nel nostro caso siano ormai fuori stagione, non ha che da invitarmi a cena. Anche chi è ostile all'Italia potrà assistere alla nostra conversazione, ma da lontano. Senza permettermi di dare consigli, nel pregare V. Maestà di accordarmi tale incontro mi appello alla doppia benevolenza che nutre per il mio paese e per la sua devotissima contessa di Castiglione».[111]

Se la lettera ci mostra una Virginia perfettamente in possesso di un'arte dell'adulazione fondata sull'uso sagace dell'iperbole, l'allusione, non priva d'ironia, a «pettegolezzi ... ormai fuori stagione» lascia pensare che i loro rapporti stessero cambiando.

Il ritorno di Virginia in società dopo l'incidente di Compiègne avvenne al ballo in maschera organizzato dal conte e dalla contessa Walewski al ministero degli Esteri il 17 febbraio. Per l'occasione Virginia aveva ideato un travestimento che ancora una volta si sarebbe fatto notare per l'audacia e avrebbe suscitato commenti a non finire. Il conte Imbert de Saint-Amand, che si era vestito da paggio in stile Luigi XVI, ci trasmette l'effetto di quell'apparizione teatrale al culmine della festa: «Nella sala è entrata una donna e subito tutti gli sguardi si concentrano su di lei. È la bellezza alla moda per eccellenza, è la contessa di Castiglione ... È vestita da dama di cuori, costume simbolico, perché è un'allusione agli innumerevoli cuori che la contessa "si trascina dietro", come direbbe Racine. Sulla sua testa brilla una corona di cuori. La meravigliosa capigliatura si gonfia intorno alla fronte e ricade indietro a cascata sul collo. La gonna e il corpetto sono avvolti da una catena composta di cuori. Lo strascico è fissato all'anca. È un abito fiabesco».[112]

Mai Virginia aveva indossato una mise più audace: oltre a contravvenire alle regole del pudore – non prevedeva corsetto –, l'abito esprimeva «una protesta vibrante, tangibile, contro la crinolina»[113] difesa a oltranza dall'imperatrice. Con la grevità che gli è abituale in tema di donne, Viel-Castel commenta la turgida perfezione dei suoi seni e riferisce il lazzo non meno greve di un invitato: «Attenta, contessa, fra poco i vestiti degli uomini saranno troppo stretti!». Protetto da un domino, Napoleone III non lasciava trasparire le sue emozioni, ma per Viel-Castel senza dubbio tutti i presenti «non pensavano che a una cosa sola, senza dirla: *Vorrei essere al posto dell'Imperatore*».[114] Dal canto suo, l'imperatrice – in costume da gitana – notando sul vestito della rivale un grande cuore cucito all'altezza dell'inguine, pare si limitasse a osservare che era «un po' troppo in basso».[115]

Vera o inventata che fosse, la battuta di Eugenia era una sentenza senza appello e trasformava il trionfo della regina di cuori nel preludio della sua sconfitta. Inebriata dal piacere della sfida, Virginia non si rendeva conto di essersi spinta troppo oltre. Si era sentita libera di farsi beffe delle regole di educazione, rispettabilità e buon gusto che fissavano il margine di libertà concesso alle donne dalla morale del secolo borghese. Assurta a simbolo del desiderio maschile, la bella tra le belle era diventata per lo stesso imperatore una fonte di imbarazzo, tanto più che, stando alle indiscrezioni, lui non sembrava essere il solo a godere dei suoi favori. E anche la sfrontatezza della contessa nell'ostentare la loro relazione era inaccettabile. Napoleone provava affetto e ammirazione per la moglie, le era grato dell'impegno che prodigava nell'educazione del figlio e nell'adempiere alle responsabilità di sovrana, e voleva risparmiarle l'umiliazione di un'amante *en titre*. Anche se non era disposto a rinunciare alle avventure extraconiugali, intendeva almeno evitare di ufficializzarle. Così, dieci giorni dopo la serata al ministero degli Esteri, l'imperatore lanciò all'imprudente italiana un primo avvertimento: poteva anche essere la donna più bella del secolo, ma non era l'unica.

Il 27 febbraio fu la principessa Matilde a dare un ballo in maschera. Mentre l'imperatrice, con i capelli incipriati e un abito di tulle nero tempestato di diamanti, impersonava con « grazia malinconica » la notte, la Castiglione si travestì da marchesa in stile Pompadour. Correva voce che la contessa avesse chiesto a Matilde se ci si poteva rimettere due volte lo stesso costume, ricevendone in risposta un secco: « Fate come volete, Madame, ma ricordate che a casa mia ci si veste ».[116] Virginia ne aveva tenuto conto e aveva optato per un abito con crinolina impreziosito da un tripudio di merletti, gioielli e fiori freschi che avrebbe fatto la felicità delle riviste di moda.[117] La contessa Walewska, invece, si era nuovamente travestita da Diana cacciatrice come al ballo al ministero, con « la faretra a tracolla, la tiara di diamanti sulla fronte », ma per lei la novità consisteva nel fatto di essere visibilmente « l'oggetto del favore imperiale ».[118]

Non sappiamo se Virginia ne fosse allarmata, certa com'era del suo ascendente erotico sull'imperatore. Nei primi giorni di marzo, al ballo offerto dal banchiere Fould, in risposta ai «motti di spirito suscitati dal suo costume da regina di cuori», apparve «in abito da contadina normanna, accollato fino al mento», quasi a voler proclamare che anche coperta dalla testa ai piedi rimaneva la più bella. Verso le due di notte fu vista parlare concitatamente con un accompagnatore in maschera, ed ecco apparire «in avanscoperta» il conte Baciocchi, sovrintendente «dei piaceri di Sua Maestà», seguito da «un personaggio in domino, che si riconosceva facilmente dall'andatura. Rimproverato dalla dama per il ritardo – "Scusate, avevo detto le due e dieci" – offrì il braccio alla bella normanna; la coppia sparì dietro una porta che dava su una fuga di stanze: in fondo, regnava la solitudine. Verso le tre l'imperatore cenò a viso scoperto, era di ottimo umore ... si vedeva che Sua Maestà aveva degnato concedersi un po' di svago».[119]

Era altrettanto evidente che Virginia non aveva la minima intenzione di fare un passo indietro e scambiare la sua parte da protagonista con una da comprimaria. Altri avrebbero deciso per lei.

L'ATTENTATO
(1857-1858)

Nella notte tra il 6 e il 7 aprile del 1857, uscendo senza scorta da una casa dell'avenue Montaigne, l'imperatore sfuggì a un attentato. Non era certo il primo che subiva da quando aveva preso il potere e non sarebbe stato l'ultimo,[1] ma non gli era mai successo di venire aggredito in occasione di un appuntamento galante. E anche se i giornali avevano ricevuto l'ordine di non darne notizia, fu impossibile impedire la circolazione in sordina dei « si dice » che chiamavano in causa la Castiglione. Non era un mistero che dall'autunno precedente[2] la contessa fosse andata ad abitare al numero 24 di avenue Montaigne: evidentemente Napoleone III aveva approfittato dell'assenza del marito per farle visita.

Tre uomini armati avevano tentato di bloccare la carrozza su cui l'imperatore era appena salito, ma il cocchiere li aveva travolti lanciando i cavalli al galoppo. A capo del commando, stando all'accusa, c'era Paolo Tibaldi, un mazziniano coinvolto in molte storie di spionaggio, del quale si era probabilmente servito anche Cavour. Arrestato e giudicato colpevole, il cospiratore sarebbe stato deportato all'Isola del Diavolo, la terribile colonia penale istituita da Napoleone III nella Guyana francese. Restava da chiarire chi fossero i mandanti dell'imboscata, visto che il governo sabaudo non aveva alcun interesse a eliminare l'uomo di cui stava cercando di assicurarsi l'alleanza. Poteva certo trattarsi di un'iniziativa mazziniana, ma ci fu chi sospettò un'operazione dei servizi segreti francesi[3] condotta con il beneplacito di Eugenia: « Il partito dell'Imperatrice non era estraneo a questa messinscena, orchestrata con cura, come un melodramma » avrebbe scritto a riguardo l'assai bene informato Ferdinand Bac.[4] « Eugenia aveva la sua *police conjugale,* diretta da subalterni e alimentata con favori familiari ». Forse, spaventata dalle possibili conseguenze del comportamento imprudente del marito, l'imperatrice aveva deciso di mettervi fine incoraggiando un falso attentato allo scopo di far passare la Castiglione per una spia pericolosa. La principessa Matilde non aveva dubbi: « È corsa in aiuto della polizia. Alle Tuileries hanno la specialità di nascondere manichini nei sottoscala, spacciandoli per cospiratori ».[5] Una ventina d'anni dopo la stessa Virginia avrebbe confermato al duca di Chartres di essere stata vittima di una macchinazione dell'Espagnole, e che solo l'intervento di Costantino Nigra l'aveva dissuasa dall'« andare a bruciarle le cervella ».[6]

Incerte sono anche le notizie sulla sorte di Virginia dopo l'attentato. Era stata interrogata dalla polizia e poi accompagnata alla frontiera? O semplicemente le era stato suggerito di allontanarsi per qualche tempo dalla capitale?

Lei stessa dovette sentire la necessità di cambiare aria, visto che accettò l'invito a trascorrere qualche settimana nella bella dimora londinese di Lord e Lady Holland.[7] A giudicare da una lettera del ministro della legazione sarda presso Sua Maestà britannica, il suo arrivo non passò inosservato: « Mio caro Conte, » scriveva infatti Emanuele d'Azeglio a Cavour il 10 luglio « Madame de Castiglione trascorrerà qualche giorno a Holland House, e di sicuro la sua presenza sarà una gran perdita di tempo per chiunque le sta intorno ». D'Azeglio si vantava anche di essere riuscito nella doppia prodezza di far invitare l'esigente compatriota al ballo di corte e di averne affidato la presentazione alla moglie del duca di Persigny, allora ambasciatore di Napoleone III a Londra, in modo da evitare il rischio di un rifiuto che avrebbe costituito per la legazione sarda « uno *smacco* [in italiano nel testo] piuttosto imbarazzante ». Ironia a parte, il diplomatico era costretto a constatare che la contessa non aveva bisogno di lui per ricevere gli inviti più prestigiosi: « Pare che a Buckingham Palace fossero tutti curiosi di vedere la celebrità del momento, e tutto è andato a meraviglia. Ha ricevuto l'invito, la Regina e il Duca di Cambridge sono venuti a parlare con lei durante il *souper*, e tutto si è svolto *decorosamente* [in italiano nel testo] ... a casa di Lady Waldegrave ha suscitato l'ammirazione generale, stasera andrà da Apponyi e dice che partirà presto ».[8]

Che fosse ormai una celebrità che tutti desideravano conoscere e che il successo londinese la ripagasse delle calunnie lo mette lei stessa in chiaro, con una buona dose di autoironia, in una lettera indirizzata al sempre più intimo amico Poniatowski. Il suo bersaglio del momento era il principe Napoleone (forse reo di averle voltato le spalle nelle settimane dopo l'attentato), che si trovava anche lui a Londra.

« Il Principe Napoleone ha una paura ladra di incontrarmi e precisamente domani Palmerston [il primo ministro] mi vuole a pranzo da lui, ma non credo di andarci. Ieri il Principe N. ha chiamato Azeglio per chiedergli "Est-ce que Mme C. est toujours içi? Et c'est vrai qu'elle va dans le monde?". "Mais il paraît puisque on l'y a vue et dans le grand monde!". – "Ah c'est bien extraordinaire et j'en suis très étonné!!!". Domani vado per farlo biscare[9] da d'Aumale dove mi sono fatta invitare dalla Duchessa da 4 heures à minuit. Che talento, non è vero? ».[10]

Come vedremo, Virginia avrebbe fatto tesoro della sua visita a Twickenham, il quartiere residenziale alle porte di Londra, dove il figlio quartogenito di Luigi Filippo si era ritirato in esilio. Se il duca d'Aumale si mostrò sensibile alla sua bellezza, lei rimase colpita dall'aura romantica di quel principe bello, colto, coraggioso, patriota, eppure condannato a vivere nell'inerzia, lontano dal suo paese. Ne nacque un legame destinato a protrarsi per almeno un ventennio. Nella primavera del 1866, ad esempio, Virginia avrebbe avuto le parole più appropriate per fare al principe le condoglianze in occasione della morte della madre, la regina Maria Amelia di Borbone: «Comprendo a tal punto il vostro cordoglio, signore, che non mi provo neppure a mitigarlo, ma i grandi dolori si addicono alle anime grandi... e la vostra, Principe, dirà a Vostra Altezza che il suo compito è di confortare quelle che potrebbero vacillare davanti alla volontà di Dio, cui ogni cristiano deve piegarsi senza discussioni e senza risentimenti».[11] E tre anni dopo riprendeva la penna per «piangere» la molto amata moglie del principe.[12]

Naturalmente parlavano anche di politica, e per venire incontro al patriottismo del principe Virginia non esitava a mostrarsi più francese che italiana.[13]

A introdurre Virginia nel *grand monde* londinese furono dunque in primo luogo gli Holland, che avevano riservato alla loro Darling Beauty la più festosa delle accoglienze. Arrivata a Holland House il 1° luglio, Virginia aveva trovato, nella camera a lei destinata, un bellissimo specchio da toilette con incise le sue cifre, accompagnato da un concettoso omaggio in versi di Lord Holland.[14] Dal canto suo, Lady Mary rintuzzava le accuse di immoralità che circolavano sulla sua ospite con un: «Se fosse vero non sarebbe qui».[15] E quando le si faceva notare che l'imperatore francese aveva un ritratto della contessa in mostra nei suoi appartamenti privati,[16] dichiarava che si trattava di un giusto omaggio alla sua bellezza. Lei stessa volle imitarlo, commissionandone uno a George Frederic Watts, pittore di fama ormai consolidata che lei e il marito proteggevano fin da quando abitavano a Firenze. Pur essendosi formato in Toscana nel culto del Rinascimento italiano, Watts non riuscì a ispirare fiducia a Virginia, e davanti alle continue interferenze della modella, che non risparmiava critiche al suo lavoro, decise di rinunciare all'incarico. «Il suo sfrenato bisogno di adulazione ha finito per disgustarmi» scrisse alla moglie «e, sapendo che non sarei mai riuscito a ingraziarmi la contessa, ho preferito abbandonare l'impresa».[17] Eppure, anche se incompiuto, quello di Watts è il solo ritratto pittorico giovanile della contessa di indubbio valore artistico, e l'unico degno di reggere il confronto con il suo celebre dossier fotografico.

Ritratta a mezzo busto, la fanciulla che ci fissa con i suoi grandi occhi chiari ha la bellezza trascendente delle madonne e delle sante rinascimentali, e la piccola bocca, che sembra sul punto di abbozzare un sorriso, ricorda quella della Giovanna d'Aragona di Raffaello. Il volto è messo in risalto dalla chioma castano ramato che ne incornicia l'ovale perfetto e la nudità delle spalle si staglia contro il fondo scuro. Se la purezza dei tratti e l'espressione di virginale riserbo la fanno apparire inaccessibile, il candore della carnagione magnetizza lo sguardo e ha la valenza di una provocazione erotica. Se alla contessa il ritratto non piacque fu forse proprio a causa di questa sottile ambiguità – ambiguità che pure costituiva l'essenza del fascino di Virginia.

Il primo a interrogarsi su quel dipinto sarebbe stato Robert de Montesquiou,[18] che si faceva la stessa domanda anche a proposito della contessa Greffulhe: per quale motivo, si chiedeva il *professeur de beauté*, due donne che si erano votate al culto della propria immagine avevano preferito affidarne la testimonianza alla fotografia anziché fare ricorso ai grandi ritrattisti del loro tempo – gli Ingres e i Richard per la Castiglione, i Whistler e i Boldini per la Greffulhe? Su Virginia, Montesquiou giungeva alla conclusione che, « combattuta fra il desiderio di partorire dei capolavori, e la paura, insieme puerile e megalomane, che uguagliassero, superassero l'originale, sfidandolo in un cimento di bellezza e di durata », l'Italienne Beauté aveva dato ascolto alla paura, « annientando così, in un colpo solo, i quadri meravigliosi e le mirabili statue che avrebbe potuto ispirare agli artisti contemporanei, pittori e scultori ».[19]

Forse però Virginia era semplicemente gelosa della propria bellezza e voleva essere la sola a detenerne il pieno controllo. Non tollerando di venire trafitta e messa sotto vetro come una splendida farfalla senza vita, voleva mostrarsi nella pienezza dell'esistenza, nella ricchezza della sua gamma espressiva, nella varietà delle parti che sceglieva di interpretare di volta in volta. E solo la fotografia era in grado di immortalarla « sempre diversa e sempre uguale a se stessa».[20] Perciò a Parigi aveva preso a frequentare lo studio fotografico Mayer & Pierson in boulevard des Capucines, dove posava con le acconciature, gli abiti e i gioielli sfoggiati nei ricevimenti e nei balli che scandivano la sua scalata al successo. Avrebbe continuato a farlo anche dopo il ritorno da Londra, nonostante le molte incognite che incombevano su di lei.

La prima era il prezzo da pagare per la sua libertà, visto che alla vigilia della partenza per l'Inghilterra aveva sottoscritto con il marito un accordo di separazione. L'iniziativa era stata presa da Castiglione, che pur avendo contemplato l'eventualità di una rottura sin dai primi mesi di vita in comune, aveva fatto l'impossibile per salvare il matrimonio. A Parigi il conte si era rassegnato per quieto vivere alla frenesia mondana e alle spese sconsiderate della moglie, sforzandosi di mantenere la calma, anche se il bigliettino scherzoso con cui si impegnava a tenere sotto controllo le sue sfuriate[21] lascia pensare che le occasioni di litigio fossero all'ordine del giorno. Nei primi tempi Francesco aveva sempre accompagnato Virginia in società – a quanto riferisce Fleury, nei grandi ricevimenti lei «si faceva portare dal marito in un angolo appartato, dove si lasciava ammirare come un corpo santo» –,[22] e probabilmente si sarebbe rassegnato a vivere all'ombra della bellissima moglie di cui andava tanto fiero, se soltanto lei gli avesse mostrato un po' di rispetto; e si era ostinato a credere di riuscire a ottenerlo. Non si accorgeva dunque che lo tradiva platealmente con la complicità dell'intera legazione italiana? Era un marito da farsa, come si tendeva a credere,[23] o semplicemente un galantuomo incapace di immaginare che la moglie potesse venire meno a princìpi morali che lui dava per scontati? Dabbenaggine, acquiescenza, o, più probabilmente, cecità? Ancora ignaro di essere in una situazione odiosa con le mani legate, continuava a comportarsi come un aristocratico in viaggio di piacere a Parigi. Seguiva gli avvenimenti politici, visitava i musei, frequentava il mondo diplomatico e i numerosi amici francesi e italiani, partecipava a eleganti battute di caccia.[24] E, sebbene Virginia avesse messo fine a ogni intimità coniugale e conducesse una vita sempre più indipendente, Francesco sembrava non farci caso. Le lettere che le scrive durante un viaggio in Piemonte, nell'agosto di quel cruciale 1856, lo mostrano palesemente all'oscuro della famosa gita in barca sul laghetto di Villeneuve-l'Étang, avvenuta appena due mesi prima. L'ironia agrodolce e l'insolita libertà di linguaggio con cui dichiara di sapere bene che la « molto cara capricciosa creatura », la « cara e capricciosa Nicchia » non fa alcun caso « dei suoi autografi », ammonendola a non « S.F. [strafottersi] » anche dello sposo per non metterlo « di cattivo umore »,[25] si accompagnano a un paternalismo a dir poco fuori luogo. Ringraziandola per una lettera più lunga del solito che lo aveva raggiunto mentre era in visita a Costigliole, osserva che lei avrebbe potuto essere più affettuosa ma che bisognava « se contenter di quel che si può avere ». Quanto a lui, il suo più grande desiderio era che non ci fosse tra loro « mai una nube », ma puntualizza: « quando purtroppo scoppia una tempesta la colpa non è sempre mia ma un po' anche vostra, che mi trattate con troppa freddezza e non volete persuadervi che un briciolo di tenerezza elargito di tanto in tanto è il sistema migliore per una moglie di ottenere dal marito tutto quello che vuole ». Rimostranze a parte, la lettera, con la sua lunga lista di informazioni di carattere pratico, si direbbe improntata alla normalità domestica. Costigliole aspettava « la [sua] castellana » per l'estate successiva, i cognati le inviavano i saluti più affettuosi e si ripromettevano di andare a trovarla a Parigi, e lui si accomiatava con la richiesta di abbracciare «teneramente Georges da parte di papà » e con un: « State allegra e piensimentosa [*sic*], e se è possibile amatemi tanto, perché non riuscirete mai ad amarmi più di quanto vi amo io ».[26]

Diversamente da questa, la lettera che il marito, nuovamente a Torino per motivi di servizio, le inviò quattro mesi dopo, alla fine di gennaio del 1857, dovette allarmare non poco Virginia. E non perché Francesco si dichiarava « molto ma molto infottato » per non avere ricevuto sue notizie, ma perché la informava che il re, con cui aveva avuto un lungo colloquio privato, voleva che mettessero fine al loro soggiorno parigino e in primavera ritornassero in Piemonte. Il sovrano aveva spinto la sua benevolenza fino a manifestargli il desiderio che trascorressero l'estate a Costigliole, per andare lui stesso a farvi delle passeggiate da Pollenzo.[27]

Tornato a Parigi, e forte dell'autorità del re, Francesco annunciò dunque alla moglie che era tempo di fare i bagagli: lei gli oppose un netto rifiuto. All'apice del successo, ormai certa di tenere in pugno l'imperatore e in preda a un delirio di onnipotenza, Virginia era troppo occupata a mettere a punto i costumi degli imminenti balli in maschera di febbraio per perdere tempo con il marito, e si dichiarò pronta a porre fine alla loro vita in comune. Il 27 marzo 1857, mentre la moglie si travestiva da dama del Settecento per esibirsi dalla principessa Matilde, il conte scriveva al principe Poniatowski annunciandogli la separazione come un fatto compiuto, e l'intenzione di tornare in patria il 1° giugno.[28] Non volendo però lasciare sola in una metropoli straniera quella sposa umorale e appena ventenne, con in più la responsabilità di un figlio di tre anni, intendeva portarla con sé per riconsegnarla alla famiglia. Il problema era come riuscirci.

L'attentato aveva fatto precipitare la situazione. Non sappiamo dove si trovasse Francesco la notte dell'imboscata e se ne avesse avuto notizia, certo Virginia ne era rimasta sconvolta. Si era subito resa conto che il malaugurato evento rimetteva radicalmente in discussione la sua relazione con l'imperatore e che era vitale non abbandonare la partita. Doveva a tutti i costi rimanere a Parigi a difendere la posizione. Trovandola irremovibile, il conte provò a far valere la sua autorità con una lettera imperiosa: « Vi comunico che ce ne andremo da Parigi ai primi di maggio, ho appena detto a Madame Devaun che entro l'11 lasceremo libero l'appartamento...

« Ho voluto informarvi della mia decisione affinché possiate organizzarvi come riterrete più opportuno in vista della partenza ».[29]

Verosimilmente Virginia non prese sul serio l'ingiunzione, visto che a fine maggio erano ancora a Parigi, a litigare furiosamente. Incapace di tenere testa alla moglie, Castiglione cambiò strategia, dichiarandosi disposto ad abbandonare l'idea di una separazione a patto che Virginia si impegnasse a cambiare atteggiamento: « Cercherete di modificare le vostre idee, adeguandole alla condizione di moglie e di madre. Eviterete di trattarmi con quell'indifferenza che mi ferisce, e in tutte le questioni domestiche mi consulterete prima di agire ». In caso contrario non rimaneva che prendere ciascuno la propria strada: alla lettera era allegato un foglio da firmare con le modalità di una separazione « amichevole ».[30] Di amichevole, in verità, la proposta aveva assai poco, visto che comportava l'affidamento del figlio al conte, il quale « avrebbe messo fine a ogni rapporto sia personale che per lettera con la contessa, a partire dal momento stesso in cui lei avesse deciso di lasciare figlio e marito ».[31]

Oltre ad avvalersi dell'autorità di capofamiglia conferitagli dalla legge per infliggere alla moglie ribelle una separazione punitiva, Castiglione sentiva la necessità di motivarla con una lunga e dettagliata serie di accuse – fra cui « il rifiuto di ottemperare ai doveri coniugali con il pretesto di non volere più restare incinta » – che non facevano altro, in fondo, che riaffermare la sua debolezza.[32]

In giugno i coniugi arrivarono a un accordo e convennero di firmare l'atto di separazione. Dandone notizia alla marchesa Oldoini in una lettera dolente, il conte ritrovava un aplomb da perfetto gentiluomo: « Ne sono profondamente rattristato, soprattutto se penso all'avvenire di Niny, ma Dio mi è testimone che ho fatto di tutto per evitare questo triste esito, e che sarà lei in futuro a doversi rimproverare tante cose ».[33] Dimostrandosi una volta di più cieco a quanto avveniva sotto i suoi occhi, esprimeva riconoscenza nei confronti del principe Giuseppe – « la bontà personificata » –, che si era prestato a fare da tramite tra lui e la moglie. Grazie alla mediazione di Poniatowski, infatti, Virginia aveva ottenuto di rimanere a Parigi, mentre Francesco si riprometteva di ritornare il 1° luglio in Italia con il piccolo Giorgio. Ma il conte non voleva lasciare Parigi prima dell'arrivo del marchese Oldoini – che, informato della separazione, doveva raggiungerlo di lì a poco –, per avere « almeno la consolazione di lasciare Virginia nelle mani di suo padre ».[34] Dal canto suo, ben conoscendo il carattere della figlia, la marchesa Oldoini si atteneva a un prudente realismo, consigliando al marito di « non influenzare punto i progetti di Niny, essendo cosa troppo delicata per non attirarsi rimproveri... ».[35]

Virginia si era piegata all'accordo umiliante e vessatorio messo a punto da Castiglione per almeno due motivi: in primo luogo aveva fretta di sbarazzarsi del marito per potersi dedicare alla riconquista dell'imperatore; d'altra parte, sapeva che Castiglione, nonostante le dichiarazioni bellicose, continuava a sperare in una riconciliazione, e lei sarebbe stata comunque in grado di indurlo a ritornare sulle sue decisioni. Non aveva forse già ottenuto che, invece di tornare a Torino con il padre, il piccolo Giorgio andasse con lei a Londra? Ma la certezza di spuntarla con il marito non le bastava: solo l'imperatore poteva assicurarle l'indipendenza economica, e la stessa possibilità di continuare a svolgere la missione affidatale da Vittorio Emanuele II e da Cavour dipendeva dalla forza del suo legame con lui. E a quella missione Virginia non intendeva rinunciare.

A Parigi la giovane cospiratrice non aveva solo scoperto l'enorme potere conferitole dalla bellezza e la possibilità di mettere quest'ultima al servizio di una causa esaltante, ma aveva anche maturato un'autentica passione politica. Per la prima volta il narcisismo aveva ceduto il passo a un interesse che chiamava in causa l'intelligenza, la capacità di analisi, la lucidità di giudizio. Un interesse di cui avrebbe dato prova nel corso dei rivolgimenti politici degli anni suc-cessivi: « Discuteva per ore ... delle basi di un'Europa nuova, la rifondazione degli Stati... » ricorderà Karl Philipp Bach, figlio illegittimo di Girolamo Bonaparte, che conduceva vita ritirata a Baden, dove aveva avuto spesso occasione di intrattenersi con Virginia. « Vedeva una grande Italia unita, destinata a riprendere il suo ruolo guida per un rinnovamento dell'Impero romano, con l'ausilio della latinità francese ... Ma sapeva bene che i suoi grandi progetti e le speranze a cui davano adito rischiavano di naufragare a causa delle esitazioni della politica imperiale ».[36]

All'epoca dell'attentato di avenue Montaigne, tuttavia, le sorti dell'Italia erano ancora nelle mani di un impenetrabile Napoleone III, che a sua volta era tenuto sotto stretta sorveglianza dalla moglie e dalla contessa Walewska. Pur di liberarsi di Virginia, infatti, Eugenia aveva affidato a un'altra fiorentina il compito di soddisfare le esigenze extraconiugali del marito: una scelta oculata, perché la nuova favorita avrebbe dato prova di tatto e discrezione. Di quattordici anni maggiore di Virginia e dotata di «spirito, bellezza, semplicità, brio, eleganza», Maria Anna Zanobi di Ricci «riuniva in sé tutto ciò che può attirare e affascinare».[37] Aveva sposato a Firenze, nel 1846, il conte polacco Alexandre Colonna-Walewski il quale, nato dalla relazione di Napoleone I con Maria Walewska, aveva scelto come seconda patria la Francia, servendo prima nell'esercito e poi in diplomazia. Egoista, libertino e con le mani bucate, Walewski si era rivelato un pessimo marito, ma questo non aveva impedito alla giovane contessa di prodigarsi efficacemente per la sua carriera. Da quando, nel maggio del 1855, era stato chiamato da Napoleone III a ricoprire l'incarico di ministro degli Esteri, Maria Anna aveva assolto in modo impeccabile al ruolo di padrona di casa, compensando con la sua grazia e la sua cortesia l'alterigia del marito e organizzando ricevimenti che dovevano fare del ministero degli Esteri uno degli epicentri della *fête impériale*. Diventata l'amante di Napoleone III – Viel-Castel lo dava per certo nel settembre del 1857 –,[38] la bella contessa avrebbe provveduto a risollevare le sorti finanziarie della famiglia, conservando l'amicizia di Eugenia e mascherando lo scandalo della sua posizione dietro il velo della modestia e del rispetto delle forme.

Se i modi di Maria Anna erano agli antipodi di quelli di Virginia, le due fiorentine avevano però in comune spregiudicatezza e determinazione, e fu la più vecchia e navigata ad avere la meglio sul protagonismo della più giovane. Tutto lascia supporre che nei mesi successivi all'attentato Virginia avesse ripreso a vedere l'imperatore, ma il suo posto alle Tuileries era ormai saldamente occupato da una rivale la cui presenza assidua a corte era ampiamente giustificata dalla sua posizione di moglie del ministro degli Esteri. Né la Walewska doveva mancare di attrattive erotiche, se sul treno imperiale diretto a Compiègne Napoleone III non si faceva scrupolo di fare l'amore con lei nello scompartimento adiacente a quello dell'imperatrice.[39] Ma proprio a Compiègne Virginia, invitata al castello in quei giorni, poteva celebrare il suo ultimo trionfo attirando nel proprio letto l'instancabile monarca: un exploit destinato a rimanerle impresso, se quarant'anni dopo includeva tra le disposizioni testamentarie quella di essere seppellita con « la camicia da notte di Compiègne, 1857 ».

Pur continuando a esercitare una forte attrattiva sull'imperatore, Virginia aveva commesso troppi errori per poter scalzare l'agguerrita rivale. Il più grave era l'indiscrezione: aveva dato il massimo risalto alla relazione, menando vanto dei costosissimi regali ricevuti da Napoleone – tra cui la leggendaria collana a cinque giri di perle bianche e nere – e commentandone le modeste capacità amatorie. Indiscrezione tanto più imperdonabile agli occhi di chi, come lui, aveva il culto della segretezza ed era continuamente alle prese con la gelosia della moglie. Deciso a mettere fine a una relazione che diventava sempre più imbarazzante, l'imperatore affidò a Poniatowski l'ingrato compito di trasmettere alla troppo loquace italiana il proprio cortese ma fermo congedo.

Virginia non aveva mancato di prudenza soltanto con il sovrano, ma si era divertita a civettare con il vecchio barone James de Rothschild e a far perdere la testa al figlio, Gustave. Sembra che nel fitto incartamento della polizia raccolto dal prefetto Piétri su richiesta di Eugenia figurassero non solo gli ingenti prestiti ricevuti dal giovane Rothschild ma anche le confidenze a cui l'italiana si abbandonava nel letto del banchiere, tanto sulle intenzioni finanziarie quanto sulle abitudini erotiche dell'imperatore.[40] Per di più, Virginia aveva flirtato sfacciatamente con il conte di Nieuwerkerke,[41] andando a spasso insieme a lui sui tetti del Louvre in piena notte e finendo così per alienarsi l'amicizia della principessa Matilde, che pure aveva preso le sue difese dopo l'attentato di avenue Montaigne. Per quanto sovente inattendibili, le malignità che Viel-Castel registra su di lei ne denotano l'impudenza, l'esibizionismo, la fame di denaro: vera o falsa che fosse, la notizia, messa in circolazione dal principe Napoleone, che Lord Hertford – « un mostro, uno di quegli uomini protesi sull'abisso, che svelano con i loro eccessi i peggiori istinti dell'umanità » –[42] aveva sborsato un milione per passare una notte con lei e avere il diritto di sottoporla « a tutte le prove del libertinaggio più raffinato »[43] conferma che la reputazione dell'altera contessa era ormai ridotta ai minimi termini.

Per colmo di sfortuna, all'inizio dell'anno successivo un nuovo attentato fece passare in secondo piano quello di avenue Montaigne e contribuì ad aggravare la posizione di Virginia. La sera del 14 febbraio 1858 tre bombe vennero lanciate contro la carrozza che stava portando Napoleone III ed Eugenia all'Opéra. La coppia imperiale si salvò per miracolo, ma l'esplosione provocò una strage, lasciando sul selciato otto morti e centocinquanta feriti. Dei quattro attentatori, tutti patrioti italiani, il più noto era Felice Orsini, che aveva dedicato la vita alla cospirazione.[44] In Francia come nel resto dell'Europa l'attentato suscitò un'eco immensa: « Tornavano a circolare le antiche voci sulla potenza delle sette, si diceva che questo nuovo attentato fosse ancora frutto della condanna a morte dell'antico carbonaro apostata Luigi Napoleone, che nemmeno la corona imperiale bastava a proteggere. Al pugnale ora subentravano le bombe, ma l'istinto omicida dei cospiratori italiani restava il medesimo, si pensava negli ambienti conservatori come in quelli moderati ».[45]

Il primo a subire il contraccolpo politico del dramma fu il Piemonte. L'imperatore accusò il Regno sardo di offrire rifugio agli anarchici dell'intera penisola, di non esercitare abbastanza controlli, di consentire la pubblicazione di scritti incendiari, e minacciò di rimettere in discussione i suoi propositi filoitaliani. Concordata con Cavour, la risposta che Vittorio Emanuele affidò al suo inviato personale, il generale Della Rocca, non mancava di fierezza: « Ditegli ... che non si tratta così un fedele alleato; che non ho mai tollerato violenze da alcuno; che seguo la via dell'onore, sempre senza macchia, e che di questo onore io rispondo soltanto a Dio e al mio popolo. Che sono ottocentocinquanta anni che andiamo a testa alta e che nessuno me la farà mai abbassare, e con tutto questo non desidero altro che essere suo amico ».[46]

In realtà, in Napoleone III la volontà di modificare l'equilibrio europeo a favore della Francia era troppo forte perché si lasciasse influenzare dall'attentato, e il sovrano avrebbe anzi tratto vantaggio dalla nobile autodifesa di Felice Orsini, destinata a suscitare il rispetto di molti. La lettera che il patriota italiano indirizzò all'imperatore prima di andare alla ghigliottina riprendeva il monito lanciato da Cavour al Congresso di Parigi: « Sino a che l'Italia non sarà indipendente, la tranquillità dell'Europa e quella Vostra non saranno che una chimera e Vostra Maestà non respinga il voto supremo d'un patriota sulla via del patibolo: liberi la mia patria e le benedizioni di 25 milioni di cittadini la seguiranno dovunque e per sempre ».[47] Non solo l'imperatore concesse che la missiva fosse letta in tribunale dall'avvocato di Orsini, ma ne ordinò la pubblicazione sul « Moniteur », il giornale ufficiale dell'Impero, manifestando così l'intenzione di appoggiare le istanze nazionaliste.

All'insaputa di Walewski, da sempre ostile a una politica filosabauda,[48] Napoleone avviò una diplomazia personale con Torino tramite il dottor Conneau, mentre Cavour decideva di inviare a Parigi Costantino Nigra, il giovane segretario di cui diceva: « Sono sicuro di lui come di me stesso ».[49] Dopo mesi di trattative, Napoleone chiese infine a Cavour di raggiungerlo in gran segreto nella stazione termale di Plombières. Nel corso dell'incontro, che ebbe luogo il 24 luglio 1858, fu messo a punto un piano destinato a rivoluzionare l'assetto politico del Bel Paese. L'imperatore si impegnava ad affiancare il Piemonte nella guerra contro l'Austria in vista dei seguenti obiettivi: il Regno sardo avrebbe inglobato la Lombardia, il Veneto e le Romagne; la Toscana e le legazioni pontificie sarebbero state governate dalla duchessa di Parma; il Lazio e Roma sarebbero rimasti al papa; qualora Ferdinando II di Borbone avesse deciso di abdicare, il Regno delle Due Sicilie sarebbe andato a Lucien Murat, figlio della sorella di Napoleone il Grande. In cambio, e facendo riferimento alle cosiddette «frontiere naturali», l'imperatore chiedeva la cessione della Savoia e di Nizza e auspicava di rinsaldare i vincoli tra la famiglia imperiale e quella sabauda tramite il matrimonio del principe Napoleone con la principessa Clotilde, figlia quindicenne di Vittorio Emanuele. L'imperatore precisava però che per dichiarare la guerra occorreva una provocazione austriaca.

L'incontro di Plombières si rivelò decisivo. Cinque mesi dopo, il trattato d'alleanza e di reciproca difesa tra la Francia e il Regno di Sardegna fu sottoscritto da entrambi i sovrani e il 30 gennaio 1859 il principe Napoleone portò all'altare Clotilde.

Che fosse o no a conoscenza delle complesse trattative fra Parigi e Torino, e quali che fossero i suoi rapporti con l'imperatore, Virginia fu costretta a prendere atto che ormai le informazioni riservate passavano per altri canali, e che la sua missione era conclusa. Il che non le avrebbe però impedito di continuare a seguire con la massima attenzione gli avvenimenti politici, continuando a servirsi della sua vasta rete di relazioni a proprio esclusivo vantaggio.

Nel frattempo, i rapporti con il marito non miglioravano. Nel mese di luglio una lettera di Francesco le chiedeva ragione dello «spaventoso sistema di cambiali» di cui aveva avuto la dabbenaggine di affidarle la gestione e che lo aveva condotto alla rovina. La perdonava per il male che gli aveva fatto e per «la miserabile esistenza» a cui il suo comportamento irresponsabile lo aveva condannato, ma non le risparmiava un ultimo sgradevole ammonimento: «Verrà il giorno che la vostra fatale bellezza sarà svanita, gli adulatori diverranno più rari e voi ragionerete meglio, allora forse capirete in quale modo indegno avete tradito il giuramento che pronunziaste davanti a Dio, e trascurato per quattro anni i vostri doveri coniugali, facendo di me il più infelice degli uomini».[50]

Agli occhi di Virginia una sola cosa era chiara: l'avvenire si annunciava quanto mai incerto, e senza appoggi e senza denaro non le restava che tornare in Italia. Per prima cosa era andata a La Spezia – e già mentre era in viaggio per Plombières Cavour proponeva alla nipote Giuseppina Alfieri di Sostegno di accompagnarlo, non appena fosse tornato in Italia, a « fare visita a Niny ».[51] Il tripudio di profumi e di colori del suo « bel golfo » e i bagni di mare così essenziali per la sua salute dovevano averle portato un po' di conforto ma non cancellavano le sue preoccupazioni.

Il 14 novembre Castiglione scriveva al suocero che Virginia era ritornata a Torino e avrebbe alloggiato a casa sua fino a Natale, mentre lui si era trasferito dal fratello, dove il figlio andava a trovarlo. I coniugi erano infatti finalmente addivenuti, con l'aiuto del principe Poniatowski e del conte Cigala, a una separazione di comune accordo, e al conte non rimaneva che ribadire al suocero quello che aveva già scritto alla marchesa Oldoini: « Dio mi è testimone che ho il cuore spezzato e che in 4 anni ho fatto di tutto per evitarlo, rassegnandomi a un'esistenza impossibile ».[52] Dopo aver inutilmente richiamato la figlia alla ragionevolezza – « Niente colpi di testa, mia cara » –[53] elencandole i rischi di una separazione, il marchese si appellò alla discrezione del genero per evitare un inutile scandalo. A Parigi per fare i conti con Poniatowski, Castiglione scrisse al suocero giurandogli sul proprio onore di non avere « alcun rimprovero da muovere alla contessa sul piano del comportamento morale ».[54] Immensamente sollevato, Oldoini si affrettava a informare la moglie.

Virginia era pienamente consapevole di come la sua sola protezione fosse ormai l'esigenza del marito di salvare, almeno nella forma, il decoro familiare. Per questo riuscì a ottenere, sia pure a tempo determinato, l'affidamento del figlio in cambio di una vita sotto sorveglianza. Ma poiché era decisa a difendere a ogni costo il margine di libertà che ancora le rimaneva, dopo un ultimo tentativo parigino,[55] all'inizio del 1859 si rassegnò a trasferirsi insieme a Giorgio in una casa solitaria sulle alture della collina torinese di San Vito, con vista sul Po – che, per ironia della sorte, si chiamava Villa Gloria.

VILLA GLORIA
(1859)

Finora abbiamo raccontato la contessa di Castiglione quasi soltanto attraverso lo sguardo degli altri: i pochi frammenti del suo diario giunti fino a noi si riducono a un crudo elenco di fatti, e le lettere ai genitori e al marito si attengono a un prudente riserbo. I primi a interrogarsi sul suo carattere e sul suo comportamento furono i familiari, seguiti ben presto da coloro che la incontravano nell'alta società torinese e nel bel mondo parigino. Virginia aveva infatti imparato molto presto a mostrare in pubblico l'autocontrollo di un'attrice consumata. Che fosse sotto i riflettori non c'è dubbio: sono innumerevoli gli articoli di giornale e le testimonianze del clamore suscitato dalle sue apparizioni spettacolari e delle mille dicerie che circolavano sui suoi exploit imperiali. Eppure, la contessa di Castiglione rappresentava agli occhi di tutti un autentico enigma, e lo rimarrebbe anche per noi se non avessimo le lettere che tra il 1858 e il 1863, anni cruciali della sua vita, scrisse a Giuseppe Poniatowski: una sorta di lunghissimo monologo in cui la giovane donna si racconta senza remore.

In queste circa duemila pagine l'aspirazione a un'esistenza diversa, l'ansia di libertà, il desiderio di rivalsa appaiono in drammatico contrasto con le paure, le malattie, i sospetti, i rancori, e il continuo e assillante bisogno di soldi. Ma il filo conduttore è il sentimento che la lega al suo corrispondente, il bisogno di condividere tutto con lui: «Non esiste un'altra affezione come la nostra»[1] gli ricorda; ed è il loro patto di sincerità – «si è detto di dirci tutto» – a permetterle di uscire dal suo personaggio ed essere finalmente... se stessa. O quasi.

Chi era dunque l'uomo a cui Virginia, vincendo la diffidenza e l'algidità sentimentale, dichiarava: «À tort ou à raison je t'aime et mon affection non verrà mai meno»?

Fin dall'infanzia Giuseppe Poniatowski aveva imparato a far fronte alla sua condizione di irregolare, e il padre per primo gli aveva insegnato ad adattarsi alle circostanze e a cogliere senza troppi scrupoli le occasioni che la vita gli offriva. Come gli altri componenti della famiglia reale, il generale Stanislao Poniatowski aveva preso la via dell'esilio dopo che lo zio aveva rinunciato alla corona. A Roma, dove si era inizialmente stabilito, aveva goduto della benevolenza papale fino a quando la sua scandalosa relazione con Cassandra Luci, figlia di un ciabattino[2] e per giunta sposata, che gli aveva dato cinque figli, non lo aveva costretto a trasferirsi a Firenze. Assai più tollerante, il granduca di Toscana non aveva esitato ad accoglierlo nella cerchia dei suoi intimi, consentendogli di legittimare la prole, conferendogli il titolo di duca di Monterotondo e fornendogli i mezzi necessari per condurre una vita da gran signore. Appassionato di lirica, organizzatore di feste e concerti, Poniatowski aveva subito incoraggiato le spiccate attitudini musicali del terzogenito Giuseppe. Il bambino aveva potuto così beneficiare dell'insegnamento di ottimi maestri, diventando cantante e direttore d'orchestra. Si era ugualmente cimentato nella composizione e sul finire del 1838 aveva messo in scena, nel teatro privato del conte Rowland Standish, la sua prima opera, *Giovanni da Procida*, interpretando lui stesso la parte del tenore e affidando al fratello Carlo e alla cognata Elisa i ruoli secondari. Nel decennio successivo avrebbe composto non meno di sette opere, presto eseguite in numerose città italiane; nonostante il successo ottenuto, dopo la scomparsa del padre fu tuttavia costretto, per mantenere la moglie e il figlio, ad accantonare la carriera musicale per abbracciare quella diplomatica. Il granduca di Toscana avrebbe provveduto a mettere a frutto la sua duttilità e il suo spirito di avventura.

Nel novembre del 1848, mentre il vento rivoluzionario tornava a soffiare sulla penisola, Leopoldo II gli conferì dunque l'incarico di ministro plenipotenziario prima presso la Repubblica francese e poi a Londra, « per conoscere e sorprendere il concetto dei due Governi ... tanto nella questione dell'Indipendenza che in quella dell'unificazione italiana ».[3]

Dotato di un nome illustre, a cui il nuovo titolo di principe concessogli dal duca aggiungeva valore, astuto, accattivante e a suo agio in tutti gli ambienti, Poniatowski adempì brillantemente al compito affidatogli, e quattro anni dopo venne insignito della carica di ciambellano. Dopo il colpo di Stato di Luigi Napoleone, il musicista diplomatico tornò a Parigi, dove quella Polonia in cui non aveva mai messo piede gli procurò un regalo insperato: in omaggio al suo antenato Józef Antoni Poniatowski, eroico maresciallo di Napoleone, il nuovo imperatore gli offrì infatti la cittadinanza francese e lo nominò senatore. Accolto cordialmente alle Tuileries, il principe preparò la strada alla figlia di sua sorella Isabella, la bella Maria Anna Walewska, che come abbiamo visto sarebbe diventata l'amante dell'imperatore. Oltre a essere un paese di cuccagna, dove con un po' di fortuna e di astuzia si potevano fare soldi a palate, Parigi era anche la capitale delle arti, e Giuseppe, tornato a comporre, si sarebbe visto aprire anche le porte dell'Opéra.

La Castiglione lo conosceva fin dalla più tenera infanzia e lo considerava uno di famiglia: Poniatowski era stato a lungo l'accompagnatore ufficiale della madre, e il figlio del principe, che aveva solo due anni più di Virginia, le era stato compagno di giochi e la chiamava « ma petite sœur ».[4] E proprio a Poniatowski, che aveva per la piccola Oldoini una simpatia speciale, si attribuiva la paternità del vezzeggiativo « Nicchia » – diminutivo di Virginicchia, ma anche, in toscano, conchiglia –,[5] diventato per lei un secondo nome di battesimo. E il fratello di Giuseppe, Carlo, le aveva fatto da testimone il giorno in cui era andata in sposa a Castiglione. Ma quando, due anni dopo, si erano ritrovati a Parigi, la relazione tra la contessa e il principe aveva cambiato natura.

Lui si era messo subito a disposizione di Virginia, vedendo nella sua *liaison* con Napoleone un'occasione preziosa per ingraziarsi il sovrano e penetrare nelle alte sfere del potere; lei aveva trovato nel vecchio amico di famiglia il complice ideale. Individualisti e insofferenti alle regole, amavano entrambi il successo, il potere, il denaro, ma mentre il principe non ne aveva mai fatto mistero, Virginia era costretta a dissimulare, trincerandosi dietro l'alterigia, e mettendo tra sé e gli altri una distanza incolmabile. Non erano solo la spregiudicatezza, l'allegro cinismo e la tempra da avventuriero ad affascinarla in Poniatowski: apprezzava anche la profondità di una vocazione artistica che gli dava accesso a una dimensione superiore dell'esistenza a cui lei stessa, sia pur confusamente, aspirava. Nel 1862, evocando una serata in cui lo aveva visto suonare il pianoforte quasi trasfigurato dalla felicità, gli avrebbe confessato: «Se avessi potuto prevedere una gioia intérieure et l'oubli du monde extérieur que j'ai éprouvé à ce moment, ha ragione, avrei fatto qualsiasi infamità per procurarmela».

Probabilmente, nella solitudine di Villa Gloria Virginia si rese conto dell'importanza che Poniatowski aveva assunto nella sua vita: era l'unica persona che sapeva tutto di lei e con cui poteva concedersi il piacere di essere sincera senza timore di venire giudicata. E soprattutto, ora più che mai, il suo consiglio e il suo aiuto le erano necessari per non restare intrappolata a Torino, alla mercé dei ricatti del marito e della famiglia. Cercò dunque di riempire la solitudine scrivendogli indefessamente, e ogni pagina di questa straripante corrispondenza, nella sua grafia a grandi caratteri nervosi, riflette il bisogno febbrile che ne è all'origine. Bisogno di non spezzare il filo che li unisce, di dare e ricevere notizie, fare progetti, chiedere conforto, gridare la sua rabbia e disperazione. Mancano, a eccezione di qualche breve frammento, le risposte di lui,[6] ma bastano le lettere di Virginia a darci la misura dell'intimità di quel legame: se nella corrispondenza con il padre, il marito, gli amanti, sceglie sempre il francese e non deroga dal « voi », in quella con Poniatowski, in un'ortografia e una sintassi a dir poco approssimative, ricorre all'italiano vernacolare dell'infanzia e, per giunta, a un « lei » che tende a sconfinare nel « tu ». Non è dato sapere quando esattamente « la Nicchia » e il « Vecio » – come si definiva lui – fossero diventati amanti,[7] anche se Virginia si era certamente concessa all'amico prima del ritorno in Francia nell'autunno del 1860; tuttavia, se pure aggiungeva al loro scambio epistolare una tonalità più complice e piccante, l'intimità fisica non implicava agli occhi di lei un cambiamento significativo nel loro rapporto. Per Virginia il sesso non costituiva di per sé un fattore rilevante e poteva essere usato con uguale disinvoltura a fini politici e di affari, ma anche per ragioni sentimentali o ludiche. In ogni modo, è probabile che fosse stato il Vecio a prendere l'iniziativa. Poco più che quarantenne, sensuale ed esuberante, Poniatowski non si stancava di collezionare amanti di tutte le risme, e l'esperienza erotica con la Nicchia ebbe su di lui un effetto dirompente, destinato a imprimersi « per l'eternità »[8] nella sua memoria. Per lei, invece, assecondare il desiderio « ardente » del Vecio era un modo in più di legarlo a sé.[9]

Che il principe fosse stato per anni l'amante di sua madre non sembrava contrariare Virginia, né provocare in lei alcun rimorso – parola che non faceva parte del suo vocabolario. Con « la marchesa » – come si ostinava a chiamarla – non era mai andata d'accordo, e dal ritorno in Italia la loro diversità di vedute si era perfino accentuata. Proprio per questo, all'occorrenza, il principe poteva essere la persona più adatta a venirle in soccorso nei diverbi familiari e, come lei gli avrebbe chiesto brutalmente, a « tappare la bocca » alla vecchia amante.

In quella primavera del 1859 non era solo il Piemonte ad affrontare una guerra in nome dell'indipendenza italiana: dal suo eremo sulla collina torinese la contessa Verasis di Castiglione ne stava conducendo una a tutto campo per conquistarsi la propria. Il primo obiettivo era quello di non tornare a vivere con il marito; il secondo, di garantirsi i mezzi per farlo. La bancarotta del conte a causa dei debiti accumulati a Parigi rischiava di inghiottire anche la sua dote, che non era comunque sufficiente a consentirle una vita decorosa. Tanto più che a Torino « tutte le porte si erano chiuse per lei »; la famiglia Castiglione l'aveva messa in quarantena per evitare i pettegolezzi, Vittorio Emanuele non aveva fatto nulla per impedire che venisse esclusa dai ricevimenti di corte e Cavour, pur rattristato dai « guai di Ninì »,[10] aveva preoccupazioni più urgenti. « Pensi » scriveva Virginia al Vecio « che io son qui sola come una cagna, che tutti, senza eccezione, mi hanno tourné le dos [voltato le spalle] e abbandonata ». E in una lettera di poco successiva ribadiva: « E io per il mondo senza casa senza tetto senza carrozza. E io son io, a 22 anni, non avendo mai visto un giorno di bene ». Escludeva, in ogni caso, di tornare a Firenze, dove sarebbe ricaduta sotto la giurisdizione dei genitori e avrebbe condotto una vita « spezzata e disonorata ». Sperava dunque di poter riprendere al più presto la via di Parigi, ma doveva prima ottenere il beneplacito dell'imperatore e le garanzie necessarie per ritornarvi « a testa alta ». Quanto ai soldi, le era indispensabile rimanere in contatto con i suoi amici banchieri per sapere in anticipo su quali affari puntare speculando in borsa, come già aveva fatto a Parigi. Non uno di questi obiettivi poteva essere raggiunto senza l'aiuto di Poniatowski il quale, in seguito agli ingenti prestiti concessi a Castiglione, aveva ottenuto in cessione l'intero patrimonio del conte[11] e, pur dovendo fare fronte alle richieste dei numerosi creditori, aveva la possibilità di tutelare gli interessi di Virginia, che si era intanto premurata di chiedere la separazione dei beni.[12] Era lui, insieme al generale Cigala, e con la benedizione del marchese Oldoini, a farsi carico delle trattative di separazione tra i due coniugi; ed era sempre lui, da tempo socio in affari di Virginia, a condurre in porto, a Parigi, le operazioni finanziarie che lei gli segnalava. Solo lui, infine, aveva la possibilità di sondare i sentimenti di Napoleone III e capire quale poteva essere per Virginia la strada più sicura per riconquistarne il favore. L'importante, martellava lei, era fare presto: «Non credo che pensi più a me, ma penso non bisogna lasciarlo scordare. Se ci pensa bisogna prenderlo fin che è caldo e mi raccomando a lei per en trouver l'occasion». E nemmeno in materia di affari c'era tempo da perdere: «Se in quest'anno non faccio niente, sono morta e sepolta per tutta la vita» asseriva senza mezzi termini.

A portare tutti i nodi al pettine e ad accelerare i tempi sarebbe stata la guerra, ormai imminente.

BABY

«Mia cara Mina, mi dispiace così tanto che Mina non sta bene. Spero che Mina guarirà presto e uscirà con me a prendere un po' d'aria, tanti saluti da Georges Verasis».[1]

Scritta a caratteri cubitali, con la grafia esitante di un bambino che ha imparato da poco a destreggiarsi con carta e penna, in un inglese elementare, la prima delle lettere indirizzate da Giorgio Verasis di Castiglione alla madre annuncia due temi portanti della loro relazione: la preoccupazione per la salute di colei che chiamerà sempre Mina, invece di mamma, e il sentimento doloroso della sua lontananza.

La seconda introduce il motivo dell'attesa delusa: «Ho aspettato Mina per tutto il giorno. Mi dispiace che Mina non è venuta. Auguro a Mina di stare bene e mando a Mina tanti baci. Spero di vedere Mina domani, Lo Fü».[2] Traslitterazione cinese (ma senza dieresi) della parola *love*, «Lo Fü» è il nomignolo, datogli probabilmente dalla madre,[3] con cui Giorgio firma le lettere scritte negli anni dell'infanzia.

La terza, vergata a Dieppe su un'elegante carta da lettere – con tanto di stemma e nome inciso che contrastano con la calligrafia infantile –, risale presumibilmente all'estate del 1863, e mostra come il bambino, a otto anni, avesse pensato di accattivarsi la benevolenza della madre facendole la corte, proprio come gli uomini che aveva visto sciamarle intorno fin da piccolo. « Mia carissima Mina, mi dispiace tanto che Mina non è ancora tornata e ho tanto desiderio di vedere Mina ... Mando a Mina questa poesia con tanti baci: Se anche da Mina sono separato, / con Mina cara sempre sta il mio cuore. / Riconoscenza e amore per Mina sempre avrò / Dovunque Mina sarà e abiterà ».[4]

Disperatamente bisognoso di catturarne l'attenzione, Giorgio aveva intuito l'unica possibilità di entrare nelle grazie della madre, che non si faceva scrupolo di sottoporlo allo stesso trattamento capriccioso e umorale riservato agli amanti.

Il marchese Oldoini aveva sperato che l'arrivo di un bambino sarebbe venuto a colmare « il bisogno di un'affezione seria e profonda » connaturato « al carattere »[5] della figlia; sembra invece che, troppo immatura ed egocentrica, Virginia non avesse avuto né tempo né modo di elaborare il sentimento materno nei confronti di quel « Picchinicchi » di cui descrive nel diario le modalità della nascita senza una sola parola d'affetto.[6] Ciò non le impedirà di considerare quel figlio poco amato sua proprietà esclusiva. D'altronde i telegrammi di congratulazioni dei familiari, i regali, i festeggiamenti a ripetizione, fino al battesimo « in pompa » del 22 marzo 1855 in cui aveva ricevuto parenti e amici « distesa su una chaise longue »,[7] non le avevano forse confermato di essere la vera protagonista dell'evento? Molto diversa la reazione di Castiglione. Dalla lettera inviata al suocero « allorché la Divina Provvidenza nella sua bontà si è degnata di esaudire i [suoi] voti più fervidi »,[8] traspaiono il senso di responsabilità e l'emozione profonda per quella paternità che veniva a risarcire il conte della perdita del primo figlio. Il nome Giorgio, da lui solennemente scelto, era quello del « 1° conte di Costigliole », amico di Emanuele Filiberto di Savoia, « che fu Governatore di Casale e si distinse in guerra ».[9] Per il momento però il piccolo veniva chiamato Baby o, vista l'imperiosità con cui manifestava le sue esigenze, Capitan Baby. E se nei primi tempi la gratitudine per averlo reso padre di « un magnifico bambino »[10] avrebbe indotto Castiglione a una maggiore indulgenza verso i capricci della moglie, il loro diverso atteggiamento nei confronti del figlio sarebbe sfociato in un conflitto insanabile.

Nel primo elenco scritto di accuse che, già ai tempi di Parigi, il conte muoveva alla moglie in vista di una separazione, vi era quella di « carenza d'affetto per il figlio »[11] e, nel maggio del 1857, di ritorno a Torino, non aveva esitato a rivendicare il diritto di tenerlo con sé. A Virginia, che si era appena lasciata alle spalle lo smacco imperiale, la messa in discussione dei diritti materni doveva apparire un affronto intollerabile, non meno delle condizioni per avere l'affidamento di Baby, e tenne quindi testa alle più che ragionevoli richieste del marito con proterva tenacia: il piccolo Giorgio dovette accorgersi ben presto di essere diventato l'oggetto di un contenzioso cronico. Laddove il padre, in ossequio alle tradizioni familiari, lo destinava a un'educazione militare improntata ai valori della nobiltà sabauda, la madre intendeva farne un gentiluomo con le carte in regola per poter brillare sulla scena internazionale, sia nel campo della politica e della diplomazia sia nel mondo degli affari. L'ambizione di Virginia, insomma, era che il figlio fosse libero di coltivare apertamente le passioni che lei poteva perseguire solo per vie traverse, muovendosi dietro le quinte e rischiando la libertà, la reputazione, perfino la salute.

Quest'ambizione per interposta persona l'avrebbe resa implacabilmente esigente nei confronti del piccolo, anche se, con il passare del tempo, distratta da altre preoccupazioni, le sarebbe accaduto di dimenticarsi perfino della sua esistenza. Giorgio invece non si sarebbe mai dimenticato della madre e dei due anni beati trascorsi in simbiosi con lei a Villa Gloria, quando si poteva dire di Virginia che « nessuna donna ha mai amato un figlio con altrettanta tenerezza e devozione ».[12]

Tornata da Parigi nel dicembre del 1858, Virginia aveva finalmente mostrato interesse per quel Picchinicchi adorante che rallegrava la sua solitudine nella casa sulla collina torinese. Quando era andato a farle visita per la prima volta, il conte Henry d'Ideville l'aveva trovata stesa su un divano con Giorgio che giocava accanto a lei, e il bambino lo aveva colpito come un riflesso della bellezza materna. « È la creatura più incantevole e deliziosa che si possa immaginare, con quei riccioli biondi a incorniciargli la fronte, le braccia e le spalle nude, i grandi occhi dolci e stupiti. Somiglia molto alla madre ma il suo sguardo è più dolce, o meglio, meno severo ».[13] Ideville era anche rimasto impressionato dall'impegno con cui Virginia ne seguiva personalmente l'educazione – « Con talento ammirevole impartiva al figlio lezioni d'inglese, francese e tedesco, lingue che padroneggia come quella natia »,[14] esigendo tra l'altro che Giorgio le scrivesse sempre in inglese. Orgogliosa della bellezza del piccolo, fin dall'epoca del soggiorno parigino Virginia se n'era servita come di un accessorio della propria impresa di autocelebrazione. Aveva incominciato a farlo ritrarre molto presto, in un'epoca in cui « nessun bambino veniva tanto e così ben fotografato »,[15] collezionando almeno un centinaio di *clichés* del figlio. La prima immagine di Baby a un anno di vita, esibito fieramente dalla balia accanto a una madre compiaciuta, è anche una delle prime di Virginia realizzate da Pierson. E poiché con il passare del tempo il figlio andò assomigliandole sempre di più, si sarebbe divertita a sottolinearlo, sul filo dell'ambiguità sessuale, attraverso un sottile gioco di specchi. Un ritratto a olio ce lo mostra a tre anni, vestito inequivocabilmente da bambina, con un prezioso abitino di merletto bordato di velluto che gli lascia scoperte le spalle e una pettinatura a boccoli assai elaborata.[16] Anche in una fotografia dello stesso periodo ha la medesima pettinatura, ed è sempre in abiti femminili – non a caso, nella corrispondenza con l'amico Estancelin, viene chiamato scherzosamente « Georgette ». Due impressionanti ritratti del 1861 attestano come questo splendido bambino fosse al servizio del narcisismo materno. In entrambi la contessa, avvolta in un mantello di seta nero che si allarga a raggiera sopra un'immensa crinolina, e con un piccolo tricorno nero inclinato sulla fronte e sormontato da una grande piuma bianca, occupa il centro della scena. Nel primo volge lo sguardo in direzione opposta a Giorgio che, seduto su uno sgabello e vestito da bambina con un cappello simile a quello della madre, reclina il capo con gli occhi fissi a terra. Nel secondo volta le spalle al figlio e, salita sul panchetto che nello scatto precedente serviva da sedile al bambino, lo sovrasta con la sua imponenza, facendolo apparire ancora più piccolo. A capo scoperto, con il viso paffuto in piena luce, Giorgio sembra essere stato richiamato al suo dovere di paggetto, e fissando un po' imbronciato l'obiettivo regge con la mano sinistra l'estremo lembo del maestoso strascico materno. Ma se in queste fotografie Baby funge da appendice ornamentale della coreografia ideata da Virginia per la messinscena della propria bellezza, in quelle scattate un paio di anni dopo, quando ne aveva sette o otto, figura come l'« avatar miniaturizzato », « un riflesso fedele della madre ».[17] Sono immagini a dir poco inquietanti, a metà strada tra quelle delle bambine di Lewis Carroll e i piccoli *travestis* destinati a sollecitare fantasie pedofile. Nella prima Giorgio è inquadrato di profilo, con i lunghi capelli raccolti in un morbido chignon ornato da un fermaglio fiorito e le spalle nude che emergono da un drappeggio di velluto scuro. Nella seconda è un'incantevole ninfetta, con l'indice della mano sinistra che sfiora appena il mento, e fissa maliziosamente l'obiettivo. Una cascata di capelli color oro scuro, da cui sporge un braccio candido, maschera la nudità del busto piegato in avanti, e un drappo di velluto occulta la parte bassa del corpo. Questa volta Virginia decide di immortalarlo con la stessa acconciatura asimmetrica che lei stessa aveva sfoggiato in un ballo a Saint-Cloud, quando, divisa in due la splendida chioma di cui andava tanto fiera, ne aveva arricciato, disposto a piramide e cosparso di cipria bianca una metà, lasciando l'altra, bionda e liscia, ad accarezzarle il viso. Ma se, applicato al figlio, il gusto di Virginia per la stravaganza e il travestimento rivela il carattere contraddittorio e instabile del suo rapporto con lui, una fotografia scattata da Pierson alcuni anni dopo non lascia dubbi sulla natura della loro relazione. *Il baciamano* è uno dei rari ritratti in cui madre e figlio interagiscono. Ormai tredicenne, Giorgio – che ha avuto finalmente il permesso di tagliarsi i capelli – è ritto in piedi davanti alla madre e si prepara appunto a baciarle la mano. Più che a un gesto di deferenza filiale la scena fa pensare a un rito religioso. In un lungo camicione bianco che contrasta con la massa nera dell'abito di Virginia, il bellissimo adolescente sembra un chierichetto sul punto di ricevere la comunione e il suo sguardo estatico pare promettere una devozione incondizionata. È una delle ultime immagini che abbiamo di lui, e getta una luce retrospettiva sul culto che aveva votato alla madre sin dalla più tenera infanzia.

Ma torniamo a Villa Gloria, quando il piccolo Castiglione godeva dell'attenzione materna.

LA GUERRA PER L'INDIPENDENZA (1859-1860)

Dichiarata il 29 aprile 1859, la guerra – quella guerra che era stata al cuore della sua missione francese – rappresentava per Virginia una doppia occasione: innanzitutto le dava la possibilità di risolvere i suoi problemi economici, perché, come ricordava a Poniatowski che lo aveva sperimentato nel 1848, « è sempre nelle rivoluzioni che si fà fortuna »; in secondo luogo, le offriva l'opportunità di ristabilire un contatto diretto con l'imperatore.

Il 10 gennaio 1859, fidando negli accordi di Plombières, Vittorio Emanuele aveva riaperto i lavori del governo subalpino con un discorso bellicoso, che dichiarava l'intenzione del Piemonte di mettere fine all'occupazione austriaca nella penisola. Era stato lo stesso Napoleone III a suggerirne il passo cruciale – « non siamo insensibili al grido di dolore che da tutte le parti dell'Italia si leva verso di noi » –,[1] ma nei mesi successivi, davanti alla mobilitazione internazionale per scongiurare un altro conflitto europeo e alla proposta inglese di un nuovo congresso di pace, l'imperatore era parso più titubante. Mentre in Piemonte affluivano migliaia di volontari, Vittorio Emanuele e Cavour avevano richiamato alcune classi sotto le armi e lanciato un nuovo prestito, la cui destinazione era anche troppo chiara ai mercati e alle cancellerie. A Vienna infatti era prevalsa la volontà di guerra: stanca delle provocazioni, il 21 aprile l'Austria prendeva finalmente l'iniziativa e inviava al Piemonte un ultimatum: disarmo immediato e scioglimento del corpo di volontari, o guerra; tempo di risposta, tre giorni. In tal modo il governo austriaco si assumeva la responsabilità dell'aggressione agli occhi dell'Europa e dava inizio alla seconda guerra d'indipendenza italiana.

In attesa dell'alleato francese, i piemontesi si prepararono a rallentare il più a lungo possibile l'avanzata dell'esercito austriaco che, con il doppio degli uomini, era schierato in assetto di guerra sulla riva lombarda del Ticino. Si temeva che il nemico puntasse subito a occupare Torino, impossibile da difendere. Invece, con il rischio di un'insurrezione del Lombardo-Veneto alle spalle, indeciso e ostacolato da piogge torrenziali, il generale comandante in capo delle forze austriache Ferenc Gyulay si mosse con lentezza, perdendo tempo prezioso. Quando il 12 maggio Napoleone III sbarcò a Genova con tre corpi d'armata e altri due scesero dalla Val di Susa, non c'era stato ancora alcuno scontro diretto. Secondo gli accordi, era l'imperatore ad avere il comando supremo delle forze franco-italiane, mentre Vittorio Emanuele, affiancato dal generale La Marmora, era a capo dell'esercito sabaudo. Fin dai primi successi franco-sardi a Montebello e a Palestro emerse il contrasto fra l'irruenza del sovrano italiano e la prudenza e la lentezza sconcertanti dell'imperatore. Anche dopo la vittoria di Magenta e la successiva liberazione di Milano, dove i due alleati fecero un ingresso trionfale il 6 giugno, Napoleone III avrebbe continuato a sprecare le occasioni di dare al conflitto la svolta decisiva. Perfino dopo la vittoria finale di Solferino, costata ai francesi ben 1622 morti e 8530 feriti,[2] non si diede la briga di inseguire il nemico. In effetti, sin dall'inizio della guerra, il sovrano era preoccupato per la tenuta del consenso interno e temeva complicazioni sul Reno. Sconfiggendo ripetutamente l'Austria e affermando così l'egemonia francese aveva già raggiunto l'obiettivo che si era prefisso. I suoi alleati se ne sarebbero resi conto solo un mese dopo, il 7 luglio, quando di punto in bianco l'imperatore comunicò a Vittorio Emanuele l'intenzione di mettere fine alla guerra. L'11 luglio, a Villafranca, il sovrano francese firmò con l'imperatore Francesco Giuseppe un armistizio che, contravvenendo clamorosamente agli accordi di Plombières, lasciava il Veneto sotto la dominazione austriaca.

Allo scoppio della guerra, mentre il marito sfuggiva ai creditori partendo per il fronte,[3] Virginia rimase a Torino; anche se la città rischiava di cadere in mani nemiche, lei non aveva paura.[4] Madre, parenti e amici l'avevano esortata a cercare rifugio nell'assai più sicura Genova, dov'era in arrivo l'imperatore. Ma bastava questa notizia a dissuaderla: « Tutti diranno che è per quello che son là, e starei chiusa in una camera senza nemmeno guardar dalla finestra. No, non ci vado davvero. È tempo di fare e non di far dire ». Non erano parole vane, e Villa Gloria si sarebbe rivelata un'eccellente postazione da cui dare battaglia.

Mentre Cavour era tenuto all'oscuro dell'andamento della guerra da Vittorio Emanuele, che per evitarne le interferenze limitava il più possibile le comunicazioni dal fronte, Virginia riusciva a essere sempre al corrente di tutto quello che avveniva nell'esercito piemontese e in quello francese grazie a due ottime fonti. La prima era il conte Enrico Martini di Cigala, aiutante di campo di Vittorio Emanuele e zio materno del marito, sulla cui complicità Virginia sapeva di poter contare fin dall'epoca in cui si era prestato a favorirne gli incontri segreti con il re in vista della missione parigina. Cigala non faceva mistero di avere un debole per quell'incantevole nipote che suscitava tanto biasimo e si era schierato dalla sua parte anche nel contenzioso con Castiglione. Virginia lo aveva ricambiato consentendogli qualche intimità, e il ruvido colonnello doveva aver perso la testa: come giustificare altrimenti la sua promessa, in spregio alla deontologia militare, di tenerla puntualmente informata sull'andamento della guerra, senza chiedersi che uso avrebbe fatto la nipote – « un poco matta ma buona tanto » –[5] di notizie così riservate? Le lettere che il « Barba Cigala », come si firmava – in piemontese « Barba » equivale a « zio » –, fece pervenire a Virginia sono ben sessantasette, e forniscono una cronaca dettagliata del conflitto. A sua volta, battendo sul tempo i bollettini ufficiali, la bella reclusa inviava le notizie a Charles-Adolphe Huteau, il suo uomo di fiducia a Parigi, perché le trasmettesse agli amici banchieri che se ne servivano per giocare in borsa.[6]

Dovendo concentrare in poche pagine le informazioni essenziali sulle operazioni militari della giornata, Cigala scrive in fretta, lo stile lascia a desiderare e le chiose sentimentali appaiono di una banalità disarmante.[7] Fa ricorso a un linguaggio da caserma[8] nell'esprimere l'indignazione per la spudoratezza di Vittorio Emanuele – detto « il Farfo », ossia « lo scemo » –, che si era fatto raggiungere dalla Bela Rosin,[9] e sia la fanfaronaggine del sovrano piemontese sia la gelida indifferenza del francese – detto « il Bullo » – per le migliaia di soldati morti scatenano il suo sarcasmo. Ma il Barba era un soldato di razza, pronto a « sacrificare tutte le attenzioni all'onor militare »[10] e a farsi ammazzare per il suo re, ed è proprio l'assenza di retorica della sua cronaca a restituirci, fra gli errori strategici e le carenze organizzative del quartiere generale, un'emozionante testimonianza in presa diretta del ruolo decisivo dell'esercito sabaudo[11] nella guerra che avrebbe cambiato il destino dell'Italia.

Curiosamente, tra le lettere di Cigala oggi conservate all'Archivio di Stato di Torino manca quella che contiene il resoconto della battaglia decisiva di Palestro, in cui l'esercito piemontese aveva tenuto vittoriosamente testa agli austriaci consentendo a quello francese di attraversare il Sesia e puntare su Milano. Poiché Cigala non aveva certo mancato di scriverla, si è ipotizzato che, data la sua importanza, Virginia l'avesse trasmessa a Cavour. Le cose stanno diversamente: visto il trattamento ricevuto, lei non si sentiva più in dovere di dare informazioni all'illustre cugino e lavorava solo in vista dei propri interessi, sicché non a Cavour l'aveva mandata, bensì a Poniatowski (tra le cui carte ancora oggi si trova),[12] allo scopo, molto probabilmente, di fargli sapere non tanto che a Palestro l'armata piemontese si era fatta onore e gli alleati avevano dovuto prendere atto che i soldati piemontesi valevano quanto quelli francesi, ma che l'imperatore, come appunto scriveva Cigala, aveva chiesto sue notizie a Vittorio Emanuele. Inoltre, nell'informarne l'aiutante di campo, il re, che si divertiva a punzecchiarlo sul suo affetto per Virginia, aveva aggiunto malignamente che parlando di lei l'imperatore andava « in calore ».

Questo linguaggio avrebbe sicuramente inorridito l'altro informatore di Virginia, il cavalleresco principe di La Tour d'Auvergne, che fin dall'arrivo a Torino come ministro plenipotenziario di Napoleone III le faceva una corte piena di rispetto. Il diplomatico aveva mostrato « gran voglia » e lei « paura »,[13] ma i vantaggi di una relazione con lui erano troppo evidenti perché la contessa non gli aprisse le braccia. Grato, il principe l'aveva autorizzata a servirsi del proprio corriere diplomatico, consentendole così d'inviare a Huteau, velocemente e al riparo da occhi indiscreti, tutte le lettere destinate ai corrispondenti parigini. E la teneva anche informata su quanto avveniva nello stato maggiore francese, nonché sulla situazione politica torinese e sul tenore delle relazioni di Cavour con Vittorio Emanuele e l'imperatore. Per dirla con le parole di Virginia: « che talento, non è vero? ».

Quello che La Tour d'Auvergne non poteva certo immaginare era che il suo « caro angelo adorato » aveva intenzione di riaprire la partita con l'imperatore dei francesi.

In verità, per quanto lusinghiera, la notizia che i due sovrani trovassero il tempo di parlare di lei sui campi di battaglia aveva indignato anche Virginia. Ma questo non le impediva di trarne vantaggio: « Come vedrà dalla lettera del Barba » scriveva a Poniatowski « ieri per la prima volta ha chiesto di me ... quel Porco Re fa sempre a posta per vendicarsi di Cigala ... che non ha voluto parlarli male di me e Dio solo sa cosa ha risposto all'altro. Basta, ho scritto per saperlo. Ma già al solito le povere mie spalle avranno avuto a portare un altro peso. Lui geloso e[14] persuaso, come lo ha detto aux Tuileries, che ero la maîtresse del Re. Glie lo avrà domandato finement per farsi rispondere, non conoscendo il Re con il quale la ruse per farsi dire le cose, anche quelle che non sono e che non sono mai state, non serve. Lo dice a tutti, si figuri se non lo avrà fatto credere a lui! E lì, fra di loro, forse si saranno confessati, ma se mi ha fatto ancora questo lui [l'imperatore] (del Re non me ne curo) me la pagherà. Aspetto di sapere se il Re ha fatto bugiarderie come al solito, e in questo caso lo farò accomodare dal Principe di Carignano che mi vuol molto bene e conosce il Re ... Altro non dico. Ma à qui la faute? ».

Per fortuna, poco dopo sopraggiungeva a rassicurarla una lettera « molto carina e piena d'affezione » del « Vecchio », e lei si precipitava a mandarne a Poniatowski una « copia intera »: « Il mio cuore è contento ma la mia curiosità estrema. Sono inquieto – neanche una parola sulla vostra situazione, sulla vostra salute! Perché 4 righe? Potete porre rimedio a ciò, e presto – fatemi felice ».

Il messaggio di Napoleone era promettente, ma Virginia aveva bisogno di un consiglio da Poniatowski: « Cosa rispondere a questo? Un peu, beaucoup, passionément, ou rien de tout??? Risposta pure all'articolo andare: domanda quando e perché non lo farei. Lo ridice alla fine. Lui dunque ammette l'idea che io possa ritornare a Parigi ».

E, ritrovata tutta la sua baldanza, la bella intrigante aggiungeva: « Sono persuasa anch'io che farebbe qualunque cosa per me ma credo che se mi vedesse... farebbe forse qualche cosa. C'est une bonne occasion qu'il ne faut pas perdre perché il Vecchio une fois lâché on ne le rattrape plus [se ce lo lasciamo scappare non lo riacchiappiamo più] ».

Come nei romanzi libertini del secolo precedente, Virginia inizia così a tessere, con la complicità di Poniatowski, una rete di parole volta a intrappolare con l'adulazione e la seduzione una preda astuta e resa guardinga dall'essere stata già una volta presa al laccio da entrambi. Ma i tempi erano cambiati: a differenza della marchesa di Merteuil e del visconte di Valmont, i due complici non praticavano il libertinaggio come superiore arte del vivere, bensì se ne servivano per assicurarsi le condizioni materiali necessarie ad affermarsi in una società basata sul denaro. E quando, nell'intimità, si toglievano la maschera, le strategie e il linguaggio erano quelli del postribolo.

Sin dal 12 maggio, giorno in cui Napoleone III era sbarcato a Genova, Virginia era in attesa di una « buona occasione », ma la situazione era incerta. Dopo aver ricevuto dall'imperatore l'assicurazione che presto si sarebbero rivisti, i rapporti si erano interrotti, e lei era sulle spine. Per di più, convinto che ne fosse già a conoscenza, Cigala le aveva portato un dispaccio di Cavour in cui si comunicava che l'imperatore era stato « un peu blessé [lievemente ferito] », e lei aveva temuto il peggio. A prevalere era stata però l'indignazione per non esserne stata informata né dal poco « caritatevole » Poniatowski né dall'amante « inumano »: « Non immaginavano forse » scriveva al Vecio « che avrei potuto saperlo malamente e farmi scorgere, o per lo meno soffrire? No, nemmeno più il core ha adesso? ... Cosa vuol dire questo? La prego informarsene bene portando subito questa lettera al Vecchio e dicendogli tutto quel che si pote dire di me, se trova ancora delle parole à mon profit, che non posso scrivere perché l'ho troppo con tutti per fare la commedia ».

Quanto alla commedia del « core », la lettera successiva non lascia dubbi sui sentimenti che Virginia nutriva per l'augusto amante. Ai suoi occhi l'imperatore era solo una cambiale che da un momento all'altro rischiava di scadere: « Vedo nei giornali che il Vecchio è coricato, e molto male, e non viene. Accidenti!!! Se ci crepa quello siam f... per questo bisogna spicciarsi, glie l'ho sempre detto. Chi ha tempo non aspetta tempo. Cosa ha? Domandi nouvelle. Per me dirà fâchée, en peine, quel che vuole, e intanto senta bene se non verrà punto ... Ci vada subito per parte mia e dica che non scrivo per non seccarlo. Però se crede, ecco due righe, se nò le bruci ».

Si può pensare, però, che le « due righe » di circostanza che gli aveva scritto fossero alquanto affettuose, se il 26 maggio l'imperatore le rispondeva: « Una brutta caduta in carrozza per poco non mi è costata la vita, ma sono già quasi del tutto guarito. La mia destra gravemente offesa stenta ancora a maneggiare la penna. Senza questo malaugurato incidente avrei potuto partecipare alla campagna militare, e mi ripromettevo di venire a trovarvi. Con quanto piacere, amica mia, vi avrei rivista! Questa gioia mi è stata negata. Forse ve n'è un'altra più grande in serbo per voi? Grazie per la bella lettera. Credetemi sempre vostro affezionato. Raccontatemi tutto quello che accade intorno a voi, per filo e per segno. Addio ancora una volta. Vostro N. ».

Decisa a non commettere gli sbagli del passato, Virginia chiedeva ansiosamente consiglio a Poniatowski: « Cosa devo fare? Nulla è troppo poco, qualcosa è troppo. E poi, come comportarsi davanti alla gente? 1) avere l'aria di S.F.ene [StraFottersene], essere allegra e non parlarne mai? 2) avere l'aria triste e innamorata e parlare alla lontana? 3) Vittima? Ma per essere quest'ultima bisogna che lo vedino, che se ne persuadino ».

La risposta del Vecio, che per una volta conosciamo, è esplicita: « Se trovi il modo di vederlo credo che dovresti approfittarne. Io mi atterrei ai punti due e tre: triste, affettuosa, indifesa. Il resto, la Nicchia lo farà fin troppo bene. Una volta intenerito, il resto verrà da sé ».[15]

Una lettera dopo l'altra, questa Clausewitz in sottana continuava a passare in rassegna i possibili scenari, pronta, da vera professionista del palcoscenico, a interpretare tutte le parti. Dopo aver ricevuto dall'imperatore una lettera « corta e poco buona », capiva di dovere correggere il tiro: « Io lo conosco bene adesso quel vecchio cocciuto. Si è avuto a male che io abbia parlato tanto di lui nella mia lettera, ma lei non mi ha detto che bisognava fare l'innamorata e l'ho fatta. Sò fare la pettegola, sò fare la modesta. A tempo sò piangere, a tempo sò ridere ma qui non so più cosa fare e senza istruzioni farò delle bêtises ».

E non si stancava di sottoporre a Poniatowski nuove strategie epistolari di cui era la prima a prendersi gioco: « Non rida però di queste mie lettere amorate se nò mi farà perdere il filo. Il Vecchio bisogna tenerlo caldo e per questo tenerlo accanto al fuoco. Una volta lontano diventa freddo e freddo è ghiaccio come tutti i cor contenti.

« Bisogna approfittare di lui prima che crepi e lei, anche approfittando della scusa mia, vederlo, cantarli la litania, insistere perché lui dica: mais enfin qu'est-ce qu'on pourroit faire? E allora consigliarlo... ».

Virginia non intendeva solo riprendere al laccio l'imperatore, ma rifletteva anche sugli stratagemmi da adottare per procurare all'amico un incarico importante: « Se per il momento a Parigi non ci fossero posti disponibili » – le scriveva Poniatowski – « andrei in capo al mondo pur di infilare un piede nella staffa – e mettermi poi alle sue costole. Sembrava che fossi nelle grazie di Cavour, ma non ne so più nulla ».[16] Secondo lei, avvalendosi delle simpatie suscitate in Francia dalla causa italiana, il principe doveva « offrirsi per servigi da potere rendere come Italiano ». E Virginia insisteva sul termine « offrire », dal momento che « la maledetta principosità » impediva a Poniatowski di « domandare ». Tanto, alle richieste ci avrebbe pensato lei. Ma era necessario far presto perché, come profetizzava con lungimiranza nel suo pittoresco italiano, « bisogna profittare di questo momento di libertà d'azione, di simpatia italiana di rivoluzione ... momento che non tornerà più, e questo molto più presto di quel che crede... ». La contessa non aveva alcuna fiducia né nella tenuta fisica dell'imperatore né nella stabilità politica del suo regno, ed era consapevole dei rischi a cui l'avventura italiana lo stava esponendo. E a proposito delle mire del principe Napoleone sul trono di Toscana, com'era solita fare con il Vecio, sintetizzava la situazione con le parole di un'aria d'opera: « E se il Plon-Plon dicesse poi, come Maria Padilla,[17] "Questa corona è mia", allora anche più presto nascerebbe una buggeria[18] e S. Helena sarà la più corta strada ».

Nel giro di un mese l'armistizio di Villafranca le avrebbe dato ragione, ma Virginia non intendeva perdere tempo. L'8 giugno l'imperatore era entrato a Milano accolto dal popolo in delirio, e nel darne la notizia a Poniatowski – « oggi mi gira molto tanto hò voglia di far festa » – Virginia accennava all'eventualità di recarsi anche lei nella capitale lombarda.[19] Come tornava a ribadire al Vecio, era un momento cruciale per entrambi, e non voleva lasciarselo scappare. Ignoriamo però se avesse poi messo in atto il progetto. (Se lo chiedeva anche Lord Malmesbury, ministro degli Esteri di Sua Maestà britannica, il quale « trovava in tanta agitazione di eventi il tempo di chiedere a Sir James [Hudson][20] se la contessa Nicchia [fosse]nel campo! »).[21]

A giudicare dalla lunga lettera[22] in cui Virginia ritornava a parlare della sua manovra per assicurare al principe un incarico di rilievo, l'incontro con l'imperatore aveva avuto luogo, visto che aveva avuto modo di parlargli senza intermediari. Sebbene il contenuto sia assai criptico, possiamo ipotizzare che fosse questione, tra l'altro, di un incarico diplomatico franco-italiano per Poniatowski, riguardante il futuro assetto politico della penisola e rispondente agli interessi politici ed economici di entrambi i paesi. Un incarico che richiedeva un notevole investimento di denaro e chiamava in causa anche Ignace Bauer, rappresentante dei Rothschild a Torino.[23] Partorito forse dalla fertile immaginazione di Virginia e basato sulla doppia nazionalità di Poniatowski e sulla sua esperienza di diplomatico, il progetto aveva trovato l'« Infame Padrone [Vittorio Emanuele] » contrario, mentre il Vecchio, « buonissimo » e « zufolato » a dovere da Virginia, era favorevole. E possiamo supporre che la discussione si sia svolta proprio a Milano, dove il 9 mattina si era tenuto un consiglio di guerra. Virginia è abilissima nel manovrare dietro le quinte riuscendo a indurre due sovrani, riuniti per prendere con la massima urgenza decisioni strategiche cruciali, a occuparsi di una questione non certo prioritaria solo per farle piacere. In effetti, dopo l'armistizio di Villafranca, Napoleone avrebbe incaricato Poniatowski di seguire con il conte di Reiset la situazione politica della Toscana e di fare propaganda a favore del ritorno dei Lorena per scongiurare il rischio di una fusione con il Regno sardo. Non è un caso che il conte di Viel-Castel, contrario alla politica imperiale, li accomunasse in un giudizio feroce: « Quanto alle manovre dell'Imperatore per persuadere gli italiani ad attuare una restaurazione dei duchi, c'è da ridere per non piangere! ... Certo, a tale scopo ha inviato due agenti, ma quali? Reiset e Poniatowski, non aggiungo altro! ».[24]

In ogni caso, con il crudo realismo che ormai le conosciamo, Virginia poteva annunciare al Vecio che l'imperatore era « in emozione di cotta »: forse « l'esaltazione dei soldati feriti » gli aveva « dato un po' di sale » e aveva bisogno di lei « per levarli la sete ». Ne sarebbe purtroppo mancata l'occasione: Virginia aveva sperato di poterlo ritrovare a Torino, ma Napoleone si era affrettato a lasciarsi alle spalle la capitale piemontese che, immemore dei tanti soldati francesi morti per la causa italiana, gli aveva espresso con un'accoglienza glaciale l'indignazione per il tradimento di Villafranca. « Se, due mesi fa, si fosse posto il problema seguente, » si stupiva Massimo d'Azeglio « andare in Italia con 200 m[ila] uomini, spendere mezzo miliardo, vincere quattro battaglie, restituire agli Italiani una delle province più belle, e tornare indietro inseguiti dalle loro maledizioni e sbeffeggiati dall'opinione pubblica, il problema sarebbe stato dichiarato insolubile. Ebbene, non lo era affatto, gli eventi lo hanno dimostrato ».[25]

UN AMANTE INFELICE
(1857-1862)

« Non avete mai desiderato che i nostri destini potessero unirsi »[1] le ricordava tristemente, sul finire della loro relazione, Henri de La Tour d'Auvergne, uno degli uomini che l'avevano follemente amata. Eppure chi più di lui avrebbe potuto farle vivere, dopo un matrimonio giovanile fallito e l'avventura senza domani con Napoleone III, un'autentica storia d'amore?

Come abbiamo visto, Virginia si era assicurata la devozione del principe per motivi eminentemente pratici. Relegata a Villa Gloria ma intenzionata a riconquistare il favore imperiale, aveva trovato nell'inviato di Napoleone III un informatore prezioso sull'andamento della guerra. La Tour d'Auvergne, però, aveva tutte le qualità per poter sperare di suscitare l'interesse della contessa anche per altri motivi: portava un nome illustre e disponeva di un notevole patrimonio; diplomatico di carriera, vedovo da pochi mesi, a soli trentacinque anni aveva già occupato posti di rilievo e, inviandolo a Torino in previsione dell'intervento per la causa italiana, l'imperatore gli aveva affidato una missione diplomatica cruciale; per giunta, era « uno degli uomini più seducenti e amabili che ci si potesse augurare ... gran signore, munifico, colmo di eleganza e cortesia ».[2] Ma Virginia gli avrebbe concesso la speranza di sentirsi amato solo per un breve momento, suscitando invece in lui una passione destinata a sopravvivere a lungo alla fine delle illusioni.

Sguardo intenso e deciso, viso largo e sensuale, occhi e capelli neri, corporatura possente, il principe si era mostrato subito sensibile alla malinconia esistenziale della bella reclusa. Anche se all'epoca si trovava in missione a Firenze, era senz'altro al corrente della sua clamorosa avventura con l'imperatore e delle voci di una sua relazione segreta con Vittorio Emanuele. Erano motivi sufficienti per dedicarle un interesse professionale, ma presto un sentimento più profondo lo avrebbe spinto, contro ogni prudenza, a moltiplicare le sue visite a Villa Gloria. Virginia lo accoglieva sempre affabilmente, ma rimaneva sorda alle sue dichiarazioni d'amore: «Nutro per voi una tenera amicizia. Ogni altra cosa è impossibile, sarebbe follia da parte nostra – una mancanza da parte mia ... Non toglietemi il vostro dolce affetto, è un tale conforto per me». Pur di continuare a vederla, il principe si sarebbe, sia pur con dolore, attenuto ai suoi ordini. Dopo essersi mostrata incomparabile nel trionfo, Virginia non intendeva essere da meno nella disgrazia e, nell'isolamento di Villa Gloria, si andava reinventando come eroina tragica, arricchendo il suo repertorio di un ruolo a cui avrebbe fatto ricorso sempre più spesso con il passare degli anni. E, dal momento che La Tour d'Auvergne apparteneva a una famiglia profondamente religiosa, ed era nipote di un potente cardinale, un paragone con la Madonna non le pareva inappropriato: «Ho un cuore, io, anche se cerco di nasconderlo. Fin dalla nascita ha dovuto dissimulare le ferite crudeli che gli sono state inflitte, ma è altrettanto *grande, buono* e *tenero* di quello della Santa Vergine...».[3] Messe le cose in chiaro e poste premesse adeguatamente drammatiche, Virginia poteva incoraggiare l'adoratore a perseverare nella speranza: «Peccato che oggi non siate qui,» gli scriveva tra una visita e l'altra «sarei stata così buona. Avete bisogno di essere consolato? Sono in vena di dolce consolazione... Ma aprirvi il mio cuore è follia... Dimenticate le mie parole, e non osate mai ricordarmi né il cedimento di un istante né questo momento di debolezza! ».[4] Non sappiamo per quanto tempo avrebbe continuato a tenerlo sulla corda, ma fatto sta che, ai primi di maggio, l'arrivo a Genova di Napoleone III dovette indurla a capitolare: la passione del diplomatico francese era una carta troppo preziosa. Il 18 giugno gli faceva dunque dono di un piccolo sigillo verde e azzurro come pegno d'amore,[5] e lui, in una lettera inviata proprio da Genova, diventata quartiere generale dell'esercito francese, poteva infine celebrare il « giorno felice della [sua] vita » che lo aveva visto appagato. Non vi era cosa che la sua « adorata amica » non potesse chiedergli: « Sarò a tua disposizione dove e quando vorrai. Non hai che da farmelo sapere, tutto ciò che ti chiedo è di essere più gentile che potrai, per quanto le circostanze te lo consentiranno ».[6]

Il principe non si stancava di ricordare cosa significassero per lui quei momenti di grazia: « Com'è passato in fretta il tempo per me, ieri sera, caro angelo mio! Sono rimasto, senz'avvedermene, per ben cinque ore accanto a te e non mi sono parse che un istante. Eppure non parlavamo; ma ero vicino a te, ti vedevo, potevo baciarti, ti sentivo mia ed ero al colmo della felicità ». Una felicità che l'aveva riempito « di fiducia nell'avvenire » e che gli faceva chiedere trepidante se era riuscito a darle « un po' di piacere ».[7] La speranza era giustificata, se dopo una notte d'amore poteva scriverle: « Sei stanca? Ne hai ben d'onde. Quanto a me non lo sono e non ho mai avuto l'aria più felice ».[8]

Ma la sua era una felicità che il comportamento dell'amata rimetteva continuamente in discussione. Dopo essersi concessa, Virginia riprendeva subito le distanze e, non contenta di trincerarsi dietro malesseri fisici, sbalzi di umore e scuse di ogni tipo, umiliava l'amante con una tecnica già messa a punto a spese del marito. A differenza di Castiglione, però, La Tour d'Auvergne era capace di autocontrollo e, come si conveniva al suo mestiere, aveva acume e sapeva evitare i conflitti. Nelle sue lettere le lezioni di stile – « Perché mi fate del male e mi dite cose spiacevoli? Vi sarebbe sufficiente rispondermi con la ragione invece che con il cuore » –[9] si alternano a un'indulgenza dettata dall'amore: « Ieri mi hai trattato davvero male, angelo mio adorato, eppure i sentimenti che provavo per te erano dolci e teneri come sempre; ma a volte ti piace tramutarti in un piccolo tiranno, un despota quasi barbarico, e calpestare i sentimenti altrui ».

Ben presto il principe azzardava anche una diagnosi su quel comportamento umorale: ciò che la spingeva a negare le sue emozioni era un sentimento di fierezza mal riposto, perché « amare non vuol dire umiliarsi; si può confessarlo senza vergogna a qualcuno che vi ama. Tu invece, se fossi innamorata, non lo diresti a colui che ami. E di questo non riesco a capacitarmi ». E non lo diceva per sé ma per lei, « per la tua felicità futura », che più di ogni altra cosa gli stava profondamente a cuore.[10]

Pur sapendo che la loro relazione era appesa a un filo, il principe si sforzava in ogni modo di esaltarne il carattere sentimentale. La reputazione scandalosa e l'imbarazzante situazione coniugale di Virginia non gli avevano impedito di presentarla alla madre. Vedova da anni, la principessa Laurence de La Tour d'Auvergne era una gran dama dal pugno di ferro che si era adoperata per la carriera dei tre figli, riuscendo a farne un ambasciatore, un principe della Chiesa e un militare. Dopo la morte della moglie, il primogenito le aveva affidato l'educazione del nipote Godefroy e lei, ligia al dovere, si era stabilita a Torino. Piena d'indulgenza verso il figlio, aveva accondisceso a ricevere Virginia: l'incontro si era svolto nella maniera più amabile, e ne era nata un'amicizia.

La Tour d'Auvergne dedicava all'amata ogni momento che riusciva a sottrarre al lavoro. Tenendola al corrente di tutti i suoi affari – « tu sei me » –,[11] prendendosi cura della sua salute e dei suoi problemi domestici, interessandosi affettuosamente al piccolo Giorgio, cercava di rinsaldare, con una devozione piena di tatto e delicatezza, un legame messo continuamente in pericolo dai capricci di lei. La consapevolezza di non essere amato come avrebbe voluto non bastava a distoglierlo da una passione che si faceva ogni giorno più violenta. Sfortunatamente, però, era prossimo il momento del distacco.

Nel novembre del 1859, infatti, con la pace di Zurigo si concludeva ufficialmente la seconda guerra d'indipendenza e con essa la missione diplomatica di La Tour d'Auvergne nella capitale sabauda. Tra le priorità francesi c'era adesso quella di migliorare i rapporti con la Prussia, e Napoleone III premiava il talento diplomatico del principe inviandolo a Berlino.

Convinto, al pari di Walewski, che l'entrata in guerra contro l'Austria a sostegno delle ambizioni sabaude fosse stata un grave errore politico, allergico alla rozzezza di Vittorio Emanuele II e in pessimi rapporti con Cavour,[12] il principe avrebbe dovuto rallegrarsi della fine di una missione che si era rivelata, via via, sempre più ingrata. Ma la notizia del nuovo prestigioso incarico, che implicava la separazione da Virginia, lo colpì come una condanna a morte: « Fino all'ultimo istante, cara amica mia, intendo attenermi alle buone abitudini. Ti mando dunque il dolce, l'ultimo ahimè, e verrò a trovarti stasera alle otto, e farò in modo di restare 24 ore accanto a te ... ho la testa e il cuore a pezzi ».[13]

Il 23 gennaio 1860, alle nove e trenta del mattino, il principe prese congedo da Virginia « senza quasi avere il coraggio di guardar[la] » tanto quel commiato gli straziava il cuore.[14] Da quel momento in poi, fu la lontananza a fargli sentire il peso della schiavitù amorosa. Si rendeva conto, ogni giorno di più, di non poter fare a meno di lei, e lo scorrere del tempo, anziché lenire la nostalgia, serviva solo ad acuirla. « Ogni mio pensiero » scriveva mesi dopo da Berlino « si può riassumere così: voglio vederti, ho bisogno di vederti. Ma per questo bisogna che mi aiuti, e per aiutarmi devi volerlo almeno un po' ».[15] Certo, lui poteva imbastire progetti, chiederle di andare a Berlino o di permettergli di raggiungerla in incognito a Torino, a Genova, a Parigi, a Dieppe o in qualsiasi altra stazione termale, ma Virginia era davvero disposta ad assecondarlo? Il principe era il primo a dubitarne.

Mentre si ostinava a scriverle quotidianamente lunghe lettere in forma di diario, lei gli rispondeva in modo saltuario e, peggio ancora, non gli risparmiava le umiliazioni.

In primo luogo, gelosa della propria indipendenza, programmava un viaggio a Parigi senza dirglielo. « I vostri affarucci ve li combinate volentieri da sola » constatava amaramente il principe « e vedo che in fondo non avete bisogno di nessuno. Meglio per voi e peggio per me ».[16] Per giunta, Virginia intendeva mantenere la loro relazione rigorosamente segreta: per precauzione, si scrivevano tramite l'intendente parigino Huteau e lei, non potendo più farsi restituire le lettere, esigeva che l'amante le bruciasse subito dopo averle lette.[17] Ma soprattutto, già un mese dopo la sua partenza, gli infliggeva un duro colpo imponendogli di trattarla « da estranea » e di astenersi dalle « tenerezze ».

Deciso a resistere a oltranza, il principe era pronto a ingoiare le offese pur di tenere aperta una possibilità di dialogo. Dio solo sapeva ciò che aveva sofferto e soffriva per rispettare « l'obbligo » che lei gli aveva imposto, e di cui lui non riusciva a capire il motivo. Se fossero stati insieme non si sarebbe certo rassegnato, ma ora non aveva altra scelta: « Mi sento infelice ma non mi lamento ». La verità era che lei aveva sempre saputo che la loro relazione non sarebbe durata, e non poteva certo biasimarla per questo: « La colpa è solo mia, evidentemente non mi avete considerato degno di voi ».[18] Eppure « freddezza », « indifferenza » e « vessazioni » non bastavano per indurlo a staccarsi da lei. Come liberarsi da un desiderio fisico che non gli dava pace e che, persino quando le scriveva, lo obbligava a interrompersi sopraffatto dall'emozione? Bastava una « buona » lettera a riaccendere le speranze del principe, che ammetteva: « sai anche rendermi felice se vuoi, pazzo di felicità! ».[19] Dal canto suo, una volta prese le distanze e messo in chiaro che considerava la storia conclusa, lei poteva, a seconda dell'umore e dell'interesse del momento, assumere un tono affabile, dargli sue notizie, tornare a confidargli i propri malesseri e i problemi finanziari che l'affliggevano, chiedergli sostegno, concedergli insomma l'illusione che il legame perdurasse.

All'oscuro di una verità che Virginia riservava al solo Poniatowski, La Tour d'Auvergne tentava di giustificare l'amata alla luce delle sue molte sofferenze fisiche e psicologiche. A soli ventitré anni, malinconicamente segregata con il figlio a Villa Gloria, Virginia passava gran parte del tempo a letto, afflitta da mille malanni fisici, in una città che non amava e che non la amava. Non era forse quella condizione di perenne infermità, aggravata da uno stato depressivo, a renderla insofferente nei confronti di qualsiasi richiesta affettiva? Ma allora perché continuava a confidare la sua infelicità a un amante che intendeva tenere a distanza? « Mi si stringe il cuore nell'apprendere i motivi del vostro sconforto, della vostra tristezza » le scriveva il principe, riconoscendo mestamente di non poterla aiutare e ricordandole: « se aveste avuto abbastanza affetto per me forse vi avrei aiutato a vedere un po' meno gravi i dispiaceri della vita ».[20]

Fin dall'inizio della relazione, La Tour d'Auvergne aveva dichiarato di tenere alla sua felicità più che alla propria, e anche ora, quando non si abbandonava alle recriminazioni, continuava a ripeterglielo. Perché non lo raggiungeva a Berlino? « Mi prenderei cura di te come di un piccolo tesoro prezioso! Ti obbligherei a riguardarti come un tempo, non per me che ti amo e ti amerei comunque ... ma per te ».[21]

Forse, se entrambi continuavano a scriversi, alternando gli stati d'animo e smentendo puntualmente ciò che avevano affermato poche lettere o perfino poche righe prima, è solo perché avevano bisogno l'uno dell'altra.

Schiavo della sua passione, La Tour d'Auvergne poteva sì rassegnarsi al fatto di non essere amato, ma non allontanarsi definitivamente da Virginia. Vederla per lui era vivere,[22] il desiderio di lei non gli dava pace e l'idea di fare l'amore con un'altra donna gli era intollerabile.[23] Si sforzava perciò di tenere conto dei frequenti appelli di lei alla « discrezione » e si affidava a tutti gli argomenti capaci di suscitare l'interesse della sua corrispondente. Le raccontava dei rituali della corte prussiana; le dava notizie della comunità diplomatica riunita a Berlino, a cominciare dagli inviati italiani; le chiedeva informazioni sui suoi successori a Torino, e naturalmente non mancava di aggiungere considerazioni politiche. Era costretto a prendere atto che gli avvenimenti successivi al trattato di Villafranca segnavano il fallimento del progetto strategico per cui Napoleone III lo aveva mandato a Torino. Invece di confederarsi, l'Italia aveva avviato un processo di unificazione che minacciava l'autonomia dello Stato pontificio e rimetteva in gioco l'equilibrio europeo, costringendo l'imperatore a prendere le distanze da Vittorio Emanuele. Il tono di elegante *nonchalance* non riusciva a nascondere il disappunto del principe: «Se modero i termini» le scriveva sul finire del febbraio 1860 «è solo perché mi sto rivolgendo alla più bella, alla più adorabile delle piemontesi», anche se non poteva esimersi dall'osservare: «Vi serviranno ben più di due mesi, anche al signor Nigra, per fare l'Italia. A Torino dovrebbero tenere presente che ci vuole molto meno tempo a disfare che a fare».[24] E un mese dopo tornava a ripeterle che, «a onta delle apparenze e delle speranze», l'avvenire dell'Italia era «più che precario».[25]

Erano diversivi di breve durata, tuttavia, perché il pensiero di Virginia tornava puntualmente ad attanagliarlo. A seconda del tenore delle risposte e della durata delle attese, il principe passava dal voi al tu, dalla disperazione più nera – «Con il vostro silenzio e la vostra indifferenza mi avete talmente scoraggiato che non so più né pensare né scrivere» – al riaccendersi della speranza: «Ma allora hai sentito un po' la mia mancanza, se dici che non c'è niente di cambiato in te all'infuori della mia assenza... mi è piaciuta così tanto questa frase; mi fa quasi credere che mi ami anche tu».[26] Per un momento forse riusciva anche a illudersi: «per vaghe che siano le vostre rassicurazioni, il mio cuore le accoglie con riconoscenza».[27] E poi Virginia non gli aveva forse «solennemente» promesso[28] che nel corso dell'estate avrebbero passato qualche giorno insieme? Nell'attesa di rivederla, si rifugiava nel ricordo: «Soltanto nel passato posso trovare un po' di gioia»[29] confessava, e lo evocava, quel passato, con riti propiziatori di cui rendeva dettagliatamente conto all'amata. Quando era solo, estraeva dal cassetto della scrivania i due piccoli ritratti che lei gli aveva mandato in dono, li contemplava, li interrogava, li copriva di baci. Nelle lunghe notti solitarie, poi, si lasciava cullare dai ricordi fino a scivolare in un mondo illusorio dove il suo «angelo adorato» era pronto ad aprirgli le braccia, prestandosi a tutti i suoi desideri. Non smetteva per questo di pensarla e desiderarla anche nel corso della giornata e, in attesa di ritrovarla, pregustava la gioia di sentire posarsi sulla propria la sua «piccola bocca adorata» e si riprometteva di offrirle un po' della felicità che provava: «ti bacerei dappertutto, senza tralasciare neppure uno dei tuoi angolini segreti che amo tanto».[30]

Più i suoi sogni erotici erano inebrianti, più i risvegli erano dolorosi. Sempre malata, Virginia si ostinava a non farsi curare e, sorda a ogni supplica, gli diceva di non essere in grado di fare progetti. E lui si disperava: «Non posso sopportare il pensiero che alla vostra età, circondata di amici su cui potete fare pieno affidamento, vi abbandoniate a questo sconforto»[31] e la incitava a reagire: «Avete in fondo all'anima più forza, più energia di chiunque altro».[32] Virginia doveva assolutamente scuotersi, «prendere il coraggio a due mani» e andarsene, almeno per qualche settimana, «in un posto qualsiasi»,[33] purché lontano da quella Villa Gloria dove stava seppellendo la sua giovinezza.

Occorreva però molta perseveranza per continuare a sperare in un futuro migliore, e anche lui era «a corto di salute, di forze e di coraggio».[34] Non mangiava, non dormiva, era sempre febbricitante, si sentiva spossato e tutto gli era diventato indifferente. Non aveva nemmeno trovato la forza di informare la madre che il figlio, il piccolo Godefroy, aveva ricevuto dal prozio cardinale un'eredità di un milione di franchi.[35] La sua sopravvivenza, come andava ripetendo all'amata, dipendeva in tutto e per tutto da lei e le chiedeva, «in mancanza di altri sentimenti», di concedergli «un po' di pietà».[36]

La pietà nei confronti del prossimo non era mai stata una prerogativa di Virginia, e al centro delle sue preoccupazioni, in quel momento, c'era piuttosto l'incertezza del futuro. Era uno scenario in cui La Tour d'Auvergne rappresentava, in mancanza di meglio, una sicurezza: la prova del suo potere sugli uomini. Ma il fastidioso pedaggio erotico che era costretta a pagare rendeva ancora più feroce il trattamento che riservava alle vittime. La sua strategia di dominio si articolava in tre momenti chiave: il primo consisteva nel mantenere le distanze – e a questo scopo Virginia, come già aveva fatto con il marito, si rifiutava di dare del tu al principe e di chiamarlo per nome;[37] con il secondo passava dalla freddezza all'offesa: « Sapete bene che mi piace quando mi chiamate sciocco, stupido, imbecille, » si umiliava il principe « ma vorrei che, quando siamo lontani, aggiungeste anche una parola dolce ».[38] Eppure, per quanto lui si prodigasse – in attenzioni, doni, aiuti economici –, lei non deponeva l'aggressività, non gli mostrava riconoscenza, lo incolpava persino dei suoi mali.[39] Il terzo momento, il più efficace di tutti, consisteva nel rendersi irraggiungibile. E tuttavia quella crudeltà andò a segno, se per due anni ancora, nonostante la lontananza, sarebbe riuscita a tenere alla sua mercé La Tour d'Auvergne, costretto ad ammettere: « non c'è sentimento al mondo che non abbiate saputo ispirarmi ».[40]

Le lettere dell'illustre diplomatico francese ridotto in schiavitù le infondevano, a dispetto della malasorte che si accaniva su di lei, il sentimento dell'onnipotenza. Virginia avrebbe continuato a chiedergli conferma del suo potere, e solo dopo essersi lanciata di nuovo alla conquista di Parigi si sarebbe definitivamente liberata di lui.

INSEGUENDO L'IMPERATORE
(1860)

Con la fine della guerra e la partenza di Napoleone dall'Italia, non restava a Virginia che affidarsi ai buoni uffici di Poniatowski per impedire che il sovrano si dimenticasse di lei, ma le notizie da Parigi erano tutt'altro che rassicuranti. Quando apprese che la Walewska era ormai saldamente insediata alle Tuileries nel ruolo di amante ufficiale, la contessa fu colta da un attacco di furore. Si sentiva vittima di un complotto ordito da « due vipere »: per « salvare » il marito dalla sua influenza, l'imperatrice aveva messo al suo posto quella « gatta morta tisica » di Maria Anna che, come ci si poteva aspettare, si era rivelata un'autentica « carogna ». Eugenia, però, non avrebbe tardato ad accorgersi dell'errore commesso perché « in casa Ricci son più perfidi del diavolo ». Quanto al Vecchio, profetizzava: « Pover'uomo, uno di questi giorni pagherà assai cara la sua gloria, il suo trono; colla sua pelle, e quello sarà lo sconto dei suoi peccati ». E all'amico che le predicava « perseveranza, coraggio, pazienza », rispondeva: « Son tre belle parole, ma bisognerebbe che per la prima, lei mi aiutasse, non mi lasciasse scappare il secondo e che mi desse i mezzi per aver la terza, giacché senza mangiare non si vive ». E tornava a chiedere al principe di parlare di lei all'imperatore perché non si rassegnava ad arrendersi, non voleva credere che la partita fosse davvero persa. Una settimana dopo l'altra lo martellava con le stesse domande: cosa faceva? cosa pensava, cosa diceva? E lui, che cosa aspettava ad affrontarlo? Il principe aveva un bel ripeterle che era impossibile, visto che da almeno due anni l'imperatore si limitava a salutarlo;[1] lei non demordeva. Gli ripeteva di sondare almeno la sua « cara nipote », ma anche qui la via era sbarrata. Sia la nuova favorita sia l'imperatrice sapevano che in passato lui aveva fatto da tramite fra lei e l'imperatore e volevano evitare che la cosa si ripetesse.[2]

Incapace di accettare la realtà, obnubilata dalla rabbia, dalla gelosia, dalla volontà di rivalsa, la mente di Virginia si smarriva in una ridda di pensieri ossessivi. Perché il Vecchio non aveva risposto alla sua bella lettera e non le scriveva più? Di certo « la Mary li farà perdere la testa (e la perderà per sua penitenza con una birba) »; « E lui la vede dove, come, quando? »; « È andata giù dal letto, o giù dal fauteuil? ». Virginia poteva visualizzare con precisione poltrone e divani su cui l'imperatore consumava i suoi rapidi amori, visto che mesi prima aveva scritto al Vecio di volere tornare « a mettersi su quel sofà ».[3] Non erano però gli exploit erotici dell'ex amica a mandarla su tutte le furie, bensì quelli finanziari, visto che, sempre a corto di denaro come lei, adesso Marianna poteva pagare i debiti del marito grazie a quelle speculazioni milionarie a cui ormai Virginia non aveva più accesso. Eppure, per « battere » la rivale, le sarebbe bastato che l'imperatore la vedesse anche un solo momento. Ma non era detta l'ultima parola: « O Cristo, ci ha da ripassare tra le mie mani! Sarebbe buffo che lo pigliassi per amore adesso che so fare pratica e non sono più cogliona ». E questa volta si sarebbe ben guardata di parlargli dell'Italia!

Virginia navigava però in acque troppo cattive per perdere tempo in inutili sfuriate. Poniatowski era finalmente riuscito, grazie ai buoni uffici del vecchio principe Girolamo Napoleone, ad avere con l'imperatore un incontro privato, che si era però concluso con un niente di fatto,[4] e di lì a poco la contessa ricevette una lettera in cui la si pregava di astenersi dal fare ritorno a Parigi. Era venuto il momento di trattare.

Dopo aver inviato a Poniatowski l'originale del messaggio del Vecchio, raccomandandogli di metterlo al sicuro nella cassaforte di ferro del suo studio,[5] la contessa cominciò a interrogarsi su quale fosse la tattica migliore per indurre l'amante imperiale a congedarla con una buonuscita adeguata. Stava a lei accennare, sia pur discretamente, al problema, e al principe affrontare l'imperatore a viso scoperto. Bisognava condurre un'azione coordinata e, come al solito, Virginia ne discuteva minuziosamente le modalità in lettere interminabili.

Per prima cosa aveva risposto al Vecchio con « una bella lettera – perché meglio tenerlo a bocca dolce – e fare la spartana », lasciando decidere al principe se fosse il caso di inviarla. L'aveva scritta per salvaguardare la sua dignità, « giacché non bisognava aver l'aria di venir da Peretola per volere arricchire alle loro spalle ». Non intendeva in alcun modo passare per una volgare questuante. Poniatowski doveva mettere in chiaro con l'imperatore che le difficoltà economiche in cui era invischiata non le erano certo addebitabili. Anzi, erano state « le folies dovute fare per 3 anni a Parigi per lui » a causare la bancarotta del marito, e l'offerta di risarcimento ventilata dal sovrano – appena 6000 franchi – era inaccettabile. Come poteva pensare di lasciare una come lei « nella misère e nella honte »? Il principe doveva ugualmente insistere sul fatto che lei non voleva più conservare il suo vecchio appannaggio e « sull'impossibilità di farle accettare d'altro se non a sua insaputa ». E bisognava spaventarlo con i pettegolezzi e le chiacchiere che si erano scatenati, anche a Torino, quando si era separata dal marito: « Qui adesso, contenti, tutti dicono, vero che l'è una P.? Castiglione ha avuto pazienza perché gl'hanno detto che bisognava, ma adesso l'ha mandata da chi la paga ». Come se non bastasse, Virginia era pronta a servirsi della situazione imbarazzante in cui si era venuto a trovare quel « povero uomo » di suo marito, « condannato a questa odiosa parte ». Con notevole audacia, suggeriva al messaggero perfino di accennare al rischio potenziale rappresentato dalle lettere che l'imperatore le aveva scritto, e che lei conservava religiosamente... Messo alle corde, il

Vecchio avrebbe finito per chiedere cosa potesse fare per la povera afflitta, e spettava a Poniatowski dirglielo con chiarezza: dotarla di un capitale sufficiente a vincere le difficoltà in cui si trovava per avergli sacrificato la sua reputazione, e aiutarla a conquistarsi una giusta indipendenza con operazioni finanziarie vantaggiose.

Questa seconda richiesta – la più importante per Virginia – rischiava però di restare lettera morta, perché Napoleone aveva già dichiarato di non voler più « dare informazioni riservate per non far chiacchierare il paese ».[6] Tutto lascia pensare, però, che alla fine l'imperatore si fosse convinto dell'opportunità di venire incontro alle esigenze dell'ex amante. Non sappiamo se si fosse rassegnato a erogarle direttamente i « dindi », ma dal carteggio con Poniatowski emerge chiaramente che Virginia conservava rapporti privilegiati nel mondo della finanza. E non doveva certamente mancare di un suo capitale, se nel corso del 1860, in vista di un ritorno in Francia, poteva permettersi di affittare un appartamento ammobiliato in rue Marivaux, nel centro di Parigi, una casa in rue Nicolo, nell'elegante sobborgo residenziale di Passy, e una villa al mare a Dieppe.[7]

Proprio il ritorno a Parigi era destinato però a diventare l'oggetto di una nuova e non meno difficile trattativa. L'imperatore le aveva comunicato che la sua presenza nella capitale sarebbe stata fonte di nuovi, sgradevoli pettegolezzi, ma Virginia se n'era infischiata e già nella primavera del 1860 vi aveva trascorso un breve periodo per verificare lo stato dei suoi affari. Si era attenuta alla massima discrezione – « ho cercato di non fare la malata, né la sana, né la contenta, né l'afflitta » –, ma la visita non era stata gradita e lei doveva, una volta di più, chiedere la mediazione di Poniatowski, mettendo a punto l'ennesima strategia epistolare. Ben sapendo quanto le lettere potessero essere pericolose, da sempre Virginia si faceva restituire le proprie con un RSVP [*Restituez, S'il Vous Plaît*], ed era persuasa che il Vecio bruciasse quelle indirizzate a lui. Non potendo evidentemente fare lo stesso con Napoleone, pensò di scrivergli per interposta persona, affidando al principe una lettera per lui, con la richiesta di dargliene lettura senza consegnargliela.

Anche se la lettera stessa non figura più tra le carte di Poniatowski, il biglietto che l'accompagnava non usa mezzi termini: «Ecco dunque quello che ho per la testa e non per il core, mais c'est le seul moyen pratique e bisogna striderci [rassegnarsi]. Mi secca molto e se lo pole figurare, darei un dito per non dover tendere la mano, ma spero che lei vorrà per un momento riflettere seriamente e capire la necessità di questo passo franco com'è in quest'altra lettera ... che lei deve solo fare vedere al V. e riprenderla subito. Non pensiamo al divenire né belle né brutte illusioni ma il presente è pressante. Io me ne vado, va bene, mais ce n'est pas la question. Che vada, che resti, ci sono sempre in ballo».

Il problema di fondo, l'imperatore non doveva scordarlo, rimaneva quello dei soldi, e lei era disposta a prendere in considerazione l'eventualità di restare a Torino solo se riusciva negli affari, ma poiché dipendeva da un marito che l'accusava di averlo menato per il naso e rovinato, ciò era impossibile. E poi, che cosa autorizzava il Vecchio a darle degli ordini? Non sapeva che gli italiani non avevano più bisogno di lui? «Si persuada bene di quello che non ha ancora voluto intendere. Il mese di Giugno è per noi (dirà noi perché fuori o dentro ci sono sempre anch'io) quello che era per lui il mese di Maggio passato: precisamente colla differenza che qui ci sarebbe scandalo». Proprio in quel giugno, infatti, Garibaldi stava liberando la Sicilia e si accingeva a marciare su Napoli, dando un apporto decisivo a quel processo di unificazione del paese a cui Napoleone III si era sempre mostrato contrario. Anche Virginia aveva dato il suo contributo alla causa, pagando un prezzo molto alto, ma quale che fosse la sua reputazione, era fiera di essere cittadina di un paese libero e non era più disposta a lasciarsi mettere i piedi in testa. Non vedeva come il Vecchio potesse impedirle di andare a Parigi, e anzi, stesse attento a quello che faceva.

Poniatowski la invitava a adottare un tono meno bellicoso, ma lei non se ne dava per intesa: «Li ripeto che io son più per le cattive che per le buone. Se non si ha da aver nulla a cosa serve questo abbassamento? Sarebbe molto più trionfante per lui [per trionfare su di lui bisognerebbe piuttosto] fargli vedere qu'on ne joue pas impunément avec une femme. E non ci vuol molto ad essere sur son passage [a stargli fra i piedi] e dargli sempre noia ... Coglione, se ne avrebbe a pentire. Allora lei dirà, a cosa serve? Serve a levarmi una voglia e la ho al non plus ultra».

Non era certo il coraggio a mancarle. In attesa di tornare a Parigi «come una Regina a testa in su e farla pagare a tutti», rinchiusa a Villa Gloria, Virginia continuava a lottare per la sopravvivenza. La sua guerra non era ancora finita.

Era sempre malata, e la varietà dei suoi malanni – febbri, emicranie, congiuntiviti, bronchiti, calcoli, ernie, ascessi, problemi ginecologici – non consente di attribuirne la causa solo all'ipocondria: «Sono magra e pallida, non ho forza per un quattrino, son piena di chiodi [foruncoli], non posso stare né a letto, né in piedi, insomma sono proprio tutta f...» scriveva già nell'autunno del 1859.[8] O addirittura, «sono brutta e da buttar nel cesso». E anche le sue condizioni materiali la mettevano a dura prova: «Ho freddo, ho fame e ne avrò ancora di più fra due mesi. Non so con che cosa si mangerà».

Le capitava di domandarsi se tutto questo – «tutto questo a vent'anni!» – avesse un senso: «E perché devo lottare? E lottare perché, per che cosa? Non c'è ragione, non serve a nulla e non farà bene a nessuno. Ah lo Vecio, è ormai tempo di finirla per me». Voleva però uscire di scena come un'eroina tragica e, se le fosse mancato il tempo, raccomandava al principe di scrivere sulla sua tomba: *Fatalité.* Invano il suo corrispondente la sgridava invitandola a calmarsi, all'occorrenza Virginia poteva essere spietata anche con se stessa: «Mi spiace averle fatto andare il sangue alla rovescia ma non speravo che la mia lettera potesse ancora farli quell'effetto e del resto che ci era di tanto triste? La mia fine! Alleluia! E miserere! Consolazione per tutti, le ripeto, meno lei e qualche buon diavolo che verseranno una lacrima dicendo povera creatura. Cosa ci ho da far io di questo mondo?».

Per la prima volta Virginia si poneva un interrogativo

che si sarebbe riproposto sempre più spesso, e sempre più drammaticamente, negli anni della maturità. Ma l'indomabile energia che le consentiva ogni giorno di riprendere la sua lotta solitaria era già di per sé una risposta. Virginia si batteva per conquistarsi una nuova vita senza padroni ed essere libera di decidere che forma darle. Se fra le arie d'opera che ricorrono nel carteggio non figura il « Sempre libera degg'io » della *Traviata*, niente è più significativo di questo riferimento alla decisione – che le costava cara – di non tornare a vivere con il marito: « La sola cosa di cui non mi sia mai pentita in questo mondo, ma contenta, è la separazione di cui loro [i suoi genitori] avevano tanta paura e che anche a lei [Poniatowski] non piaceva. Mai e poi mai mi è passata per la testa l'ombra di un regret, solo di non averlo fatto 4 anni fa ».

A Parigi, grazie anche alla sua posizione di amante *en titre*, Virginia aveva potuto impratichirsi nelle regole della speculazione finanziaria, un gioco d'azzardo che si svolgeva dietro le quinte della vita di società e che poteva dall'oggi al domani creare o distruggere ingenti patrimoni. Praticato con accanimento da banchieri, industriali, politici, esponenti del bel mondo, richiedeva informazioni tempestive, prontezza, intuito, audacia e massima segretezza. Mai il denaro aveva avuto tanta importanza, mai se n'era scritto, parlato e discusso così tanto.[9] Non sappiamo se Virginia avesse letto *La Maison Nucingen*, il romanzo, apparso quando lei era in fasce, in cui Balzac descrive il mondo dell'alta finanza francese, ma vent'anni dopo ne faceva esperienza diretta. Oltre ad assicurarsi l'amicizia del banchiere James de Rothschild – modello del barone di Nucingen –, il quale stava recuperando la posizione di primo piano che aveva sotto Luigi Filippo e si apprestava a trionfare sui fratelli Pereire nonché ad assicurarsi il controllo degli ambienti finanziari parigini, Virginia era anche entrata in relazione con Achille Fould, potentissimo consigliere finanziario di Napoleone III, e con gli uomini d'affari che gravitavano intorno alle Tuileries. La segretezza, la furbizia, l'audacia connaturate al carattere dell'avventurosa contessa si erano rivelate punti di forza in un gioco pericoloso ma necessario a spianarle la strada per la libertà.

Nelle lettere a Poniatowski le discussioni d'affari occupano un posto rilevante: per centinaia di pagine, in preda a un'ansia febbrile, con una scrittura telegrafica che ignora le congiunzioni, Virginia ragiona di acquisti e di vendite, di società che emettono azioni, di titoli del debito pubblico ad alto rendimento, di interessi, dividendi, cambiali in scadenza. Le occasioni mancate e gli investimenti sbagliati sembrano essere più frequenti dei guadagni, ma ogni tanto c'è un « colpo da maestro » a risollevarle il morale.

Va notato che in questa impresa comune era lei a tenere il timone: lei a trovare gli affari, a proporli al suo corrispondente, a dargli indicazioni, a sollecitarlo e responsabilizzarlo. I rapporti tra i due complici si erano invertiti: ora era il Vecio a contare sui buoni uffici della Nicchia. Il principe, che aveva sempre preso la vita alla leggera, contando sulla sua buona stella, aveva come l'amica un disperato bisogno di soldi, ma delegava a lei il compito di trovarli. All'oscuro di tutto, la marchesa Oldoini, che lo conosceva bene, ironizzava sulle « belle speculazioni » di Poniatowski.[10] Dal canto suo, Virginia non smetteva di incalzarlo: « Bisogna vedere, parlare, sentire e poi decidere di fare, <u>se no vien le rughe al volto</u> e addio baracca e burattini, non si intasca più né la commedia né le spese, e io ne ho di tutti i generi ». Ma lui se la prendeva comoda, e « non perdeva la sua allegria ». Virginia aveva un bell'essere « agra »: « E che vuole che sia? Lei va, viene, <u>canta</u>, suona e <u>balla</u>, e non mi dice niente. Diventa <u>Artista</u>, <u>diplomatico</u>, e non vuole que je crie gare! [che mi preoccupi!] ... Lei crede che qui io mangi, beva e dorma? Non sa che sono a letto giorno e notte e peggio di S. Filomena? ».

In effetti, oltre a svolgere l'incarico – che lei gli aveva procurato – di emissario dell'imperatore in Toscana, Poniatowski perseguiva un'intensa attività musicale. Nel 1859 aveva pubblicato un saggio dal titolo *Le Progrès de la musique dramatique*, l'anno dopo era andata in scena a Parigi la sua opera in quattro atti *Pierre de Médicis* e nel 1861 sarebbe stata rappresentata l'opera comica in un atto *Au travers du mur*. Ciononostante, la sua situazione economica andava facendosi sempre più catastrofica.[11]

Ma Virginia, così vendicativa nei confronti dei suoi amanti, aveva nei confronti del Vecio un'indulgenza illimitata ed era sempre pronta ad aiutare lui e la sua famiglia: « Se casco io casca lei e tutti i suoi, puisque je suis l'ancre salutaire [perché io sono l'ancora di salvezza]. Quando ce ne sarà per me ce ne sarà per lei. L'un ne vivra pas si l'autre meurt... due anime come le nostre non possono essere separate, non lo sente? Malgré tout, toutes et tous ».

Ne aveva dato una prima prova schierandosi dalla parte del principe dopo la bancarotta del marito. Il conte infatti non era stato in grado di restituire a Poniatowski l'ingente prestito ottenuto nel corso del soggiorno parigino, il che rischiava di essere fatale al principe, indebitato fino al collo. Ne era nato un contenzioso di cui sia le lettere di Virginia sia quelle di Francesco forniscono un resoconto dettagliato.

Di ritorno in Italia, il conte aveva sperato di riuscire a saldare i numerosi debiti[12] vendendo il palazzo torinese e molti possedimenti terrieri, tranne il più amato, il castello di Costigliole. Sfortunatamente, l'incertezza politica e le prospettive di guerra avevano paralizzato il mercato immobiliare piemontese facendone crollare i prezzi. Castiglione si era allora deciso a cedere il suo intero patrimonio all'amico Poniatowski, con l'intesa che il principe avrebbe recuperato quanto gli spettava, provveduto a rimborsare gli altri creditori e trovato il modo di salvare il salvabile per il piccolo Giorgio. Se non che, assorbito a Parigi da altre preoccupazioni, il principe aveva affidato il compito di liquidare il patrimonio a un tale signor Tesio, un suo uomo di fiducia, che si era rivelato un emerito imbroglione: aveva svenduto gli arredi del castello di Costigliole, il bestiame e gli attrezzi agricoli – abbassando così il valore della proprietà – e si era intascato il ricavato. La notizia aveva allarmato i creditori del conte, il quale, sentendosi moralmente responsabile verso di loro ed essendo in partenza per il fronte, aveva messo la faccenda nelle mani degli avvocati. Il

20 giugno 1859, nel bel mezzo della guerra, tutti i creditori di Castiglione venivano convocati presso lo studio legale di Giovanni Battista Cassinis e Luigi Borsarelli di Rifreddo « per essere informati sullo stato delle cose » ed eventualmente « assumere l'amministrazione del patrimonio ».

Convocata anche lei in quanto creditrice, Virginia aveva capito che l'iniziativa, oltre a rimettere in discussione la legittimità della donazione a Poniatowski, privandolo così dell'opportunità di superare l'emergenza economica, avrebbe potuto rinviare a chissà quando la riscossione degli arretrati della rendita dotale. « Questa canaglia di gente » scriveva al Vecio « non hanno avuto niente di più pressé che di mandarmi la circolare che hanno spedito a tutti i creditori ... Non si sono nemmeno dati la pena di prevenirmi di questo atto (col quale si lavano le mani come Ponzio Pilato, mani sui nostri quattrini perché se li mangeranno loro) ... porci maledetti ... suppongo che avranno mandato la circolare anche a lei in tempo perché possa mandare qualcuno con Procura per il 28 al tocco ». Allarmata dall'inerzia del Vecio, Virginia tornava alla carica: « Spero capisca che non si scherza e che bisogna che lei sia rappresentato, o se no prenderanno tutto loro. E che non si può dire domani perché chi arriva ultimo resta con le mani in mano e questo non lo voglio ». Sperava che l'occasione persa lo inducesse a prendere in pugno la situazione: « E dire che forse si poteva impedire tutto questo! Movendosi un poco per l'avvenire giacché abbiamo dormito finora! ».

Evidentemente, il principe aveva preferito continuare a « dormire ». Di lì a tre mesi, una lunga e cerimoniosissima lettera del barone Borsarelli, avvocato alla Corte di Cassazione, lo metteva con le spalle al muro: o revocava la procura a Tesio o il conte di Castiglione si vedeva costretto a citarlo in giudizio per non aver mantenuto fede agli impegni. Poniatowski si era dunque sbarazzato di Tesio, rassegnandosi a un'amministrazione controllata.

Per Virginia, che aveva fretta di riavere il suo vitalizio e contava di assicurarsi sottobanco un extra grazie alla vendita delle proprietà del marito, era un duro colpo. Pur dedicandosi a tempo pieno alle sue operazioni finanziarie, viveva nell'angoscia che non dessero gli esiti sperati, e il pensiero di dire addio anche ai modesti interessi della dote l'atterriva. «Sono ancora malata da capo. Vedo tutto il mio edificio andar giù» scriveva al Vecio, ribattendo tormentosamente, di lettera in lettera, sull'imperativo della tranquillità economica: «Bisogna che io abbia quel poco. Ma sicuro e fisso, perché questa è una vita impossibile, per me sola con tante seccature, con la paura che domani non avrò da pranzo». E ancora: «Se resto senza il mio proprio, senza di qua, senza di là, come si può? Non ci è più che il Po» – e non rinunciando all'ironia, chiosava: «preferisco la Senna». Un Leitmotiv ossessivo: «Bisogna che io abbia quel poco, ma sicuro e fisso» ribadisce, alludendo persino all'eventualità di essere costretta a vendersi...

Ma non erano solo le preoccupazioni di ordine pratico a tormentare Virginia. Affiorano nelle lettere anche sentimenti per lei del tutto inusuali, come il senso di colpa e il timore del giudizio altrui. Quando, per realizzare un po' di soldi, il marito decide di vendere i bei mobili di famiglia, l'argenteria e le porcellane, insorge: «È un abbassamento al quale non voglio prestarmi ... perché è una macchia che non posso portare sulle spalle io di avere rovinato un uomo ed un figliolo per i miei piaceri e poi di averli piantati». All'accusa di aver provocato la catastrofe economica del marito ribatte sempre, con la consueta protervia, che al conte per evitarla sarebbe bastato seguire i suoi consigli, liquidando subito una parte del patrimonio per pagare i debiti e salvando il resto. Ma l'idea che il principe subisca la stessa sorte la terrorizza: «Credi a me, Beppino mio, fai qualcosa se no sei fottuto e io poi la pagherò per tutti... Quest'idea mi fa venir freddo e qualche volta mi fa venir voglia di finirla».

Anche la decisione del marito di fare «il grande sacrifizio del castello», visto che palazzo e terre risultavano invendibili, la scuote profondamente: «Pensi che qui tutti gridano au meurtre, saette contro il principe Poniatowski che fa vendere una casa di famiglia da 800 anni ... tutti diranno che è colpa mia e lui poi è mezzo morto dal chagrin [dispiacere] e malato si tortura per quello. Sa quanto ci tiene». E pensava anche al figlio, che un giorno avrebbe potuto dirle: «avete vissuto bene, m'avete disonorato e m'avete lasciato morire di fame».

Per ridurre tutti al silenzio con un *beau geste* spettacolare, Virginia prende finanche in considerazione la possibilità di rilevare lei il castello, che si vendeva «per una miseria», impegnando la sua dote e contando sull'arrivo di qualche buon affare: «Se potessi prenderlo io e tenermelo bene inteso, sarebbe poi la nostra vittoria. Se la fortuna ci arride mai potremmo renderlo, o obbligati a tenerlo sarebbe sempre una vittoria in questo paese di averli salvato al figliolo il castello che suo Padre vendeva». Caldeggiato dal Barba Cigala e comunicato anche al conte, il progetto non andò in porto, eppure, per una volta, Virginia doveva ammettere che la disgrazia del marito e le accuse del «mondo» non le erano poi indifferenti: «le porte sono chiuse e non si riapriranno più». Ma erano solo attimi di debolezza, in una guerra che conduceva contro tutti e su tutti i fronti.

Cosciente del potere che esercitava sugli uomini, non esitava a servirsene, e riservava a tutti – imperatori, re, ambasciatori, banchieri – il medesimo disprezzo. Aveva imparato fin da piccola a dissimulare e a non lasciarsi intrappolare dai sentimenti, non già, come la celebre marchesa delle *Liaisons dangereuses*, per vendicare il suo sesso, ma per impedire alle persone che l'amavano di esercitare il benché minimo potere su di lei. E già da un pezzo aveva incominciato a prendere le distanze dai genitori, colpevoli di criticare le sue scelte di vita: «Meglio sempre lontana da loro,» scriveva a Poniatowski «stanno tutti au guet [sul chi vive] per mettermi le mani addosso al primo passo e voglio essere libera». Erano anche i primi sintomi di una mania di persecuzione che sarebbe andata accentuandosi con il passare degli anni. Si era convinta che tutti tramassero contro di lei, a cominciare dalla marchesa Oldoini, la quale sobillava il marito e il nipote, a sua volta sobillata da Carlo Poniatowski, che accusava Virginia di condurre il principe alla rovina.

«Qui bisogna unirsi in offensiva e difensiva tra noi, ed armarsi ... envers et contre tous,» scriveva a quest'ultimo «perché ci vogliono disunire, e ci riusciranno per poco che lei sia buono anche una volta sola, tanto è ben ordita la trama ... È strano quanto si siano messi d'accordo per darmi addosso, prova ne è che tutti quelli che hanno che fare con me, che mi vogliono bene e parlano ragione, diventano per loro tutti birboni».

Viene da chiedersi che cosa avesse Poniatowski per ispirare a Virginia una fiducia illimitata, visto che si comportava come un lenone, la incoraggiava a prostituirsi, all'occorrenza andava a letto con lei, e come se non bastasse le chiedeva di risolvergli i problemi finanziari. Chi più di lui le «metteva le mani addosso»? E perché lei glielo permetteva?

Era stato il suo individualismo a indurla a vedere nel principe un'anima gemella, a eleggerlo a confidente e guida nella sua nuova vita piena di incognite? Certo, se diventare l'amante di un monarca era stato per secoli un vanto per le donne della nobiltà europea, in un'epoca di moralismo ipocrita non esserlo più era la peggiore delle vergogne, ed è naturale che lei chiedesse aiuto a chi già da tempo le aveva dimostrato una complicità assoluta. Ma al di là di questa spiegazione le lettere ci rivelano una Virginia diversa e sorprendente, e restituiscono alla sua relazione con il Vecio la pienezza della vita affettiva.

Sottraendosi all'imperante sentimentalismo romantico, la contessa di Castiglione sembrava restare fedele allo spirito libertino del secolo precedente, che vedeva nell'amore un capriccio passeggero, e aveva cura di precisare che quello che provava per l'amico non era «amore (stupidità), ma del bene tanto, tanto». Perché allora la parola affiora così spesso alla sua penna? E come tenerla a bada? Un espediente poteva essere quello di farvi riferimento al condizionale, mediante vari accorgimenti retorici: «Grazie della lettera, ma non bisogna essere troppo carino, se no mi fa innamorare»; «Si diventa peggio des amoureux di palpitare quando si sente la carrozza e di tremare quando si vede una lettera ... suppongo che faccia lo stesso effetto anche a lei».

Per fargli capire quello che prova per lui Virginia fa ricorso alle arie d'opera care a entrambi: « Tutto quello che posso dire è che non sarà mai meno di ciò che scrissi quella sera e che non posso ripetere senza cantare i *Puritani* ».[13] E si serve del duetto della verdiana *Luisa Miller*, « Andrem, raminghi e poveri, dove il destin ci porta », per confermare che mai niente li separerà.

Dell'amore Virginia aveva la generosità, e ne dava continuamente prova mettendo il proprio credito al servizio delle ambizioni del Vecio e indebitandosi per lui. Sarà lei, come vedremo, a esporsi in prima persona chiedendo a Laffitte, il banchiere con cui intratteneva una relazione, un prestito di 150.000 franchi per salvare l'amico da una delle sue tante emergenze economiche, senza venirne mai rimborsata.

Dell'amore, lei che era solita piegare gli uomini ai suoi voleri, aveva le attenzioni e le cautele. Temeva di « seccare » il Vecio con le sue lettere interminabili, le domande assillanti, i lunghi elenchi delle decisioni da prendere. Gli raccomandava con delicatezza di astenersi dai giudizi imprudenti e lo avvertiva con circospezione che la sua fama di « uomo leggero, capace di tutto e buono a nulla » era d'ostacolo alle sue ambizioni. E non smetteva di incoraggiarlo: « Batta a tutte le porte senza scrupolo e fausse modestie che nessuna s'apre. Non si confonda poi tanto ».

Dell'amore, infine, aveva le collere: « Ma per dio nemmeno un crepa dopo un mese di separazione? S'intende strafottersi delle donne, ma la Nicchia merita des égards [un po' di riguardo] e pretende affezione, non pretendo aver amore », non meno che i capricci: « Non trattarmi male Cristo! Perché pole essere un malinteso suo, un granchio mio, ma sa bene, e giacché non lo sa bene, glie lo dico io: la Bisisi quando li gira dice di no, ma in cuore sì, da sempre e si darebbe l'anima ».

All'occorrenza sapeva evitare gli scontri – « Ora non voglio far la lite, né strapazzarlo, ma mi permetta di dirle che ha torto marcio di trattare così duro la Nicchia » –, e quando protestava per il ritardo nelle risposte, gli appuntamenti mancati, le disattenzioni lo faceva in tono affettuoso: a forza di tenere « la testa ficcata nel sacco delle note », lui si era dimenticato di mandarle gli auguri per il compleanno, allora, per il suo, non avendo soldi, lei gli inviava « una ciocchettina di capelli per fare un anellino ».

Non esigeva un rapporto esclusivo, non era né gelosa né possessiva, gli chiedeva solo di poter contare su di lui: « Sa bene che li lascio far tutto quel che vuole senza broncher ma non voglio vederlo stare così assente e straniero ai fatti miei ». In una lettera scritta al compimento dei ventitré anni gli annunciava l'intenzione di « accomodarsi fisico e morale », precisando: « Per il morale ci vuole lei e questo, in qualunque posto sia, sarà sempre l'unico rimedio per tirarmi e tenermi su (senza complimenti) ».

Virginia aveva bisogno della sua allegria e della sua leggerezza, perché l'ansia non le dava tregua – « Niente mi fa bene che di stare un poco con lei » –, nonché del suo inossidabile ottimismo per ritrovare un po' di fiducia in se stessa: « Io son persa qui senza lo Vecio... et puis buona a niente, mi gira tanto! Son così uggiosa! ». La sua passione per la musica e il suo gusto per la vita le erano indispensabili per riscoprire il piacere dello spirito e dei sensi. E il Vecio le rispondeva con parole ardenti: « Ti stringo al mio cuore con i sentimenti più nobili ed elevati, perché di te amo l'anima non meno del corpo. Sono tuo for ever ».[14]

Invece che di sentimenti Virginia preferiva parlare di necessità, e lo faceva, per esempio, partendo da un'esperienza traumatica. Un giorno del 1863 era andata a trovare a Pietrasanta lo zio Cencio Lamporecchi,[15] il quale, afflitto da una grave malattia nervosa, non la riconobbe. Virginia ne rimase profondamente turbata: al pensiero che « un giorno potesse essere così lo Vecio e non riconoscere la Nicchia! E darle del lei ed essere indifferente alla sua venuta, alla sua partenza! » si sentiva morire, e si appellava alla Santissima Vergine e a tutti i santi affinché le fosse risparmiata quella prova, perché senza il Vecio non avrebbe più saputo riconoscere se stessa.

I loro incontri avvenivano a Torino, a Firenze, a La Spezia, alla Vigna – la proprietà di campagna del principe –, quando per ragioni di lavoro o motivi familiari lui tornava in Italia. E ogni volta era una festa. Virginia sollecitava ansiosa le sue visite, gli chiedeva date e itinerari, ne programmava perfino i dettagli, riservando un posto anche all'amore. In previsione di una settimana alla Vigna, specificava: «Affari durante il giorno, une partie des soirées en amitié. Il ne reste donc que les nuits pour l'amour». E se la visita si prospettava fugace si augurava che ci fosse «place pour le bonheur». In materia di eros non si dilungava, limitandosi a perifrasi e parole in codice, come la «Lisetta» – una parte del corpo? – o una non meno misteriosa «occupazione di acqua di colonia», ma quando era più esplicita non si preoccupava di essere garbata: «L'aspetto ma non con te sopra di me, altro che per un bacio in bocca». Anche con il Vecio il sesso rimaneva un fatto accessorio. Glielo ricorda fieramente in una lettera in cui lo richiama all'ordine: « Una nuova. Dice che lei ha detto qui che m'a f... Come capisce non mi ci sono lasciata prendere e ho risposto "Bugiardo quello che ripete, bugiardo chi l'ha inventato e bugiardo lui che lo ha detto" ... Il tale che dice saperlo da lei non s'è ancora trovato ma ho detto "Non è vero, non ci credo. P. mi vuol troppo bene per inventare un'infamia simile". C'era gente che sorrideva ... Amen. Non ne dirò più. Basta. Mi intende, se vuol farmi tanto bene, mi dica che nulla di simile ha detto mai e che mai torni fuori.

« Se no non credo più nemmeno a Cristo e mi faccio turca».

Avrebbe finito per non credere nemmeno più nel Vecio, ma ci sarebbero voluti alcuni anni. Nel frattempo, provvedeva ad assicurarsi un nuovo complice.

UN'AMICIZIA LIBERTINA

«A stasera, cena alle 7 ½... e poi????????».[1]

Scritto a matita su un foglio con l'elegante monogramma araldico composto dalle due V intrecciate di Virginia Verasis – che figurava anche sui suoi oggetti di uso quotidiano –, il messaggio della contessa è senza data, ma i punti interrogativi sull'epilogo da dare alla serata sono un indizio eloquente della complicità erotica che cementò il suo quarantennale legame con il generale Louis Estancelin. E fu proprio l'assenza di equivoci sentimentali a mettere quest'amicizia profonda e duratura al riparo dai capricci, dagli sbalzi d'umore, dai divieti di cui Virginia era così prodiga con i suoi innamorati. Il generale non aveva bisogno di amarla per desiderare di vederla, di chiacchierare, di godere di lei, e si aspettava lo stesso da Virginia. E poiché, una volta tanto, la bella crudele si prestava allegramente al gioco, viene da chiedersi se le corvée sessuali a cui si sottoponeva per tenere in pugno i suoi adoratori fossero davvero sempre incompatibili con il piacere... Nelle numerose lettere che ci rimangono di Estancelin possiamo divertirci a cercare una risposta.[2]

La contessa e il generale si erano conosciuti nell'estate del 1857 a Twickenham, dove erano entrambi ospiti del duca d'Aumale, il quartogenito di Luigi Filippo, che aveva scelto l'Inghilterra come luogo d'esilio. Lei aveva vent'anni ed era all'apice della bellezza e della celebrità, Estancelin trentaquattro, e colpiva per l'aspetto imponente, l'espressione sorniona dietro i fieri baffi scuri, l'indipendenza di giudizio. Di antica nobiltà normanna, militare di carriera, era legato fin dall'adolescenza ai figli di Luigi Filippo, e la sua fedeltà alla causa orleanista non si era certo affievolita dopo la rivoluzione del '48. Dal canto suo Virginia, appassionata di politica e di altezze reali, aveva probabilmente pensato che il gentiluomo normanno potesse farle da tramite per sondare le intenzioni del duca d'Aumale, e lo aveva invitato a farsi vivo con lei al rientro in Francia.

Estancelin avrebbe lasciato passare quasi tre anni prima di cogliere l'opportunità, ma gli era rimasta nel cuore la radiosa visione della giovane con un cappello di paglia di riso ornato da un grande fiocco giallo e dell'adorabile bambino biondo che giocava ai suoi piedi. Nel corso di un soggiorno a Dieppe, saputo che vi si trovava anche Virginia,[3] aveva dunque tentato la sorte e con la massima franchezza le aveva scritto: «Mi concedete un incontro? E a che ora?».[4] Dopo quella prima visita era stata Virginia a rifarsi viva con un biglietto che lo aveva lusingato – «e voi, tanto viziata, tanto adulata, avere per me, che conoscevate appena, un'attenzione così amabile!»[5] le aveva risposto, e da allora avevano preso l'abitudine di scriversi e ritrovarsi, a Dieppe come a Parigi. Ne era nata un'amicizia inizialmente platonica ma libera da ipoteche mondane e improntata a una sincerità e a una fiducia tanto inusuali per Virginia da indurla a uscire dal riserbo e a confidare a Estancelin le sue ambizioni politiche, i progetti finanziari che tentava di imbastire, le ragioni tattiche che presiedevano alle scelte degli amanti di turno. Il «Normanno»,[6] come l'aveva soprannominato, l'ascoltava con interesse e simpatia, mettendo a sua disposizione un solido buon senso e una vasta esperienza di vita. Le responsabilità di marito e di padre non gli avevano mai impedito di comportarsi come se fosse libero,[7] di amare molte donne e lasciarsi amare da loro, e ben presto le aveva palesato il desiderio di darle una prova tangibile della sua ammirazione. Lei lo aveva accontentato a Dieppe, facendosi trovare nuda, ingioiellata dalla testa ai piedi e con le belle braccia cariche di braccialetti. Paralizzato da tale visione numinosa, degna di Gustave Moreau, il Normanno aveva battuto in ritirata, ma l'effetto comico di quel fiasco aveva rinsaldato la loro intesa, dando il via a una lunga serie d'incontri « sans bracelets ».

Profondo conoscitore dell'animo femminile, Estancelin andò alla scoperta della personalità di Virginia senza lasciarsi fuorviare dalla sua pretesa di essere « la migliore donna di tutti i tempi, passati presenti e futuri »[8] e tantomeno dalle sue dichiarazioni di sincerità. « Voi donna, e donna per eccellenza, e italiana per soprammercato! » le scriveva, azzardando una prima diagnosi: « Siete sincera... per capriccio, ma soprattutto lunatica, a volte strana, indipendente nei giudizi forse, ma negli affetti? E poi, siete capace di nutrirne? Ho i miei dubbi ».[9] Tuttavia, grato per l'intimità che gli veniva concessa, era anche pronto a riconoscerne le qualità: « Siete intelligente, il vostro spirito è più vivo e sottile di quanto credessi, siete stata meno capricciosa del previsto, più semplice e gioviale di quanto mi aspettassi ».[10] Del resto, come avrebbe potuto lamentarsi di lei? Non gli aveva forse dato tutto ciò che poteva chiederle?[11] Il problema, però, era convincere l'amica a giocare insieme a lui la partita del piacere, e non era un'impresa facile. Infatti, pur disposta ad accondiscendere graziosamente ai suoi desideri, Virginia puntualizzava di non condividerli, divertendosi a provocare l'amor proprio maschile di Estancelin. Glielo ripeteva continuamente: lei era « di marmo »,[12] e quando facevano l'amore il suo silenzio non esprimeva, come lui voleva credere, « l'eloquenza muta », ma non per questo « meno evidente », del piacere,[13] bensì una condizione di assoluta insensibilità. Senza darsi per vinto, Estancelin continuava a metterla alla prova e ne era nata una sfida che, oltre a rinnovarsi a ogni incontro, proseguiva anche a distanza. Adottando la strategia dei romanzi libertini, lui cercava di risvegliare il desiderio di Virginia con lettere di sconcertante audacia.

A differenza della *Lettre à la Présidente*,[14] indirizzata una ventina d'anni prima da Théophile Gautier alla bellissima Madame Sabatier (l'« angelo pieno di allegria » di Baudelaire che Auguste Clésinger aveva scolpito nuda nell'estasi dell'orgasmo),[15] e destinata a essere letta e commentata nel salotto di una cortigiana, quelle dirette a Virginia erano un gioco privato all'insegna della segretezza – ma ci si potrebbe chiedere se Estancelin avrebbe osato scriverne di analoghe a una donna del suo ambiente e se la libertà di linguaggio che l'amica italiana gli concedeva fosse l'inusitata prerogativa di una relazione al di sopra delle convenzioni o piuttosto la licenza che ci si permette con le avventuriere.

Virginia lo aveva preso in giro per i suoi exploit amatori, invitandolo « a venire a dormire sulle [sue] ginocchia per riposar[si] delle battaglie ingaggiate con altre », e il generale aveva risposto che se era stanco ne aveva ben donde, perché significava « che si era battuto con ardore ». Sarebbe stato imperdonabile essere stanco se lei gli avesse scritto: « Caro, ti aspetto con impazienza febbrile... ». Ma, appunto, non era questo il caso di Virginia, che era tutta un offrirsi e negarsi. Era tempo di finirla con i suoi « sono indisposta... ciò mi infastidisce... non insistete... etc etc etc. ».[16] Il Normanno avrebbe provato a spiegarle di cosa si privava in una lezione in tre tempi, e incominciava mandandole un suo scritto in cui evocava un'esperienza comune a tante adolescenti che scoprivano per la prima volta il piacere dei sensi tra le braccia di una compagna di collegio.

Ma, si domandava Estancelin, la « Donna di marmo può forse capire la figlia del fuoco? ».[17]

Intitolata *Souvenir du couvent*, la lettera in questione evoca infatti il gioco intimo di due educande, o forse di due giovani converse, nel buio di un dormitorio. Vediamo la più sperimentata prendere l'iniziativa mentre la compagna è immersa nel sonno. Ma dormiva veramente quando, dopo essersi lasciata esplorare sapientemente dalla sua mano, era entrata a sua volta in azione?

« Cercava di intrecciare le gambe con le mie, ci stringevamo l'una all'altra, mai eravamo state così vicine, lei mi baciava e io la ricambiavo, non erano carezze brusche, ma tocchi lievissimi, di quelli che fanno palpitare, e tu conosci bene l'emozione che si prova in quei momenti... Avrei voluto condurre il gioco eppure... la carezzavo e mi sentivo titillare da lei... Ho dovuto fare uno sforzo per impedire alla mia mano di scivolarle fra le cosce, aspettavo che fosse lei a cominciare e mi offrivo con tutta me stessa... la sua gamba continuava a salire fra le mie... io mi aprivo, e quando ho sentito che mi toccava il pelo... il sesso... tremavo di piacere, sussultavo... oh cara, che contrazioni... che desideri infuocati... mi hai già vista in preda all'eccitazione, ma mai così... mi sento... sono in fiamme... ogni movimento mi riempie di sensazioni inebrianti... di un piacere infinito... restiamo così avvinte per almeno 20 minuti... poi, come al solito, il mio fiore si addormenta (o finge)... io ero ben lungi dall'imitarlo... volevo farla godere, una buona volta, e che l'orgasmo la svegliasse... ».

Inizia così la sfida della *fille de feu* alla *femme de marbre* che probabilmente si riteneva appagata di averla tenuta in pugno: « Poso delicatamente la mano sulla sua coscia, a poco a poco accarezzandola mi avvicino... stavolta non fa una piega... trovo i peli... vi indugio, mentre lei continua a dormire... le tocco il sesso che era tutto gonfio e infuocato... avverto la sua emozione dal fremito delle cosce, e anch'io ho tuttora il cuore in gola... il suo sesso è piccolo e ha pochi peli, ma così soffici... sentivo la sua erezione... il bottoncino si era irrigidito allo spasimo... allora, con un dito, pian piano, l'accarezzo... in modo sempre più audace... senza dir nulla lei continuava a fingere di dormire, e mi lasciava fare... mi è parso che le cosce si schiudessero... stringevo la sua gamba tra le mie, il più possibile... ero inondata di piacere... mi lasciava fare e basta, la sua mano non si avvicinava a me, ho seguitato a masturbarla per più di un quarto d'ora... ».

Eppure, nonostante la lunga giostra amatoria e alcuni indizi promettenti, la sfidante era costretta a chiedersi: « ma gode o non gode? Non sono riuscita a capire... nel sonno trasaliva e mormorava piano: oh! Huu??? ». Così, rinunciando a cantare vittoria, e «non osando svegliarla», tornava a concentrarsi sul proprio piacere: «Volevo prenderle la mano per farmi masturbare... ma la posizione di lei mi impediva di afferrarla, così non potendone più mi sono lasciata andare e, continuando a toccarla, le ho aperto le cosce e con l'altra mano mi sono toccata a mia volta, ero talmente eccitata che ho goduto quasi subito...». E quando la bella addormentata aveva infine aperto gli occhi con «l'aria più innocente del mondo», la sua compagna di letto non aveva potuto fare a meno di scoppiare in una risata... «Di che cosa ridi?» si era stupita lei. «Delle tue piccole adorabili debolezze» si vendicava l'amica. «"Cattiva, perché ridi? Perché non sono ancora brava come te? Un giorno lo sarò...". "Sì, ma quel giorno non è ancora venuto..."».[18]

Nell'indirizzare a Virginia uno scritto così audace, Estancelin non poteva non contare sulla sua complicità, visto che perseverava nella provocazione e, passato al secondo esempio, era pronto a osare di più facendo il suo ingresso in scena.

In una lettera inviata probabilmente dal suo castello di Baromesnil, il Normanno ringraziava Virginia per avergli mandato come strenna per l'anno nuovo una sua fotografia e le raccontava dell'«effetto prodotto» dal suo dono: «Dapprima ho <u>innocentemente</u> ammirato i bei contorni, le forme eleganti... ma all'improvviso, notando la posizione delle dita, e della mano, un ricordo mi ha folgorato. Ho sentito come un serpente di fuoco che sussultava, si allungava, si drizzava, e teso, rigido, turgido... levava il capo altero... Ero da solo... ho chiuso la porta a chiave, sono sprofondato in un'ampia poltrona, e poi le tue dita affilate... senza braccialetti... e fabbricandomi una dolce illusione, ho chiuso gli occhi avvertendo un movimento delizioso, che ad ogni istante mi trasmetteva sensazioni sempre più roventi, finché al tocco di un ricordo, alle carezze di una mano amata... mi sono abbandonato al godimento ritrovandomi inondato di piacere! Stamattina ho messo il tuo dono accanto a me, nel mio letto, e per un'ora ho sentito le tue carezze, e ho goduto insieme a te».[19]

Preparato il terreno, Estancelin riteneva che fosse finalmente venuto il momento di impartire a Virginia una vera e propria lezione di *ars amatoria* e le riferisce in tutti i dettagli più espliciti un incontro erotico con una donna dal temperamento ardente.

« Con il braccio le cingo la vita... la mia mano si insinua fra le pieghe della vestaglia e accarezza un seno che si irrigidisce e si gonfia sotto le dita... un braccio senza braccialetto risponde a una carezza, si insinua anch'esso fra di noi, e una mano dolce e tiepida trova un serpente che si drizza, rigido e turgido, sollevando la testa altera, e gli rende la libertà... sotto le dita i bottoni cedono uno dopo l'altro ... la mia mano s'insinua fra cosce di fuoco... arrivo alla grotta degli amori ... le gambe sono spalancate, le cosce divaricate ... sento che sto penetrando in lei, le mie labbra incollate alle sue, non posso che dire oh cara come godo! Come godo! ... e io? risponde la donna di fuoco... ».[20]

Con questa terza lettera il generale riteneva di aver esaurito il suo compito: adesso il testimone passava alla donna di marmo, nella speranza che quelle lettere le avessero infuso un po' di calore: « Volere o non volere? Essere o non essere? ».[21]

Di marmo o di fuoco, insensibile o indifferente, simulatrice o sincera, Virginia sembrava apprezzare il gioco erotico con Estancelin: tra le braccia esperte dell'amico riusciva probabilmente a trovare la gratificazione sessuale che le era più congeniale e si dotava a sua volta di una competenza amatoria che accresceva il suo potere sugli uomini. E l'ammirazione e il desiderio che, a dispetto dello scorrere del tempo e della lontananza, il Normanno non smetteva di testimoniarle, non erano forse lo specchio ideale per il suo narcisismo? « L'opera più perfetta della creazione » le scriveva « è una donna nel pieno fulgore della bellezza: ma l'opera più seducente del cielo, e forse... dello spirito di malizia? è la donna che sa unire alle attrattive fisiche i doni del cuore e il fascino dell'intelligenza. Per incontrarla, andrò a Dieppe domani sera. Arriverò all'hôtel Royal alle 9, e sarò accanto a lei quando vorrà; per dirle quanto... e allora vedremo! Mille grazie, sono ai vostri piedi ».[22]

A torto o a ragione, il Normanno avrebbe comunque

continuato a essere amico di Virginia, senza mai smettere di ammirarne «la bellezza, l'intelligenza rara, l'amicizia fedele».[23] E il fatto stesso che – a differenza di tanti altri – non avesse mai perso la testa per lei[24] aggiunge valore al suo giudizio.

STRANIERA IN PATRIA
(1859-1861)

Mentre Virginia cercava il modo, e i mezzi, per tornare a Parigi, gli Oldoini si chiedevano ansiosamente quali altre sorprese avesse ancora in serbo per loro quella imprevedibile figlia. E se la marchesa, ormai rassegnata alla sua ingovernabilità, si teneva a prudente distanza, il marchese, pur non ignorando che Virginia « era refrattaria ai consigli »,[1] continuava da San Pietroburgo a recitare la parte del padre nobile. La esortava a curarsi, ricordandole, per esperienza e affinità caratteriale, che il morale incide sul fisico, e invitandola alla calma. Aveva sperato che Niny finisse per riconciliarsi con il marito, e alla notizia della separazione legale, che ebbe luogo il 18 luglio 1859, le esprimeva tutto il suo rammarico, richiamandola ai doveri della nuova condizione: « Spetta a voi, se non di giustificarvi, almeno di mostrare che non siete completamente nel torto, e con tutta la mia autorità e il mio affetto vi dirò che questa prova da voi la pretendo, e se siete stata una moglie fedele e una buona madre adesso dovete continuare a essere una donna rispettabile e rispettata, poiché la vostra nuova condizione porta con sé mille problemi, e per risolverli dovrete affidarvi per intero al vostro tatto ».[2]

Si trattava di raccomandazioni ipocrite, dal momento che Oldoini non poteva ignorare gli exploit amorosi della figlia? Era un richiamo alle forme necessarie per vivere in società? Di certo il marchese era al corrente dei rapporti privilegiati di lei con il potere, giacché a lungo avrebbe continuato a chiederle aiuto per cambiare sede e salire di grado.[3] Richieste che Virginia si sforzava sempre di soddisfare: teneva enormemente alla stima del padre e già al tempo della missione parigina si era fatta un punto d'orgoglio di ottenere per lui la nomina a primo segretario a San Pietroburgo. Venirgli in soccorso non era anche un modo di farsi perdonare per averlo deluso? E forse riuscire ad assecondare le ambizioni paterne era anche una buona occasione di verificare il margine di credito su cui poteva ancora contare.

Con la fine della guerra Virginia intendeva fare di tutto per uscire dall'isolamento e ritrovare la voglia di vivere, tanto più che, sia pure senza ulteriori precisazioni, Cavour le aveva fatto sapere che sia lui sia il re vedevano con favore un suo ritorno in Francia.[4]

L'armistizio di Villafranca e i preliminari di pace firmati l'11 luglio da Napoleone III e Francesco Giuseppe prevedevano la cessione della Lombardia alla Francia, e da questa al Piemonte, ma lasciavano impregiudicata la situazione dell'Italia centrale, che stava diventando una polveriera. In Toscana, come nei ducati emiliani e nelle legazioni pontificie, gli insorti misero in fuga i rispettivi sovrani e instaurarono governi provvisori, in attesa di unirsi al Piemonte. Sia pure per ragioni diverse, l'Austria e la Francia puntavano invece a restaurare le monarchie. Per risolvere lo spinoso problema ed evitare la ripresa di un conflitto armato si pensò di fare ricorso, ancora una volta, alle armi della diplomazia internazionale, riunendo le grandi potenze in un congresso di pace. La legazione piemontese non poteva che essere guidata da Cavour, e il marchese Oldoini aspirava a farne parte. Se ciò fosse stato impraticabile, voleva comunque lasciare subito San Pietroburgo – scriveva alla figlia – ed essere destinato a un'altra legazione, preferibilmente in Spagna, e con un grado superiore.[5]

Il compito era tutt'altro che facile, così Virginia decise di rivolgersi a Costantino Nigra, di ritorno da Parigi per un mese di congedo. Al corrente della complessità della situazione politica e delle difficoltà in cui si dibatteva il governo La Marmora formatosi dopo le dimissioni di Cavour, Nigra l'avvertì che le aspettative del padre erano eccessive, e lasciare San Pietroburgo rischioso. Tuttavia, ritrovata la vecchia complicità parigina, i due amici si divertirono a montare un piccolo complotto che costituiva per entrambi – lei bisognosa di evadere dall'isolamento, lui alle prese con una situazione coniugale infelice – un piacevole diversivo. Per non dare nell'occhio, si incontravano ogni sera davanti al cancello di Villa Gloria, non lontana dalla casa dei suoceri di Nigra, dove questi si recava per cena.[6] Dopo averle consigliato di armarsi di tutta la sua seduzione e spiegato quello che doveva dire, il diplomatico la indirizzò al ministero degli Esteri. Ed ecco come Virginia, ritrovando tutto il suo brio e la sua baldanza, riferiva al padre il colloquio con «un vecchio scemo» – presumibilmente il ministro Giuseppe Dabormida – di cui, per ragioni di prudenza, taceva il nome: «Stavolta mi posso andare a far monaca come dice Nigra: ho salito per due volte le scale del ministero ma non sono riuscita a sedurre questo vecchio, e sì che m'ero fatta bella e imbeccata dall'amico accompagnatore. Alla prima cosa ha risposto guardando per terra (e se n'è andato dopo). Alla seconda mi ha messo davanti il registro in cui Oldoini figura settimo in graduatoria. Non se ne esce, e anche lui dal canto suo ha ragione, non può fare ingiustizie. Tutti quelli che vi precedono sono sistemati meno bene di voi e non godono dei vostri vantaggi passati e futuri. Bisognerebbe creare posti nuovi perché ci sono più uomini che posti, e trovare un modo per collocare i primi 3, allora si respira e forse chi sa. Insomma su questo punto niente da fare, morale della favola: 1) Ministro neanche a parlarne, 2) Incaricato d'affari impossibile, 3) Congresso, la cosa non mi riguarda.

«Ci voglio io e tutta la mia fortuna per farmi fare tre così belle risposte da un vecchio scemo come quello. E bella com'ero, mi costa 100 franchi di cappello quella visita. L'amico non se ne capacita e dice, andatevi a far monaca».

Dopo una disamina delle opzioni a disposizione del marchese, Virginia suggerisce quindi al padre di aspettare che la situazione politica si stabilizzi e abborda l'argomento del congresso con allusioni da agente segreto: « È Papà Camillo che va, e questo dipende solo da due cavalli, Imperiale (Napoleone III) e Mongolo (lo zar Alessandro II?) ». Ma lei, che sapeva come tenerli per la briglia, lo aveva subito comunicato « al cugino, con il quale il dare per avere era il solo mezzo di ottenere qualcosa ». Se Cavour non le avesse risposto sarebbe andata a trovarlo a Leri, la casa di campagna dove il conte si preparava a riprendere la guida del governo. E Virginia già si rallegrava con Poniatowski di aver « fatto un gran tiro », quando si vede costretta a informare il padre che Cavour le ha opposto « un netto rifiuto », « con il pretesto che un uomo come il marchese Oldoini non può andare a copiare i dispacci redatti da Nigra ».[7] Evidentemente questa volta la collaborazione della cugina « dai begli occhi » non era così importante da indurlo a ingombrare la delegazione con un diplomatico di cui non aveva stima. « Questa risposta non l'ho mandata giù, » commentava lei furibonda « ma mi riprometto di fargliela pagare alla prima occasione, che forse non è lontana ». Pur meditando vendetta, Virginia prende atto del fallimento: « Ho fatto il diavolo a quattro e ho fallito. Il caso forse farà meglio di me ... L'Amico [Nigra] consiglia di portare pazienza ma io non ne ho più ».[8] A consolarla dello smacco giungeva però la notizia che ai suoi collaboratori il « vecchio scemo » aveva confidato: « Ho detto di no a tutto, ma tenendo gli occhi ben fissi a terra; se mi fossi azzardato a posarli su quella meraviglia, mi avrebbe fatto *crollare* [in italiano nel testo] all'istante ».[9] La bellezza di Virginia rimaneva pur sempre un'arma formidabile.

In dicembre, ritrovata un'intesa politica ed economica con l'Inghilterra, Napoleone III rimise sul tappeto l'idea di « risolvere il problema italiano attraverso una confederazione che avrebbe compreso anche la maggior parte del dominio papale. Pensava, in questo modo, di tornare allo spirito iniziale dell'alleanza col Regno sardo e poter così avanzare la richiesta di cessione alla Francia di Nizza e Savoia ».[10] Inaccettabile per l'Austria non meno che per il papa, il nuovo orientamento politico dell'imperatore vanificava ogni prospettiva di giungere a un accordo diplomatico, e il 7 gennaio 1860 una esultante Virginia poteva annunciare al padre: « Le congrès donc biffé! J'en suis bien aise, n'ayant pu rien faire [Congresso annullato dunque! Ci ho ben gusto, dopo il mio buco nell'acqua] ». Lunga ventiquattro pagine, la lettera fa il quadro della nuova situazione politica: il cambiamento di rotta dell'imperatore che pensava ora di mettere, « al posto dei principi, il Principe [Napoleone] », la posizione critica in cui veniva a trovarsi il non più indispensabile « caro cugino », che il congresso avrebbe invece fatto tornare in auge; la debolezza del governo; le mosse diplomatiche; la partenza di La Tour d'Auvergne, « aussi flambé par le congrès, obligé aller de suite à Berlin [anch'egli eliminato dal congresso, obbligato ad andare subito a Berlino] »; l'arrivo al suo posto del barone di Talleyrand, « un poco di buono » che non aveva in simpatia il marchese. Insomma tutte « le notizie apprese dai cabinetti e per conseguenza da non essere ripetute in salotti ».[11]

Riprendendo lo stile telegrafico e il linguaggio ermetico[12] delle lettere d'affari, Virginia si mostra in grado di tenere il padre al corrente dell'intricata attualità politica e di coglierne le implicazioni, e lo persuade a conservare l'incarico a San Pietroburgo e ad accontentarsi di un congedo; ma è anche costretta ad annunciargli il nuovo contenzioso con il marito.

La separazione costringeva Virginia e Francesco ad affrontare lo spinoso problema dell'affidamento del figlio. Castiglione si dichiarò disposto a consentirle di tenerlo con sé fino all'età di dieci anni, a condizione che lei si impegnasse ad abitare in Italia. Ma era chiaro a tutti che Virginia intendeva stabilirsi in Francia: aveva lasciato a Parigi i mobili e gli effetti personali, e già nel corso della primavera vi trascorse alcuni giorni. « È certo che se Niny vuol tenere il figlio fuor d'Italia » scrive al marito un'avvilita marchesa Oldoini « non si riesce a nulla con Castiglione perché è troppo deciso a volerlo almeno nello stesso suo paese per vederlo come li pare ... e qui capirai bene anche te che non si sa cosa rispondere quando mi dice, "non ho più al mondo che questo figliolo e mi vogliono levare anche questo". Che si dice? ». E poiché Virginia le aveva comunicato che non aveva bisogno dei suoi consigli, Isabella passa la mano al marito: « Prova un po' anche tu e se realmente lei ama questo figliolo bisogna che faccia qualche sacrifizio ».[13] Senza considerare che il mancato affidamento del figlio l'avrebbe ulteriormente compromessa agli occhi della gente, « perché così sola per il mondo è una posizione anche più falsa ».[14]

Sebbene redarguita dal padre, Virginia non voleva sentir ragioni: « Non chiederò il permesso a nessuno, e andrò dove me lo consentiranno le esigenze della salute e della borsa ... Quando si ha il coraggio di restare recluse senza vedere anima viva per ben 4 anni, una come me, alla mia età, senza motivo, è più che abbastanza. Il conte non ha il diritto di pretendere che continui a vivere così ». Disinvolta come sempre nei suoi computi temporali (era a Villa Gloria da meno di due anni), la giovane donna non poteva dimenticare neppure il trattamento « da Cenerentola » che le aveva riservato la famiglia Castiglione, escludendola dai ricevimenti di corte – corte cui apparteneva a pieno diritto, essendovi andata dopo il matrimonio, quando era quasi una bambina: « La mondanità non mi piace, beninteso, e non intendo farne parte, ma d'altronde una sparizione completa mi danneggerebbe, perciò conto di presenziarvi di tanto in tanto, e non ho bisogno di assicurarvi che ciò avverrà nel pieno rispetto delle convenienze ».[15]

Come al solito Virginia si difendeva accusando, ma ormai, « straniera in patria »,[16] aveva preso le sue decisioni, e al padre non restava che battere in ritirata rimettendosi alle capacità diplomatiche del principe Poniatowski e del generale Cigala. Per una volta l'incauto Francesco e l'astuta Niny furono d'accordo nel chiedere al Vecio e al Barba di aiutarli a trovare un accomodamento. Come le trattative patrimoniali di Castiglione, anche quelle per la separazione sarebbero procedute a rilento, continuando a tenere in ambasce gli Oldoini, ma intanto Virginia iniziava una nuova vita.

Ai primi di settembre partì per Dieppe in compagnia del figlio. Aveva rassicurato il marito, parlandogli di una semplice vacanza,[17] ma si era guardata bene dall'informarne i meno creduli genitori. « Mi dicono che sei a Dieppe » le scriveva la madre, rammaricandosi di averlo saputo da terzi e augurandosi che la sua salute ne traesse giovamento.[18] A consigliare a Virginia il clima dell'elegante località affacciata sull'Atlantico era stato il famoso dottor Blanche,[19] l'illustre alienista che aveva tra i suoi pazienti artisti e scrittori di grido, come Guy de Maupassant, Gérard de Nerval, Fromental Halévy, e lei avrebbe fatto della bella villa settecentesca che aveva affittato in rue du Faubourg de la Barre non solo il *buen retiro* dove curare malattie e attacchi depressivi, ma anche un punto strategico per intrattenere utili relazioni mondane e ricevere, senza dare nell'occhio, gli amanti del momento. Non sappiamo se abbia approfittato di quel primo soggiorno per rivedere il principe di La Tour d'Auvergne, ma è probabile che sia stata raggiunta da Poniatowski; il loro carteggio contiene più di un riferimento ai loro convegni a Dieppe. Quel che è certo è che alla fine della stagione balneare, anziché tornare in Italia, Virginia prese la strada di Parigi.

Nella capitale francese, come aveva scritto al Vecio, c'era posto per tutti e si poteva facilmente passare inosservati, tanto che il 17 novembre Viel-Castel annotava nel suo diario: « Madame Castiglione è a Parigi da due mesi, ma non ha ancora fatto parlare di sé ».[20] Non era però ciò che lei auspicava.

Voleva approfittare della ritrovata libertà per vivere come più le piaceva e tornare a essere ammirata, omaggiata, corteggiata. Voleva far parlare di nuovo di sé per le acconciature, i vestiti, i gioielli, le apparizioni spettacolari. Voleva, come aveva dichiarato al Vecio, ritornare sulla scena a testa alta, come una regina, e coronare il suo trionfo alle Tuileries, umiliando una volta per tutte le rivali. Controbilanciata da una dose di realismo, la mitomania non impediva a Virginia di capire che i suoi progetti di rivalsa richiedevano prudenza, discrezione e pazienza: era necessario far dimenticare quel che il passato aveva di imbarazzante.

Si attenne dunque alla stessa strategia di Villa Gloria scegliendo un quartiere residenziale e tranquillo come Passy, alla periferia di Parigi, dove aveva affittato una villa.

Qui frequentava il dottor Blanche, che abitava con la famiglia a Auteuil, in una casa non lontano dalla sua, e strinse amicizia con l'influente famiglia delle sorelle Laborde, anche loro a Passy, in rue Raynouard. Valentine Laborde aveva sposato Gabriel Delessert, ex prefetto di Parigi sotto Luigi Filippo e rampollo di una potente famiglia di banchieri, ed era stata l'amante di Mérimée e poi di Maxime Du Camp. Figura di rilievo della società parigina, amica personale dell'imperatrice Eugenia, Madame Delessert animava un importante salotto liberale, frequentato da politici e scrittori illustri, ed era coadiuvata nelle mansioni di padrona di casa dalla figlia Cécile, contessa di Nadaillac, e dal figlio Édouard, pittore e fotografo di talento, subito soggiogato dal fascino della bella vicina. Pittore era anche Édouard Odier, marito della sorella di Valentine. Di trent'anni maggiore, Madame Delessert dimostrava a Virginia, « buona quanto bella », un'indulgenza materna e, come si desume dalla lettera di condoglianze che le avrebbe mandato in occasione della morte di Cavour,[21] era una sostenitrice della causa italiana.[22] Dai Delessert, inoltre, Virginia si guadagnò la stima di Adolphe Thiers, giornalista e storico della Rivoluzione, per due volte presidente del Consiglio sotto Luigi Filippo e capo dell'opposizione parlamentare al regime imperiale.

Ma anche a Parigi non le mancarono le umiliazioni, e più di una volta la contessa fu trattata come un'ospite indesiderata, e offesa « nel suo onore ». Clotilde, la virtuosissima figlia di Vittorio Emanuele II andata in sposa al principe Napoleone, la evitava come un'appestata. E anche la principessa Matilde non rispondeva più alle sue lettere e aveva smesso di prendere le sue difese.[23] Quando scriveva alla madre Virginia recitava la parte dell'anacoreta, sazia delle vanità del mondo, e questa si preoccupava per lei: « Mi è dispiaciuto molto constatare che alla tua età consideri i divertimenti ormai inadatti a te, spero che cambierai idea »; poi, però, avendo appreso che la realtà era un po' diversa, la rimproverava con dolcezza: « Ma mia cara, credi davvero che mi contrarierebbe sapere che hai cenato a casa della Principessa o di altre persone rispettabili? O che ricevi nel tuo salotto gente comme il faut, che sei affabile, che tutti ti amano come sei sempre stata amata? No mia cara, quello che mi contraria è saperti isolata dal mondo come una peccatrice, che non vedi nessuno, che tutti dicono: *è una stravagante* [in italiano nel testo]. In questo mondo, se non si vuol dare adito a chiacchiere, bisogna fare quello che fanno tutti ».[24]

Come sempre, solo con Poniatowski Virginia si toglieva la maschera, complimentandosi con se stessa per aver scelto la strada più adatta a farle risalire la china: « Ma che ritirata, tutti vorrebbero venire e che andassi ... i Rothschild benissimo, i Thiers idem e ho fatto fin la conquista del vecchio Laffitte che viene a vedermi oggi! Ma mi son levata il velo! ». E c'era dell'altro: « Sono arrivata ad essere quasi desiderata da Madama [Eugenia] e alla novella sposa [la Walewska] è già venuto un mezzo accidente. Ma se li parla, li dica che si consoli ... so i fatti miei, che non mi creda progetti, non son più buona, che mi strafotto del mondo, que je ne lui demande rien que de ne pas le voir mais de me laisser tranquille [che non gli chiedo nulla, solo di non vederlo e che mi lasci in pace] ». L'unico a non esprimersi, notava Virginia, era « lui », l'imperatore, ed era tempo di farlo uscire allo scoperto: « Ora il Vecchio! che se ne fa? Credo che converrebbe vederlo o per lo meno scriverli che ci sono e che passando lo cercherò, oppure mal fare la finta, e portarli in risposta alla sua lettera, quella tal testa grande dolentosa che piace a lei, e lasciarli dire a lui, "je voudrais la voir"? Ora posso anche riceverlo senza che nessuno ci ficchi il naso e non è male che lo faccia stare al buio e al freddo ».

La « testa grande dolentosa » era senza dubbio lo splendido ritratto fotografico in cui, con il capo malinconicamente reclinato sulla mano e il braccio appoggiato all'intelaiatura di una grande finestra, Virginia guarda in lontananza. Dopo il ritorno a Parigi si era fatta ritrarre da Pierson nelle vesti di Béatrix,[25] l'eroina del dramma omonimo di Ernest Legouvé andato in scena all'Odéon il 25 marzo 1861. Interpretata dalla grande attrice italiana Adelaide Ristori – molto ammirata da Virginia –, Béatrix si sacrifica per l'amore di un principe costretto dalla ragion di Stato a rinunciare a lei. Niente di meglio di quel ritratto, che l'imperatore ancora non conosceva, per ricordargli la sua incomparabile bellezza e il dolore a cui l'aveva condannata il suo abbandono!

Era ora che quella «eterna storia di mantenimento» avesse un lieto fine: «Bisogna che lui me ne dia e non che io ne abbia. E poi perché, cosa vuole, sarà abberrazione, come dice Barba, ma io la povera non ho intenzione di farla. Trovo che non è giusto, che non son fatta per quello, e che è stupido in questo mondo non cercare di vivere il meno male possibile».

L'ascendente di Virginia sul sovrano doveva essere ancora piuttosto forte, però, se poco dopo il suo arrivo poteva scrivere trionfalmente a Poniatowski: «Dice che non faccio nulla! Vede che mi son mossa subito, che da ieri ho già veduto il Vecchio, l'ho intenerito, deciso a fare qualcosa e preparato a ricevere lo Vecio domani mattina alle 10 precise. So bene che è una levataccia ma il le faut per la Nicchia, voleva vederla qui pour délibérer ce qu'on peut faire de cet homme perché è tutta lì la storia che gl'ho fatto e che lei deve grossir».

«Cet homme» altri non era che il conte di Castiglione, che da vittima veniva trasformato in carnefice. Riprese di persona le trattative – condotte fino ad allora dal principe – per ottenere un aiuto economico dall'ex amante, Virginia aveva, infatti, cambiato le carte in tavola: il problema non era più la macchia sulla sua reputazione, bensì le angherie del marito, che si vendicava di lei lasciandola nella miseria e minacciando di strapparle il figlio, sua unica ragione di vita. Come Virginia riferiva a Poniatowski, il Vecchio era caduto nella trappola. Aveva cominciato con l'osservare cautamente: «Ci sarà pure un modo per tenerlo buono, magari con i soldi, non so...». «Sì, ma di soldi non ne ho, quindi come faccio?» aveva ribattuto lei pronta, riuscendo così a indurre finalmente l'imperatore a formulare la proposta a cui i due complici miravano da mesi: «Vedrò con Poniatowski, voglio parlargli ». Sulla condotta da tenere Virginia aveva le idee chiare: il principe doveva presentarsi alle Tuileries e leggere al Vecchio stralci delle lettere in cui il conte rivendicava l'affidamento del figlio e si scagliava contro la moglie. Doveva poi mostrargli le ricevute dei prestiti fatti a Castiglione, dimostrando così che lui non era, come diceva il conte, un ladro che si era impadronito del suo patrimonio con la complicità della moglie adultera. Bisognava, insomma, « cantarli diverse antifone »: « Dire che io non volevo nemmeno parlargliene e che lei ha detto che non voleva tanta responsabilità su lei e m'à incoraggiata a dirglielo ».

L'imperatore riprese a farle qualche visita saltuaria e lei si attenne alla parte di madre dolorosa; all'accusa non peregrina di essere « l'amante del duca d'Aumale e di altri » aveva la sfacciataggine di rispondere: « mi toccherà diventarlo davvero, un po' per tirare avanti e un po' per stordirmi, giacché se mi prendono il bambino non mi resta che quello o il convento ». Fingeva ancora di essere innamorata quando il Vecchio andava a trovarla sul far della notte, con i minuti contati, come negli incontri a pagamento? Certo non faceva niente per trattenerlo visto che, « mandato e rimandato nello stesso modo », appena un'ora dopo lasciava via libera a Poniatowski. Ma anche per l'imperatore l'attrattiva erotica della bella italiana aveva perso smalto. Non era più il corollario del momento esaltante in cui aveva progettato di fare dell'Italia la carta vincente della sua politica europea, ma gli ricordava un grave errore di valutazione di cui continuava a pagare le conseguenze. Forse, uniti nella sconfitta, per la prima volta gli ex amanti provavano l'uno per l'altro un sentimento sincero: « Non so se gli ho detto o scritto che l'altro giorno a Parigi ho visto il Vecchio, che si è fatto portare da me cadente e misero.[26] Era talmente giù che mi ha fatto pena. Piangeva sur mon sort che trova déplorable, sulla position intenable, mais que faire? ».

Virginia conosceva ormai la risposta, ma se l'era tenuta per sé. Se il Vecchio non le garantiva un introito sufficiente per sostenere il tenore di vita a cui riteneva di avere diritto e si limitava a raccomandarla ai banchieri, lei avrebbe provveduto a persuadere questi ultimi con gli argomenti che aveva a disposizione. Intanto, nella primavera del 1861 rientrava in Italia, con la ferma intenzione di restarci il meno possibile.

IL BANCHIERE SVALIGIATO

«Vostro amante non lo sono, vostro banchiere nemmeno. Non mi trattate come un amico, allora che cosa sono? Preferisco non rispondere alla domanda»[1] scriveva Charles Laffitte alla contessa di Castiglione in un momento critico della loro relazione. La sua irritazione era giustificata, poiché solo in virtù di una tenera amicizia il banchiere le aveva prestato i 150.000 franchi di cui ora sollecitava invano la restituzione. Lei si era guardata bene dal dirgli che l'ingente somma era servita per salvare dalla bancarotta l'amico Poniatowski, a cui nessuno voleva più fare credito, e che quest'ultimo non aveva alcuna intenzione di rimborsarla. Ma non doveva essere l'unico debito che Virginia aveva in sospeso con Laffitte, se qualche tempo dopo questi tornava a chiederle «le poche centinaia di migliaia di franchi» che le aveva imprestato con «la massima sollecitudine molti anni addietro» e di cui ora aveva urgente bisogno.[2] Scritte nell'arco di un decennio (1862-1872), le lettere di Laffitte e le sporadiche risposte di Virginia confermano ancora una volta l'ossessione della contessa per il denaro. Come si ricorderà, già prima dell'esilio torinese si era lanciata nel mondo della finanza, nel tentativo di assicurarsi l'indipendenza economica e dimostrare a se stessa e agli altri di cosa era capace. Fin dal soggiorno a Parigi si era legata ai Rothschild, diventati i suoi banchieri, e ai Delessert, e nel 1862 poteva vantarsi di avere «fatto la conquista»[3] di Charles Laffitte, figura di primo piano nella vita finanziaria della capitale come in quella mondana.

Dopo la scomparsa del capostipite Jacques, potente banchiere e ministro di Luigi Filippo, i Ferrère-Laffitte vivevano con il Secondo Impero una nuova età dell'oro. Avevano contribuito a finanziare il colpo di Stato di Napoleone III, la nipote di Jacques aveva sposato il ministro degli Interni, il duca di Persigny, e vari componenti della famiglia occupavano posti chiave nel mondo degli affari e della finanza. Figlio di un fratello di Jacques, insignito nel 1843 del titolo di conte, Charles Laffitte conciliava gli impegni politici come deputato del dipartimento dell'Eure con quelli finanziari e imprenditoriali, senza tralasciare le occupazioni mondane. Proprietario di un'affermata scuderia da corsa, era tra i membri fondatori dell'esclusivo Jockey Club. Corpulento, con una folta chioma bianca e dei vistosi favoriti, il banchiere era prossimo alla sessantina – un «vecchio», per Virginia –[4] e non poteva dirsi un bell'uomo, ma seduceva per l'intelligenza, la cordialità, l'energia. Separato da molti anni, Laffitte viveva tra la casa parigina di avenue Matignon e la splendida proprietà di Le Val Fleuri, nel Parc des Maisons. Con lui era rimasta ad abitare, anche dopo il matrimonio con il marchese di Galliffet, la figlia Georgina, dama d'onore dell'imperatrice che, bella e mondanissima, non brillava certo per virtù. I trentaquattro anni di età che separavano il banchiere da Virginia non gli avevano impedito di essere sensibile al suo fascino, e lei aveva più di un motivo di mostrarglisi compiacente. Se la banca di Laffitte[5] era troppo piccola per reggere il confronto con quella dei Rothschild, la forza imprenditoriale del finanziere nel campo delle ferrovie era incontestabile. Già nel 1855, a Parigi al seguito del re, Cavour lo aveva incontrato per dare l'avvio a una serie di accordi che avrebbero permesso alla Vittorio Emanuele, la società che Laffitte aveva creato due anni prima, di avere la meglio sui Rothschild e di estendere la rete ferroviaria assicurando

« una comunicazione internazionale rapida, diretta e continua tra la Francia, la Svizzera occidentale e l'Italia ».[6]

Sin dagli anni Trenta una vera e propria « railway mania »[7] aveva contagiato la società francese: le ferrovie cambiavano il modo di viaggiare e offrivano nuove possibilità di guadagno a grandi e piccoli azionisti. Era dunque inevitabile che Virginia, al corrente dei rapporti d'affari di Laffitte con il governo italiano, vedesse in lui una fonte di notizie preziose per le sue speculazioni. Alla fine del 1863[8] il banchiere le impartiva istruzioni dettagliate per mettere il « people of Turin » in contatto con un suo inviato, incoraggiandola a scrivere al re per chiedergli di poter comprare mille azioni ferroviarie che erano state appena emesse.[9]

Incalzata dalle necessità, Virginia non aveva tardato ad accogliere Laffitte nel suo letto, e lui l'aveva amata davvero. Un sentimento cavalleresco di devozione[10] l'aveva infatti spinto a prendersi cura di lei all'epoca in cui, reduce dall'esilio di Villa Gloria, la giovane madre tentava di rimontare la china a Parigi. « Vi ho amata perché eravate inferma, abbattuta, reietta e impaurita, » le avrebbe ricordato anni dopo, quando la loro relazione era ormai in crisi « ma adesso le cose sono cambiate, siete ritornata nel mondo e siete di nuovo la Bella che tutti corteggiano ... ho fatto la mia parte ».[11]

Probabilmente il banchiere fu sempre consapevole di non rappresentare per Virginia una soluzione definitiva, e di non poter aspirare a un legame esclusivo, così si accontentò di intrattenere con lei una relazione discreta ma stabile. Ne nacque un'affettuosa consuetudine, in cui rientrava anche il piccolo Giorgio. I due avevano preso l'abitudine di vedersi da lei a Passy, o più raramente a casa di Laffitte, quando la figlia e il genero erano assenti,[12] o ancora di ritrovarsi a Dieppe. Si scrivevano spesso, alternando l'inglese al francese, per darsi notizie e programmare i loro incontri. Lui la chiamava la sua « Dearest Beauty », lei gli aveva affibbiato il soprannome di « 48 », dal numero civico della sua banca in rue Basse du Rempart.

Va detto, però, che il ritorno sulla scena mondana, la complicata gestione di nuove relazioni clandestine, il perdurare delle difficoltà economiche nell'attesa, puntualmente delusa, di vedere la ruota della fortuna girare a suo favore non avevano certo addolcito il carattere di Virginia né il suo atteggiamento nei confronti degli uomini: Laffitte non faceva eccezione, tanto più che le ingenti somme di denaro che le chiedeva di restituirgli lo esponevano al suo risentimento.

Negli affari, come in amore, tutto le era lecito e tutto le era dovuto: la contessa non rispondeva alle sollecitazioni, ignorava le suppliche e, se proprio si vedeva costretta a uscire allo scoperto, passava dall'aggressività agli insulti. Sapendola impegnata finanziariamente su più fronti, Laffitte le aveva anticipato molte migliaia di franchi, dopodiché, trasformato in questuante, si vedeva costretto a ripeterle, giorno dopo giorno, che il debito era troppo consistente, che la sua banca attraversava un momento difficile, e insomma che aveva bisogno dei soldi al più presto. Se lei non era in grado di assolvere l'impegno preso, non mancava certamente di altri amici – a cominciare dai Rothschild – a cui rivolgersi. Quello che più l'amareggiava era l'atteggiamento provocatorio di Virginia e la sua volontà di ferirlo: gli faceva capire di avere altre relazioni,[13] e quando lui le aveva chiesto di cavarlo di impaccio in nome dei sentimenti che li legavano, si era sentito rispondere: «il cuore lasciamolo agli imbecilli». Questo Laffitte non poteva proprio tollerarlo: «Non mi sono ancora riavuto dal nostro incontro di venerdì. Mi ha lasciato un senso di tristezza, e mi ha tolto ogni residuo d'illusione. Avete ragione: il cuore lasciamolo agli imbecilli e cerchiamo di essere pratici. Perciò vi prego, ancora una volta, ponete fine a questa vicenda spiacevole, che doveva durare soltanto 24 ore, poi una settimana. Date ordine al vostro agente, o a chi vi parrà opportuno, di versare nel mio conto la somma in questione ... se mi attribuite un minimo di delicatezza d'animo, dovreste capire quanto mi sia penoso vedere il mio comportamento ripagato con aggressioni e rimproveri, quando so di non meritarmi altro che sentimenti di gratitudine ed affetto».[14]

E poiché gli era stato riferito che Virginia non si limitava a farsi gioco della sua dedizione, ma aveva avuto il cattivo gusto di lasciarsi andare a commenti sprezzanti in presenza di terzi, il banchiere si mostrava deciso a mettere fine a una relazione che aveva fatto il suo tempo: « I miei giorni sono finiti e la mia presenza a Passy non è più richiesta. Ormai non m'illudo più che ci sia stato un tempo in cui mi avete voluto bene ... Ho la sensazione di esservi d'intralcio. Forse ho impiegato troppo ad accorgermene, ma mi scuserete se fino a oggi stentavo a credere in una simile ricompensa dopo tre anni di devozione ». Non gli restava dunque che comportarsi di conseguenza: « Non preoccupatevi, non vi sarò più d'intralcio. Il vostro nome non salirà più alle mie labbra. D'ora in poi voglio essere morto per voi, come voi eravate allora ... morta per il mondo ». Nell'amarezza dell'addio poteva solo augurarle « di rimpiazzare il mio affetto perduto con uno altrettanto sincero, disinteressato e duraturo ».[15]

Virginia però non aveva alcuna intenzione di rompere, e corse ai ripari: « Il tempaccio di questi giorni ha un pessimo effetto sui vostri nervi, non riesco a spiegare altrimenti la vostra assurda lettera alla quale non avrei neanche dovuto rispondere. Ho riflettuto a lungo prima di farlo ... Dunque, siccome siete in collera con altri ve la prendete con me senza motivo. Pretendereste forse che vi chiedessi scusa di essere stata troppo buona e fiduciosa? Di avere conservato malgrado tutto i sentimenti più affettuosi nei vostri confronti, che ho sempre proclamato urbi et orbi? ». Insomma, il vero colpevole era Laffitte, che si lasciava influenzare contro « la sua migliore amica », titolo a cui lei non aveva intenzione di rinunciare.[16]

Ma lui era troppo legato a Virginia e aveva troppo buon senso per dare alla loro storia un connotato ridicolmente drammatico. La stagione dell'amore era passata, e non poteva che rassegnarsi; in una lettera le spiegava perché, arrivato a Dieppe senza più notizie della contessa, non l'aveva cercata: « Da quando la brina lo ha ricoperto, » scrive « il mio cuore, se prima si precipitava, adesso, con altrettanto ardore, indugia. Avete offeso sia me che i miei sentimenti per voi ».[17] Ma « la brina » si sarebbe trasformata in ghiaccio se Laffitte avesse saputo del doppio gioco che la Dearest Beauty stava conducendo alle sue spalle.

Avendo ormai capito di non poter più contare sull'indulgenza illimitata di Laffitte, Virginia fu costretta a prendere atto che senza il banchiere avrebbe, tra l'altro, perso il privilegio di acquistare al momento giusto le azioni legate alle sue operazioni finanziarie, come quella allora in corso sulla fornitura dei letti per l'esercito,[18] cosa che avrebbe ulteriormente aggravato la sua posizione debitoria. Perciò aveva concepito l'idea di chiedere consiglio a uno stretto collaboratore di Laffitte, Louis Le Provost, che le era stato presentato dal banchiere fin dal principio della loro relazione e che lei non aveva tardato a soggiogare, servendosene per ottenere informazioni sulle attività finanziarie di cui l'amante non giudicava opportuno metterla al corrente. Con la tattica di cui era maestra, Virginia lo aveva ammaliato con la bellezza, commosso con la malinconia, impietosito con gli assilli finanziari e infine coinvolto in una questione a cui un subordinato avrebbe dovuto mantenersi rigorosamente estraneo. Aveva così fatto di lui un « devoto con tutto il cuore », come recitava la formula di commiato che le rinnovava in ognuna delle sue lettere. Quando però Le Provost si era arrischiato a spezzare una lancia a favore della contessa, il suo *patron* lo aveva rimesso a posto ricordandogli seccamente che la faccenda non lo riguardava.[19] Ora tuttavia la sua devozione si rivelava preziosa: non potendo ambire al ruolo di amante, si ritagliava quello di consigliere.

Fin dalla dolente missiva di addio del banchiere, Le Provost fornì a Virginia un minuzioso elenco di indicazioni a cui lei avrebbe dovuto attenersi scrupolosamente. Nello scrivere a Laffitte era necessario che mostrasse stupore e dispiacere per le sue dichiarazioni, e un mesto sconcerto per la crudeltà con cui lui feriva un'amica nei sentimenti più profondi. E, rivelando uno spiccato gusto per il feuilleton, l'impiegato concludeva: « Chiudere con una frase accorata più o meno come questa: "Sebbene la vostra condotta crudele mi abbia profondamente ferita, la mia amicizia per voi non è venuta meno – giammai, infatti, potrei, né vorrei, dimenticare le prove di devozione che avete saputo darmi. Venite dunque a stringermi la mano che è leale e degna e soprattutto rassicuratemi: la nube nera che ha oscurato temporaneamente il vostro cuore si dissipi per sempre" ».[20]

Anche se non era facile indurre Virginia alla moderazione, una volta messo al corrente degli antefatti Le Provost doveva essere riuscito a dissuaderla dall'inviare al banchiere una lettera melodrammatica, scandita sul doppio registro dell'indignazione virtuosa e del pessimismo più cupo, come quella che lei gli aveva scritto pochi mesi prima, in una grafia convulsa che denotava il suo stato di esaltazione: « Siete diventato pazzo o forse mi sono rimbellicita io, comunque mi ritengo ancora abbastanza lucida per dirvi che avete torto, torto di sostenere che venite a Dieppe per me, torto di approfittarne per dirmi cose sgradevoli che non pensate, torto perché sapete che non le merito. Conoscete bene il mio carattere franco, leale, onesto, e non potete dubitare dei miei sentimenti per voi, che sono quelli di un'amica ».[21] Proprio in nome di quell'amicizia così ingiustamente messa in discussione Virginia chiedeva a Laffitte di salvarla dalle terribili circostanze in cui si era venuta a trovare: « Conto sul vostro aiuto per superare il dilemma se debbo buttarmi a mare con Dio o con il Diavolo ».[22]

Le Provost le consigliava dunque di moderare i toni; meglio una mozione degli affetti meno violenta ma sottilmente ricattatoria, che facesse appello alla protezione di cui lui era stato prodigo in passato, e che continuava a esserle preziosa: « Guai a me, se nel promettere aiuto ed amicizia a un'anima in pena non aveste la ferma intenzione di offrirle un valido sostegno! Ammetto di non avere il diritto di dubitare della vostra amicizia. Proprio perché conto su di essa vi dico: venite, parliamoci. Come può una povera derelitta, prigioniera della tristezza e della solitudine, fare a meno dei vostri consigli? ».[23] Per Le Provost l'espediente più efficace rimaneva infatti quello di attirare il banchiere a casa di Virginia – chi non avrebbe fatto qualsiasi cosa per ottenere questo privilegio? –[24] e, inevitabilmente, nel suo letto.

La strategia dei due complici non ottenne però gli effetti desiderati perché il banchiere non intendeva riprendere la strada di Passy e si ostinava a esigere quanto gli spettava. Laffitte conosceva ormai troppo bene la sua Dearest Beauty per farsi irretire dalle parole, intimidire dalle collere, commuovere dalle lacrime, e non era più disposto a lasciarsi prendere in giro. Allora, con un colpo di genio, Le Provost suggerì alla contessa di giocare un'ultima carta: sapendo quanto fosse affezionato al piccolo Giorgio, lei doveva far credere a Laffitte nel modo più melodrammatico possibile che, ridotta all'indigenza, si vedeva costretta a separarsi dal figlio: « Forse è già troppo tardi, eppure se fossi in voi farei un ultimo sforzo e a mezzogiorno, dietro preavviso, verrei in carrozza con il bambino. Laffitte scenderà. Gli direte: devo separarmi da ciò che amo più di ogni altra cosa al mondo – per ragioni di soldi – mi strappano la metà di me stessa... Ma la creatura adorata non può lasciarmi – e lasciare Parigi – senza ricevere il vostro ultimo abbraccio. Nemmeno un cuore di pietra potrebbe essere insensibile a una simile manifestazione di affetto. Perciò dovete tentare. Vestitevi come vi pare, prendete il primo fiacre. Venite. È necessario. Lo stratagemma funzionerà, e in ogni caso avrete dimostrato di avere un cuore degno di voi ».[25]

Virginia accolse il consiglio, prendendo però sprezzantemente le distanze dalla messinscena, da romanzo d'appendice, partorita dalla fantasia di Le Provost: « A questo mondo ognuno deve fare la parte che gli si addice. Io posso essere un'artista perfetta, ma decisamente il ruolo di commediante non mi calza per nulla. Bisogna che resti me stessa e ne ricaverò quel poco che potrò ».[26] Scelse di fare appello ai sentimenti del banchiere, e questa volta colse nel segno. Raggiunto dalla sua lettera mentre si trovava a Compiègne, Laffitte si affrettò a risponderle che condivideva la sua pena, ed era pronto ad assumersi l'onere di far proseguire gli studi di Giorgio a Parigi affinché lei non se ne dovesse separare.[27]

Non era quello che Virginia si aspettava: aveva sperato in un aiuto economico per sé, non per il figlio. Pur dando indubbiamente prova di generosità, Laffitte non era caduto nella trappola e, stanco di chiedere la restituzione del prestito, annunciava l'intenzione di affidare la pratica a un avvocato. Non per questo Virginia venne a più miti consigli: si indignò per le lettere di sollecito che le venivano recapitate alla banca Rothschild[28] e si sottrasse agli appuntamenti con la controparte, trincerandosi dietro i suoi malanni: « Inutile dirle di venire se, per ragioni di salute, ciò le è materialmente impossibile. Si prega dunque di farlo capire ai piani alti e bassi che non appena sarà in condizioni di uscire e di salire tutte le vostre scale e di prendere il freddo che regna alla vostra porta, verrà ». Poi, tanto per non lasciare dubbi sulla sua disposizione d'animo, assumeva un tono battagliero: « Non serve che mandiate a chiedere mie notizie: non ne do ... Perciò lasciatemi in pace tutti quanti. Mr Georges ammalato anche lui all'ospedale da 8 giorni e io finirò in manicomio se va avanti così ».[29]

Con il passare del tempo la calligrafia sempre più incomprensibile di Virginia dava del filo da torcere ai suoi corrispondenti: « L'unica parola che sono riuscito a decifrare nella vostra lettera è "mascella". Un po' poco, per potervi rispondere, » protestava Laffitte « perché non imparate a scrivere come si deve? ».[30] Così lei pensò bene di servirsi di « Mr Georges » come amanuense delle sue lettere d'affari. Viene da chiedersi cosa potesse provare un adolescente nel trascrivere le lettere della madre braccata dai creditori. E toccò ancora a Giorgio informare Laffitte che Mina contava di vederlo quanto prima per lo scambio delle strenne per l'anno nuovo. In questo caso però il segretario in erba approfittava dell'indulgenza riservatagli dall'amico della madre per raccomandargli di « non dimenticare il suo regalo ».

Il contenzioso tra Virgina e il vecchio amante si sarebbe trascinato ancora per anni, ma le vicende giudiziarie e la vittoria finale non avrebbero impedito a Laffitte, pur dopo aver preso definitivamente le distanze da Virginia, di continuare a intrattenere con lei rapporti affabili. Inutile chiedersi se e quanto la sua passione per la Dearest Beauty lo avesse fatto soffrire, come le scriveva Le Provost (che nel frattempo aveva avuto il buon gusto di cambiare padrone e di passare, grazie a Virginia,[31] al servizio dei Rothschild): « Chi mai potrà sondare le vie della Provvidenza o il cuore di un banchiere? ».[32]

UN FIGLIO CONTESO
(1861)

Di ritorno a Torino nei primi mesi del 1861, Virginia trovò un'Italia molto diversa da quella che aveva lasciato meno di un anno prima. A eccezione del Lazio e delle Tre Venezie, ogni parte della penisola aveva espresso per via plebiscitaria la volontà di far parte del Regno sabaudo, e il 17 marzo Vittorio Emanuele II proclamò ufficialmente la nascita dello Stato italiano. Era il momento giusto per « zufolare » quel « Porco Re » che adesso aveva il vento in poppa e si dichiarava il suo « Misero Padrone ». Troppe erano ormai le cose che dipendevano dal suo volere perché lei potesse eccepire sulla grettezza, l'avarizia e i modi da caserma di colui che aveva appena assunto il titolo di re d'Italia per sé e per i suoi eredi. Pur decisa a passare la maggior parte dell'anno in Francia, Virginia rimaneva una cittadina italiana, con proprietà e interessi in Liguria, e aveva un rango da difendere. Doveva dunque recuperare il posto che le spettava di diritto a corte e riallacciare una relazione stabile con il sovrano. Era il momento giusto anche per rivendicare il contributo dato cinque anni prima alla causa nazionale, con conseguenze tanto devastanti sul suo matrimonio e sulla sua reputazione. La prima vittoria fu riuscire ad assicurarsi, grazie ai buoni uffici di Cavour,[1] un appartamento a palazzo reale, postazione privilegiata per rinfocolare gli appetiti erotici del sovrano. Non le sarebbe stato difficile.

Sia pure con altre motivazioni, anche il conte di Castiglione aveva ottenuto un appartamento a palazzo reale: « S.M. il Re, » scriveva al suocero « nell'intento di offrirmi un segno speciale della sua benevolenza, mi ha nominato ufficiale onorario di ordinanza e ha firmato un decreto in base al quale sono a disposizione per tutti gli ordini che crede opportuno impartirmi sia direttamente sia tramite il Ministro della Casa ».[2] Nella sua nuova qualifica di segretario particolare del sovrano, con uno stipendio che gli consentiva di vivere « onorevolmente », poteva discutere l'affidamento del figlio da una posizione di vantaggio. E tuttavia, perseverando nella stupefacente dabbenaggine con cui aveva affrontato il duplice dramma del fallimento economico e matrimoniale, il conte scelse di affidarsi alla mediazione dello zio materno e di Poniatowski, che già si erano fatti garanti della separazione amichevole del 1859. L'accordo, come abbiamo visto, prevedeva che la madre tenesse con sé il piccolo, a patto di provvedere al suo mantenimento e di rimanere in Italia per seguirne l'educazione: in caso contrario il conte avrebbe revocato l'affidamento e messo Giorgio in un collegio militare. Ma con la disastrosa liquidazione del patrimonio a opera di Poniatowski e la richiesta di separazione dei beni avanzata dalla moglie, la disputa si era inasprita. Presto il conte avrebbe smesso di rallegrarsi del fatto che Virginia potesse contare sui « consigli di due buoni amici » come Poniatowski e lo zio Cigala.[3] Dal canto loro, è verosimile che sia il Vecio sia il Barba avrebbero volentieri fatto a meno di assumere nuovamente il ruolo di mediatori nell'ultimo atto della separazione dei coniugi Verasis.

Quanto alla marchesa Oldoini, decise di non prendere posizione perché, come scriveva con la consueta franchezza al marito, non sapeva cosa augurarsi. In una riconciliazione non credeva – « è impossibile che ella sopporti la seccatura di lui e che esso sopporti la stravaganza di lei » –[4] e l'affidamento del nipotino le pareva un'incognita: « Niny vorrebbe riprenderselo ... e se Castiglione lo rimanda a lei, tanto meglio, se non ce lo rimanda io non voglio forzare il conte, ed avere poi rimproveri su ciò che può accadere nelle mani di quella mattarella. Lascia che quel pagliaccio di Beppino se ne incarichi lui, io, ripeto, mi attengo alla tua politica, malgrado che questo mi porterà l'ira di Niny, ma faccia un po' quello che vuole, io mi sono seccata abbastanza».[5]

Oldoini lasciò dunque che fosse Poniatowski a farsi carico del problema. Compreso nel ruolo di *pater familias*, il marchese non intendeva mettere a repentaglio la sua autorità in una mediazione dagli esiti incerti, tanto più che rifuggiva dal conflitto con la figlia; ma fu proprio Poniatowski, davanti all'irrigidimento dei coniugi, a coinvolgerlo, chiedendogli di avvalersi dell'ascendente sul genero per dissuaderlo dal proposito del collegio militare. Nessuno, rispose il marchese, desiderava più di lui che Giorgio rimanesse con sua madre; era certo che Castiglione avrebbe desistito se Virginia si fosse persuasa «a prendere domicilio con il figlio in Italia, da dove poi potrebbe essere padronissima di fare le sue gite a Parigi quando le pare e piace, lasciando il ragazzo col precettore e talvolta portandolo seco». Ben sapendo che l'ipotesi era irrealizzabile, ostentava un improbabile ottimismo: «Io non credo possibile ... che Niny voglia abbandonare tutto, tutti, darsi allo sbaraglio e dimenticare di essere madre e figlia. Nò, caro Beppino, non precipitiamo i nostri timori, so che Niny è buona, e che la sola collera del momento, può dettargli sì scellerati sentimenti».[6]

Pur non avendo intenzione di seguire i consigli del padre, nemmeno Virginia voleva entrare in conflitto con lui. Teneva al suo giudizio e sapeva con quali argomenti giustificare virtuosamente la decisione di tornare a ogni costo in Francia. Come gli avrebbe ricordato in una lunghissima lettera dopo una nuova lite con il marito, era stato per il bene del piccolo Giorgio che aveva deciso di stabilirsi a Parigi: voleva sottrarlo alla minaccia di un'educazione militare rozza e retriva che gli avrebbe tarpato per sempre le ali, facendo «de ce bjoux d'enfant, de cette merveille d'homme » che lei andava plasmando con tanta cura, « un soldataccio a Saluzzo con la moglie di un caffettiere e 82 franchi al mese ». Anche per questo, come aveva già dichiarato nel corso delle estenuanti trattative, se il marito optava per il collegio militare lei era decisa a non rivedere mai più il bambino e a rompere i rapporti con tutta la famiglia. Quella che intendeva assicurare al figlio, non già nella provincialissima Torino ma nella capitale più cosmopolita e brillante d'Europa, era un'educazione da gran signore, che gli avrebbe consentito « di diventare un grande statista, *di girare il mondo con una posizione* [in italiano nel testo], di sposare una Principessa milionaria, e bello, intelligente, con un futuro brillante, di condurre un'esistenza felice, grata e utile ».[7] Virginia sapeva bene che il padre – per cui la signorilità veniva prima di tutto – non poteva non condividere queste speranze: lei desiderava per lui il destino che avrebbe voluto per sé e che, nonostante la bellezza, l'intelligenza e l'uso di mondo, le era stato negato.

Pur ribadendo la volontà di assicurare al figlio una degna educazione, a Poniatowski Virginia rivelava come non avesse poi tanta voglia di prendersi carico di Baby: vi si rassegnava per il suo bene, però intendeva metterlo in collegio a Parigi « per farne un uomo educato e istruito e, appena cresciuto, non averlo tra i piedi ed essere libera, e spendere un terzo ». Era comunque urgente riprendere il controllo del bambino, che in Italia tutti facevano a gara per viziare – « il est déjà en train de se perdre et dans peu de temps il s'enfichera de tout et tous [si sta già guastando, e fra poco se ne infischierà di tutto e di tutti] » –, vanificando così l'educazione che lei gli aveva impartito. « Io predico a tutti che se quel figliuolo continua a fare quella vita e stare in mezzo a tutti diventerà un demonio indontabile [francesismo per indomabile], cattivo e fino ignorante perché io gl'ho dato il gusto di studiare e non l'ho fatto lavorare per forza come dicono le lingue di vipere ». La conclusione non era certo un modello di delicatezza: « se me lo rendono lo prenderò ancora per salvarlo, se no me ne strafotto ». In realtà, Virginia non rinunciava facilmente a qualcosa che riteneva le appartenesse, e tantomeno a suo figlio, e per questo incalzava Poniatowski, raccomandandogli ora di «zufolare» il marito, ora di minacciarlo, ora di commuoverlo ricordandogli le sue sofferenze di madre. Né dovevano essere minori le pressioni a cui sottoponeva il Barba.

Rientrando a Torino il 28 aprile 1861 dopo una faticosa missione di otto mesi in Egitto e in Siria, il conte di Castiglione trovò ad attenderlo varie notizie spiacevoli. Tanto per cominciare, scrisse a Poniatowski, la moglie aveva approfittato della sua assenza per tornare a Parigi portando con sé il figlio. Poi c'erano le vendite di Costigliole e della casa di Torino che gli avevano «fatto versare non poche lacrime». Dimenticando gli impegni presi, Poniatowski aveva ceduto al nuovo proprietario anche alcuni cimeli di famiglia e la chiesa annessa al castello, privandolo così del diritto di «andare a pregare sulla tomba dei suoi genitori». Davanti a quella estrema mortificazione, Francesco chiamava in causa la prima artefice delle sue disgrazie: «Almeno questa clausola la contessa che conosce la mia religione per i miei parenti, avrebbe potuto pregarti di osservarla, essa che non giudicò fare il minimo sacrifizio per il nome che porta». Come se non bastasse, Virginia aveva chiesto e ottenuto la separazione della dote, lasciandogli solo il diritto agli alimenti. «Sapendo come andarono le cose, essa avrebbe potuto agire diversamente senza infliggermi ancora questa umiliazione davanti ai tribunali, ma sino all'ultimo istante la Contessa volle essere conseguente a se stessa». La moglie non doveva dunque stupirsi se, avvalendosi del suo diritto, Francesco avesse chiesto la separazione legale – sinonimo di scandalo e accusa contro il coniuge – e l'affidamento di Giorgio. «Io non ho più niente da lasciare a mio figlio,» riconosceva amaramente «ma dividerò con lui quel pezzo di pane che guadagno lavorando di continuo e se non altro vedrà a che segno può andare la mia affezione per lui e non imparerà da sua madre a maledirmi».[8]

Il principe comunicò senza indugio il contenuto della

lettera a Virginia, che gli dettò la strategia da seguire, ovvero «con discorsi secchi, chiari, precisi» porre il conte davanti all'alternativa: «1) pace 2) guerra 3) condizioni e vantaggi pace 4) svantaggi, inutilità della guerra 5) dettagli dei due casi».[9]

Obbediente, Poniatowski trasmise le sue istruzioni al conte e a Cigala, concedendosi una sola licenza. Virginia gli aveva raccomandato di non rispondere «facendo tante frasi», che potevano sembrare più «una lettera di scuse che non un ultimatum», mentre la proposta che il principe inviava a Francesco tramite Cigala era sottilmente ricattatoria: «Se il conte domanda la separazione legale e vuole riprendere Giorgio, egli commette un atto di ostilità contro di lei, che essa non merita, tanto per le cure e l'educazione perfetta che dà al figlio, che per la condotta più che savia che tiene. Questa durezza le sarà penosa, ma se questo fatto si compie essa si vede esonerata da qualsiasi responsabilità e non penserà che a sé». E poiché sia Cigala sia Castiglione sapevano che Virginia era capace di tutto, c'era di che preoccuparsi. Se viceversa il marito rinunciava alla separazione legale e le lasciava il figlio, la moglie «era disposta a fare in suo favore dei sacrifizi, tanto sul capitale disponibile che ha, quanto sui frutti della sua dote, non già a titolo di alimenti ... ma perché non è mai stata sua intenzione di prendere tutto per sé e non dar niente a suo marito». E perché togliere un figlio a una madre che aveva i mezzi per dargli una buona educazione e assicurargli un piccolo capitale?[10]

Castiglione, intanto, spaventato dall'irreparabilità di una rottura, aveva già adottato una linea più morbida: «Il torto è mio, ormai lo riconosco, non sono stato capace di farmi rispettare dalla contessa come avrei dovuto». E avanzava due nuove ipotesi. La prima, quella di un «accomodamento amichevole», contemplava persino la possibilità di un tentativo di ritorno a una vita in comune: «Se magari la contessa, <u>una volta ristabilita</u>, volesse venire a vivere con me a Milano, sarei ancora disposto ad accoglierla, ma a condizione che ci venga con fermo *proponimento* [in italiano nel testo], con il poco che abbiamo, e senza dirmi cose sgradevoli». La seconda, più estrema, prevedeva il ricorso alla giustizia: Castiglione poteva chiedere che la moglie venisse costretta d'autorità a tornare sotto il tetto coniugale. In caso di rifiuto, aveva il diritto di sequestrare gli interessi della dote e riprendersi il figlio.[11]

La replica di Poniatowski riportò la discussione al punto di partenza: adesso che la separazione della dote aveva messo la moglie al riparo da qualsiasi pretesa del conte, lei era pronta a cedergliene una parte in cambio dell'affidamento del figlio. In più, sapendolo «assediato dai creditori», era disposta a corrispondergli l'importo di diecimila franchi e, qualora giocando in borsa la fortuna le avesse arriso, non chiedeva di meglio che condividerne i frutti con lui. Come Virginia ben sapeva, Castiglione si era fatto un punto d'onore di rimborsare fino all'ultimo dei creditori e non era in grado di rifiutare una cifra che avrebbe tacitato i più assillanti.

Consapevole di avere una volta di più le mani legate, Francesco proseguì mestamente le trattative, rifugiandosi nella speranza, che Poniatowski aveva cura di rinfocolare, di una possibile riconciliazione: «Quanto alla proposta di venire a vivere a Milano con te, la prende in seria considerazione» gli scriveva subdolamente il principe.[12] «Mi prega di ringraziarti e di dirti che se non accetta seduta stante è solo perché è malata, e per il momento ha bisogno di pace e tranquillità». E non trascurava di rassicurarlo sulla condotta irreprensibile della povera Niny, ritirata in una «casetta a Passy, senza lussi, e nemmeno comodità», quasi sempre a letto, quasi sempre sola.[13]

Ma neppure il conte di Castiglione poté protestare alla notizia che il 17 giugno Virginia aveva lasciato il suo eremo per presenziare, nella chiesa della Madeleine, alla cerimonia funebre in onore del conte di Cavour.[14] Undici giorni prima era infatti morto a Torino, a soli cinquantun anni, il piemontese testardamente visionario che aveva cambiato il destino dell'Italia, ma la cui opera, come gli aveva scritto George Sand, travalicava i confini della penisola, e costituiva per gli amanti della libertà « la questione di vita o di morte del nostro secolo ».[15]

Con lui scompariva il solo uomo per cui « la cugina dai begli occhi » aveva sempre provato soggezione.

L'ATTESA DEL BACIO MATERNO
(1861-1865)

Dopo la parentesi felice di Villa Gloria, Giorgio venne progressivamente estromesso dal paradiso materno. Tutta tesa a riconquistare il suo posto nella società parigina, assillata dai problemi finanziari, alle prese con nuovi amanti da tenere a bada e spesso malata, Virginia non aveva più il tempo di occuparsi del figlio, sicché delegò il compito a Lina Rauch, una giovane istitutrice tedesca « per metà uomo » che ne valeva « due interi ».[1] Benché severa e poco incline alle effusioni, Mademoiselle Rauch era una persona di cuore e capì subito che il modo migliore di proteggere Giorgio era abituarlo a piegarsi alle ingiunzioni della madre, che sull'educazione e gli svaghi del figlio voleva sempre l'ultima parola.[2]

Nel villino isolato di Passy dove Virginia aveva scelto di risiedere, il piccolo non aveva il permesso di disturbarla quando non stava bene o riceveva visite, e, senza amici della sua età e senz'altra occupazione che lo studio, viveva nell'attesa dei pochi momenti che lei era disposta a concedergli: anche se erano spesso forieri di sfuriate e punizioni, quei momenti erano pur sempre la prova che Mina si ricordava di lui. Il suo bisogno di attenzione era talmente disperato da indurlo persino a denunciare le proprie colpe,[3] pur sapendo che si sarebbe attirato la collera materna.

D'altronde, fin dal settembre del 1861, quando Virginia si batteva per l'affidamento, la marchesa Oldoini, che aveva con sé il nipotino a La Spezia, si desolava nel constatare il potere nevroticamente perverso che Virginia esercitava su di lui: « Ma benedetta figliola, con quel grugno continuo, lo sbalordisce e anche qui trova modo di affliggerlo, con lettere tenerissime che lo fanno piangere, ma a farlo ridere finché è qui ci penso io, e mi adora come non si può dire. Va bene che studi, che sia obbediente, ma santo cielo, un po' di allegria, un po' di buon viso è necessario a un bambino ... credo che Beppino e Castiglione stiano lavorando per restituirlo a Niny ed io per lei ci ho piacere certo ... ma vorrei che lo tormentasse meno ».[4] Constatando con rammarico che il trattamento inflitto a Baby, anziché addolcirsi, non faceva che inasprirsi, Isabella prendeva spunto dalla paura di morire che lo coglieva quando era malato per convincere la figlia a cambiare atteggiamento: « Non è bene che un bambino abbia questi tristi pensieri, fa' in modo di rallegrarlo piuttosto, la vita è già abbastanza dura quando si è adulti, cerca di addorcigli l'infanzia, che sia spensierato, che si diverta, *e non tanto tormentarlo collo studiare, e col gridarlo per nulla* [in italiano nel testo] ».[5]

Virginia stessa parla delle angosce del figlio in una lettera a Poniatowski: « Baby è morto di freddo e ha la scarlattina che sta facendo il suo corso. Ha avuto il delirio e nel sogno diceva: "Oui j'obéirai parce que Mina m'a appris qu'il faut obéir mais je mourrai, je suis sûr, vous verrez [Sì obbedirò perché Mina mi ha insegnato che devo obbedire, ma morrò, ne sono certo, vedrete]" ». Invece di commuoverla, la scena l'aveva irritata, perché era « tutta colpa della marchesa » che montava il nipote contro di lei. « Appena guarito lo predico io, non posso vedere questo spettacolo ».[6]

Le lettere di Lo Fü alla madre nel corso di tre vacanze a Dieppe tra il 1861 e il 1865 ci narrano la vicenda struggente di un bambino che rinnova invano, di anno in anno, la stessa richiesta d'amore. Nella continua attesa di una risposta che tarda ad arrivare, Giorgio invoca la benevolenza della divinità materna secondo tutte le modalità previste dal culto: adorazione, sottomissione, atto di contrizione per i peccati commessi, preghiera di dare ascolto alle sue suppliche. Nell'autunno del 1861, dopo il soggiorno spezzino dalla nonna, il bambino aveva seguito Virginia a Dieppe, dove constatava tristemente che nessuno era contento di lui, sua madre era arrabbiata e Mademoiselle Rauch non smetteva di sgridarlo.[7] E quando aveva saputo che la sua divinità si accingeva a ripartire per Parigi lasciandolo solo con l'istitutrice, era diventato intrattabile. Come avrebbe spiegato lui stesso alla madre,[8] era l'angoscia di sentirsi abbandonato che lo faceva arrabbiare; ma non per questo Virgina si mostrava indulgente, tanto più che i mea culpa e i buoni propositi del figlio le parevano insinceri e la mandavano su tutte le furie. «Che il signor Georges non mi scriva più» ingiungeva in un momento di esasperazione «perché sono stanca di leggere in continuazione: Mina sono stato cattivo, non oso scrivere a Mina, ho paura di far dispiacere a Mina... È ridicolo. Paura di cosa, poi? So bene che la sua condotta è indegna... Ha ragione di avere paura perché sarà punito, e duramente».[9] Per quella paura che lei si ostinava a non capire, Giorgio avrebbe preso l'abitudine di mentirle, attirandosi ulteriori castighi. Anche in questo caso il piccolo colpevole era pronto a riconoscere i suoi torti e, come scriveva al nonno, si riprometteva di non fare più arrabbiare la madre, che spendeva «tanti soldi» perché lui fosse «un bravo bambino».[10] A differenza di Virginia, Mademoiselle Rauch si andava convincendo che i problemi di comportamento e l'emotività esacerbata di Georges avessero una causa patologica, e sentiva il dovere di confidarsi con il marchese Oldoini: «Pur avendo tutte le intenzioni di essere un bambino a modo, molto spesso perde il controllo; ma la contrizione, che è immancabilmente sincera e immediata, lo fa soffrire al punto da renderlo infermo per qualche ora. Questa storia deve finire».[11] Nel settembre del 1864, relegato nella località balneare con la sola Mademoiselle Rauch, senza compagni di gioco e senza distrazioni se non i compiti e qualche passeggiata in spiaggia, Giorgio viveva nell'attesa dell'arrivo della madre: «Spero in ogni momento che Mina verrà, ma dato che Mina ancora non è venuta mando a Mina questa lettera. Piove in un modo tremendo e io mi annoio».[12] La tristezza per la lontananza era resa più acuta dal terrore cronico di essere dimenticato: «Adesso che è venuto il compleanno di Mina io auguro a Mina tanta felicità... Sarei felice di passare questa giornata con Mina, però lei tutta presa dai piaceri certamente si dimenticherà di Lo Fü, che separato da Mina e senza notizie è infelice».[13] Ma Virginia si mostrava sorda al dolore del figlio, ed era la stessa Mademoiselle Rauch a sentirsi in dovere di affrontarla a viso aperto: «Francamente non sono affatto contenta della maniera di agire della Signora contessa, ella sa bene che M. Georges si affligge di non ricevere le sue lettere, allora perché far patire il bambino che è tanto impressionabile? Ve lo ripeto in ogni lettera. Cercate di conservare l'affetto di vostro figlio, non potete né odiarlo né abbandonarlo, dunque bisogna volergli bene... Prego la Signora contessa per piacere di scriverci, ma lettere gentili, non di quelle che ti fanno rizzare i capelli o venire un'indigestione».[14]

L'attesa di un gesto di affetto da parte della madre giunge al parossismo nelle lettere inviate tra maggio e luglio del 1865. Il bisogno disperato di lei e la paura dell'abbandono sono quelli di sempre, ma Lo Fü li esprime in modo più articolato, rinnovando continuamente l'impegno di obbedirle, le proteste di devozione filiale, l'invio di pensieri delicati e di piccoli omaggi affettuosi. A dieci anni compiuti, Giorgio aveva già imparato a fare i conti con la durezza e l'imprevedibilità della madre.

Mandato a Dieppe per ristabilirsi da una grave crisi di tosse convulsa,[15] trasmette a Virginia il bollettino delle sue condizioni fisiche, si diffonde sulle prescrizioni del medico, le racconta le passeggiate in spiaggia, chiede insistentemente notizie della salute di lei. La tiene aggiornata sulle lettere che invia al padre e ai nonni e su quelle che riceve da loro, e domanda il suo permesso anche per le cose più semplici. Spesso costretto in casa dal maltempo, si ingegna di combattere la noia cercando la compagnia dei figli e dei nipoti del dottor Blanche, che villeggiano nella casa accanto. Il resoconto dettagliato di un invito a cena insieme con le due bambinaie ce lo mostra come un piccolo uomo di casa desideroso di fare bella figura. Già consapevole dei problemi finanziari materni, si preoccupa di non spendere troppo,[16] visto che quando rimangono senza soldi spetta a lui informarne Mina. Si rivela anche precocemente attento alle relazioni sociali: riferisce alla madre le visite di Le Provost, il collaboratore di Laffitte che ha una casa accanto alla loro, si ricorda i nomi delle persone che le mandano i loro saluti e la informa persino di un breve soggiorno del principe Napoleone.[17]

Per dire a Mina il suo amore, il piccolo ricorreva al linguaggio floreale, inviandole roselline, viole del pensiero e fiori di campo di cui rimane tuttora sulla carta l'impronta colorata.[18] Non sapeva, per fortuna, che il suo idolo regalava agli amanti quei teneri omaggi.[19] Giorgio decorava le pagine con graziosissimi disegni e progettava persino di donarle un uccellino raccolto nel corso di una passeggiata. E in ogni occasione riaffiorava il bisogno di stare con la madre: «Il soldato non lo voglio fare perché non resisterei a lungo senza vedere Mina».[20] Per quanto si sforzasse di farsi coraggio, era pur sempre un bambino tormentato dalla nostalgia. Quando il postino non portava la sospirata lettera di Virginia si incupiva[21] o scoppiava a piangere[22] e quando, *rara avis*, ne arrivava una, si profondeva in ringraziamenti, mentre il prolungarsi del soggiorno a Dieppe gli pesava ogni giorno di più e temeva di non ritrovare la madre a Parigi perché se fosse stato costretto a «stare da solo in quella noiosa casa di Passy», sarebbe sicuramente morto, affermava.[23] L'attesa spasmodica dell'arrivo della madre, continuamente procrastinato per ragioni di salute, cresceva col passare del tempo e «l'infelice Lo Fü»[24] contava i giorni[25] che lo separavano da lei: «Spero che oggi Mina verrà. È tanto tempo che non sto con Mina»;[26] «I giorni passano lenti lenti e sarei così felice di stare un po' con Mina»;[27] «Aspetto Mina con grande impazienza».[28] E quando finalmente pensava che il grande momento fosse arrivato, perché Mina gli impartiva istruzioni dettagliate su come preparare la casa per accoglierla, riempiendolo di felicità,[29] tanto più crudele si rivelava la delusione: «Mina mi aveva scritto che Mina sarebbe venuta questa settimana, perciò ieri sono andato alla stazione sperando di vedere Mina nel treno. Quando ho sentito il fischio della locomotiva il mio cuore batteva forte ma mi ha reso tanto triste non trovare Mina».[30] Lo Fü riprendeva così a contare i giorni e, in calce alla lettera successiva, annotava: «Da due lunghi mesi sono solo».[31]

Di ritorno a Parigi, Giorgio trovò la madre meno affettuosa che mai. Come scriveva allarmata la marchesa al marito, le lettere della figlia indicavano «una condizione morale e fisica» preoccupante, dovuta secondo lei a «imbrogli di interesse».[32] Alle prese con il cronico bisogno di soldi, assillata dai creditori e senza la possibilità di rimborsare l'amico Charles Laffitte dei due ingenti prestiti, Virginia decise infatti di alleggerirsi della preoccupazione del figlio, visto che in base agli accordi il marito ne reclamava la tutela.

Sul finire del 1865, scortato da Mademoiselle Rauch, il bambino partì per l'Italia e raggiunse il padre a Firenze. Il conte di Castiglione vi si era stabilito l'anno prima, al seguito di Vittorio Emanuele, quando la città era diventata capitale del Regno d'Italia. Anche la marchesa Oldoini si unì al genero per riservare al nipote la più affettuosa delle accoglienze. Fu subito evidente che le condizioni fisiche di Giorgio, gracile ed emotivo, lasciavano a desiderare, e quando, nel mese di aprile, il bambino si ammalò, la marchesa, che lo aveva in custodia in assenza del padre, non nascose al marito la sua preoccupazione: «Giorgio è stato nuovamente malato, e più seriamente perché ha avuto delle febbri grossissime, ora sta benino, anzi bene, però i medici hanno detto che è molto delicato di petto e per vero dire non l'avevo mai veduto nudo, che è magrissimo. I medici hanno ripetuto a Castiglione che il bambino ha mangiato male da piccolo e ora studia troppo. Questo mette più che mai in furore Castiglione che quando aveva la febbre giurava di bruciare tutti i libri e tenerlo con sé».[33]

Bersaglio delle accuse di tutta la famiglia, la grande imputata brillava per la propria assenza. Da mesi aveva smesso di scrivere alla madre, e non si degnò neanche di rispondere al telegramma in cui lei le dava notizie della salute del figlio.[34] Non scriveva più nemmeno a lui, benché alla partenza avesse promesso di farlo ogni domenica.[35] Per mesi il bambino non avrebbe più ricevuto dalla madre neppure un rigo, senza per questo smettere di mandarle lunghe lettere in forma di diario, raccontandole tutto quello che faceva.[36] Sebbene ferito dal trattamento ingiusto, non mancava di ripeterle quanto soffrisse per la sua lontananza. E quando finalmente Mina si decise a rispondergli – « ricevere un milione non lo avrebbe reso più felice » –,[37] la nostalgia prese il sopravvento e si dichiarò pronto a sacrificarle tutto, a cominciare dalla gratitudine per il padre, pur di essere con lei e, « come nei bei tempi andati », poterle augurare il buongiorno e farsi dare da lei « un bacio prima di andare a letto ».[38] Nel mese di giugno 1866, alla vigilia della nuova guerra dell'Italia contro l'Austria,[39] non nascondeva la gioia al pensiero che il padre andasse a combattere: così forse la madre lo avrebbe richiamato a Parigi.[40]

In anticipo su Proust, per il quale a tredici anni la più grande sciagura era quella di « essere separato dalla mamma »,[41] a undici Giorgio viveva già nell'angoscia di essere lontano dalla sua, e aveva fatto del ricordo del bacio serale il simbolo di un paradiso perduto. Il bambino non poteva però immaginare che meno di un anno dopo sarebbe stata un'altra perdita a sprofondarlo nella disperazione.

AMBIZIONI D'UOMO
(1861-1866)

Nell'autunno del 1861 Virginia arrivò a Parigi inseguita da una lettera del marito, che si lamentava di non avere ricevuto riscontro alle ultime proposte di riconciliazione. In un primo momento la transfuga aveva pensato di ammansire il coniuge ringraziandolo per l'offerta ma ricordandogli che una separazione « amichevole » era la soluzione più saggia per « vivere in pace » e « giovare » al figlio, risparmiandogli le liti dei genitori. Dopotutto, il conte non faceva un gran sacrificio nel rinunciare a una moglie « inadatta a lui », né lo faceva lei nell'abdicare a « una posizione » che non rimpiangeva affatto. « I think for myself »[1] concludeva in tono assai poco diplomatico. Forse per questo aveva prudentemente evitato di inviare la risposta, ritenendo che la sua partenza da Torino fosse già abbastanza eloquente. Francesco le aveva fatto notare che tutte le sue previsioni si erano avverate: l'aveva messa in guardia dal pericolo di lanciarsi nelle speculazioni, e si erano rovinati; l'aveva avvertita che Manzella, uno dei tanti faccendieri della contessa, era una canaglia, e quello li aveva traditi; aveva segnalato a Poniatowski che il procuratore Tesio era inaffidabile, e Tesio li aveva derubati. Possibile che continuasse a illudersi? « La vostra sorte disgraziata vuole che siamo poveri, e dobbiamo rassegnarci ad essa ».[2]

Virginia però non sopportava di essere contraddetta, e speculazioni e investimenti non costituivano per lei solo una speranza di facili profitti, ma l'attraevano con forza irresistibile. L'intreccio tra politica e mondo degli affari l'appassionava, era convinta di saper scommettere sulle iniziative giuste, come i giocatori d'azzardo amava il rischio e non c'era perdita o guadagno abbastanza ingente da farla desistere. D'altra parte, però, il terrore di finire sul lastrico la perseguitava, e per tutta la vita avrebbe accumulato compulsivamente rendite, pensioni, vitalizi, interessi, gioielli, sempre convinta di essere sull'orlo della rovina. Se da un lato, con puntiglio maniacale, rendeva conto a Poniatowski di investimenti, dividendi, perdite e scadenze, dall'altro non avrebbe mai cercato di avere un quadro della sua reale situazione finanziaria.

Sapeva comunque che il capitale più sicuro di cui disponeva era la sua bellezza e ormai, venuta meno la possibilità di metterla a frutto con l'imperatore, si rassegnava a prendere in considerazione nuovi promettenti investitori. Cominciò da due banchieri: Charles Laffitte, che abbiamo già conosciuto, e Ignace Bauer. Le due relazioni parallele la costringevano a esercitare una sorveglianza ferrea sul suo carnet per evitare sovrapposizioni e imprevisti imbarazzanti. Dissimulatrice e riservata per natura, e ben decisa a non commettere più gli errori che le erano costati il favore di Napoleone III, si atteneva alla massima discrezione e la esigeva dai suoi amanti. Pur potendo contare su tre alcove diverse – la casa di Passy e l'appartamento di rue Marivaux[3] a Parigi, nonché la villa di Dieppe –, faceva senza dubbio una certa fatica a destreggiarsi, tanto più che i due banchieri non escludevano altre relazioni, come quella con il Vecio o con il generale Estancelin, e neppure incontri più fugaci. Chissà se anche lei, come due secoli prima Ninon de Lenclos, aveva finito per dividere gli uomini a cui si concedeva in «pagatori», «capricci» e «amanti». In tal caso, saremmo autorizzati a utilizzare anche per lei la qualifica di cortigiana? Incontestabile dal punto di vista della moralità borghese, il termine parrebbe del tutto improprio sul piano della vita sociale. A differenza delle celebri «orizzontali» dell'epoca, Virginia discendeva da una famiglia di alto lignaggio e suo marito apparteneva alla nobiltà più antica. Inoltre, a cominciare dalla principessa Matilde, c'erano altre donne che vivevano separate dal marito e avevano relazioni sentimentali stabili senza che nessuno battesse ciglio. Nel mondo aristocratico la morale libertina continuava, sia pure con discrezione, a conservare i suoi diritti, e negli anni precedenti alla Rivoluzione, costretta a guadagnarsi la vita come cortigiana, Julie Careau ricordava con indignazione che mentre a lei toccava di vivere ai margini della società il bel mondo non si scandalizzava se le grandi dame facevano sfacciatamente mercimonio dei loro favori.

In realtà, più della disinvoltura sentimentale, quello che disturbava nella contessa di Castiglione erano la «stravaganza scandalosa»,[4] l'irrequietezza, la vita misteriosa e girovaga. Appariva e spariva continuamente, era sempre in viaggio, tanto che l'avevano soprannominata «la valigia del mistero»[5] – e in effetti nel catalogo della vendita all'asta dei suoi archivi da Drouot figurano ben quattro lasciapassare, accordati da Vittorio Emanuele tra il 1860 e il 1864, che le consentivano di viaggiare per tutta l'Europa.[6] Rifuggiva dai luoghi pubblici, usciva di casa velata, si sottraeva alla prima regola della vita di società, che imponeva alle dame di rango di ricambiare gli inviti e di ricevere a casa propria, tenendo eventualmente un salotto. D'altro canto avrebbe aborrito piegarsi alle usanze altrettanto codificate del demi-monde, con i suoi luoghi di incontro, il lusso volgare, l'asservimento al piacere maschile. E se, sconcertato davanti all'insolenza con cui portava «il fardello della bellezza», il bilioso conte di Viel-Castel la definiva «una cortigiana come le Aspasie»,[7] c'erano parecchie signore del bel mondo – dalla contessa Walewska, alla duchessa di Persigny, alla marchesa di Galliffet – su cui avrebbe potuto formulare un giudizio analogo. Il comportamento di Virginia si attagliava semmai alla sua reputazione di spia,[8] e faceva pensare non già a una cortigiana ma a un'avventuriera che «amava solo le sue ambizioni», la politica, gli affari, il potere. «Ambizioni d'uomo»,[9] come avrebbe rilevato acutamente Ferdinand Bac. Non è forse quello di un'enigmatica avventuriera italiana il geniale ritratto a chiave che avrebbe tracciato di lei, una quindicina di anni dopo, Émile Zola in *Son Excellence Eugène Rougon*?[10] La contessa vi figura nelle vesti di una bellissima e pugnace Clorinda moderna intenta a ordire complotti politici, che tiene in soggezione gli uomini impugnando con una mano un frustino e con l'altra una cartella di documenti segreti da cui non si separa un solo istante.

Virginia sapeva che la sua reputazione era sotto scrutinio, e proprio per questo aveva fretta di essere riammessa alle Tuileries.

L'ostacolo maggiore era ovviamente il veto dell'imperatrice, ma, deposta l'antica superbia, la rivale sconfitta poteva contare sull'aiuto dell'amico Nigra, che nell'agosto di quel 1861 era tornato a Parigi in qualità di ministro plenipotenziario del re d'Italia. Fin dall'epoca della missione come portavoce di Cavour, il giovane diplomatico era riuscito a entrare nelle grazie di Eugenia e dovette probabilmente intercedere per Virginia, visto che nel febbraio dell'anno successivo la marchesa Oldoini si rallegrava che la figlia avesse fatto visita all'imperatrice, venendo accolta da lei « con grande benevolenza ».[11]

Negli stessi mesi, grazie ai buoni uffici di Poniatowski e Cigala, Virginia riuscì anche ad avere la meglio nel contenzioso con il marito. Francesco si rassegnò infatti a firmare un « accomodamento » che le consentiva di « continuare a tenere con Lei il figlio fino all'età di dieci anni compiuti », raggiunta la quale sarebbe stato « irrevocabilmente consegnato al signor Conte ».[12] Nell'informare il padre del buon esito della trattativa, Virginia gli annunciava che pure i suoi « affaires d'argent » si stavano aggiustando perché aveva « fatto un colpo da maestro » che doveva garantirle « qualche anno di tranquillità ».[13]

Ma le notizie dai familiari erano tutt'altro che liete. Tornato a San Pietroburgo, il marchese Oldoini attraversava una delle sue periodiche crisi depressive, acuita dai problemi di gestione di un patrimonio terriero gravato da ipoteche e sempre meno redditizio. Affettuosa e solidale, la moglie faceva del suo meglio per rassicurarlo: « Mi spiace che tu ti agiti e ti attacchi i nervi per questa faccenda ... purtroppo anch'io mi ci sono mangiata l'anima, ma ora prendo le cose con più calma e ti consiglio fare lo stesso per non fotterti la salute ».[14] Nel marzo del 1862 il marchese dovette rientrare a Firenze perché le condizioni del vecchio Lamporecchi erano improvvisamente peggiorate. Per Isabella, legatissima al padre, era una dura prova. Mentre Castiglione – genero modello fino all'ultimo – si diceva « disperato » di non potere « accorrere al capezzale del nonno per testimoniargli tutto [il suo] affetto »,[15] da Parigi Virginia affermava di essere lei stessa troppo malata per mettersi in viaggio, pur chiedendo al padre di informarla per telegrafo della « notizia fatale », nonché di ricordarle « la regola da seguire per il lutto, infatti anche se il cuore non conosce regole il mondo le osserva e bisogna attenervisi, soprattutto in Italia, perciò desidero esserne informata ».[16]

La scomparsa di quel patriarca novantenne di cui non avrebbe mai smesso di menar vanto rappresentò per Virginia un taglio con il mondo dell'infanzia e accelerò la disgregazione del clan Lamporecchi, logorato dalle difficoltà economiche e dalle turbe mentali dei suoi componenti. Isabella faceva il possibile per scongiurare l'estraniamento della figlia, condividendo con lei preoccupazioni e sentimenti. Due giorni dopo la morte del padre, le raccontava[17] di come il vecchio avesse tenuto fino all'ultimo un atteggiamento positivo, fosse convinto di stare meglio e continuasse a rivedere il suo poema in ottave *Il Bonaparte*, che ancora l'anno prima aveva sottoposto al giudizio dell'amico Tabarrini.[18] Le confidava pure che, contro il parere dei familiari e della stessa Virginia, non aveva voluto dirgli che stava per morire. Se lo avesse fatto, il vecchio Lamporecchi le avrebbe certamente destinato una donazione speciale, ma lei sulle questioni di interesse si era sempre lasciata « buggerare », e raccomandava alla figlia di non seguire il suo esempio.[19] Era il solo consiglio di cui Niny non aveva bisogno.

Anche la lettera del marito, che Virginia riceveva una quindicina di giorni dopo la morte del nonno, non era di quelle che risollevano il morale. All'indomani del compleanno, Francesco faceva un bilancio della propria vita che suonava anche per lei come un nuovo memento.

« Ieri ho compiuto 36 anni, ancora 4 e poi 40, ecco come passa la vita, metà a combinare sciocchezze e metà a rimpiangerle ... Sono assai contrariato nell'apprendere che la vostra salute è sempre cattiva, se il dottore fossi io vi guarirei in un lampo perché è soprattutto il vostro morale a soffrire della vita impossibile che conducete da 5 anni, e vedo anche che avete assolutamente bisogno di svago. Dipenderebbe soltanto da voi cambiare questa vita che vi consuma a poco a poco con una meno lussuosa e più serena, ma che ci piaccia o no dobbiamo seguire il nostro destino e voi non vi deciderete mai a seguire i miei consigli perché io sono vostro marito, ma se il nodo che ci lega sparisse per incanto sono convinto che non avreste amico migliore di me ... Comunque quello che vi auguro con tutto il cuore è di ristabilirvi completamente e di trovare, là dove deciderete di abitare, la felicità e la tranquillità ».[20]

Virginia però non mostrava la minima propensione a una vita tranquilla. In primavera tornò brevemente a Torino per procedere, in base a un inventario minuzioso di mobili, quadri, armi antiche, libri, argenti, tappeti, biancheria e suppellettili, alla spartizione dei beni del marito. A giudicare da un biglietto del conte Federico di Castellengo, grande scudiere di Vittorio Emanuele, il soggiorno torinese le servì anche a riannodare la relazione con il re.[21] Dopo questa corvée decise di concedersi una vacanza di qualche settimana a Londra, in piena *season*; da lì,[22] avendo appreso che Poniatowski si preparava a partire per la Cina, tornò a Parigi per salutarlo. Il principe non aveva nascosto la sua « immensa gioia »,[23] e lei, al momento della separazione, gli si diede anima e corpo. Per Poniatowski l'emozione fu grande: « Voglio che tu sappia che non sono un ingrato, e che la sera del 15 luglio 1862 resterà nella mia memoria per l'eternità. Il fatto era già abbastanza straordinario di per sé; non c'è che una Nicchia al mondo, ma così carina, salata, tenera come in quell'occasione non l'ho vista mai, e poi, venire da Londra, mollare tutti quei cocodes mylords per dire addio al Vecio, suvvia, è troppo gentile, e voglio dire grazie nei secoli dei secoli».[24]

Ma per Virginia non c'era che il presente: «Non credo agli amori e non conto che su quello del momento» scriveva a un ignoto corrispondente.[25] A La Spezia, nel corso della stagione balneare di quell'anno, fece incetta di cuori fra comandanti e ufficiali di bordo delle navi affluite nel grande arsenale militare allora in piena espansione. Non sappiamo se in quell'estate 1862 visse davvero un grande amore con il capitano di fregata Guglielmo Acton,[26] ma certo questo non le impediva di scrivere: «Vi ho dato l'anima» a un anonimo «*cuirassé*» di stanza a La Spezia.[27] Ed era, ugualmente, «con tutta l'anima» che un amico torinese, ritrovato a La Spezia, le baciava «occhi e piedi», nell'eterno rimpianto della breve intimità che gli era stata concessa.[28] Fu quella, forse, l'ultima felice stagione di un gioco erotico senza altra finalità che la conferma della propria forza d'attrazione.

Tornata a Parigi, Virginia si ritrovò alle prese con il problema irrisolto della sua reputazione e con la necessità di mettere a frutto la buona accoglienza riservatale in privato dall'imperatrice in vista di un ritorno ufficiale alle Tuileries. La prima occasione propizia, in ottobre, furono i festeggiamenti con cui la coppia imperiale doveva accogliere a Compiègne Maria Pia di Savoia che passava per la Francia dopo essere andata in sposa al re del Portogallo.[29] In quanto italiana, Virginia sperava di esservi invitata, purché, come aveva scritto a Poniatowski, la giovane regina non l'accogliesse «con la smorfia» che le riservava la sorella Clotilde. Così, Virginia affidò al Vecio, chiedendogli di consegnarla al principe di Carignano, una lettera che gli avrebbe consentito di perorare la sua causa con la giovane regina del Portogallo. Sorprendente per abilità e sfacciataggine, merita di essere riportata per intero.

«A S.A.R. Eugenio di Savoia, Principe di Carignano

«Vi prego, Monsignore, di volermi perdonare per questa nuova lettera, che mi porta a disturbare ancora Vostra Altezza, e per il mio eccesso di confidenza che, abusando forse della vostra indulgenza nei miei confronti, mi fa osare chiedervi un favore piuttosto delicato, sempre nell'interesse del mio diletto figlio.

« In fondo è solo per lui e per il suo avvenire, e un po' anche per il presente del Conte Verasis, al quale è meglio non dispiacere troppo in questo periodo, dato che a sentir lui la mia posizione ritirata compromette la sua; se fin qui ho cercato di conservare il mio posto a corte l'ho fatto al solo scopo di assicurare a mio figlio un'entratura in società, perché io non ho interesse a figurarvi, ma devo potermici introdurre di tanto in tanto. Ma Vostra Altezza, attenta com'è a tutto ciò che il mondo fa e dice, sa quanto poco valga il suo giudizio, e non ignora come esso sia sempre pronto a trarre conclusioni arbitrarie e a massacrare gli innocenti per un nonnulla, ravvisando chissà quali enormità là dove spesso non ci sono altro che eventi normalissimi. Per contro, non appena gli sembra di cogliere un accenno di gloria mondana, questo mondo vi si conforma e vi mette sull'altare ».

E finalmente arriva al punto:

« Ordunque, mi si propone di andare a Compiègne in qualità di unica italiana, e quasi di famiglia, che si vorrebbe fare incontrare alla Regina del Portogallo; ma questa Regina degnerà ricordarsi di essere stata bambina insieme a me, di avere giocato con me sotto gli occhi della madre, che mi onorava del suo affetto?

« Se debbo aspettarmi un trattamento diverso, lo confesso, e credo che Vostra Altezza, con la discrezione che le è propria, mi approverà, preferisco partire per un viaggio, così da non dover dire al mondo di qui che non sono la benvenuta nel mio, e da non espormi al rischio di ricevere un'accoglienza sconveniente e inadeguata rispetto a quella che la mia vera posizione avrebbe il diritto di esigere ».

Insomma: Virginia apparirà a corte, ma solo a condizione di essere accolta in modo adeguato. Ma c'è un argomento ancora più delicato da affrontare, e va preso di petto:

«Mi vedo costretta a dirvi ciò, Monsignore, poiché ritengo che non abbiate dimenticato come la principessa Clotilde, oltre a trattarmi con freddezza e a rifiutarsi di ricevermi in casa sua, abbia avuto anche la poca generosità di dire di me cose meno amabili, mi auguro, di quelle che pensa. Per questo, temo che parlerà male di me a sua sorella, la quale, incontrandomi a corte, non potrà ricusare la mia presentazione, ma potrebbe prestarvisi con atteggiamento altrettanto oltraggioso nei miei confronti.

«Il principe Napoleone avrà modo, se lo vorrà, di ragguagliare Vostra Altezza sulle opinioni di sua moglie; quanto a me, Monsignore, vi chiedo l'immenso piacere di dire, al Principe soltanto, che la figlia del Re s'inganna, se crede che suo padre sia stato per me qualcosa di più del marito della povera Regina che mi ha sposata e tenuta nella sua cerchia, ed è altrettanto falso che mio marito non voglia più sentir parlare di me... Quanto alla Regina vostra nipote, se Vostra Altezza volesse usarmi una cortesia, potrebbe recapitarle una lettera in modo da farle capire che mi vedrà a Parigi e che se si mostrerà gentile con me gliene sarete riconoscente.

«Vi chiedo un'altra volta perdono, Monsignore, se vi metto a parte di queste inezie, ma... perché Vostra Altezza degna interessarsi a me? Non ne ricava che seccature, e la mia riconoscenza».

Costruita con sapienza, la perorazione è imperniata sulla necessità di riprendere a testa alta il posto che le spetta in società, e il tono ossequioso, motivato dalla necessità di servire da lettera «ufficiale» che Carignano doveva mostrare alla nipote, colpisce per il contrasto con il messaggio inviato al principe da Virginia nelle funzioni di agente segreto.[30] Messo in chiaro che a spingerla a questo passo è solo il senso del dovere nei confronti del figlio e del marito, Virginia ribalta ogni possibile critica personale mettendo sotto accusa, con disincanto da moralista, la feroce leggerezza del « mondo » nell'accanirsi contro gli innocenti, salvo poi cambiare di atteggiamento davanti a un cenno dall'alto. Venuta alla vera ragione della lettera, ossia il desiderio di apparire a corte ma solo a condizione di figurarvi in modo adeguato, con un primo colpo di genio non fa la minima allusione alla sua scandalosa relazione con l'imperatore. A scrivere è un'italiana che si rivolge a un esponente della casa regnante del suo paese, e l'opinione dei francesi la concerne solo nella misura in cui influisce sul giudizio dei « suoi ». Il secondo colpo di genio consiste poi nella circonlocuzione che smentisce con eleganza i più che legittimi sospetti della principessa Clotilde su una sua relazione con Vittorio Emanuele: un fatto acclarato di cui – a cominciare dal principe di Carignano – nessuno a Torino poteva dubitare. Ma per Virginia la sola verità che contava era quella dettata dalle necessità del momento, e sapeva trovare gli argomenti per farla valere.

L'invito non arrivò, e lei incassò la delusione tornando ai suoi intrighi. La corrispondenza con il Vecio ce la mostra alle prese con un susseguirsi di appuntamenti d'affari, di impegni, di incontri, intervallati da qualche breve vacanza.

« Parto senza ritorno. Venire a Dieppe: Martedì 14 Settembre 1862, mattina, treno di mezzogiorno, per arrivare alle 4 » gli intimava, dettagliando il programma da seguire. « Starci sera, notte, giorno, di mercoledì, idem giovedì, per ripartire la sera alle 8. Questo orario esatto significa non prendere impegni da martedì a mezzogiorno fino a giovedì a mezzanotte in punto! Basta così??? Spero che con questo piaceri, doveri, partite, impegni, passatempi, potranno essere messi da parte per tre giorni e procurarmi l'onore di possedere Sua Altezza Polacca. Ammetta che sono una buona creatura, una brava donna, un honnête homme! ».

Qualche giorno prima della fine dell'anno, è lui a scriverle: « Se la prudenza vieta di festeggiare l'anno nuovo a Passy, lo faremo in rue Saint-Florentin.[31] Se il primo giorno dell'anno non ci è dato di stringerci in un abbraccio, voglio almeno che questo biglietto ti porti la carezza di un bacio ... perché ho sete della Nicchia ».[32]

Ma erano evasioni troppo brevi per dimenticare le preoccupazioni che non le davano pace: i malanni, la caccia agli affari, la paura di restare al verde, il viavai continuo dei suoi gioielli con « la Tante » (« la Zia », ovvero il banco dei pegni), le pretese degli amanti, i tediosi tentativi di riconciliazione del marito, le intromissioni indebite dei genitori, i capricci del figlio che non si piegava alla dura disciplina che lei aveva messo a punto per farne « una meraviglia », e soprattutto l'amara constatazione di avere perso il ruolo di protagonista che aveva svolto nel glorioso biennio 1856-1857 e di essere ridotta a lottare per non venire estromessa dalla scena.

Aveva però un espediente meraviglioso per piegare la vita ai propri desideri e ritrovare la certezza della regalità: tornare a posare per Pierson.

Negli anni del favore imperiale l'obiettivo del fotografo ufficiale del regime era servito a celebrare il suo trionfo, ora le avrebbe consentito di evadere in un mondo fittizio. Nessuno lo ha detto meglio di Pierre Apraxine: « Nella quiete del salone di posa dove gli specchi moltiplicano il suo riflesso, al riparo dalle costrizioni di una realtà che ignora o disprezza, la contessa riprende il dialogo con Pierson. Insieme a lui, immagina scenari nei quali la sua bellezza è l'unica eroina, e moltiplica i ruoli e le pose per rivelarne tutte le sfaccettature ».[33] Tra il 1861 e il 1867 Virginia verrà così immortalata in circa centosettanta pose diverse, una serie di capolavori destinati a imprimere una svolta all'arte del ritratto fotografico.

DI NUOVO IN SCENA
(1863-1866)

Dopo la delusione di Compiègne, la bella italiana incominciava a temere che le porte del palazzo imperiale non si sarebbero più aperte per lei, quand'ecco che il 28 gennaio del 1863 ricevette un biglietto del conte Baciocchi, primo ciambellano dell'imperatore, con l'annuncio di un invito alle Tuileries per un ballo in maschera che avrebbe avuto luogo dodici giorni dopo. Prima di accettare, Virginia chiese a Baciocchi se doveva considerarlo un gesto di cortesia destinato a non ripetersi, perché non intendeva «intervenire come una figurante per il divertimento del pubblico».[1] Rassicurata dal conte, passò ai preparativi.

Scelse un costume di fantasia che le consentiva – oltre a rivestire panni regali – di alludere alla sua nascita fiorentina e ricordare il breve periodo in cui, prima di venire inglobata nell'Impero, la Toscana era stata, per decisione di Napoleone I, un regno indipendente sotto la reggenza di Maria Luisa di Borbone-Spagna. Un messaggio in codice, che il nipote del grande imperatore avrebbe potuto interpretare come meglio gli piacesse.

Il 9 febbraio 1863 Virginia saliva dunque la grande scalinata delle Tuileries nelle vesti di un'immaginaria regina d'Etruria, con un peplo di velluto nero sopra un abito di *moire* rosso-arancio dall'ampia gonna a strascico, un immenso ventaglio di piume di struzzo che pendeva lungo il fianco da una catena fissata alla cintura e i piedi nudi nei sandali. La meravigliosa capigliatura formava una cascata incontenibile di riccioli d'oro bruno che le scendevano serpentini lungo le spalle, avvolgendola in un'aura splendente resa ancora più luminosa dal nero del peplo. La contessa di Castiglione sfoggiava una fantasia di gioielli di cuoio dorato di ispirazione etrusca,[2] commissionati alla maison Mellerio: un diadema di foglie d'acanto traforate appoggiate su un motivo a greca e alle orecchie lunghi orecchini dorati di forma triangolare con disegno a greca e piccole anfore pendenti, simili ai ciondoli della collana. Essenziale e drammatico, il costume, ideato da Virginia con l'aiuto del celebre cantante Mario De Candia, rispecchiava la sua passione per il teatro e faceva pensare a una libera interpretazione di quello di Adelaide Ristori nella *Médée* di Legouvé.[3] Possiamo supporre che il suggerimento di rivolgersi a De Candia fosse di Poniatowski, come lei fiorentino ed esperto di effetti scenici, e appare evidente l'influsso della pittura mitologica di Eugène Delacroix o di Gustave Moreau, ma la concezione d'insieme era interamente opera di Virginia, e ci colpisce per la sua modernità. Non stupisce, quindi, che da un esteta *fin de siècle* come Montesquiou sarebbe stato giudicato « piuttosto brutto » e « poveramente diabolico ».[4]

Come di consueto, prima di entrare in scena, al braccio di Nigra, la Castiglione aveva aspettato che la festa fosse al culmine. Un frammento di diario consente di rivivere quel *coup de théâtre* attraverso le sue stesse parole: « Aspettato un'ora, trovato Nigra, entrata con lui al ballo, incontrato Matilde [che] usciva, non salutata... appena entrata, ressa intorno a me, impossibile trattenermi più di 5 minuti, salone si riempiva, erano tutti ammaliati, effetto potente della semplicità in mezzo a tutte quelle dame vestite da mosche, moscerini e farfalle come i folletti dell'opera. Non una sola trovata graziosa, poi erano tutte furiose di vedermi così bella, ammirata, hanno fatto certe smorfie patetiche! Tutti se la ridevano sotto i baffi ma nessuno osava fiatare ».

Il primo a complimentarsi con lei era stato il conte Walewski, che l'aveva subito invitata al ballo in maschera che dava a casa sua quel sabato. Sopraggiunta in domino nero, Maria Anna si era unita all'invito del marito. È probabile che le due fiorentine non si incontrassero da quando la Walewska aveva preso il posto di Virginia nel letto dell'imperatore, ma «la gatta morta tisica» si era rivolta all'amica di un tempo come se si fossero lasciate il giorno prima, con un: «Vieni domani? Stai bene adesso?», a cui Virginia aveva risposto freddamente: «Non so».

Poi si era imbattuta nel padrone di casa: «Durante il ballo, salone principale, incontrato Imp. molto imbarazzato di parlarmi, chiesto notizie, risposto con aria distratta costume Regina d'Etruria, aggiunto di attualità, una sovrana in più... Avrebbe voluto parlare di più ma ci spiavano tutti, salutato e andata via. Ero calmissima».[5]

Era il ritorno trionfale che Virginia aveva sognato così a lungo. Ma non ci sarebbe stato tempo per rallegrarsene: «Dappertutto si parla del mio costume, considerato indecente! Tutte quelle perfide hanno avuto il coraggio di dire che sotto non avevo niente e preso il moire antico per la pelle! Infamie orribili pieni i giornali, tutti i salotti discussioni».[6] Si trattava indubbiamente di una calunnia, con qualcosa di peggio: le facevano l'affronto di prenderla per un'altra.

Il tourbillon di balli nel calendario del gran mondo parigino aveva portato a una sovrapposizione di date e di luoghi, e sebbene tutti concordassero che la ricomparsa di Virginia aveva fatto «grande scalpore» e si era potuto constatare che «non aveva perso un atomo della sua bellezza»,[7] in molti avevano confuso il suo austero e casto costume da regina d'Etruria con l'assai più audace travestimento da Salammbô sfoggiato con sagace tempismo[8] da un'altra bellissima straniera, Madame Barbara «Barbe» Rimsky-Korsakov, non già alle Tuileries ma a un ballo dato in quei giorni dalla contessa Walewska. Di cinque anni maggiore di Virginia, anche la spregiudicata nobildonna russa era arrivata a Parigi alla fine degli anni Cinquanta e aveva avuto una breve relazione con l'imperatore. Lo straordinario costume era una creazione del grande sarto inglese Charles

Frederick Worth, allora agli inizi della sua strepitosa carriera parigina. A cadere nell'errore, nonostante la sua frequentazione assidua delle Tuileries, era stato anche Mérimée, che riferiva alla madre dell'imperatrice: «Si parla ancora del colpo di scena di madame de Castiglione vestita da Salammbô, gambe nude, anelli alle dita dei piedi e capelli sciolti sulle spalle più belle del mondo. Pare che sia stata proscritta dal salotto Metternich, dove pure dovrebbero essere abituati alle stravaganze, ma suppongo che un trattamento simile sia dovuto più alla sua nazionalità piemontese che alla poca virtù».[9]

Quale scherzo più crudele, per Virginia, di quello scambio di ballo, di personaggio, di persona? Aveva perso la sua unicità e, com'era stato detto perfidamente, per quanto grazioso, il suo costume era quello di «una regina decaduta».

Come se non bastasse, l'eco dell'imbarazzante equivoco era arrivata anche in Italia: «Aspetto ancora di sapere quale fosse questo costume: chi dice Salammbô, chi Regina d'Etruria, chi Eva. Vorrei conoscere la verità, in modo da poter chiudere la bocca a tutti quanti»[10] si informava cautamente la madre, mentre il conte andava su tutte le furie. Già esulcerato per aver trovato il nome della moglie tra *Les femmes galantes des Napoléons*, un libro scandalistico apparso nel 1862, aveva letto sull'«Italie» che Virginia si era mostrata seminuda a un ballo. Non era più disposto, le scriveva in una lettera indignata, a fare la parte del «marito compiacente della bella contessa di Castiglione»[11] e soprattutto minacciava di revocarle l'affidamento del figlio.

In attesa che le fotografie di Pierson e la statuetta in terracotta di Carrier-Belleuse immortalassero il suo costume per renderle giustizia, Virginia partì alla riscossa. Ingiunse all'autore dell'articolo apparso sull'«Italie» di pubblicare una smentita e, non avendola ottenuta, si rivolse al ministro degli Interni, il duca di Persigny, chiedendogli di proibire la diffusione del giornale. Non esitò neanche a inviare una supplica all'imperatrice, che le rispose promettendole di difenderla dalle calunnie, cosa che Virginia scrisse prontamente al marito. «Preferisco senz'altro sapervi nelle buone grazie dell'imperatrice che in quelle dell'imperatore, » tagliò corto Francesco « giacché le corna di cervo si portano malvolentieri, anche quando vengono dalle teste coronate ».[12] Inoltre, dopo aver sfidato a duello il direttore del giornale, riuscì a ottenere finalmente la rettifica richiesta. « Adesso che questa faccenda è sistemata, » scrisse poi alla moglie « capirete bene che non ho alcuna intenzione di vivere con due testimoni alle costole e un arsenale alla cintola solo perché a voi piace fare la bella vita a Parigi e a Londra ».[13]

Era più di quanto lei fosse disposta a tollerare. Rispedì subito le accuse al mittente, inalberando il tono di sprezzante superiorità che non mancava mai di ferire il marito: « Spero che queste prove siano sufficienti a convincervi della mia innocenza, e del resto non mi si può accusare di alcunché. Anzi, vorrei sapere come abbiate potuto ammettere un'idea così assurda, eppure mi conoscete, e conoscendomi davvero non mi spiego come ... oltre a prendere una cantonata non mi usiate neppure la cortesia di trarmi dall'imbarazzo, somministrando una buona lezione che chiuderebbe una volta per sempre tutte le bocche ancora pronte a mordere ». E lo accusava di rimettere slealmente in discussione, dopo solo un anno, i termini del loro accordo. Al ricatto Virginia rispondeva a sua volta con un ricatto di cui aveva già verificato l'efficacia: « Ve lo dirò chiaro e tondo: con tutto l'affetto che nutro per mio figlio, pur tenendo al suo avvenire e a restare in buoni rapporti con voi, mi vedrò costretta, contro la mia volontà, a rinunciare anche a lui, per godere della pace di cui la mia salute ha assolutamente bisogno ». I suoi nervi non erano più in grado di reggere le « frecciate ingiuste » e le « furie d'averno [in italiano nel testo] » del marito, e glielo diceva chiaro e tondo: se perseverava « nella sua collera insensata », era rassegnata a cedergli il figlio e a restituirgli quel nome che era la causa della sua infelicità.[14]

Alla fine, poiché Francesco non se la sentiva né di privare il figlio dell'affetto della madre, né tantomeno di recidere il legame che lo univa alla moglie, chinò la testa ancora una volta e si rassegnò.

Virginia, invece, non era affatto pronta a rassegnarsi alle ingiuriose menzogne che avevano rovinato il suo trionfale ritorno sul palcoscenico delle Tuileries e, ritiratasi a Passy, meditava confusi propositi di rivalsa. Quand'ecco che due mesi dopo il ballo, la visita inaspettata di Mademoiselle Stéphanie Tascher de la Pagerie le offriva l'occasione di zittire le malelingue e di superare lo scandalo a testa alta. La figlia del gran maestro delle cerimonie della casa dell'imperatrice la pregava di partecipare a un'iniziativa benefica a favore degli orfani dell'Œuvre de Saint-Joseph che doveva tenersi per tre giorni nel fastoso *hôtel particulier* della baronessa di Meyendorff. Era prevista una serie di tableaux vivants – un divertimento riportato in voga dall'imperatrice – inscenati da esponenti del bel mondo. Certa che con la sua presenza avrebbe attirato un gran numero di spettatori desiderosi di ammirarne la leggendaria bellezza, Mademoiselle de la Pagerie suggerì a Virginia di partecipare all'evento nel costume da regina d'Etruria per chiarire una volta per tutte l'increscioso fraintendimento di cui era stata vittima. Virginia accettò a condizione che le fosse concesso di esibirsi l'ultimo giorno e il tema da lei scelto non venisse annunciato.

La notizia della sua presenza aveva fatto vendere tutti i biglietti: grande era la curiosità di vedere dal vivo la celebre contessa di Castiglione, e ovunque ci si interrogava sul ruolo che avrebbe interpretato questa volta. Aveva chiesto come scenografia una grotta: voleva forse impersonare una sacerdotessa druidica? Era anche circolata la voce che si sarebbe mostrata nuda, ispirandosi alla *Sorgente* di Ingres. Nel suo diario Mademoiselle de La Pagerie descrive così la scena con cui Virginia annunciava il suo ritiro da una società che non la meritava: « Si alza il sipario. Lo stupore, la delusione, sono generali. La *bella delle belle* [in italiano nel testo], la tanto attesa, la desiderata è là, nella grotta, indossa un costume da monaca che la nasconde dalla testa ai piedi; sopra la sua testa è incollato un riquadro di cartone con la scritta "Eremo di Passy". L'incredulità nel vederla è talmente grande che gli spettatori non possono trattenere un mormorio di disappunto: si ode addirittura un fischio. A questo punto la bella se la svigna, rovesciando ogni cosa al suo passaggio, strappandosi il vestito; sale in carrozza e, prima di sparire, in un soffio, sentenzia: "Infami" ».[15]

Le fotografie scattate in seguito nello studio di Pierson ce la mostrano vestita di un saio scuro, stretto in vita da una corda, con le braccia incrociate sotto il seno, la testa e le spalle coperte da un mantello nero e la fronte fasciata dal soggolo candido che scende a incorniciarle il viso, eppure più minacciosamente bella che mai. Nel triangolo del volto, la perfezione classica dei lineamenti si impone nella sua purezza, ma i grandi occhi chiari ci fissano con durezza, e non c'è ombra di sorriso sulle labbra serrate. Sul retro di una fotografia intitolata *Sœur Élize*, della serie « L'Ermite de Passy », Robert de Montesquiou avrebbe avuto l'emozione di leggere il resoconto dell'accaduto, vergato dal suo idolo in persona: « Questo [il ritratto] è l'esatta riproduzione del mio tableau vivant, tre quarti d'ora immobile davanti a un pubblico in rivolta, urla, fischi, mele, pere (o pietre); tutto perché da sei mesi, a Duchatel, *dovevo* comparire nuda come nella *Sorgente* di Ingres. E sì che i poveri, i feriti, hanno potuto beneficiare, quella sera, di una somma fra i 40 e i 50mila franchi, per una sola apparizione (?) – (avendo) io da sola riempito il teatro a 300, 200, 100 franchi a poltrona. È stata dura, rimanere lì, con l'aria severa, senza batter ciglio, e senza nemmeno gettare, a quel pubblico scorretto e volgare, il cordiglio di Sœur Élize perché si impiccassero! ».[16] Da questo racconto melodrammatico traspare la fierezza della primadonna, che rivendica tanto la propria capacità di attrazione quanto l'imperturbabilità professionale con cui fino all'ultimo ha saputo tenere testa all'ostilità degli astanti.

Eppure, tornata nell'ombra, Virginia non riuscì a trovare pace: doveva trattarsi di un complotto, pensava, un diabolico complotto ordito contro di lei dalla gelosia, dall'invidia, dalla paura dei mediocri schiacciati dalla sua superiorità intellettuale, morale ed estetica, e dall'ingratitudine di quanti l'avevano usata per poi abbandonarla indifesa al suo destino. In preda alla mania di persecuzione, alla depressione, alla prostrazione fisica causata dalla salute malferma, si rifugiò davvero nell'« eremo » della casa di Passy, trascorrendo giornate intere al buio, stesa nel letto dalle lenzuola di seta nera, e maturando la certezza di essere nata sotto una cattiva stella, in balìa di rancori e sospetti, armata solo di un inalterabile disprezzo per il genere umano.

E la lettera anonima che le era giunta nel marzo 1864 non poteva certo rasserenarla:

« Signora,

« Voi siete, suppongo, cristiana.

« Credete in Dio, voglio sperare, e nell'immortalità dell'anima, mi auguro, e di conseguenza in una vita beata o dannata per l'eternità.

« Che direste, Signora, se da uno degli equipaggi che si fermano ogni giorno alla porta della vostra dimora, invece di uno di quei signori più o meno belli, più o meno vecchi, ahimè! ma certo immancabilmente ricchi, scendesse... la morte? e si presentasse nel vostro boudoir o sotto i drappeggi lucenti della vostra alcova, rispondete, che direste?

« Malgrado la vostra leggerezza ne fremereste in ogni fibra, nevvero? ... e tutto il passato vi si ripresenterebbe alla memoria: il marito tradito, l'adorabile figlio trascurato, che un giorno si vergognerà di sua madre, per le mogli dimenticate dai mariti fra le vostre braccia, per le fortune sperperate in un lusso oltraggioso e in abiti folli; tali ombre non vi getterebbero forse in un'angoscia orribile ... ?

« È sempre il momento giusto per pentirsi ...

« Credetemi, vi scongiuro, Signora, credete al consiglio di un amico, del vostro unico vero amico ».[17]

Troppo presa dal problema della sopravvivenza terrena, Virginia si ripeteva probabilmente, come il Don Giovanni Tenorio di Tirso de Molina, che « c'era ancora tempo » per preoccuparsi dell'aldilà, e come prima reazione mandò la lettera a un laboratorio di analisi chimiche per assicurarsi che fogli e inchiostro non fossero avvelenati.[18] Ma l'esito negativo del referto non bastò a rassicurarla: era terribilmente superstiziosa e l'immagine della morte che da un momento all'altro poteva venire a suonare alla sua porta l'aveva colpita come un maleficio. Scritta in bella calligrafia e in un francese ricercato, la missiva rafforzava la sua convinzione di essere vittima di un complotto in alto loco e sorvegliata di continuo da persone al corrente di tutte le sue abitudini.

La prima a intuire l'aggravarsi della nevrastenia di Virginia era stata la marchesa Oldoini, la quale, in una lettera di pochi mesi prima, mascherava l'apprensione dietro un tono affettuosamente scherzoso: «Siamo dei gran cerotti! Mi spiace che tu sia stata ammalata e sofferente. Anche io sono a letto da 20 giorni e non mi restano che i miei ohi ohi. Speriamo che io migliori e tu guarisca perfettamente perché i vecchi debbono star benino e i giovani debbono stare benone». E poiché Virginia le aveva comunicato la propria intenzione di restare a Dieppe a oltranza, tentava di dissuaderla: «mi pare che potresti organizzarti un po' meglio per l'inverno, invece di contare le stelle di Dieppe ... rompendoti i coglioni ... Se te la senti di fare il viaggio vien via e qui, o a Spezia, qualche altro buco caldo si troverà». Subito dopo, però, la marchesa aveva cura di precisare: «dico solo per dire, s'intende che tu faccia quello che ti fa più piacere», firmandosi «mamma cerotto».[19] Ma al marito Isabella confidava la propria «afflizione» per la figlia: «La sua posizione fisica e morale mi spaventa oltremodo. Oggi ricevo una sua lettera malamente scritta di suo proprio pugno, e mi parla dello stato di salute in modo che sembrami chiaro sia attaccata di vizio al cuore. Che vuoi che ti dica? Se avessi fiato e sicurezza di esser gradita farei un debito e partirei, ma non avendo né l'uno né l'altra, sarà meglio che faccia il debito per mandarci denari, giacché io sono convinta, convintissima che la maggior parte della sua stranezza e del suo mal'essere deve dipendere da imbrogli d'interesse». Pregava dunque il marito – che grazie agli sforzi congiunti di figlia, moglie e genero era appena stato nominato ministro residente a Baden – di andare a Parigi per capire come stesse veramente Niny, ma senza dirle delle preoccupazioni della madre: «perché questo sarebbe lo stesso che farmi prendere in tasca più di quello che mi ha».[20] In realtà c'era un pensiero molto più angoscioso che la tormentava e che, con l'accentuarsi dell'ostilità della figlia, avrebbe finito per confidare al marito: « Purtroppo vedo avverarsi il mio triste presentimento della malattia di famiglia, cioè della testa, quello che è doloroso è che ha la fissazione della cattività ».[21]

Non sarebbe stata solo l'indulgenza materna, bensì un tormentoso senso di colpa a indurla a sopportare fino all'impossibile le stravaganze, le prepotenze, gli sgarbi, i silenzi di quella sfortunata figliola, incoraggiando il marito a fare lo stesso: « Purtroppo ho una spina al cuore nel pensare che queste sue cattive fissazioni non sono che un seguito di malattia fisica purtroppo ereditata dalle nostre due famiglie » scriveva nel 1866; e aggiungeva: « Se l'abbiamo fatta male non è colpa sua ».[22]

Ma era stata Virginia stessa, considerando la salute precaria della madre – afflitta come lei da coliche, problemi di denti, di occhi, di bronchi –, le frequenti crisi depressive del padre e il progressivo degrado mentale dei due zii Lamporecchi,[23] a chiedere alla marchesa se i suoi disturbi non dipendessero da una tara familiare. Isabella si era affrettata a rassicurarla: quando lei l'aveva partorita, era « la femme la plus saine du monde », e certamente la figlia non aveva « né umore, né sangue cattivo di famiglia ».[24]

Quali che fossero le cause e la natura della sua patologia, Virginia era decisa a combatterla: aveva solo venticinque anni e una voglia di vivere più forte di quel male oscuro. Si affidò alle cure del dottor Blanche – la cui clinica si trovava a Passy, nell'hôtel de Lamballe, un'elegante villa settecentesca a pochi passi dalla casa di Virginia –, ma anche a quelle del dottor Arnal, che vantava tra i suoi pazienti perfino la coppia imperiale e si diceva sapesse risolvere con discrezione il problema delle gravidanze inopportune. Non possiamo dire se Virginia vi avesse fatto ricorso anche per questo,[25] ma di certo lo consultava spesso.[26] Nelle lettere parla continuamente di dentisti, osteopati e specialisti di vario genere, eppure le sue abitudini non avrebbero potuto essere più insalubri: passava intere giornate a letto e, come deprecava sua madre, mangiava in modo malsano e disordinato, anche per colpa di un'organizzazione domestica eternamente precaria, visto il trattamento che infliggeva al personale di servizio. «Sono convinto che sarai sempre servita male perché sei troppo esigente e lo maltratti in modo eccessivo per motivi del tutto insignificanti» la rampognava Poniatowski, ricordandole il caso della duchessa Caumont de la Force, «infilzata con un forcone da un cocchiere maltrattato».[27]

Eppure Virginia riusciva a convivere con i suoi disturbi, strapparsi dal letto, riprendere in mano gli affari, mostrarsi bella ed elegante in società, andare a teatro e all'Opéra. Faceva visita ai Rothschild a Ferrières, nel loro spettacolare castello nuovo di zecca, era un'attrazione di richiamo per gli ospiti dei Delessert e del dottor Blanche,[28] frequentava i Thiers, intesseva relazioni utili alle esigenze del momento, riuscendo nel contempo a viaggiare di continuo e a giostrarsi tra gli amanti di turno. Un'energia febbrile, la sua, che la rendeva sempre più tesa, intollerante, diffidente, per poi abbandonarla all'improvviso, sprofondandola in un nuovo buco nero.

La ripresa psicologica, dopo lo scandalo della regina d'Etruria, le liti con il marito e il fiasco dell'hôtel Meyendorff, fu lenta. Allorché il padre le annunciò la propria intenzione di andarla a trovare a Parigi, lei si schermì adducendo le scuse più diverse, e promettendo anche una visita a Baden, salvo poi cambiare programma all'ultimo minuto e fargli scrivere dall'intendente che era dovuta correre al capezzale del figlio ammalatosi a Dieppe.[29]

Anche alla madre, con la quale, dopo una lunga latitanza epistolare, aveva ripreso contatto, Virginia, pur non facendo mistero delle difficoltà in cui si dibatteva, prometteva una visita. A differenza del marito, Isabella non metteva limiti alla *pietas* materna: «Dico il vero che quella benedetta figliuola mi fa non poco piangere. Le sue lettere sono così alterate, che con la malattia d'utero, e la tremenda disposizione di sangue di casa Oldoini e Lamporecchi mi fa tremare. Ora mi scrive che è disperata laggiù, che non ha più casa, non ha donne, che non ci può più stare, che gli affari suoi (o per meglio dire i debiti) non l'hanno ancora lasciata partire, che vuol presto venire qua ma non vuole che il conte parli, scriva, venga, profitti di lei, della sua venuta a Firenze per farla disperare e ammalare ... Poi in quanto alla società, devo dire a tutti anticipatamente che non vuole vedere nessuno, che non vuole andare in nessun posto, che non porta vestiti. Decisamente questa lettera mi ha fatto pena; ci ho risposto credo nel miglior modo possibile. Ho cominciato col dirle che se ne ha bisogno prenda i soldi da un banchiere e che io penserò di farli pagare a Papà; che prometto di fare rifiatare il Conte e che se parlerà l'ammazzerò; che in quanto alla società, non essendoci più un'anima che venga a vedere sua madre, non credo che vi sarà nessuno che andrà a vedere lei. Veramente io non so cosa dire di più. Se sapessi cosa fare lo farei, ma purtroppo so che qualunque cosa si faccia non si fa nulla».

In previsione del trasferimento della capitale da Torino a Firenze, fissato per il febbraio del 1865, la contessa prese in affitto un appartamento nella sua città natale, dicendolo alla madre solo a cose fatte. Al marito Isabella confessava di non essere poi così ansiosa di vederla sbarcare in città, pur ripetendo da tempo che: «con una salute così rovinata e poiché in quel benedetto Parigi non ci ha né salute, né quattrini, né amici, né distrazione, sarebbe una gran fortuna che abbandonasse cotesta infelice idea e si avvicinasse a noi. Non dico nella stessa casa (che qui ci avrei anch'io le mie difficoltà), ma almeno nello stesso Paese, o nello stesso Stato».[30] Evidentemente erano ancora molte le cose che la marchesa ignorava della figlia, a cominciare dalla sua relazione con Vittorio Emanuele, ragione di quella subitanea decisione.

Qualche mese dopo Virginia approfittò del nuovo incarico del padre a Karlsruhe per intrecciare nuove relazioni. Il Granducato di Baden era, insieme alla Prussia, il solo Stato tedesco che avesse riconosciuto il Regno d'Italia, e il mandato del marchese contemplava anche missioni nel resto della Germania. A fare della piccola monarchia costituzionale una delle mete privilegiate della mondanità europea era, oltre al prestigio del granduca Federico I e di sua moglie Luisa di Prussia, soprattutto la stazione termale di Baden Baden, e in quell'estate del 1865 il marchese Oldoini, «circondato da altezze reali»,[31] era deciso a dare il meglio di sé, contando sull'aiuto della celebre figlia.[32]

Come una diva in tournée, Virginia dettava le sue condizioni: una camera da letto, un salotto e una stanza da bagno ben attrezzata, tre stanze per il guardaroba, una cameriera personale;[33] non solo: voleva presenziare a tutti i ricevimenti e non «stare alla porta a vedere», altrimenti non c'era ragione di «scomodarsi».[34] Una volta accontentata, però, ritrovò la grazia, il brio e la civetteria, si dimostrò all'altezza della sua reputazione di vedette internazionale e riuscì a incantare il granduca e la granduchessa, ad assicurarsi l'amicizia di Augusta di Sassonia-Weimar, moglie del re di Prussia, Guglielmo I, a entrare in contatto con diplomatici e uomini di governo di passaggio e a fare tesoro di quanto si andava dicendo sugli equilibri politici di un'Europa soggetta a rapidi cambiamenti. Virginia amava il tono familiare che regnava nella piccola corte ed era fiera «della confidenza accordatale in una famiglia imparentata con i più importanti nomi d'Europa», senza dover temere le disgrazie che l'avevano «folgorata» a Parigi.[35] Ne approfittava, anzi, per lamentarsi con la granduchessa delle calunnie che circolavano sul suo conto. All'ora del tè, nella veranda del castello che si affacciava sulla distesa di pini della Foresta nera, indifferente allo sconcerto delle dame d'onore, Virginia spiegava come «gli uomini, quando una donna li ferisce nell'amor proprio, si vendicano sempre con bassezza. Non avete ancora finito di chiudergli la porta in faccia che già proclamano di essere stati loro a fuggire per non cadere nelle mani di una Messalina».[36]

Purtroppo, chiusa la piacevole vacanza termale, tornò ad assillarla il pensiero dei problemi che la aspettavano a Parigi quell'autunno. E certo la visita del «martire» Francesco, che doveva andare a trovare il figlio, non migliorò il suo umore. Isabella le aveva consigliato di accoglierlo con un «bravo e di parlargli del tempo e della pioggia»,[37] ma l'incontro non dovette essere dei più amabili se, avendo Giorgio compiuto dieci anni il 29 marzo, il conte ne chiese la restituzione in base agli accordi. Virginia aveva sperato che il marito cambiasse idea, ma sapendo di non poter vincere una nuova battaglia per l'affidamento, lasciò partire per Torino il figlio insieme alla fida istitutrice. E anche la sua situazione finanziaria doveva essere tutt'altro che florida, se tra il marzo e il luglio del 1866 fu costretta per ben quattro volte a portare i gioielli al Monte dei Pegni.[38]

Pur acconsentendo alle richieste del marito, non si privò del piacere di inviargli una delle sue requisitorie. Non solo il conte, contravvenendo a tutti i doveri di un gentiluomo, si era permesso di controllare che lei pagasse puntualmente l'assicurazione del figlio, avendo «l'insolenza» di mettere in dubbio la sua parola, ma osava minacciare di lasciarglielo vedere solo «se si fosse comportata bene». Era ora che Francesco capisse una volta per tutte cosa significava per lei essere madre: «Vi sono obbligata per la grazia che mi concedete come a una condannata, ma facendo appello a tutto il mio coraggio preferisco morire piuttosto che abiurare alla mia religione, perché il mio bambino era questo per me: una religione». Gli ricordava inoltre, con accenti rousseauiani, che quella violenza sarebbe stata perniciosa per Giorgio: «L'avete strappato alle braccia di sua madre, che gli erano così necessarie, per esporlo alle falsità di una corte e lasciarlo sempre fra mani estranee, dal momento che non siete mai con lui. In fondo avrei tutto il diritto di oppormi a questa educazione contraria alle leggi della natura umana ma preferisco lasciare che vi perdiate insieme a lui». Accecato dalla vanità e dall'ostinazione di imporre a tutti i costi la sua autorità di «padrone», il conte la costringeva a recidere l'ultimo vincolo: «Mio figlio è perduto per me, la mia ragione l'ha sacrificato e il mio cuore ne porta il lutto ... Perciò vi prego di non venire a tormentarmi anche qui, perché se occorrerà sono decisa a rifugiarmi in un paese lontano, per finire i miei giorni in pace ... voglio che il mondo mi consideri morta, ma finché non lo sarò davvero la mia vita merita rispetto».[39]

Dopodiché, come abbiamo visto, Virginia smise di rispondere alle lettere di Giorgio; sfuggito al suo controllo, passato in mani nemiche, perfino lui era entrato nel novero dei sospetti e veniva tacciato d'ingratitudine.

Virginia però non poteva rassegnarsi a vedersi espropriata di un figlio che considerava come una sua appendice e di cui andava fiera, e concepì un rancore feroce anche nei confronti della madre, colpevole di prendersi cura del bambino. Così, nel giugno del 1866, mentre l'Italia, alleatasi questa volta con la Prussia, entrava nuovamente in guerra contro l'Austria, e Castiglione partiva per il fronte, Virginia riaprì le ostilità contro tutti coloro che l'avevano pugnalata alle spalle. La marchesa Oldoini ne faceva un desolato rendiconto al marito.

« Niny è furibonda, » gli riferisce « scrive lettere a dritta e a sinistra contro l'immoralità di Castiglione, dice che Mlle Rauch è una carogna, che fa all'amore con Huteau, che il conte le ha portato via il segretario, il quale fra parentesi dice esser venuto via perché non ne poteva più. Finalmente dopo i furori contro queste due persone e contro il Conte, scrive a tutti perché vuol sapere perché, dice, io l'ho abbandonata. Sò benissimo che mi detesta ».[40]

Le ire domestiche non impedivano comunque a Virginia di seguire con attenzione l'andamento della guerra per battere sul tempo i bollettini ufficiali in vista delle sue speculazioni borsistiche, nelle quali era più attiva che mai. Ne troviamo traccia in una lettera a Efisio Puliga, segretario della legazione italiana a Berlino. Personaggio a dir poco discutibile, Puliga beneficiava da anni della protezione di Virginia, che per tattica abituale non si limitava alle relazioni con le alte sfere, ma si assicurava a tutti i livelli la complicità dei subalterni: Baciocchi per l'imperatore, il conte di Castellengo per Vittorio Emanuele, Costantino Ressmann[41] per Nigra, Le Provost per Laffitte, Passera e Puliga per le faccende ordinarie nelle legazioni dove il marchese Oldoini stentava a fare carriera. Nella fattispecie, Pulic – come lei aveva ribattezzato Puliga –, di servizio in un osservatorio cruciale come Berlino, era in una posizione ideale per captare e trasmettere le novità. In un primo momento, però, le aspettative della contessa andarono deluse, e lei decise di affidarsi al principe di Carignano. Da tempo in affari con lei, l'amico Eugenio gliene prospettava uno che le avrebbe permesso di mandare « all'inferno tutti fuor che pochi » e consentirle finalmente di « divertirsi».[42] Nel frattempo era costretta a riconoscere che qualsiasi cosa facesse non bastava ad assicurarle quella libertà per cui si batteva strenuamente, visto che un marito stupido e inetto, il quale mascherava le sue furie dietro una cortesia formale, continuava a detenere su di lei l'incontestabile autorità conferitagli da una legge ingiusta.[43] Certo, la contessa avrebbe potuto rompere ogni rapporto con il conte e con il figlio, abbandonare il suo paese, ma questo implicava dei costi che non era disposta a pagare. Il destino, tuttavia, aveva in serbo per lei una sorpresa diversa.

FINALMENTE LIBERA?
(1867-1872)

« Cara Contessa, fatevi animo ».[1] In quattro parole, il 31 maggio 1867, Costantino Nigra annunciava a Virginia l'« amara novella »[2] della scomparsa del conte Francesco Verasis di Castiglione, morto il pomeriggio del giorno precedente mentre scortava a cavallo la carrozza del duca e della duchessa d'Aosta[3] diretti da Torino a Stupinigi per festeggiare il matrimonio appena celebrato.

Sebbene negli ultimi tempi la sua salute fosse peggiorata e lui apparisse affaticato per il troppo lavoro, il conte aveva insistito per rendere omaggio agli sposi partecipando al corteo nuziale. Ma nel tragitto era stato colto da un malore: caduto da cavallo e finito sotto le ruote della carrozza, era morto sul colpo. Aveva quarantun anni.

Come già era accaduto al momento della scomparsa del nonno, la notizia raggiunse Virginia mentre era a letto malata. Agli insistenti messaggi di Cigala e della marchesa Oldoini rispose che si sarebbe messa in viaggio non appena ne fosse stata in grado. Ma i giorni passavano, e lei non si decideva a partire. Per non prestare il fianco alle critiche della famiglia Castiglione, pensò bene di inviare a Clemente – che aspettava con impazienza l'arrivo della cognata – un certificato medico.[4] Forse voleva tenersi alla larga dai funerali del marito, dove la sua presenza sarebbe stata fonte di imbarazzo per sé e per gli altri, o forse era solo troppo turbata per affrontare la situazione. Sta di fatto che due settimane dopo era ancora a Parigi, da dove scriveva al marchese Oldoini per rassicurarlo sul comportamento che intendeva tenere: « Sono ammalata e troppo sofferente per scrivere a lungo, del resto potete ben immaginare quello che non vi dico ... Sappiate innanzitutto che non mi è stato possibile partire subito, desideravo tanto assistere alla cerimonia funebre, credetemi ... ma ora che il giorno è passato non c'è più ragione di venire se non per gli affari che purtroppo sono assai semplici da sbrigare, dato che non c'è niente e che il fanciullo dovrà andare al Collegio pagato dal Re, o in mancanza d'altri da me ». Dopo aver messo in chiaro che il conte non lasciava un soldo bucato, e aver ribadito che le sue pessime condizioni di salute, ulteriormente aggravate da quella « nuova batosta », richiedevano « ogni riguardo », Virginia affrontava infine l'argomento del figlio, che si trovava a Firenze dalla nonna. Fin quando non fosse stata in condizione di raggiungerlo, preferiva che venisse tenuto all'oscuro della disgrazia, in modo da lasciargli « ancora qualche giorno di serenità », poi si sarebbe assunta lei « l'ingrato compito di dirgli che ormai ha solo una madre su cui contare ». E poiché il marchese le aveva scritto « che al cospetto di una tomba e di un figlio il passato dovrà scomparire », e che a meno di non essersi sempre ingannato su di lei confidava che sarebbe stata capace di dedicarsi al bambino,[5] Virginia si premurava di tranquillizzarlo: « Con me non c'è bisogno, come dite voi, di raccomandazioni: prova ne siano i dieci anni di vita che gli ho sacrificato ».[6]

Di tutt'altra natura erano le informazioni che Oldoini riceveva dalla moglie: « Niny sempre malata (senza aver mai potuto saper che sia la malattia), non ho mai avuto né telegrafi né lettere di quella carogna della nostra figliuola. Nemmeno mi domanda notizie di Giorgio. Da Torino Cigala, Clemente e tutti mi spingono a dare la notizia a Giorgio perché non è più possibile tenerlo senza più lettere di suo padre il quale gli scriveva spesso. È una tortura prolungata anche pel figlio, e con Castellengo stamani abbiamo deciso di dirlo. Sarà quel che Dio vuole. Ma se lei dirà che abbiamo fatto male, spero che prenderai le mie parti, e le dirai che è una Carogna. Non ha voluto in nessun modo scrivere a me che, come suo marito, farà morire d'accidenti».[7]

Alla fine, visto che il bambino continuava a scrivere al padre e a stupirsi di non ricevere risposta, Isabella gli disse la verità: «Vi confesso» scrisse poi a Virginia «che dare a Giorgio l'infausta notizia è stato il dolore più forte della mia vita». Dopo essersi abbandonato alla disperazione lui stava meglio, ma era attanagliato dall'angoscia di non essere più amato dalla madre, che con il suo silenzio lo faceva soffrire ancora di più. La marchesa cercava di rassicurarlo in tutti i modi, ma Virginia doveva capire che il bambino aveva bisogno di un po' di serenità e lei non poteva negargliela. Era tempo di dire la verità anche alla figlia: «Avete dato un calcio a tutto. Non avete più famiglia, non avete più amici, non avete neanche più dei domestici ... Cercate di cambiare carattere, di tornare in voi, di tornare a vostra madre, se ancora tenete a lei».[8] Ormai la marchesa Oldoini prendeva definitivamente le distanze da Virginia: non c'era tara psichica che potesse giustificarne la condotta, e tutta la sua pietà andava al nipote, vittima di una madre snaturata. «Non so se ti ho scritto che io feci la bella parte a Giorgio ... Persone che nemmeno io conosco mi scrivono da Parigi che sapendo per reputazione che io ho un ottimo cuore, mi raccomandano salvare quel figliuolo da sua madre che lo tiranneggia, e lo picchia. Povero Giorgio!!!» rivelava al marito.[9]

Ma le priorità di Virginia erano altre. Appena arrivata a Torino, provvide a far invalidare l'ultimo testamento del marito, in cui, senza alcun accenno alla moglie, il conte nominava Giorgio erede universale e ne affidava la tutela al fratello Clemente. Poi, una volta riaffermata con la famiglia Castiglione la propria potestà esclusiva sul figlio, Virginia fece valere i suoi diritti di vedova sulle poche cose che Francesco era riuscito a salvare dalla rovina. Il sentimento del possesso, a prescindere dall'oggetto e dal valore, la contraddistingueva da sempre. Quel che era suo era suo, e lei non intendeva rinunciare né a Baby né al più modesto degli effetti personali del marito. Perfino da morto, e per quanto le fosse diventato odioso, Francesco non aveva smesso di appartenerle. «Eppure» gli aveva scritto proprio nelle fasi turbolente della separazione «c'è fra noi un vincolo, e anche più d'uno, e siete voi che l'avete definito fatale, aggiungendo che mai l'avreste reciso. C'è, invero, fra noi qualcosa di fatale, che ci accompagna entrambi, divisi od uniti, ineluttabile ... credetemi, questa fatalità ci porterà fatalmente a ritrovarci. Ci porterà ad agire assieme, ad aiutarci l'un l'altro. Finiremo inevitabilmente per rivederci, e allora sarete lieto di ritrovarmi ancora vostra».[10]

La morte prematura del marito vanificava i suoi improbabili vaticini, ma non per questo lei rinunciava al ruolo di vedova e ai vantaggi che ne poteva ricavare; adottò dunque il lutto stretto, vestendosi e facendosi listare di nero la carta da lettere.

Francesco aveva avuto ragione di definire «fatale» il loro legame, e lui stesso ne aveva portato le piaghe nel segreto del cuore.[11] Vittima di un'idea convenzionale del matrimonio e convinto di dover condurre per mano quella sposa adolescente, non aveva capito di trovarsi di fronte a una natura ribelle, che non tollerava le imposizioni e si faceva beffe della sua autorità coniugale. Dopo avere sopportato con dignitoso stoicismo lo scandalo della tresca con l'imperatore e l'inevitabile separazione, aveva dovuto rinunciare a tutti i suoi averi per saldare i debiti contratti nello sciagurato soggiorno parigino. «Se per un solo istante avessi a credere» scriveva a Poniatowski «che l'ultimo dei miei creditori perderà un centesimo di quello che gli devo, mi brucerei le cervella stasera stessa, perché quando un gentiluomo non può sdebitarsi altrimenti, deve farlo con il sacrificio della vita». Castiglione era il primo a sapere di essere un sopravvissuto, in un'epoca in cui il denaro era la sola legge che gli uomini rispettassero, ma non per questo intendeva venir meno all'etica della sua casta. La seconda guerra d'indipendenza gli aveva offerto un'occasione di riscatto, permettendogli di «combattere per la gloria» del suo paese, e di mettere la propria vita al servizio del re, « con gioia, se in futuro si presenterà l'occasione di sacrificarla per lui ».[12]

« Ligio al dovere », come lo definiva anche la moglie,[13] il conte, quando poi era stato nominato segretario particolare del re, aveva svolto il proprio lavoro con passione e competenza, rendendosi indispensabile e compiendo anche delicate missioni all'estero. Inoltre, come emerge dall'inventario degli effetti personali – libri, quadri, ricordi, dagherrotipi – redatto post mortem nell'alloggio di Firenze, era un uomo pieno di interessi, appassionato di fotografia, con una buona cultura storica e consapevole dei problemi istituzionali e politici che pesavano sul nuovo Regno d'Italia. Perché allora, dopo essersi rifatto una vita, non aveva avuto la forza di mettere fine alla sua sventurata vicenda coniugale e aveva anzi continuato a proporre a Virginia di tornare a vivere insieme? Ossessione amorosa o senso di responsabilità? Troppo tardi si era reso conto che lei si prendeva gioco della sua buona fede e veniva meno ai doveri materni, troppo tardi si era deciso a esigere la restituzione del figlio e a recidere una volta per tutte il « vincolo fatale » e, nel testamento redatto un anno prima di morire, ad affidare Giorgio al fratello. Ben sapendo che sul piano giuridico niente poteva impedire a una madre di riappropriarsi della tutela del figlio, la famiglia Castiglione si era fatta interprete delle ultime volontà del defunto, omettendo il nome della moglie nel lungo epitaffio posto sulla sua tomba.

Alla morte del marito Virginia aveva trent'anni e, nonostante gli innumerevoli malanni che l'affliggevano, era sempre bellissima; anche se l'incarnato aveva perso luminosità, e la figura si era lievemente appesantita, all'incanto della giovinezza era subentrato il fascino di una donna all'apice del proprio magnetismo sensuale. Ma non ignorava che le restava poco tempo, e si rassegnò dunque a giocare la carta di Vittorio Emanuele II. Da cinque anni, ormai, approfittava dei soggiorni italiani per galvanizzare il sovrano sabaudo con occasionali incontri erotici, certo non privi di vantaggi pratici, ma la scomparsa del marito le consentiva di puntare su un legame più stabile e redditizio.

Non sappiamo se il conte fosse stato al corrente dei rapporti della moglie con il re, ma, per quanto non eccedesse in delicatezza, Vittorio Emanuele era affezionato a «Castillon»[14] e aveva certamente fatto in modo di risparmiargli l'umiliazione. Ora, però, niente impediva a Virginia di ambire a una relazione ufficiale del tutto rispettabile con il sovrano – anch'egli vedovo –, tanto più che il trasferimento della capitale a Firenze la metteva al riparo dai veleni dell'ambiente torinese, consentendole una maggiore libertà di movimento. Sapeva che la presenza nella vita di Vittorio Emanuele di Rosa Vercellana – ora contessa di Mirafiori e di Fontanafredda – e dei figli che aveva avuto da lei era una consuetudine familiare a cui il sovrano non intendeva rinunciare, ma la Bela Rosin non costituiva certo un ostacolo per Virginia: poteva mai temere il confronto con una contadina zotica e invecchiata anzitempo?

La contessa non si faceva illusioni sulla galanteria del re d'Italia. Già da giovanissima ne aveva subìto la rapacità sessuale, e la sua mancanza di educazione, di eleganza, di uso di mondo era di pubblico dominio. Le qualità che gli venivano riconosciute – fierezza dinastica, coraggio, ambizione, prontezza di riflessi, astuzia, intuito psicologico – avevano come contropartita la prepotenza, la millanteria, la gelosia verso chiunque rischiasse di fargli ombra. La sua fedeltà indefettibile alla monarchia sabauda non impediva a Costanza d'Azeglio di deprecare l'influenza perniciosa del «triste entourage» – Rosina e i suoi accoliti – che portava il sovrano a dare il peggio di sé: «Talvolta questo povero Re ha degli intervalli di lucidità e allora dà prova di un buon senso che sorprende gli astanti. Peccato che sia circondato da persone così indegne! Il buon Dio ci farebbe una grazia speciale se volesse aiutarlo a vincere le sue vergognose passioni e ispirargli dei sentimenti più degni della nobile condizione a cui lo ha elevato. Gli estranei ne sono sconcertati, lo vedono, gli parlano e provano simpatia per lui, poi lo vedono all'opera e sono presi dal disgusto».[15] Ma non basta: «Aveva un carattere egoista, in tutti gli anni che ho trascorso a Torino non gli ho mai visto compiere un atto di generosità» scriverà nelle sue memorie il conte di Reiset. «Tutt'al più, all'occasione, poteva essere prodigo verso le amanti, almeno finché ardeva la sua passione effimera ... Era un uomo materiale».[16]

La passione per Virginia era però tutt'altro che effimera, e lei era determinata a trarne ogni vantaggio possibile.

All'epoca dei suoi amori con Napoleone III, era stata la giovane contessa a doversi mostrare all'altezza del fasto delle Tuileries, della solennità del cerimoniale, e a imparare a far uso di un'elegante adulazione per strappare un cenno di assenso alla cortesia evasiva dell'imperatore. Con un sovrano provinciale e becero come Vittorio Emanuele, invece, non era necessario fare sfoggio di tanta delicatezza e bisognava piuttosto armarsi di coraggio. Le sue prodezze sessuali erano di dominio pubblico, come ricorderà senza eufemismi Carlo Dossi nelle *Note azzurre*: «Vittorio Emanuele fu uno dei più illustri *chiavatori* contemporanei. Il suo *budget* segnava nella rubrica donne circa un milione e mezzo all'anno ... Possedeva un membro virile così grosso e lungo che squarciava le donne più larghe ... Il suo dottore di Corte avea un gran da fare a riaccomodare *uteri spostati* ... Quel Giove terrestre, quando coitava, ruggiva come un leone. Amava che le donne gli si presentassero nude con scarpettine e calzette; e fumando sigari avana si divertiva a contemplarle, mentre gli ballavano attorno. Ma ad un tratto gli pigliava l'estro venereo, e le sfondava tutte – Una sera poi scrisse al naturalista [De] Filippi un biglietto così concepito "Vi prego di mandarmi stasera nel mio boudoir un leone impagliato". E il leone viaggiò quella sera a corte in una carrozza reale, destinato a chissà quali misteri».[17]

Se il re non si faceva scrupolo di comportarsi in modo brutale e di non mantenere le promesse, Virginia era pronta a ripagarlo della stessa moneta: sapevano entrambi ciò che volevano, e se lui aspirava a godere dei suoi favori doveva usarle un trattamento diverso da quello che riservava a domestiche e prostitute, rassegnandosi a compensarla in modo adeguato. La contessa di Castiglione non poteva certo accontentarsi di una modesta pensione vedovile, ed era imprescindibile che il re si facesse carico dell'educazione del figlio del conte.

Le liti cominciarono per un servizio d'argenteria che Virginia aveva trovato a casa del marito e di cui la contessa Mary Casanova rivendicava il possesso. La nobildonna aveva scritto anche al marchese Oldoini,[18] sostenendo di avere venduto il servizio al conte di Castiglione, che però non glielo aveva mai pagato. Sfortunatamente Virginia non era in condizione di restituirglielo perché l'aveva già portato al banco dei pegni e non disponeva del denaro per riscattarlo, perciò aveva detto a Vittorio Emanuele che spettava a lui pagare i debiti del suo segretario. Ma poiché, dopo essersi impegnato a risolvere il problema, il re tardava a mantenere la promessa, lasciandola in balia di una furente Casanova, Virginia minacciò di non mettere più piede a Palazzo Pitti, ed ebbe partita vinta: « Come vi dicevo, qui a Firenze ho dovuto tribolare per delle questioni d'interesse con Sua Maestà, che riguardano anche la Casanova » raccontò poi al padre. « Tutto ciò è culminato in una delle scene più terribili che si siano mai viste fra sovrano e suddito, maschile e femminile, sotto una pioggia scrosciante, fra lampi e tuoni, con un fulmine che ha ucciso un cavallo del Re, mentre Sua Maestà in carrozza scoperta ordinava all'aiutante di campo di suonare e tempestare alla mia porta, che io mi rifiutavo di aprire. Gli altri, ministri e favoriti, addetti e camerieri, erano accorsi in massa, dopo avere saputo della mia decisione di non rimettere piede a Palazzo (mai immaginando che venisse di persona) fino a quando non fosse stata erogata una certa somma, promessa dalla parola del Re che avevo dato a suo nome – anche alla Casanova, per diversi affari sporchi dello stesso genere. Quando alla fine la folgore gettò Baby per terra, fracassando i vetri delle finestre, frastornando tutti quanti, il Re entrò e disse: "I Re hanno il privilegio di farsi aprire perfino le porte dei conventi, ma non sarei mai entrato, nonostante il tempo, se non allo scopo di consegnarvi questo plico che ho voluto portarvi io stesso per accertarmi che lo riceviate. Adesso non intendo disturbarvi oltre, e nonostante la tempesta me ne vado, ma vi ricordo che oggi, 28 luglio, è l'anniversario della morte di mio padre, e fu al suo funerale che vi vidi per la prima volta a La Spezia 15 anni fa,[19] e proprio a

Fig. 1 George Frederic Watts, *Countess Castiglione*, 1857.

Fig. 2 Pierre-Louis Pierson, *Béatrix*, 1856-1857.

Fig. 3 Pierre-Louis Pierson, *Le Regard*, 1856-1857.

Fig. 4 Pierre-Louis Pierson, Aquilin Schad, *La Dame de cœurs*, 1861-1863.

Fig. 5 Pierre-Louis Pierson, Aquilin Schad, *La Reine d'Étrurie*, 1864.

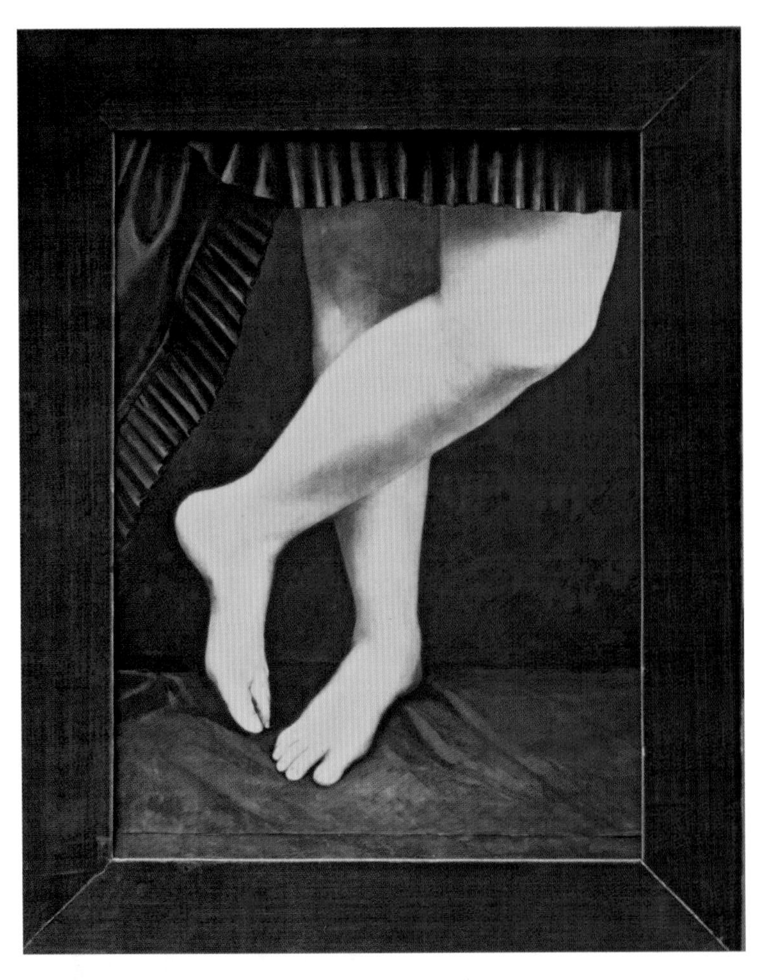

Fig. 6 Pierre-Louis Pierson, *Les Jambes de la comtesse de Castiglione*, 1861-1867.

Fig. 7 Pierre-Louis Pierson, *L'Assassinat*, 1861-1867.

Fig. 8 Jacques-Émile Blanche, *La Comtesse de Castiglione. Souvenir de 1893*, 1914.

Fig. 9 Pierre-Louis Pierson, *Scherzo di follia,* 1861-1867.

Fig. 10 Pierre-Louis Pierson (attribuita), ritoccatore anonimo, *L'Ermite de Passy*, 1863.

Fig. 11 Pierre-Louis Pierson, *Georges de Castiglione*, 1863-1864.

Fig. 12 Pierre-Louis Pierson, *La Comtesse de Castiglione*, 1861-1867.

Fig. 13 Pierre-Louis Pierson, *La Baise-main*, 1867-1868.

Fig. 14 Adolphe Yvon, *Napoléon III, empereur des Français*, 1861, Museo Napoleonico.

Fig. 15 Gustave Le Gray, *L'Impératrice Eugénie agenouillée sur un prie-dieu dans le salon du palais de Saint-Cloud*, 1856.

Fig. 16 Luigi Cretté, *Ritratto a mezzobusto del celebre diplomatico italiano Costantino Nigra*, s.d.

Fig. 17 Mayer & Pierson, *Camillo Paolo Filippo Giulio Benso, comte de Cavour*, 1855 ca.

Fig. 18 Anonimo, *Conte Francesco Verasis di Castiglione*, 1856 ca.

Fig. 19 Cesare Bernieri, *Vittorio Emanuele II*, 1863-1867.

questa stessa ora ho sfidato il fulmine per obbedirvi". E se ne andò, lasciando tutti sbigottiti da quel tono foriero di disgrazie. Aprii dunque il plico, in tempo per rispondergli tramite uno del suo seguito che si trovava ancora qui. Il rendiconto che al rientro trovò sul suo scrittoio era accompagnato da un biglietto di mio pugno:

«Manca Casanova

«xxx

«xxx (due o tre nomi)

«Un dramma in piena regola, ordito da un branco di canaglie ... Il re fa cercare Baby e gli dice: "Vai da tua madre e spiegale che stavolta non entrerò con la forza, ma se volesse venire lei sarei felice di riceverla, altrimenti sono pronto a venire non appena lo vorrà, per spiegarle questo errore che sono pronto a riparare. Ha ragione lei, sono stato ingannato". Allora ci sono andata il giorno stesso per cena, in pompa magna».[20]

Una notte buia e tempestosa, il re ai suoi piedi, i malvagi confusi, il ritorno trionfale alla reggia: la scena era troppo esaltante perché Virginia resistesse alla tentazione di arricchirla con qualche dettaglio aggiuntivo, ma per l'essenziale deve averne fatto un resoconto abbastanza fedele. Il sovrano ricordava bene: l'aveva vista per la prima volta il 28 luglio 1853, mentre era in villeggiatura a La Spezia con la famiglia. La bellezza di Virginia a sedici anni si era incisa per sempre nella sua memoria. Nel corso di quella stessa estate anche il conte di Castiglione ne era stato soggiogato, con le conseguenze che sappiamo.

Quella visita notturna aveva colto di sorpresa perfino lei. Il «Porco Re» cedeva miracolosamente il passo a un cavalier cortese che in nome dell'antico servaggio amoroso si rimetteva al beneplacito della sua dama. Per un momento Virginia aveva aperto il cuore alla speranza. Dopotutto il Medioevo era tornato di moda, e il ruolo che il sovrano le offriva era all'altezza del suo repertorio drammatico.

Il giorno dopo, presa visione della lista completa dei conti rimasti in sospeso, il re la rassicurò con un messaggio breve ed eloquente: «Contessa Nicchia, sarà subito fatto.

Tanti saluti, Vittorio Emanuele ». E le fece recapitare una fotografia con tanto di dedica: « L'infelice Padrone bacia le mani alla carissima Nicchia, 28 luglio 1867 ».[21] Verificata una volta di più la sua forza contrattuale, la Nicchia gli faceva ben presto toccare con mano che le raffinatezze che aveva in serbo per lui erano molto al di sopra dei suoi standard di satiro zotico. Un telegramma del settembre di quell'anno recita: « Signora contessa Verasis, stasera mi avete realmente lasciato senza fiato per l'emozione. Vi faccio i miei complimenti con tutto il cuore e vi auguro *continuazione in eterno* [in italiano nel testo], V.E. ».[22]

Continue e pressanti, le richieste di Virginia erano di vario genere, e se non venivano esaudite all'istante lei era pronta a recitare la parte della vittima perseguitata: « Malgrado tutto ho pregato per tutti in quella chiesa di La Spezia dove quindici anni fa si pregava insieme. Ma ora mi pare che ho bisogno di pregare per me ».[23] Non essendo riuscita a farsi dare in appannaggio Villa Annalena, già residenza di Murat e del figlio di Luigi Filippo – la Bela Rosin non aveva forse avuto diritto alla villa medicea La Petraia? –, si era dovuta accontentare di un appartamento di dodici stanze di fronte a Palazzo Pitti, ma in materia di denaro non era disposta a transigere. Non paga di aver ottenuto una pensione annuale di 12.000 franchi,[24] contava sull'aiuto del re per integrarla con oculate operazioni finanziarie. A giudicare dai pochi frammenti in brutta copia delle lettere in codice che indirizzava all'amante,[25] la « contessa Nicchia » non mancava di chiarezza: « Sua Maestà non ha che da dire ministro finanze che vuole sin d'ora sia riservata forte parte e nominerà più tardi. Comunque con chiunque affare faccia non altro mezzo fare entrare Nicchia urgente. Se Misero Padrone non dice subito chiaramente Digny perché era unica occasione accomodare miei affari ».[26]

Oltre a essere aggiornata sulle iniziative del conte Luigi Guglielmo Cambray-Digny, nuovo ministro delle Finanze del regno, Virginia intratteneva rapporti amabili con Filippo Antonio Gualterio, diventato nell'ottobre 1867 ministro dell'Interno e tre mesi dopo ministro della Real Casa.[27] Frattanto si teneva in contatto con i Rothschild e informava il re che i banchieri francesi cercavano interlocutori italiani affidabili. L'«unica occasione accomodare miei affari» era la cessione quindicennale, stipulata da Cambray-Digny il 25 luglio 1868, del monopolio dei tabacchi alla Società generale di credito mobiliare italiano, consociata con una cordata di investitori privati. Una colossale operazione finanziaria che prevedeva l'anticipazione di centottanta milioni di lire destinati a rimpinguare le finanze dissestate dello Stato, ma anche ad alimentare le speculazioni. Lo stesso Vittorio Emanuele contava probabilmente di trarne un vantaggio personale, visto che aveva seguito con «inconsueta attenzione l'iter della legge». E anche le due disposizioni del 1866-1867 concernenti la liquidazione dei beni delle comunità religiose senza finalità esistenziali costituivano un'occasione d'oro per le finanze statali e gli investitori. Così, nell'ottobre di quell'anno, il re fece ricorso anche alla contessa Nicchia «per intavolare dei pourparler con Rothschild», il quale si mise a disposizione del governo per la questione dei beni ecclesiastici.[28]

Se Virginia, abituata ai legami che nella Francia imperiale saldavano il mondo della politica con quello degli affari, trovava del tutto naturale che la favorita di Vittorio Emanuele partecipasse a quella che oggi chiameremmo un'attività di insider trading, la classe dirigente piemontese e l'opinione pubblica non erano dello stesso parere. L'immenso indebitamento causato dalle ultime due guerre d'indipendenza e dall'organizzazione dello Stato unitario aggravava una crisi cronica delle finanze pubbliche che apriva la strada alla corruzione. A partire dallo scandalo degli appalti per la costruzione della rete ferroviaria centro-meridionale, subito dopo il varo della legge Cambray-Digny era corsa voce «che anche il sovrano fosse coinvolto nell'opera corruttiva che aveva presieduto all'affidamento ai privati della Regìa, in modo così remunerativo, del monopolio dei tabacchi».[29] Non era certo la prima volta che si parlava della disinvoltura con cui il re si serviva del denaro pubblico per finanziare le sue spese private, e dunque il momento non era propizio per avanzare pretese. Ciononostante, all'inizio del 1869, durante un soggiorno della

Castiglione a Parigi, il Misero Padrone le faceva scrivere dal fido Castellengo che «il 3250 [Cambray-Digny] è in trattative con il 3342 [Rothschild] per la concessione dei 3362 [i beni ecclesiastici], un affare di parecchi milioni», perciò le conveniva tornare in Italia «per prendere parte ai colloqui», visto che «una simile occasione di fare fortuna non si ripresenterà facilmente».[30] Ma quando Virginia rientrò a Firenze scoprì con furore che le trattative erano già troppo avanzate per consentirle di lucrare su un'intermediazione.[31]

Le richieste imperiose, le impuntature, gli sbalzi d'umore mettevano a dura prova la pazienza di Vittorio Emanuele. Incurante degli impegni del sovrano, alle prese con la difficile congiuntura finanziaria e politica oltre che con la questione romana, pretendeva sempre di essere ricevuta senza indugio e maltrattava gli attendenti incaricati di informarla delle decisioni reali. Vittorio Emanuele faceva del suo meglio per placarla: «[L'ufficiale] d'ordinanza avrà prima del Misero Padrone la fortuna di rivederla. Io giungerò a Torino martedì ... Ai piedi della Nicchia il Misero Padrone».[32]

Non per questo Virginia addolciva il tono: «Sua Maestà ha detto che l'ho trattato male! Non è vero. Se fanno al re le comunicazioni male, o se il Misero Padrone prende le cose alla rovescia non è colpa mia. È colpa del non potersi parlare quando occorre e dell'essere forzati d'impiegare sempre terzi inintelligenti o malvolenti, ed anche ignoranti delle cose nostre, com'è accaduto anche questa volta, e per cui ogni cosa è andata alla diavola e Nicchia al solito è rimasta battuta e cornuta. Dopo aver sudato sangue per mesi a mettere insieme una cosa che doveva fare il bene di tutti senza costar nulla a nessuno...».[33]

E poiché, appagato il desiderio, davanti alle lamentele dell'incontentabile amante il re tendeva a tagliar corto, lei lo incalzava: «Non domando di vedere il Misero Padrone, perché il Re pretende che l'ho trattato male e che non vuole saper di me, quando è lui che tratta male, malissimo Nicchia, non volendo sentire i discorsi dopo...! Ma non voglio leticare per aver ragione, preferisco stare a Firenze senza vederlo, e vederlo passare senza guardare... Ho però necessità urgente di farli sapere cose che non voglio né posso dire a un Mazolino per cui prego il re di ordinare a Spinola[34] di venirle a sentire al più presto domani ... Rispettosi omaggi al Re. Nicchia ».[35]

Nell'ottobre del 1869, dopo mesi particolarmente litigiosi, accadeva però un evento decisivo. Il re, gravemente malato e considerato in pericolo di vita, era stato preso da scrupoli di coscienza e aveva chiesto al sacerdote venuto a somministrargli l'estrema unzione di unirlo in matrimonio con la Vercellana. Per la seconda volta, a distanza di dieci anni, Virginia vedeva andare in fumo il progetto di diventare l'amante *en titre* di un sovrano e, non avendo altre carte da giocare, cercava di salvare il salvabile. Alla fine dell'anno, quando il re si era ormai ristabilito, gli scrisse: « Non so cosa augurare al Misero Padrone che possa fargli piacere, giacché Nicchia non ha il dono di fargliene!

« Mi contento di mandare al Re i miei rispettosi saluti, affetti, ringraziamenti per l'anno 1868, il 69 è stato cattivo dal primo giorno fino all'ultimo che finisco a Firenze; comincerò il 70 a La Spezia con la speranza che ci sarà più propizio e poi anderò "dove il destin mi porta". Se mi vuole mi chiami ».[36]

Vittorio Emanuele si limitò a risponderle con un semplice quanto esplicito: « Lo voglio »,[37] ma ormai Virginia era consapevole di combattere una battaglia di retroguardia.

Il 1870 si preannunciava decisivo per la politica italiana e per Casa Savoia, e Vittorio Emanuele non aveva più tempo per le inesauribili richieste della Nicchia. Per condurre a termine il processo unitario italiano era necessario, come predicava Cavour dieci anni prima al Parlamento subalpino, fare di Roma la capitale del paese. Si trattava solo di aspettare il momento favorevole. Fino allora il maggiore ostacolo era stato il veto di Napoleone III che, in grave crisi politica interna, non poteva alienarsi l'appoggio dei cattolici. Ma allo scoppio della guerra franco-prussiana, l'incauta dichiarazione pronunciata tre anni prima sotto le volte dell'Assemblea legislativa dal ministro Eugène Rouher – « Giammai l'Italia si impossesserà di Roma » –[38]

offrì a Vittorio Emanuele un buon motivo per non prestare aiuto all'antico alleato. Così, il 20 settembre 1870, subito dopo la sconfitta francese a Sedan, il generale Cadorna entrò a Roma per la breccia di Porta Pia, non più difesa dalle truppe francesi, annettendo lo Stato pontificio al Regno d'Italia. L'anno si chiudeva in gloria per Casa Savoia, con l'investitura di Amedeo d'Aosta a re di Spagna.

Il bilancio di Virginia era meno brillante. A metà dicembre, non riuscendo più a essere ricevuta dall'Infame Padrone, gli comunicò l'intenzione di chiedere ad Amedeo di prendere sotto la sua protezione il piccolo Castiglione, orfano di un padre morto al suo servizio, richiamando però al tempo stesso Vittorio Emanuele alle sue responsabilità: « Non so proprio più a che Santo raccomandarmi; quello della pazienza è esaurito, e quello della rassegnazione è fuori del mio calendario ... Prego dunque l'antico misero Padrone ancora una volta direttamente a volermi ricevere precisamente in questi giorni Spagnoli nei quali devo dirli cose che spero e credo possano sbarazzare il Vecchio Re della madre e del figlio, che un nuovo Re ha il sacro dovere di proteggere ... già avrebbe potuto soddisfare alle dure necessità della nostra posizione e riceverne benedizione e louanges [inni di lode] invece di essere ridotto a temerne i rimproveri. Non glie ne farò, stia tranquillo e li risparmierò il lamento del passato come cercherò di levarli dal capo il rimorso dell'avvenire. Non abbia paura delle bastonate ... ma da Volpe Vecchia a Vecchia Volpe non servono le frasi, per belle che siano. Abbracci, verrà subito e facciamo pace per sempre, Nicchia ».[39]

Ancora una volta Virginia si dimostra abbastanza abile da cambiare tono e saper usare tutti gli espedienti retorici per indurre l'amante a darle ascolto: la sfida, la minaccia, la colpevolizzazione, l'ironia, la complicità, la ritrovata intimità.

Si trattava, comunque, di riconciliazioni provvisorie, perché lei insisteva con le richieste: commissioni su accordi finanziari sottobanco, avanzamenti di carriera dell'incontentabile marchese Oldoini,[40] garanzie per il futuro del figlio... e non sopportava di sentirsi rispondere di no. A un rifiuto del re, in particolare, non seppe rassegnarsi: lei gli aveva chiesto di intervenire per fermare gli espropri sul tratto costiero delle proprietà degli Oldoini a La Spezia, ma Vittorio Emanuele le aveva spiegato che erano necessari al progressivo ampliamento del grande porto militare in corso d'opera e quindi, anche volendo, non poteva farci niente. In questo caso, però, Virginia non era spinta solo dall'interesse personale. Certo, era visceralmente legata ai luoghi della sua infanzia e in particolare alla collina dei Cappuccini, dove sorgeva la villa di famiglia, che digradava fino al mare in un tripudio di vigne, di ulivi e di rose selvatiche, e fin da giovanissima era entrata in conflitto con i genitori ogniqualvolta erano costretti a venderne qualche appezzamento; ma il suo sogno era di farne un'oasi protetta a beneficio di tutti gli abitanti di La Spezia,[41] e non poteva accettare che in nome del progresso si distruggesse uno dei più bei tratti della costa ligure – e che il re d'Italia permettesse quello scempio. La sua idea a tutela del patrimonio paesaggistico nazionale era però troppo in anticipo sui tempi per essere presa in considerazione.[42]

Fu dunque con una certa amarezza che, di lì a poco, fece il bilancio della sua relazione con il sovrano. Il suo primo errore era stato di prestar fede ai sentimenti di un re: «Ma i sentimenti dei Re! Non esistono se non che au passé, e si leggono nelle storie che i bambini innocenti imparano a memoria, fortuna che la perdono diventando grandi. I Re non hanno sentimento di nulla né per nessuno, quando non sono guidati da chi ci ha interesse morale o materiale à les entretenir bouillant [a tenerseli buoni] per mille strattagemmi che Nicchia ha rifiutato e per cui perde la partita!».

Scrivendo queste righe, il suo pensiero andava anche alle promesse non mantenute di Napoleone III? Il *j'accuse* contro il re d'Italia ricorda quello che il duca di Morny lanciava contro l'imperatore dei francesi: «È malfidente e ingrato e ama soltanto coloro che gli obbediscono servilmente e lo adulano».[43] Nonostante i buoni propositi, Virginia non risparmiava affatto al re il «lamento del passato» e precisava le cause delle sue «recriminazioni»: «Io dico che se non fossi venuta in Italia per lei, non avrei perso l'Italia e la Francia che ora perderò per la mia lunga assenza e per tutto quel poco che possiedo di roba alla quale tengo molto (non sono Re io). Per giunta ho perso una buona posizione nel mondo là senza averne una qui e senza nemmeno la risorsa dei Cappuccini per ritirarmi. Tutte cose di cui lei non vuole più sentire parlare perché ne ha il rimorso».

Il Misero Padrone aveva un bel sottrarsi, Virginia non si disarmava: «Voglio vederlo e lo vedrò... non ho nulla da rimproverarmi, poco da spiegare ma molto da lagnarmi e non lo voglio fare che in faccia». E se l'amante si fosse rifiutato di concederle quella «dernière entrevue» minacciava, come aveva già fatto a suo tempo con l'imperatore, di affrontarlo durante un'apparizione pubblica: «Del resto se il Re non mi vuol vedere, siccome voglio io, lo vedrò. Il quando, il come, il dove, lo cercherò, lo troverò».[44] Non era facile liberarsi di lei.

Eppure, proprio in quel 1870 non le era forse mancata una gratificazione di cui andar fiera: non è da escludere, infatti, che ci si fosse serviti di lei come mediatrice nelle trattative ufficiose fra il governo e il Vaticano per trovare una soluzione alla questione romana. Dopo la scomunica del re e la minaccia del papa di abbandonare la città eterna, alla diplomazia ufficiale si era affiancata una serie di iniziative parallele nell'intento di sondare discretamente i margini di manovra per arrivare a un accordo. E la Castiglione aveva i requisiti adatti, non solo perché aveva già dato buona prova di sé come agente segreto ma perché conosceva fin da bambina il cardinale Giacomo Antonelli,[45] segretario di Stato del pontefice e vecchio amico della famiglia Oldoini, in particolare della marchesa (in una delle ricorrenti fantasie senili Virginia lo avrebbe perfino inserito in un elenco di ipotetici padri).[46] Antonelli era l'uomo chiave delle difficili trattative politiche allora in corso tra governo italiano e papato, e fu lui a prendere accordi con Cadorna affinché l'ingresso delle truppe piemontesi comportasse solo un minimo spargimento di sangue.[47] Pare acclarato che in compenso dei suoi buoni uffici il pontefice avesse donato a Virginia un braccialetto di pietre dure con la tiara papale.[48] Quando, sola con i suoi ricordi, lei avrebbe trovato un ultimo rifugio nella celebrazione della propria leggenda, quel prezioso monile le avrebbe consentito di rivendicare che, oltre ad aver fatto l'Italia, aveva salvato il papato persuadendo Pio IX a rimanere a Roma. Non aveva certo dimenticato l'auspicio del cugino Cavour: libera Chiesa in libero Stato.[49]

L'ASSEDIO
(1870-1872)

Ma Virginia aveva molte altre frecce al suo arco. Da tempo nutriva non poche riserve sulle scelte politiche di Napoleone III e sulla solidità del suo trono. In una lunga lettera a Adolphe Thiers dei primi mesi del 1870 manifesta perplessità sul processo di apertura del regime « con il medesimo Imperatore che ci si sforza di fare apparire trasformato », e critica la formazione di un nuovo governo – il primo del cosiddetto « Empire libéral » – [1] composto da ministri per metà bonapartisti e per metà del centro-sinistra, destinati a non intendersi.[2] Ciononostante, i drammatici eventi che fecero seguito alla sconfitta di Sedan – l'imperatore prigioniero, l'imperatrice in fuga, il crollo dell'Impero – la sconvolsero. « Arrivo morta di stanchezza, oppressa dai tormenti, piena di preoccupazioni, angosce, timori, rimpianti »[3] scriveva da Firenze, all'indomani della catastrofe: amava la Francia come una seconda patria e temeva che le condizioni di pace imposte dalla Prussia risultassero insostenibili. Dettaglio non secondario, aveva paura per la sua casa di Passy, rimasta incustodita: chiese dunque aiuto a Thiers – senza sapere che di lì a poco sarebbe stato il suo vecchio amico ad aver bisogno di lei.

Il 12 ottobre, mentre Parigi era sotto assedio da venti giorni, l'antico oppositore del regime imperiale, ormai settantatreenne, arrivò a Firenze in rappresentanza del Governo di Difesa Nazionale formatosi subito dopo la disfatta di Sedan. Lo scopo della missione era ottenere il sostegno del governo italiano in vista di un armistizio onorevole con la Prussia. Com'era prevedibile, risolta ormai la questione romana, l'ex alleato aveva ribadito la propria neutralità, ma Thiers, che non era mai riuscito a entrare in contatto con Bismarck, sperava nell'aiuto della contessa. Era un tentativo in extremis di riprendere le trattative compromesse dal colloquio disastroso tra il Cancelliere di Ferro e il ministro degli Esteri Jules Favre, in occasione del quale Bismarck aveva posto tra le condizioni di pace la cessione dell'Alsazia e della Lorena.[4] Al corrente dei dispacci che Nigra inviava da Tours – dove si era trasferito il corpo diplomatico[5] al seguito della delegazione del governo presieduta da Adolphe Crémieux –, Virginia era stata prontamente aggiornata da un «costernato» Visconti Venosta: «I due si sono scontrati sui termini, sulle forme, l'uno di vincitore, l'altro di vinto, e a queste immense difficoltà hanno aggiunto la peggiore, quella di non riuscire a intendersi. Si sono lasciati malissimo, uno portando a Parigi il terrore e il consiglio di mettere ogni cosa a ferro e fuoco, l'altro impartendo l'ordine formale di bombardare a oltranza e invadere da ogni lato senza rispettare niente di ciò che, nel bene o nel male, troveranno sulla loro strada!».[6] L'impreparazione diplomatica di Favre avrebbe suggerito ad Albert Sorel, presente all'incontro, l'idea di una scuola di studi internazionali per evitare alla Francia repubblicana il ripetersi di simili disastri. Così nel febbraio del 1872 fu inaugurata, sotto l'egida di Hippolyte Taine, Ernest Renan e François Guizot, l'École libre de sciences politiques.

Virginia, invece, non aveva bisogno di lezioni di strategia diplomatica. Poteva contare, come sempre, su parecchie fonti di informazioni: su quanto avveniva nel quartier generale prussiano a Versailles riceveva notizie dall'ambasciatore della Confederazione della Germania del Nord a Firenze, il conte Brassier de Saint-Simon,[7] del quale era amica da tempo; e intratteneva rapporti amabili anche con Bismarck, che aveva avuto modo di incontrare più volte a Parigi[8] e a Baden. Della trattativa lampo condotta da Virginia Thiers non si sarebbe dimenticato: « Ricordo bene come vi prodigaste, a Firenze, in quel frangente così drammatico per la nostra povera Francia » le scrisse due anni dopo.[9]

Arrivato a Firenze il 12 ottobre, Thiers non tardò a incontrare l'amica italiana, la quale aveva già fatto sapere a Vittorio Emanuele che, essendo « molto legata » alla moglie del visitatore francese, intendeva prendersi cura di lui durante il suo soggiorno nella capitale.[10] Servendosi probabilmente di Brassier de Saint-Simon, Virginia fece pervenire a Bismarck, allora a Versailles, la richiesta di un abboccamento con Thiers.[11] Questi, avendo constatato l'impossibilità di ottenere una qualsiasi forma di sostegno dal governo italiano, era ripartito per la Francia il 18 ottobre, dopo avere munito Virginia di un cifrario[12] per comunicare con lui, e averla presentata all'avvocato Léon Cléry (inviato con Antoine Sénard a Firenze in rappresentanza del Governo di Difesa Nazionale), al quale aveva raccomandato: « Mettetevi in tutto e per tutto a disposizione di Mme de Castiglione. È l'amica più fedele, devota e intelligente che potessimo augurarci, e nessuno è in grado di aiutarci più di lei ».[13] Il 22 ottobre Virginia ricevette da Thiers un telegramma in codice: « Sono arrivato sano e salvo. Andrò dapprima con i bagagli e successivamente senza bagagli. Ho bisogno che mi forniate i dettagli ».[14]

Il 31 ottobre Thiers incontrò Bismarck a Versailles, e Virginia ne fu immediatamente informata da un biglietto dell'ambasciatore.[15] Come si evince dalla copia di un dispaccio su carta intestata dell'agenzia telegrafica Stefani, Virginia sapeva già che il giorno prima Thiers aveva avuto « una conferenza con Bismarck la quale durò 3 ore » e ne avrebbe avuta un'altra l'indomani.[16]

I colloqui fra i due statisti per arrivare a una sospensione delle attività belliche che consentisse ai francesi di tenere regolari elezioni e dotarsi di un governo legittimo – senza il cui avallo Bismarck non riteneva possibile concordare una pace – si protrassero per diversi giorni, finché, il 6 novembre, Thiers non fu richiamato a Parigi: il Governo di Difesa Nazionale aveva infatti optato per la resistenza a oltranza, schierandosi con il repubblicano Gambetta, che al mandato di ministro degli Interni aveva aggiunto quello di ministro della Guerra. Virginia apprese la notizia dai suoi informatori, e scrisse subito a Thiers, deplorando l'accaduto: «... giacché tutto si poteva e si potrebbe ancora aggiustare; ma questi Signori non vogliono, e per giunta sono decisi a interrompere ogni comunicazione, pregiudicando ogni speranza di ricucire».[17]

«Questi Signori» erano i repubblicani, contro i quali dava sfogo alla sua indignazione: si trattava di un governo di irresponsabili che portava la Francia alla catastrofe. Scritto di getto, a matita, con una grafia più disordinata del solito, il suo atto d'accusa non risparmia nemmeno Thiers, che l'aveva spinta a compiere tentativi di mediazione rivelatisi inutili. Nell'urgenza, la contessa aveva perfino tralasciato, com'era invece sua consuetudine con i corrispondenti di riguardo, di fare mettere la lettera in bella copia dal figlio; finì tuttavia per non inviarla.

«L'egoismo è il più grande fra i doni della natura, perché ci rende impassibili, indifferenti a qualsiasi sventura, al bene quanto al male: imperturbabili. Purtroppo io ne sono sprovvista; per contro, invece, ho l'istinto della pietà. Prova ne sono la mia profonda afflizione per i mali della guerra, e tutti i tentativi, intrapresi su vostra richiesta presso la parte nemica (che definirei la più ragionevole, e ormai anzi la sola con cui cercherò, se posso, di proseguire le trattative, adoperandomi per aiutarla, poiché non tradisce e non ti pianta in asso). Perdonatemi queste espressioni destinate a quelli di voi che l'odio estremo rende folli e il pericolo ciechi, al punto da non saper più misurare l'entità dell'abisso che si spalanca sotto i piedi di ogni francese e della Francia del futuro, e neppure la nostra debolezza presente, che ci si sforza di trasformare in un punto di falso onore. Alcuni di coloro che sono al potere ne approfittano per interrompere a piacimento questi ultimi negoziati, e a mio parere ne abusano – ma questa non è che la mia opinione personale, e io sono solo una donna! Ci considerano pari a zero quando non abbiamo la possibilità di renderci utili, né di agire, né, tantomeno, di riuscire. Come diceva mio cugino Cavour: l'essenziale è riuscire. Chi riesce fa sempre bene, a prescindere dai mezzi ».[18]

Thiers però non aveva affatto gettato la spugna; né Virginia smise di tessere la sua tela nell'ombra. Riusciva a trovare le parole adatte a perorare la causa dei vinti facendo appello alla lungimiranza politica del vincitore: « L'onor militare o meglio la superiorità dei suoi generali spetta indiscutibilmente alla Prussia, » scrive a Bismarck « e tutti gli uomini di guerra lo riconosceranno; non c'è alcun bisogno di aggiungere una nuova foglia a questa triste corona di gloria, ma il merito diplomatico nel senso di un possibile accordo per la pace deve venire ascritto alla vostra persona, e portare la vostra firma.

« L'approvazione, la soddisfazione saranno universali ... Il mondo, a cui avete intimato l'alt, riprenderà a vivere e ne approfitterà per piangere i suoi morti.

« Ce ne sono abbastanza per mettere in lutto l'Europa intera.

« Non fate nascere l'odio, un odio implacabile che alleandosi con la vendetta ucciderebbe gli affetti e gli amori...

« Direte che parlo come l'eroina di un romanzo – no, parlo per l'uomo di Stato che sarete. Ma, riflettendoci, capirete bene che il vincitore dovrebbe essere un amico discreto, non un padre esigente. Finché si hanno le spalle coperte, e i nemici sono prostrati dalla sconfitta, tutto bene – ma dopo? Guai al vincitore! ».

Era innanzitutto Virginia a parlare da « uomo di Stato » e a indicare al ministro prussiano la strada da seguire. La contessa aveva probabilmente concertato il contenuto della lettera con Thiers, che era consapevole della volontà di Bismarck di giungere a un accordo di pace; ma come non trasecolare davanti alla naturalezza con cui impartisce una lezione di alta diplomazia e di morale politica a uno dei più grandi statisti dell'epoca? La sua capacità di farsi ascoltare dai potenti non passava necessariamente per la camera da letto.

« Riflettete profondamente, maturamente, tranquillamente» continua «e troverete le mie ragioni giuste e perfino vantaggiose per entrambi ... Hanno perso, sono perduti: ma cedere tocca a voi, dovete averne la fiera generosità. Permettetemi un consiglio, e ricevetelo a titolo personale...».

Una volta precisato il carattere privato della sua iniziativa (l'Italia, a suo dire, non c'entrava niente), Virginia poteva proporsi come intermediaria al di sopra delle parti, trasmettendo le richieste dei parigini, che dalla fine di settembre erano stretti nella morsa dell'esercito prussiano:

«Fate un ultimo passo verso i parigini, e poiché acconsentono a risparmiare Parigi,[19] spingetevi al punto di lasciarli vivere; in cambio, vi assicuro l'impegno efficace e solerte dei capi della difesa nella formazione di un governo regolare e stabile per firmare una pace alla quale, prima o poi, si dovrà inevitabilmente addivenire.

«So bene che le autorità militari esigono un risarcimento equipollente, non ignoro che si tratta di precise leggi di guerra e di un diritto legittimo della Prussia. Ma tutti quanti le saranno grati se vorrà fare un'eccezione alla regola, giustificata da circostanze così straordinarie, e storicamente impreviste, nel caso di una città come Parigi. Vi chiedo solo di non rispondermi di no, e di indicarmi quali sarebbero le contropartite materiali, ma non militari, e le garanzie morali che sareste ancora disposto ad accettare affinché io faccia un ultimo tentativo di riconciliazione.

«La vostra cortesia non ha bisogno di elogi, né di prove la vostra acuta intelligenza. Meritate solo gratitudine, e potete contare su quella di Thiers a nome della Francia».[20]

Scrivendo al conte Ressmann, stretto collaboratore di Nigra alla legazione italiana, Virginia usava invece un linguaggio ben diverso: «Questo lo dico io col quale Bismarck fa l'onore di comunicare, come fui io che feci agréer a richiedere les entrevues con Thiers, se egli non seppe s'en tirer [tarne vantaggio] è peccato. Tutto era ben preparato e sarebbe <u>tuttora possibile</u> ... forse potrò ancora renouer ma io direttamente ... se dopo Tours, Thiers vuol tornare là. Io ho detto se Nigra avait été à sa place il aurait osé et réussi. Cavour mi diceva sempre: réussissez, on aura toujours bien fait».

Effettivamente, l'armistizio era ancora possibile, e Virginia contava sulle capacità persuasive di Nigra per «redresser les cerveaux égarés [far rinsavire i cervelli annebbiati]» dell'esecutivo francese; ma era necessario agire dietro le quinte: «Vi prevengo che Bismarck non vuole ammettere intrusion des neutres ni pression quelconque. Da me lui si lascerà scorticare per quanto si può scorticare un militare al quale non si può passare la prima pelle giacché la fortuna vuole che sia a prova di bomba».

Restava il fatto che «se è un giuoco che i francesi giocano di se donner les airs de refuser pour céder après, il sera trop tard et il sera partie perdue sans revanche possible [fare finta di rifiutare per poi cedere, sarà troppo tardi e la partita sarà persa senza possibilità di rivincita]».[21] Una volta di più la contessa dimostrava di sapere quel che diceva.

In verità, non la preoccupava solo il destino della Francia. Fin dall'inizio della guerra aveva richiamato a Firenze il figlio quindicenne, che studiava in un collegio a Neuilly[22] ed «era tornato da Parigi fra i fuochi e le fiamme»,[23] ma le era mancato il tempo di far imballare e spedire le sue cose, e si angustiava per gli arredi, l'argenteria, i preziosi e i documenti. Per un'accumulatrice come lei, l'idea che finissero in mani estranee doveva essere particolarmente intollerabile. Inoltre, per ragioni evidenti, era ansiosa di recuperare la cassetta con i titoli bancari, la corrispondenza privata e le lettere d'affari. Fra le carte più scottanti c'erano il dossier del suo agente di cambio alla banca Rothschild – dove figuravano le speculazioni fatte alla vigilia della guerra –[24] e quello del dottor Arnal, che come abbiamo visto si prendeva cura dei suoi problemi ginecologici.

Sbalorditivo è il numero di lettere, dispacci, telegrammi e lasciapassare che Virginia invia tra il settembre e l'ottobre del 1870,[25] nel pieno del conflitto franco-prussiano. Tra coloro a cui fa appello, con la massima disinvoltura e una pervicacia che rifiuta di arrendersi all'impossibile, figurano – oltre a ministri e alti funzionari italiani e francesi – i nomi dei potenti di mezza Europa, dalla regina di Prussia ai governanti inglesi ai Rothschild.

La sua corsa contro il tempo era iniziata con la caduta dell'Impero e l'instaurazione di un governo di emergenza che non era più in grado di assicurare il controllo dell'ordine pubblico. Già il 14 agosto, dopo le prime sconfitte francesi, Virginia, forte dell'appoggio di Vittorio Emanuele, scriveva all'amico Nigra: «Non volevo seccarvi, ma è tempo che parli al Ministro d'Italia – così dice il Padrone – non dovendo ricorrere né a Tedeschi né ad altri». La contessa esigeva che la legazione italiana presidiasse la sua casa di Passy «facendola rispettare con bandiera italiana da invasioni Prussiane come difendere dalla forza francese contro ogni attacco di popolo in rivolta che volesse ivi entrare, saccheggiare o bruciare». Le richieste non si fermavano qui. Nigra era pregato di allertare le autorità civili e militari francesi e segnalare il suo caso al prefetto della polizia; le istruzioni erano tassative: «se ci fosse proprio pericolo bisognerà à tout prix far levar tutto fuori che armadi e mobili ordinari e mettere sia alla Legazione nelle stanze della Cancelleria, sia dai Rothschild dov'è più sicuro, ma se poi, come pare da qui, quella casa è pure minacciata, allora tutte le casse fatemele spedire a Torino».[26]

Tre giorni dopo Nigra le comunica che tutti i suoi ordini erano stati eseguiti, ma osserva non senza ironia: «Finora è lecito di conservare la speranza che colpevoli tentativi della plebe non metteranno la città a soqquadro; contro le bombe poi, lo scudo sarebbe lo stesso per tutti indistintamente e la Prefettura non ne vende. Non vi sarebbe altro scudo che la fortuna che al n° 51 della rue Nicolo come alla bella sua proprietaria auguro di cuore».[27] E il 21 agosto, conoscendone la diffidenza, Nigra le invia la risposta del prefetto della polizia per «convincerla» di non avere solo «promesso ma agito». Quanto alle eventualità paventate dalla «contessa gentilissima», quella di venire derubata da mano francese era improbabile perché «una gran parte della plebaglia parigina fu arruolata e quindi fuori delle mura». La seconda, il saccheggio per mano nemica, era da escludersi per la «condotta dei Prussiani nei dipartimenti conquistati ...; essi aspirano troppo al titolo di eroi civilizzati per venir a mettere Parigi a fuoco ed a sacco e per ritornare da qui col titolo di assassini ».[28] Ci voleva altro per rassicurare Virginia, che nel frattempo aveva maturato la decisione di farsi inviare in Italia tutti gli effetti personali, mobili, suppellettili, quadri e argenti. L'8 settembre, mentre l'esercito prussiano accerchiava Parigi e attraversare la Francia era diventato impossibile – « Che momenti! Ma ora è venuto quello di agire, non di parlare » –, scrisse a Thiers per ottenere l'autorizzazione a spedire le casse e la sorveglianza della polizia sulla casa di Passy.[29] Due giorni dopo, non potendo rivolgersi a Nigra, che aveva seguito il governo a Tours, dove « era intento a dissimulare dietro l'affabilità dei discorsi le riserve del suo Governo »,[30] mandò una lettera minacciosa alla legazione italiana, rea di non avere subito provveduto a spedirle le casse che aveva fatto lasciare in deposito da un ufficiale di polizia suo vicino di casa a Passy e di cui si erano perse le tracce: « Prego ricercare, sapere e dirmi cosa ne è successo di lui e delle chiavi, giacché non può la Legazione italiana lasciare la casa di un suddito così abbandonata à la merci du premier passant [alla mercé del primo venuto] ». I funzionari dell'ambasciata erano ancora in tempo per portare le casse al sicuro alla legazione, e anche se, com'era comprensibile, avevano « ben altro da fare », non potevano « avere sulla coscienza la colpa del Ministro [Nigra] » di non averla avvertita a tempo. « Sono passata da voi tutti per matta allora che volevo déménager, » si indignava « ora qui passo per criminelle di aver lasciato tutta la mia roba che appartiene a mio figlio così terribilmente esposta e per le bombe e in specie per i ladri ordinari in questi tempi e per le necessità del governo del popolo, che vedendo una casa sola piena di tutto quel che occorre vi si installeranno e se ne serviranno ». Che lo si dicesse pure, a Nigra o a qualsiasi altro ministro, « amico o nemico »: era un comportamento inammissibile nei confronti di una donna e di un ragazzo. Seguiva poi una lista dettagliata: mettere in salvo le casse nella cantina della casa di Passy dopo aver provveduto a murare le finestre che davano sulla strada, apporre i sigilli alla porta d'ingresso, esporre la bandiera italiana, segnalare l'abitazione al ministero degli Esteri come dimora di un suddito italiano e al ministro della polizia come disabitata.

Mentre Parigi era sotto assedio, mentre l'esecutivo francese, in parte rimasto nella capitale e in parte rifugiatosi a Tours e di lì a Bordeaux, restava diviso tra fautori della pace e sostenitori di una guerra a oltranza, e mentre i prussiani continuavano ad avere la meglio sui campi di battaglia, Virginia non esitava a chiedere nuovamente a Thiers, certo con più tatto e argomentazioni diverse, di farsi carico dei suoi problemi pratici. « Con tutte le grandi sventure che si abbattono sulla Francia non è il momento di parlarvi delle mie piccole miserie, ma conosco abbastanza la vostra prontezza di spirito per attentarmi, senza scrupolo né timore, a distoglierlo temporaneamente da quelle; vi prego dunque innanzitutto di ascoltarmi e poi di aiutarmi a ottenere ciò che chiedo: una protezione ».

Nella deprecabile eventualità che la legazione italiana decidesse di non avere rapporti con il governo provvisorio,[31] la sua casa sarebbe diventata un bersaglio privilegiato per i saccheggiatori francesi. Ma lei osava « reclamare l'appoggio della repubblica »: « Sono soltanto una donna, in posizione privata; sono piuttosto conosciuta in Francia, dove abito da 15 anni per certe disgrazie di famiglia che mi hanno costretto a lasciare il mio Paese – salvo tornarci una volta all'anno a fare visita ai miei genitori. Avrei persino potuto ottenere la cittadinanza francese ma vi ho rinunciato a causa di mio figlio, che deve restare italiano anche se è stato educato a Parigi, dove si trovava fino a un mese fa, interno in un Collegio ». Ovviamente, a esporla alle rappresaglie dei repubblicani c'era anche la sua reputazione di spia e amante di Napoleone III, ma con la consueta disinvoltura Virginia rivisita il passato in funzione delle esigenze del momento, e afferma di non avere niente a che vedere con la politica e di interessarsene solo « perché mi è capitato di assistere a qualche discussione fra amici intimi ». Sulla relazione con l'imperatore (che Thiers non può ignorare) sorvola elegantemente: « Quando ero giovane e bella sono stata alla corte delle Tuileries ma oramai è acqua passata, da 10 anni faccio vita da reclusa», e ricorda ai repubblicani francesi che «siamo in un paese libero: se una straniera si compiace di frequentare case in cui è ricevuta a braccia aperte, se viene portata in palmo di mano nelle corti e nelle famiglie reali, non si potrà certo fargliene una colpa! ... prova ne sia la mia conoscenza dei Principi Francesi esiliati».

Alla fine, stanca di giustificarsi, Virginia si ammanta di fierezza. Con «la Dinastia caduta in disgrazia» si sarebbe comportata come con gli Orléans e, qualora le fosse capitato di incontrare in forma privata esponenti della famiglia imperiale, non aveva certo intenzione di voltar loro le spalle: «Il mio carattere rifugge da questi voltafaccia, dai sentimenti meschini e dalla falsa vergogna. Non voglio niente da nessuno, e contraccambio coloro che sono stati amabili con me comportandomi secondo i dettami della cortesia e della buona creanza».[32] Una bella impennata d'orgoglio, a parte l'improbabile dichiarazione di non volere niente da nessuno. Di lì a poco, il rientro di Thiers sulla scena avrebbe provveduto a smentirla.

Il 26 gennaio Favre si rassegnò a firmare l'armistizio con la Prussia, dimostrando ancora una volta di essere un pessimo negoziatore; le elezioni dell'8 febbraio sancirono la vittoria dei fautori della pace e il 17 Thiers venne nominato capo del potere esecutivo, cioè dello Stato e del governo.

Per nulla intimidita dal susseguirsi vorticoso di avvenimenti di importanza cruciale per la Francia e dal carico di responsabilità venuto a gravare sul suo vecchio amico, Virginia non si fa scrupolo di reiterare le sue richieste, ricordandogli garbatamente quanto ha fatto per lui, e per accentuare l'effetto drammatico non esita a definire «bambino» il figlio ormai sedicenne: «Adesso che siete Re, dovrò rivolgermi a voi per avere una grazia! Ma sono certa che il vostro primo favore lo destinerete a una vecchia amica come me, che ha sempre nutrito sentimenti inalterabili per la vostra persona, la vostra intelligenza, la vostra famiglia – malgrado e contro tutti. Orbene, conoscendo la vostra benevolenza nei miei confronti, ho il diritto di contare sulla vostra protezione e la invoco mentre mi accingo a partire per Parigi, cosa che a quanto si dice non è ancora né prudente né facile per una donna sola con un bambino!». Frattanto, essendo riuscita a farsi spedire a Torino solo una piccola parte delle casse con i suoi tesori, «la bellissima e amabilissima contessa», come la chiamava lui, chiedeva a Thiers un lasciapassare in bianco – analogo a quello già ottenuto dai prussiani – per poter mandare a Parigi, prima ancora della fine della guerra, una persona di fiducia a vegliare sui suoi interessi. Virginia temeva infatti che le condizioni della pace – firmata a Versailles il 26 febbraio con la cessione dell'Alsazia e della Lorena e un indennizzo di cinque miliardi di franchi da pagare in cinque anni alla Germania – scatenassero il malcontento nella capitale, già allarmata dalla decisione del governo e dell'Assemblea nazionale di stabilirsi a Versailles: «A voi solo» scriveva all'amico «spetta il compito di placare gli animi turbati di Parigi, aiutandoli a sopportare le sventure nella benefica quiete della pace: non vi è rassegnazione più onorevole».[33]

Ancora una volta Virginia ci aveva visto giusto, dato che il 18 marzo Parigi insorse, sconfessando il governo, sopprimendo il parlamento e dando inizio alla Comune. Due mesi dopo Thiers ricorreva alle maniere forti ordinando al maresciallo Mac-Mahon di marciare con l'esercito sulla capitale, e il 28 maggio l'esperimento della Comune finì in un terribile bagno di sangue.

Virginia non avrebbe neppure aspettato l'elezione di Thiers a presidente della Terza Repubblica francese per ritornare ad appellarsi ai suoi buoni uffici. Prima di entrare in medias res, però, riusciva a trovare le parole giuste per felicitare l'amico per quel ritorno all'ordine, sebbene ottenuto spietatamente al prezzo della vita di decine di migliaia di cittadini. Con molto tatto, Virginia incentrava dunque l'adulazione sulla dolorosità delle scelte a cui l'amico era stato costretto, suo malgrado, a fare ricorso: «Mio caro Viceré, è necessario congratularsi con Voi, lecito biasimarVi, doveroso ammirarVi, o bisogna piuttosto compiangerVi?

«In verità non so da dove cominciare a richiamarmi alla Vostra memoria nel tumulto dei Vostri dolori, delle Vostre glorie, delle Vostre perdite personali e pene pubbliche, e dopo il Vostro trionfo. Per meglio esprimere il mio pensiero non posso certo scrivere meglio di quanto Voi parliate e non mi attenterò neppure a consolarVi ».

Passava poi a raccomandargli due persone che le stavano a cuore. Il primo era quel Lao Bentivoglio con cui, quindici anni addietro, aveva avuto una fugace avventura, destinata a costituire per lui un « ricordo eterno, ineffabile, possente ».[34] Lasciatosi alle spalle « le follie di gioventù », Bentivoglio, fiorentino imparentato con il clan Poniatowski, era passato al servizio di Napoleone III entrando in diplomazia, e aveva fatto una modesta carriera in Medio Oriente. Ma ora, a due anni dalla pensione, era stato revocato dall'incarico di console generale di Francia a Smirne, senza prospettive di una nuova destinazione. Sprovvisto di patrimonio personale, con una moglie e tre figli da mantenere, Bentivoglio aveva chiesto aiuto al cugino Giuseppe Poniatowski e a Virginia.[35] Il principe aveva lasciato Parigi alla caduta dell'Impero, dunque la sola in grado di intercedere presso il nuovo governo era la proteiforme Nicchia, che si mosse senza indugio.

Nel richiamare l'attenzione di Thiers sul caso Bentivoglio, Virginia non si limita a invocare « l'abnegazione di servizio » del conte « nelle contrade più inospitali » e « la miseria e la desolazione » a cui il suo ingiusto richiamo condannava un'intera famiglia, ma sfodera, con il consueto acume, un argomento a cui il *petit président* non poteva essere insensibile. La sorte che incombeva sui figli di Bentivoglio non rischiava forse di farne dei potenziali rivoltosi? « Questi fanciulli innocenti, che sono francesi e non potranno più né servire il loro paese né restituire il loro nome all'Italia, poiché dal padre avranno certamente ricevuto in eredità un cuore francese » erano inevitabilmente destinati a crescere sotto il segno del rancore e dell'amarezza; come stupirsi se, « rovinati, perduti, sradicati, smarriti, soli », fossero diventati dei « criminali come quelli che hanno incendiato Parigi e causato la sua rovina? ». Virginia sembrava avere ben chiaro che lo spirito di rivolta era un fenomeno endemico della società francese e che per la Terza Repubblica non si preparavano tempi facili. E poiché il governo di Thiers aveva adottato « l'insegna della giustizia e del diritto », lei si permetteva di fare appello « alla viva intelligenza e all'umanità » dell'amico per chiedergli « di provvedere subito affinché il conte Bentivoglio rimanga al suo posto o sia destinato a uno equivalente ».[36]

L'altra raccomandazione era di natura più delicata, perché riguardava un uomo che sotto l'Impero aveva ricoperto una carica di rilievo. Virginia sottoponeva alla « benevolenza personale » del capo dell'esecutivo il caso del barone Arthur-Léon Imbert de Saint-Amand, scrittore e diplomatico di carriera il quale, mostrando « l'inconsueto merito di volersi mantenere, sulle prime, fedele ai suoi antichi protettori », aveva presentato le dimissioni. Una decisione azzardata, visto che, « sprovvisto di un patrimonio e di una carriera », il giovane gentiluomo doveva farsi carico anche della madre e della sorella. Virginia chiedeva dunque a Thiers di non tener conto di quel « torto onorevole e commendevole »[37] e di reintegrare l'imprudente diplomatico nelle sue funzioni. L'iniziativa, intrapresa all'insaputa del diretto interessato, voleva forse essere un gesto riparatore nei confronti di un uomo a cui aveva spezzato il cuore?

Iniziata nei primi giorni del 1869, la loro relazione era stata di breve durata, ma aveva profondamente segnato lo scrittore trentacinquenne. Prima di aprirgli le braccia, lei si era divertita a riservargli la solita accoglienza glaciale: « Era il primo giorno che varcavo la soglia di casa tua, della casa dove ho tanto sofferto... Ero arrivato tutto tremante... Tu mi apostrofasti con freddezza: "Che cosa siete venuto a fare qui?". Ma dalla tua aria indifferente traspariva un sentimento di soddisfazione celata. Allora, dandomi il ritratto che adesso ricopro di baci, mi dicesti: "Questo è per voi"... E mi facesti sedere accanto a te... E poi, e poi... le lacrime mi velano gli occhi... Oh! La tua voce, la tua voce, com'era dolce, quando stringendomi al cuore mi dicevi: "Calmatevi, calmatevi". Oh, il mio sangue, tutta la mia vita se occorre, per vivere ancora un'ora come quella! ».

In realtà Saint-Amand era troppo orgoglioso per resistere al trattamento che Virginia infliggeva ai suoi amanti. In cambio di qualche raro momento di felicità – « sei stata così buona, così gentile ieri sera » – era necessario soggiacere ai suoi capricci, subirne i tradimenti, « abdicare alla propria volontà, rinunciare a essere se stesso ». D'altronde, per quanto « cattiva, crudele, terribile », Virginia parlava chiaro: « La cosa che più mi dà gioia al mondo è la mia posizione libera... Quanto ai sentimenti ostili che covano sotto il disappunto causatovi dal mio attaccamento a un altro, non hanno il potere di ferirmi, perché li respingo come i vostri rimproveri ».[38] Incapace di rassegnarsi, lui aveva finito per mettere termine alla relazione, ma come sempre lei non vedeva ragione di giungere a rotture definitive e preferiva continuare a tenere gli ex amanti aggiogati al suo carro. Per riprendere al laccio l'infelice Saint-Amand le era bastato ricordargli la propria, di infelicità: « Poiché avete detto di non volermi più vedere, » gli scriveva nel marzo del 1869 « vi ho evitato, privandomi del solo piacere, se posso definire piacere un diversivo raro e melanconico, simile a una musica triste ».[39] Ed è come « Musa della Malinconia » che lui l'avrebbe celebrata anni dopo in versi nostalgici.[40] I loro rapporti si erano interrotti con la guerra franco-prussiana e il ritorno di Virginia in Italia, ma poi, allorché aveva appreso della difficile situazione in cui si trovava l'ex amico, l'imprevedibile contessa era corsa in sua difesa. Dettato da uno slancio sincero, il suo *beau geste* era anche un modo per riprendere contatto con lo scrittore e assicurarsene la gratitudine, ma bisognava che lui ne fosse informato. Virginia aveva dunque pensato bene di inviargli direttamente la lettera per Thiers in modo da lasciargli la libertà di valutare se inoltrarla al destinatario. Qualora Saint-Amand avesse preferito non servirsene, era pregato di rimandarla a Virginia « senza rimproveri né ombra di rimpianto »: lei aveva solo cercato di testimoniargli la sua amicizia facendogli un favore « senza che le venisse richiesto ».[41] Non sappiamo se è grazie a questa raccomandazione[42] che Saint-Amand conservò il suo impiego al ministero, ma certo l'iniziativa di Virginia colpì nel segno, ottenendo la risposta desiderata: « Colui che vi ha tanto amata, che vi ama ancora, che non vi dimenticherà mai, ha provato un'emozione profonda nel rivedere la vostra scrittura diletta. Quando tutti l'avevano abbandonato, voi vi siete ricordata di lui. Siate benedetta... Non oso sperare di potervi mai rivedere. Forse ricuserete di accordarmi questa gioia. Sia fatta la vostra volontà! Comunque sia, vi amerò sempre... sempre ».[43]

Eppure, quando gli si presentò l'occasione di mettere nero su bianco la sua ammirazione per Virginia nei suoi scritti sulla corte del Secondo Impero, Saint-Amand riservò alla contessa di Castiglione – ormai ritirata dal mondo e sul viale del tramonto – solo un breve ritratto, incentrato sulla sua bellezza e privo di simpatia.[44] Le pene d'amore avevano ceduto al risentimento, e il *beau geste* di Virginia non aveva lasciato traccia.

MADRE E FIGLIA

Il ritorno di Parigi alla normalità, il desiderio di riprendere finalmente possesso delle «cose sue»,[1] l'amicizia di Thiers e dei Rothschild, il rientro in patria degli Orléans a cui era da tempo legata, la curiosità per uno scenario politico in rapida evoluzione: furono questi i motivi che indussero Virginia a stabilirsi di nuovo in Francia. Va anche detto che la relazione con Vittorio Emanuele non aveva dato gli esiti sperati e le era sempre più difficile trovare ascolto presso gli esponenti del governo italiano; a Torino e a Firenze era di casa, ma la società romana (dalla fine di gennaio del 1871 la corte non risiedeva più a Firenze) era una terra incognita. La scomparsa della madre era destinata a segnare un ulteriore distacco dal passato.

Da anni ormai la salute della marchesa Oldoini andava peggiorando, finché, nel gennaio del 1872, la situazione si aggravò decisamente. Avvertita da Carlo Poniatowski,[2] Virginia, da tempo in rotta con la madre, arrivò a La Spezia assieme al figlio per non allontanarsi più dal suo capezzale. Il 6 febbraio un telegramma di Giorgio informava il nonno, dal 1868 a capo della legazione italiana di Lisbona, che la marchesa chiedeva di vederlo.[3] In realtà, in preda alla sovreccitazione nervosa e in stato confusionale, Isabella non era più presente a se stessa. Sarebbe stata la figlia a chiuderle gli occhi il 9 marzo.

Per Virginia era arrivato il momento di fare i conti con la figura antagonista da cui, fin dall'adolescenza, aveva cercato in ogni modo di prendere le distanze. Non solo la madre si era resa colpevole di un eccesso di amore, delegandole il compito di essere felice al posto suo, ma aveva l'imperdonabile torto di conoscerla bene, cosa intollerabile per chi, come lei, aveva fatto del segreto la sua parola d'ordine. Paradossalmente, a dividere le due donne erano proprio le affinità caratteriali.

Da Isabella Virginia aveva ereditato l'intelligenza, la libertà di giudizio, la causticità, lo spirito di indipendenza, ma ne aveva fatto un uso molto diverso. La madre se n'era servita per affrontare con coraggio ed equilibrio una vita diversa da quella che aveva sperato: un marito vanesio e nevrotico, una famiglia disastrata, una situazione economica sempre più compromessa. Lasciatasi alle spalle gli errori della giovinezza, si era assunta le sue responsabilità pur non rinunciando a un garbato edonismo, e senza mai smettere di preoccuparsi dei suoi cari – esattamente quello che la figlia non intendeva fare. Armata dell'incrollabile fiducia nella propria bellezza e superiorità intellettuale, Virginia non era disposta a lasciarsi intrappolare come la madre in una vita di doveri, compromessi e rinunce. Voleva essere libera di dare alla sua esistenza la forma che più le conveniva. E ben sapendo di nutrire ambizioni inconciliabili con lo spirito di sacrificio imposto alle donne dall'etica borghese, aveva preferito giocare d'astuzia. A differenza di Isabella, si guardava bene dal prestare il fianco alle critiche dicendo quello che pensava o indulgendo in pubblico ai modi familiari e al turpiloquio fiorentino, e solo con Poniatowski si concedeva il lusso di essere se stessa. Come abbiamo già visto, a servirle da modello nell'arte della dissimulazione era piuttosto il padre, con la sua signorilità studiata e il linguaggio cerimonioso della diplomazia. A seconda delle circostanze, Virginia si sarebbe forgiata le maschere più adatte. Le interpretazioni potevano variare ma il fine era sempre lo stesso: suscitare l'ammirazione e dominare per non essere dominata. E il primo, ingombrante legame reciso senza esitazioni era stato quello con la madre.

Diverso fu anche il loro comportamento di fronte all'irreparabile: mentre le delusioni e le sconfitte della vita avrebbero spinto Virginia a rifugiarsi nel ricordo del passato, la madre non si era mai arresa a un presente sempre più cupo. Al dolore per il comportamento della figlia e per la morte del genero si era aggiunta l'angoscia per il nipote, ormai alla mercé della stravaganza materna, per l'amato fratello Sandro, ridotto in miseria dai debiti di gioco, per il marito lontano, eternamente irrequieto e sempre più bisognoso di sostegno psicologico. Ma problemi economici, malattie e dispiaceri non ne avevano cambiato il carattere, appannato la lucidità di giudizio, compromesso la generosità. Aveva esercitato fino alla fine l'improbo ruolo di matriarca, cercando di tenere le fila della sua impossibile famiglia. E quando non poteva cambiare il corso delle cose, trovava per ciascuno le parole giuste.

Così, per esempio, nell'inviare gli auguri per il nuovo anno al nipote rimasto orfano da appena sei mesi, Isabella si faceva forza e, sia pure con il cuore straziato, lo esortava alla rassegnazione: «Quanto a te, bambino mio, l'anno scorso è stato il più crudele di tutti, non poteva capitarti disgrazia peggiore che perdere il tuo amato Padre. Spero che Dio ti risarcirà in avvenire, prendendoti sotto la sua protezione». E, ben conoscendo la durezza del trattamento che gli riservava la madre, gli ricordava che, nonostante la lontananza, continuava a essere teneramente amato da entrambi i nonni.[4]

Molto più antica, e sempre presente, era la preoccupazione per l'instabilità nervosa e l'irrequietezza patologica del marito. Lei però sapeva come tranquillizzarlo e, non meno della figlia, si prodigava per assecondarne i capricci, cercando di aiutarlo a cambiare sede e a ottenere congedi. Ma quando, dopo avere fatto fuoco e fiamme per ottenere l'ambasciata di Lisbona, il marchese le dichiarò di voler tornare a La Spezia, lo costrinse a guardare in faccia la realtà: Isabella sapeva di avere i giorni contati, e voleva proteggerlo da se stesso. Sei mesi prima di morire ancora lo supplicava di non passare « dallo stare signorile » allo stato di miseria in cui si trovava lei: « Finché puoi dunque, cerca di goderti una vita agiata e tranquilla. Io non voglio tormentarti ma sai che ho dieci e devo pagare venti, sicché te lo puoi immaginare ».[5] Risparmiare alle persone care le proprie sofferenze era una consolazione a cui non voleva rinunciare.

Il marchese Oldoini aveva fatto tesoro del consiglio della moglie, al punto da non sentirsi in obbligo di partecipare al suo funerale, ma l'egoismo non gli impediva di rimpiangerla sinceramente: « Povera mamma che ci amava tanto! » scriveva alla figlia. « Adesso è il vostro angelo custode in cielo... Forse stenterete a credere fino a che punto, nonostante le nostre vite separate, ella mi manchi e io mi senta derelitto ».[6]

Certamente la morte della madre aveva lasciato il segno anche su Virginia, ma in che modo? Era il rispetto delle convenienze o un sincero sentimento filiale ad averla fatta accorrere al capezzale della marchesa in fin di vita? Le condizioni mentali dell'ammalata non le avevano consentito una riconciliazione, ma l'avevano messa di fronte a ciò che più temeva: la perdita dell'autocontrollo e la minaccia della demenza che incombeva sulla sua famiglia. « È meglio che muoia, per il mondo e per se stessa; se anche dovesse riprendersi, rimarrà sempre molto, molto inferma » confidava a Carlo Poniatowski. La sua morte l'aveva « stordita », e rappresentava una perdita di cui, almeno così affermava, solo Dio avrebbe potuto consolarla.[7] Avrebbe fatto la sua parte fino in fondo, ricoprendo di fiori la bara della marchesa, organizzando una bella cerimonia funebre, adottando il lutto stretto e accogliendo con gentilezza le condoglianze di amici e parenti.

Inutile chiedersi se avesse ripensato con rimorso ai dolori che le aveva inflitto, per le persone che le appartenevano non aveva riguardi. Ma la scomparsa di Isabella rimetteva in discussione il rapporto con il padre: venuta meno la funzione mediatrice della marchesa, la figlia doveva fare i conti con l'egoismo, la testardaggine e le nevrosi del marchese Oldoini, e viceversa. E poiché entrambi avevano bisogno di soldi, le proprietà di La Spezia erano destinate a diventare il loro primo campo di battaglia.[8] Per il momento, l'obiettivo di Virginia era tornare a stabilirsi a Parigi.

LA TERZA REPUBBLICA
(1872-1879)

All'inizio dell'estate del 1872, quando Virginia tornò a Parigi dopo quasi tre anni di assenza, la capitale francese si era appena lasciata alle spalle uno dei momenti più terribili della sua storia. La sconfitta di Sedan prese infatti, come ha scritto Benedetto Croce, «l'aspetto di una nuova *finis Romae*».[1] La disastrosa pace di Versailles, con la perdita dell'Alsazia e della Lorena, il drammatico esito della Comune di Parigi e, non ultimo, il debito di guerra di cinque miliardi di franchi da pagare in cinque anni, rendevano quanto mai incerta la tenuta della Terza Repubblica, il nuovo assetto costituzionale che la Francia si era data alla fine del Secondo Impero. Gli scheletri anneriti del Palazzo delle Tuileries e dei numerosi edifici incendiati dai comunardi erano ancora lì a ricordare la guerra civile che si era appena consumata. Eppure, nonostante l'instabilità politica, la recessione economica e le tensioni sociali, Parigi conservava intatta la sua capacità di attrazione e continuava a dettare legge nel campo del gusto, delle arti, della moda, e Virginia era decisa a riprendervi il posto che le spettava.

Recuperati finalmente tutti i mobili, le suppellettili, gli oggetti di pregio per cui aveva mosso mari e monti, ma non disponendo più della casa di Passy, il cui affitto era scaduto, fu costretta a metterli in deposito in luoghi diversi. In attesa di trovare un appartamento adatto alle sue molteplici esigenze, andò ad abitare in due camere ammobiliate all'Hôtel de l'Alma, dopo essere riuscita a lasciare il figlio dai Rothschild in rue Laffitte. Poi, come scriveva al padre, dopo due terribili estati trascorse « a sudare al sole delle città italiane impegnata in varie faccende », partì per Dieppe.[2] In settembre le toccò andare a Roma per battersi contro gli espropri che incombevano sui possedimenti spezzini, ma subito dopo tornò in Francia, declinando l'invito del padre a raggiungerlo a Lisbona: « Per ora venire non posso, affari molti e noiosi ». Peraltro, essendo ancora in lutto stretto per la morte della madre, non voleva passare, con i suoi « vestiti di lana neri e brutti, per la Cenerentola della Legazione ». E pur ridotta a mostrare i suoi « resti », « la figlia d'Italia » voleva che fossero « belli e puliti e non così lugubri ».[3]

I « molti e noiosi » affari che l'aspettavano a Parigi erano, come al solito, di natura economica. Fino a quel momento aveva fatto in modo di non rimborsare a Charles Laffitte i prestiti ottenuti una decina di anni prima, ma adesso il banchiere, che versava in gravi difficoltà finanziarie, minacciava di intentarle un processo. E Virginia non poteva sperare nell'aiuto di Poniatowski, per il quale aveva a suo tempo contratto il debito. Quest'ultimo, infatti, rifugiatosi a Londra dopo la caduta dell'Impero, ammalato e ridotto in miseria, poteva contare ormai solo sui suoi guadagni di musicista.

Non era la prima volta che i due ex soci in affari giungevano a una resa dei conti. Già in passato, indignata dall'irresponsabilità del Vecio, Virginia si era rivolta a Martelli,[4] uomo di fiducia di entrambi, per denunciare il comportamento scorretto del principe e chiedere garanzie a tutela dei propri interessi. Allarmato, Poniatowski aveva cercato di rabbonirla promettendole solennemente di vivere dei suoi compensi di senatore, di non contrarre più debiti e di affidarsi in tutto e per tutto a lei. Come poteva dubitare, scriveva allora, della fiducia sconfinata e dell'immensa gratitudine che nutriva nei suoi confronti? E, facendo appello alla loro complicità erotica, cercava di commuoverla

– « ho passato 15 giorni d'inferno, ho bisogno di trovare la Nicchia carina » –[5] pregandola di mandargli un « bisin » in segno di pace. « L'ho cercato dappertutto nella lettera ma non l'ho trovato, io ne mando mille e cento alla Lisetta ».[6]

Se il problema del debito contratto per Poniatowski si riproponeva negli stessi termini dopo dieci anni, la relazione tra la contessa e il principe era profondamente mutata. Per la verità Virginia si interrogava sulla natura dei suoi sentimenti fin da quando, nella solitudine della collina torinese, lo aveva eletto a confidente privilegiato, e gli chiedeva: « Vorrei sapere qual è la parte che resta a me? ». Ma, pur temendo che un giorno il Vecio potesse ripagarla della dedizione con « l'oblio, l'indifferenza e l'abbandono », teneva a ribadirgli che altri forse gli avrebbero voltato le spalle, ma « la Nicchia sola sarebbe rimasta sua per sempre in saecula saeculorum ».[7]

Ancora nel 1865, facendo appello alla benevolenza dell'imperatore e alla mediazione del conte Baciocchi e del principe Napoleone, Virginia si era lanciata in un'ennesima, complicatissima manovra finanziaria che mirava a salvare la famiglia Poniatowski dalla catastrofe economica. Chiamato in causa nelle liti giudiziarie seguite alla morte del duca di Morny, il figlio di Giuseppe, Stanislao, era stato accusato di aver ricevuto « da mano a mano » elargizioni illecite da parte del padre naturale della moglie. « Non c'è che la Nicchia, più povera di tutti, capace di tutto » si esaltava lei, e « con le tasche piene di calmanti » si batteva per impedire che si tagliasse « il futuro sotto i piedi al padre e al figlio », forte di un'unica certezza: « a cose finite sempre uniti noi resteremo e tutti questi intrusi li rimanderemo all'inferno ».[8]

Ciononostante, la leggerezza, l'inaffidabilità e l'egoismo del principe l'avevano progressivamente allontanata da lui, e verso la fine degli anni Sessanta i loro rapporti si erano allentati. E ora, davanti alla richiesta urgente di metterla in condizione di rifondere Laffitte per non dover dichiarare in tribunale di avergli fatto da prestanome, il Vecio si toglieva finalmente la maschera e rivelando tutto il suo cinismo la insolentiva con un linguaggio molto poco « principoso »: Virginia ai giudici poteva dire quel che voleva, ma anche se era stato lui a beneficiare del prestito di Laffitte la titolare del debito era lei. « Se ti metti contro di me dirò la verità, perché non ho niente da perdere, ma non vedo che vantaggio ne trarrai se non quello di esporre il tuo culo alla finestra. Bello com'è, di sicuro lo si guarderà volentieri ».[9]

Per quanto oltraggioso e brutale, il comportamento del principe non doveva costituire una sorpresa per lei. Non era certo una novità che il Vecio le mancasse di rispetto,[10] e tutta la famiglia Poniatowski l'aveva sempre sfruttata senza complimenti. Una volta, in vista di un affare con la banca Rothschild, la « Vecia » non si era peritata di scriverle: « Tieni in caldo la passione che il vecchio Barone ha per te, mostragli quella bella "cosina" ma proibiscigli di toccarla ».[11] Eppure, Virginia aveva continuato a preferire il clan Poniatowski alla sua stessa famiglia, e a dar prova di un'indulgenza illimitata verso i suoi componenti. Non possiamo sapere se anche questa volta avrebbe finito per perdonare l'incorreggibile « Beppino », perché il 4 luglio 1873 il principe concludeva a Londra la sua vita avventurosa.

In seguito Virginia avrebbe maturato la convinzione che era stato lui a provocare la rovina della sua famiglia, ma per il momento non perse tempo a rivangare il passato. Non versò lacrime né per Napoleone III, che aveva preceduto di pochi mesi Poniatowski nella tomba, né per i fasti di quel Secondo Impero di cui lei stessa sarebbe presto diventata un simbolo,[12] e si rituffò nella sua grande passione, la politica. Dopo aver fatto l'Italia, salvato il papato e gettato le basi di un accordo franco-prussiano, era arrivato il momento di adoperarsi per liberare la Francia dall'impostura repubblicana e riconsegnarla ai legittimi sovrani.

Non era un progetto campato in aria. La maggioranza parlamentare scaturita dalle elezioni del febbraio 1871 era realista, e non era riuscita a restaurare la monarchia solo perché non aveva saputo negoziare un'intesa tra le dinastie rivali. Il pretendente legittimista, il conte di Chambord, nipote di Carlo X e figlio del duca di Berry, si era rifiutato di adottare il tricolore, che ormai nemmeno i realisti mettevano in discussione, dichiarando che l'onore gli vietava di adottare una bandiera macchiata dal sangue di Luigi XVI, e pretendendo il ritorno allo stendardo bianco dei Borbone. Il candidato orleanista sostenuto dalla destra e dal centro, il duca d'Aumale, figlio quartogenito di Luigi Filippo, era malvisto dallo schieramento opposto e inoltre, ligio alle leggi e rispettoso della volontà popolare, si era mostrato titubante davanti all'eventualità di essere chiamato alla presidenza della Repubblica.

Virginia era in rapporti amichevoli – e forse più che amichevoli – con lui da quando, nella trionfale bellezza dei vent'anni, era andata a fargli visita a Twickenham, e al crollo del Secondo Impero aveva sperato di vederlo assumere la guida del paese. Henri d'Orléans aveva tutte le qualità per riuscirci – amor di patria, valore militare, fede liberale, rispetto delle istituzioni – ma mancava di determinazione. Dopo aver ottenuto la revoca dell'ordine di esilio e la restituzione del patrimonio, essere stato eletto deputato all'Assemblea nazionale e reintegrato nel grado di generale di divisione, non aveva voluto entrare nel vivo della lotta politica né tantomeno accettarne i compromessi. Anziché fare la storia, il duca d'Aumale preferiva studiarla, evocare le gesta dei suoi avi, collezionare incunaboli, manoscritti su pergamena, libri preziosi, quadri, statue, miniature, e trasformare il suo castello di Chantilly in uno straordinario museo.

Virginia provava per lui un'ammirazione sincera e tentò a lungo – con l'appoggio dell'amico Estancelin – [13] di vincerne le reticenze, esortandolo ad approfittare del clima di incertezza politica della Terza Repubblica per riportare gli Orléans alla guida del paese.

Perfettamente a suo agio nella parte di mentore, Virginia si proponeva innanzitutto di scuotere il duca dall'immobilismo: «Bisogna conquistare la Francia» gli scriveva in tono combattivo «e nessuno è in grado di riuscirci meglio di voi».[14] Così lo incoraggiava a uscire allo scoperto: «Che cosa aspettate a farvi valere per quel che siete, e a imporre le vostre condizioni?».[15]

Aumale si mostrava sensibile al suo interessamento: «Madame, sono rimasto colpito dalla vostra simpatia e dal vostro ricordo affettuoso, e ve ne sono profondamente grato» le rispondeva galante. «Avrei voluto, vorrei ancora potervi ringraziare a viva voce, e se vi sapessi a Parigi cercherei sicuramente di venire a trovarvi».[16]

In attesa di incontrarlo per sfoderare tutta la sua eloquenza, Virginia confidava però al Normanno il proprio sconcerto: «Coraggioso sui campi di battaglia e nella vita, come può un principe mostrarsi irresoluto ai banchi di governo?».[17] E come non constatare che più passava il tempo e più Aumale, circondato da consiglieri «sciocchi», si mostrava sordo alle loro esortazioni? Quand'è che avrebbe smesso di vedere in Estancelin «un uomo dedito alle donne, alla caccia, ai motti arguti» e in lei «una donna dedita agli uomini e un'eccentrica»?[18] Scritto sotto forma di questionario al tempo delle trattative di pace, un biglietto della contessa al generale illustra bene lo stato d'animo dei due vecchi complici: «Dove siete? / Cosa fate? / Cosa farete fare? / Cosa desiderano i Vostri? / Cosa vuole il mio? / ... Cosa vorreste che facessimo?».[19]

Il peggio era che il duca non sollecitava la sua presenza a Chantilly e tardava a farle visita. È vero che Virginia, ancora una volta malata, non poteva invitarlo a cena ma – ironizzava con Estancelin – «non è necessario desinare insieme per vedersi, si può anche parlare in una camera da letto. Fare visita ai malati è dovere dei re e diritto dei principi che hanno regnato o sono destinati a governare». E concludeva: «Che venga a lezione dunque, in questa camera d'ammalata, e accompagnato se vuole. L'etichetta sarà osservata scrupolosamente. Riferitegli pure tutto ciò, e se mai si decidesse fatemi sapere il giorno in cui verrà, questo agnello che non mangerò...».[20]

Alla fine la visita aveva avuto luogo, ma, come lei riferiva prontamente a Estancelin, l'aveva colmata di amarezza: impettito, vestito a lutto per la morte della moglie, «cerimonioso e compunto», Aumale aveva preso posto su una sedia accanto al letto dell'ammalata, con il cappello sulle ginocchia, senza mai togliersi i guanti color grigio perla. Il suo algido distacco aveva dato a Virginia – pallida, sofferente, non truccata – la misura del tempo trascorso dal loro primo incontro; ma si era fatta coraggio, e per due ore aveva tentato di sondare le intenzioni politiche del duca. « Ha parlato solo di *politica, Gambetta, Re*. È ben quest'ultimo il titolo a cui aspira, però vorrebbe arrivarci venendo *eletto*; date retta all'intuito femminile ».[21] Come spesso le accadeva, Virginia aveva visto giusto: prigioniero dell'alta idea che coltivava di se stesso, della sua storia familiare e dell'inconciliabilità tra i princìpi liberali e le sue ambizioni più segrete, il duca aveva ormai perso la partita. La delusione fu cocente, ma l'irriducibile cospiratrice aveva già in serbo un altro Orléans con cui consolarsi dell'affronto di quei guanti grigi che avrebbe impiegato molto tempo a dimenticare.

Era stato Estancelin a farglielo conoscere. Giovane, bello, cavalleresco, Robert d'Orléans, duca di Chartres, aveva tutto per piacere. Aveva partecipato alla seconda guerra d'indipendenza nelle file dell'esercito sardo, distinguendosi a Palestro, e all'inizio del conflitto contro la Prussia aveva chiesto a Napoleone III di potere combattere nell'esercito francese. La stessa Virginia aveva perorato invano la sua causa scrivendo all'imperatore una vibrante supplica: « Suvvia, Sire, concedete a un reale di Francia di morire da soldato e avrete un rivale di meno ».[22] Chartres non si era rassegnato: dopo la sconfitta di Sedan si era coperto d'onore battendosi nei ranghi dell'esercito francese con il nome fittizio di Charles le Fort, e alla fine della guerra era rimasto al servizio della Terza Repubblica. Più giovane di Virginia di tre anni, era felicemente sposato, il che non gli avrebbe impedito di avere con lei una lunga relazione amorosa.[23]

Chartres si mostrò sordo alla sollecitazione di difendere la causa orleanista nell'agone politico, attenendosi in tutto e per tutto alle decisioni del fratello maggiore, il conte di Parigi, ma fu pronto a dare piena soddisfazione a Virginia in campo erotico. « Ho provato un'ebbrezza che mi ha fatto quasi paura »[24] le scriveva dopo la loro prima notte d'amore, e da allora non aveva smesso di desiderarla. « Se mi consentirai di venire ... a baciare per un istante le tue mani belle, scrivimi al mio indirizzo di Parigi ... e risponderò all'adagio *Quando, Come, Dove* [in italiano nel testo] ».[25] I loro incontri si sarebbero rinnovati per anni e, nonostante il tono scherzoso adottato da entrambi – lei lo aveva soprannominato « Gianduya », lui « Tante », Zia, per il suo legame con il duca d'Aumale –, la loro relazione non avrebbe escluso la gelosia. Come vedremo, sarebbe stato il rapporto di Virginia con Costantino Nigra a fare inalberare Chartres, ma superata la crisi, Zia e Nipote avrebbero continuato a lungo a commemorare, ogni 13 del mese, i trascorsi comuni: « Addio balcone, notte al chiaro di luna, sere colme d'ebbrezza ... Serbate un po' di amore per il nipote che penserà sempre a voi – a te »[26] le scriveva nel corso di uno dei suoi tanti viaggi, e lei di rimando: « Per scrivervi ho aspettato fino a mezzanotte, l'ora dell'amore, l'ora, forse, dei convogli reali e militari, credendo, sperando... che all'ora di corte sulla piazza dei Napoleoni si vedesse comparire un reale di Francia o una lettera ».[27] Le sue speranze non sarebbero andate deluse: l'amicizia del duca l'avrebbe accompagnata fino alla soglia estrema della decadenza.

Anche il legame con Estancelin continuava a essere solido, e i loro rapporti rimanevano affettuosi. Nel maggio del 1871, quando l'amico, nominato comandante generale delle forze ausiliarie per la difesa della Normandia, era stato colpito al petto ed era dovuto tornare a Baromesnil per curarsi, Virginia si preoccupava di non avere risposta alle sue lettere. Sapendolo in famiglia, intendeva accertarsi che gli fossero state consegnate, precisando maliziosa: « erano giudiziose come me e si limitavano a chiedere vostre notizie » (evidentemente le capitava di scriverne altre meno castigate). Ma quello che le premeva era essere rassicurata sulle sue condizioni fisiche, perché l'*esprit*, osservava con arguzia, i Prussiani non glie l'avevano certo tolto: « Né gli assedi né le bombe di grosso calibro possono scalfirlo ».[28]

Anche negli anni seguenti Virginia avrebbe continuato a esortare affettuosamente Estancelin a non tirare i remi in barca: « Ma che ci fate nella vostra tana normanna, fra i gigli penduli e le violette impettite? Sperate forse di meritarvi, con qualche saggio di agricoltura locale, la nuova decorazione della Repubblica francese color della speranza? Andiamo, uscite da quell'antro oscuro, riprendetevi e... venite a darmi un bacio».[29] Sapeva di poter contare sempre sulla sua amicizia: «Devo annunciarvi un fatto grave e parlarvi di una questione urgente»[30] gli scriveva, dandogli appuntamento all'Hôtel de l'Alma. Tutto lascia supporre che la questione urgente riguardasse quel «Georgette» a cui, ancora di recente, lui aveva tirato affettuosamente le orecchie e che, come vedremo, stava dando parecchio filo da torcere a sua madre.

Ma non c'erano solo i vecchi amici: nei primi mesi del 1873 Virginia conobbe un uomo che le offrì un'ultima occasione di giocare al gioco dell'amore. Si chiamava Paul Granier de Cassagnac ed era un giornalista di grido che conduceva sulle colonne del quotidano «Le Pays», di cui era caporedattore, una virulenta campagna antirepubblicana e in favore della restaurazione del regime imperiale. Di cinque anni più giovane di Virginia, Cassagnac era un uomo atletico con un bel volto virile e folti baffi da moschettiere che ben si addicevano al suo temperamento, sempre pronto ad attaccare briga e a sguainare la spada. Polemista di talento e amante della provocazione, si batteva con uguale violenza per il trono e per l'altare – soprattutto per figure ai suoi occhi sacre, come Maria Antonietta, Eugenia e Napoleone III –, e aggrediva gli avversari con la sua penna, a cominciare dall'odiato Gambetta, e senza risparmiare le istituzioni. Fu lui a coniare per la Terza Repubblica l'epiteto di «gueuse», pezzente. E se spesso gli avversari chiedevano ragione degli insulti citandolo in tribunale, lui preferiva farsi giustizia da solo sfidandoli a duello e riducendoli puntualmente a mal partito. Scapolo impenitente, era guascone anche nell'amore, e solo due giorni dopo essere stato presentato da una conoscente alla celebre contessa di Castiglione era partito all'assalto – con successo, si direbbe, visto che poteva scriverle: «Domani sera, se volete, verrò a parlarvi del bel sogno che ancora mi colma di emozione, e del desiderio sfrenato che ho di vederlo rinnovellarsi ancora... Si è creato tra di noi un vincolo fatale e mai lo spezzerò. Vostro, Paul».[31]

In realtà, le cose non erano andate esattamente così.[32] Sicuro di sé, e subito spazientito dal comportamento imprevedibile e capriccioso di Virginia, l'aveva trattata come una splendida cocotte, capace di slanci di generosità e allegria, con cui era bello fare l'amore: i rapporti tra loro dovevano essere chiari e lui non voleva saper nulla dei suoi traffici d'affari, dei suoi legami con quel « vecchio vermiciattolo »[33] di Charles Laffitte e con i suoi « principi di cartapesta ». Prima di lui soltanto Poniatowski si era permesso di trattarla con tanta franchezza – ma la cosa non sembrò dispiacerle. Decise di raccogliere la sfida, e adeguandosi alle richieste di Cassagnac riuscì a vincerne le resistenze e a entrare stabilmente nella sua vita. Dopo averle chiesto perdono per essere stato duro, il giornalista fu costretto ad ammettere di tenere alla contessa. Aveva, è vero, timore di confessarglielo, ma il suo « ostinato attaccamento » aveva avuto la meglio su di lui. Così, l'intimità tra loro andò progressivamente crescendo. Virginia lo chiamava « Le Pays » dal nome del suo giornale e lui, di rimando, la sua « jolie Payse ». Già in estate Cassagnac si scopriva bisognoso di lei e le confidava: « Ti abbandono per la campagna, ma prima lo facevo dimenticandoti e senza pensare a te, adesso non più ... mio malgrado, ti stai insinuando nella mia vita, e ti giuro che la cosa non mi dispiace poi tanto ». E prima di partire le inviava un ultimo messaggio: « Di ieri non ho memoria, cosa accadrà domani non lo so, ma stasera 23 luglio 1873, ti amo ».[34] Quelle parole, che davano a Virginia la certezza di aver trionfato sul suo moschettiere, non potevano che piacerle, poiché rispecchiavano fedelmente la sua concezione dell'amore, che era per lei una breve epifania, un effimero stato di grazia, destinato a non durare nel tempo. La contessa avrebbe continuato a servirsi degli uomini anche passata la soglia dei quarant'anni, ma la relazione con Cassagnac, esente da calcoli e menzogne, le portava una promessa di felicità, riconciliandola con la vita.

Non per questo, però, avrebbe rinunciato alla sua corte di schiavi.

L'ESCLAVE

Si firmava « L'Esclave ». Per mesi e mesi aveva stretto d'assedio Virginia con una corte assidua, nell'attesa di « sferrare l'attacco »[1] decisivo e avere ragione della sua resistenza. Ma nelle sue lettere alla « chère comtesse » – una ventina tra il 1873 e l'inizio del 1874 – non figurano solo le vecchie metafore militari del corteggiamento amoroso predilette dalla narrativa libertina: è l'obiettivo stesso della strategia epistolare, il dominio dell'altro grazie all'uso sapiente della parola, a consentirci di vedere di riflesso come Virginia regnava sui suoi adoratori.

Vari indizi[2] inducono a supporre che l'Esclave fosse Xavier Eyma, giornalista, romanziere e uomo di teatro che godeva di una certa notorietà. Originario della Martinica, aveva scritto saggi sugli usi e costumi delle Antille e dell'America del Nord, tra cui *Les Peaux noires. Scènes de la vie des esclaves*, per poi affrontare il medesimo tema in un romanzo del 1866, *La chasse à l'esclave*. Era quindi con piena cognizione di causa che, soggiogato dal fascino di Virginia e perfettamente disposto a essere alla mercé dei suoi capricci, aveva adottato quell'appellativo.

Ma come mai Virginia incoraggiò la corte di un uomo che aveva vent'anni più di lei e non era né ricco né altolocato? Giornalista influente, schierato su posizioni conservatrici ed esperto di finanza, per lei Eyma rappresentava ovviamente una preziosa fonte di notizie sia sul fronte della politica sia su quello degli affari; e tuttavia non furono questi gli argomenti di cui si servì per catturare l'attenzione di Virginia, il che forse spiega la lentezza dei suoi progressi. Puntando sul narcisismo della sua «padrona», e facendosene esegeta, l'Esclave si applicò a penetrarne la psicologia, interpretarne il comportamento, illustrarne i dilemmi. Come avevano insegnato i moralisti classici, nel rivelarla a se stessa si augurava anche di influenzarne le scelte.

I due avevano preso l'abitudine di vedersi e di scriversi ogni giovedì, ma fin dalla prima lettera Eyma si lamenta del contegno di Virginia, che dopo aver fatto nascere in lui «la presunzione» di poter «solleticare la sua curiosità», era scomparsa senza dare spiegazioni. Lui però non le portava rancore, e aspettava fiducioso che la fuggitiva facesse chiarezza nei suoi sentimenti. «Vedo tutto il turbamento dei vostri pensieri, tutte le oscillazioni del vostro cuore» le scriveva, dimostrando una buona dose di perspicacia. «Vi dite: "L'ho conquistato, sono conquistata io stessa; ma sono ancora padrona del mio cuore, dei sensi, della ragione, di tutta la mia persona, e a questo conquistatore conquistato cederò il bottino soltanto nel giorno e nell'ora che avrò deciso io"».[3] Del resto, era stata proprio Virginia, nel corso del loro ultimo incontro, e nell'attimo in cui si negava, ad ammettere di interessarsi a lui, armandolo di una nuova speranza ma lasciandolo nell'incertezza: «Era dunque il momento di sferrare l'attacco? ... Ebbene no! Ho resistito alla tentazione di questo cimento estremo ... Aspetto che sia lei, vinta da se stessa, a dirmi: "Venite, ecco la mia mano, ve l'avevo promessa, fate di me ciò che vorrete; anima, corpo, spirito, tutto vi appartiene" ... Non sarà solo il trionfo dei sensi, ma quello dell'essere nella sua interezza».[4]

L'attesa dell'Esclave rischiava però di essere lunga: dopo avere fatto perdere le sue tracce per un bel po',[5] Virginia si rifece viva, ma si rifiutò di vederlo accusando un grave malessere e rimproverandolo, in quello che lui definì

« un biglietto incantevole e malvagio »,[6] di non essere abbastanza sensibile da compatirla. Eyma ne approfittava allora per riprendere il doppio ruolo di psicologo e direttore di coscienza: « Mia carissima contessa, la vostra crisi è più morale che fisica, io sono per professione un medico dell'anima e individuo i miei malati a distanza, senza bisogno di guardarli e tastare loro il polso. Ho un altro modo di auscultare, e non mi sbaglio. Provatevi a negarlo, se ne avete il coraggio! In questa crisi ... c'entro un poco anch'io; per questo mi trovo in una posizione difficile, anche per darvi un consiglio, del resto forse non vorreste o non potreste seguirlo, quindi me ne astengo. Ma quello che posso dirvi è che aspetterò pazientemente la fine della crisi – vedremo se mi sarà favorevole o contraria ». A infondergli speranza era il ricordo del « giorno fausto » in cui lei gli aveva confessato di avere « la sventura » di interessarsi a lui.[7]

Ma quelle oscillazioni sentimentali, si chiedeva Eyma, le « perfide cortesie » di Virginia, erano davvero frutto del suo temperamento instabile, delle paure, del disagio esistenziale? O, al contrario, obbedivano solo a un piano « calcolato, lucidamente premeditato »? « Nel vostro mondo il caso non è ammesso: non può soddisfare le vostre esigenze » le scriveva. « Ciò che voi volete, è; ho già avuto modo di constatarlo personalmente. Nulla è più forte della vostra volontà, tranne le forze sovrumane che piegano ogni cosa ».[8] Lui non poteva fare altro che supplicarla di resuscitarlo, di scrivergli e di riprendere i loro incontri del giovedì, ben sapendo che nella sua « qualità di schiavo » non aveva diritti di sorta e dunque si atteneva all'obbedienza dovuta alla padrona di cui baciava piedi e mani.[9]

Eppure, rifiutandosi di vederlo e trincerandosi dietro pretesti, lei continuava a somministrargli, con la sua bella mano, « vigorose frustate » –[10] frustate che, viene da sospettare, il giornalista avrebbe gradito assai di più se fossero state reali anziché metaforiche. Si rendeva conto, la bella tiranna dallo scudiscio fatale, che la loro relazione rischiava di diventare una pericolosa fonte di equivoci? O si divertiva a tenerlo sulla corda come una volgare *allumeuse*? « Non vi faccio, cara contessa, il torto di accusarvi di civetteria ... Perciò ditemi chiaro e tondo, senza remore, il vostro pensiero: non scherziamo con il fuoco». Si rendeva conto lui stesso che la strategia epistolare con cui sperava di soggiogarla non stava dando i risultati sperati: «Sarebbe bene sbarazzarci di tutte le sottigliezze e delicatezze cui indulgiamo nella nostra corrispondenza. La lettera è perigliosa, ve lo ripeto, in quanto essenzialmente ingannevole; inebria chi scrive e chi legge; si finisce per chiacchierare a vanvera con parole sfuggite per caso o calcolate senza il beneficio di una replica immediata che permette di spiegarsi meglio o correggere il tiro».[11]

A far scendere provvisoriamente dal suo piedistallo la Belle Dame sans Merci furono le difficoltà economiche: Virginia gli chiese un prestito. Ma per il povero Eyma non era proprio il momento giusto: «Che posso fare? Che debbo fare? Sono pronto a tutto, tranne che all'impossibile» si disperava, illustrandole i sacrifici che doveva affrontare per finanziare il suo nuovo giornale. «Due mesi infernali passati a organizzare e a battere cassa per far funzionare una macchina che finora mi ha dato più grattacapi che soddisfazioni».[12] Nonostante le difficoltà, di lì a poco Eyma poteva annunciarle, esultante, l'uscita del «Nouvelliste»: «L'opinione generale è che riuscirò. Voglia Iddio che abbiano ragione!»[13] esultava, sperando che il successo coronasse presto anche la sua dedizione amorosa. Eccolo dunque tentare di irretirla con le sue strategie psicologiche: «Voi resistete facendo appello all'energia della diffidenza, ma io ... ho la pazienza della passione».[14] Preziosismi, ossimori e sottigliezze avevano però fatto il loro tempo, ed Eyma decise di ricorrere all'apologo morale. Scrittore di professione – nelle lettere non manca di fare appello alla propria «penna» affinché gli ispiri le parole giuste da rivolgerle –, solleticò la passione di lei per il teatro facendo sfoggio del proprio talento di commediografo alla moda con un dialogo fra Adamo ed Eva in cui illustrava la diversità del comportamento degli uomini e delle donne nella sfera sentimentale e morale. Virginia però non aveva più tempo da perdere con uno spasimante che le era venuto a noia, e si sottraeva abilmente a ogni richiesta di chiarimento. Lui allora le inviò una lunghissima lettera in cui ripercorreva con estrema lucidità le tappe della loro relazione.

Accortasi subito dei sentimenti che gli aveva ispirato, argomenta il giornalista, lei avrebbe potuto, qualora li avesse trovati «antipatici», rifiutarsi di riceverlo a casa sua. Gli aveva invece riservato un'accoglienza glaciale; lo aveva evitato a lungo, per poi decidersi a rivederlo, aprendogli «di nuovo le porte dei sogni». Se continuava a tenerlo a distanza era per «paura», gli aveva detto, e cedendo alle sue insistenze gli aveva finalmente concesso – chissà se ispirandosi a Madame Bovary – dieci minuti di tête-à-tête in una carrozza, in mezzo alla strada. Con il cuore pieno di speranza, l'Esclave si era dunque recato all'Hôtel de l'Alma, ma era caduto nel «tranello» di una resistenza inattesa. Una resistenza che la bella tentatrice era stata pronta a giustificare con lunghi ragionamenti capziosi. Da troppo tempo ormai lei si comportava in modo ambiguo e contraddittorio, sorda alle proteste come alle suppliche, e la misura era colma. Adesso bisognava che scoprisse le sue carte e gli facesse sapere che trattamento intendeva riservargli. E per impedirle di perseverare nell'ambiguità le sottoponeva un aut aut chiedendole, se ne aveva il coraggio, di scegliere fra due risposte:

«Mi avete stancato, lasciatemi in pace e cercate di guarirvi da un male che logora anche me,

«oppure:

«Eccovi le mie mani, fate di me ciò che volete».[15]

Per una volta, la risposta di Virginia dovette essere abbastanza chiara perché, da quel momento, Eyma smise di scriverle.

« AMORE CHE È UN NULLA ED È TUTTO »[1]

È arrivato il momento di domandarci se Virginia si fosse mai innamorata, e se fosse capace di innamorarsi. Il solo indizio che lascia pensare che l'amore conservasse per lei un'aura speciale è la reticenza verso coloro che si sentivano autorizzati a strappargliene la dichiarazione. Preferiva semmai esorcizzarlo, definendolo « stupidità », proprio con chi, come Giuseppe Poniatowski, le aveva ispirato un sentimento che dell'amore aveva non pochi connotati.

Quello che pensava in proposito lo disse a Ignace Bauer, il banchiere, più giovane e meno coriaceo di Laffitte, a cui nei primi anni Sessanta spillò parecchio denaro, approfittando della passione devastante di lui, senza peraltro mai concedergli l'illusione di poter essere ricambiato. Quando Bauer le propose un progetto di vita comune, offrendole un cospicuo vitalizio, non già per « comprarla » ma per tutelarne la dignità e l'indipendenza economica, la sua « signora », la sua « regina », la sua « madonna » lo ricambiò offrendogli un raro sprazzo di sincerità: « Io non credo nell'amore, è una malattia che passa com'è venuta, a poco a poco, o una febbre intermittente simile a quelle che mi affliggono di tanto in tanto; non bisogna contare su qualcos'altro, non volere niente di più, non sperare oltre. Ripeto quello che ho sempre detto, benché abbia cessato di rammentarvelo; prendetemi oggi, non contate di avermi domani. Io sono una figlia di Dio che finirà in braccio al Diavolo, se Dio non la vuole. Ecco perché, con veemenza, vi scongiuro: restate quello che siete, non cambiate niente di ciò che siete stato, tenetevi pronto a rientrare in voi, a riprendere la vostra vita di un tempo, se la mia venisse a mancare». Un insolito moto di sincerità di cui si sarebbe pentita quando Bauer la lasciò per sposare un'altra; anche se va detto che nemmeno il matrimonio lo mise al riparo dalle «requisitorie» e dagli «atti d'accusa» del «demonio dal cuore angelico» che aveva così disperatamente amato.[2]

Bauer non fu il solo ad avere il coraggio di troncare la relazione con lei, ma Virginia, imperturbabile, continuò sempre a considerare cosa sua coloro che l'avevano amata e a rifarsi viva con loro quando gliene veniva la fantasia. E se per caso – come La Tour d'Auvergne – i transfughi si mostravano sordi al suo richiamo, li commiserava: «Amo coloro che mi hanno amata e li compatisco perché non ne hanno più il coraggio, o la volontà. Se capita loro qualche disgrazia li guardo e mi dico: "Poveretti! Se mi avessero ancora come amante, o come amica, non sarebbero così infelici"».[3] Per non parlare di quelli che avevano commesso la follia di sposarsi: «Oh, le mogli! Sono la mia bête noire et mon plus grand épouvantail [bestia nera e il mio più grande spauracchio]. Tutti i miei l'hanno prese, gl'ho persi, e non hanno guadagnato né la loro affezione, data a un altro dopo tre mesi di matrimonio, né figliuoli, che on ne peut pas savoir au juste de qui ils sont [non si può mai sapere con certezza di chi sono], né quattrini, specie dalla moglie che spesso rovina, o ripresi dalla famiglia; non una compagnia perché la moglie serve di compagna al mondo».[4]

La concezione dell'amore come patologia corrispondeva sicuramente alle sue osservazioni «sul campo». Da seduttrice seriale, Virginia conosceva perfettamente le modalità di quella «febbre intermittente» che faceva cadere gli uomini ai suoi piedi, e conosceva anche gli espedienti per prolungarla, ma non escludeva di averne fatto lei stessa l'esperienza. Eppure le molteplici e contraddittorie dichiarazioni contenute nelle sue lettere,[5] dove si mostra di volta in volta gelida, invitante, triste, allegra, appassionata, non ci consentono che qualche illazione; la sola certezza è che per lei i rapporti sessuali erano irrilevanti. «Accetto la vostra promessa di fedeltà, ma solo quanto all'amicizia: tengo molto alla fedeltà del cuore, a quella del corpo niente affatto»[6] dichiarava a Bauer; e richiamava all'ordine l'amico Estancelin, troppo incline ai ricordi erotici, con un: «Va bene, tra voi e me c'è stato questo, c'è stato quello... Sono cose del passato, che avevano la loro ragion d'essere. Coincidenze fortuite. A che serve rimestare nella cenere dove il fuoco non cova più?».[7] Pur avendo la religione del proprio corpo, l'altera contessa se ne serviva con la massima disinvoltura, offrendolo o negandolo in base a un'attenta strategia di dominio e di scambio, ma a volte anche per puro capriccio. Possiamo supporre – se è vero che aveva accettato di esibire davanti a pochi privilegiati la sua nudità come un'opera d'arte –[8] che il piacere di mostrare la perfezione fisica fungesse da surrogato all'assenza di desiderio.

Quando però toccava a lei fare il primo passo, non esitava a ricorrere alla finzione amorosa: «Vi scrivo per dirvi una cosa di cui avreste potuto, con un po' di buona volontà, accorgervi da solo: Ti amo!».[9] Uno dei suoi espedienti preferiti, fin dai tempi della relazione con La Tour d'Auvergne, era quello di infiammare la fantasia degli spasimanti facendosi scudo della lontananza – «Peccato che non siate venuto! Vi sarei piaciuta assai. Mi ero alzata e vestita per voi» –,[10] e, in generale, di coltivarne, anche contro ogni evidenza, le illusioni: «Come vedete, sono ancora e malgrado tutto quella che sognavate; non ho mai cessato di esserlo e lo sarò sempre, credetemi, tenetelo presente, e se a volte mi trovate fredda e dura, se sono brusca e mi rendo sgradevole, è perché devo e non c'è altro da fare!... Ma stasera sono buona, e potrei essere anche più buona se... tu fossi qui!».[11]

Tediata dalle appassionate dichiarazioni degli infelici di cui si andava assicurando la sudditanza e che anelavano a un legame esclusivo, si concedeva momenti di svago con seduttori accreditati come Nigra ed Estancelin, che non mettevano in discussione il suo bisogno di libertà. Un'esigenza per lei incoercibile, un istinto congenito che le faceva dichiarare di essere «libera come un gatto».[12]

Di tanto in tanto si distraeva dalle fatiche sessuali indispensabili per assicurarle l'indipendenza economica con qualche incontro fuori programma. Aveva un debole per avventurieri come Bentivoglio o semplici ufficiali di marina, e non le dispiacevano i maschi dalle maniere spicce, pronti a trattarla senza cerimonie, con la franchezza riservata alle cortigiane. Tali erano i due uomini da cui, a distanza di un decennio, aveva manifestato il desiderio di essere amata nella sua verità. E se in età matura aveva riformulato il suo giudizio, parlando di «amore che è un nulla ed è tutto» e traendone il corollario che «non si deve tenere a nulla, e a nessuno» –[13] erano stati indubbiamente Poniatowski e Cassagnac a rappresentare per lei quel «tutto». Non è un caso neppure il fatto che l'aitante difensore della causa bonapartista fosse entrato nella sua vita proprio quando il Vecio concludeva la propria lontano da lei.

Fino alla fine l'irresponsabilità e il cinismo di Poniatowski avevano avuto il potere di farla soffrire; fino alla fine si era rifiutata di credere di contare così poco per lui; fino alla fine aveva sperato in un colloquio chiarificatore. La contessa e il principe si erano rivisti a Parigi, verosimilmente nell'estate del 1872, durante una visita di lui, ma la prevista «rimpatriata» di due giorni era finita male: Poniatowski, che navigava in cattive acque, doveva essersi fatto beffe per l'ennesima volta della richiesta di ripagare il suo debito. Rimasta sola, Virginia aveva preso la penna per dire la sua indignazione. «Dopo il pianto della giornata e la speranza della serata, venne il riso (il suo...), la rabbia, l'orgoglio, la rivolta, e a mezzanotte ho scritto in conseguenza una lettera, che non mando, perché a quella risponderebbe in modo da necessitare replica, ed ora non sono più in stato di leggere né scrivere, né parlare, né agire».

Si rendeva conto, il Vecio, della sofferenza che le causava? «Non ho potuto dormire un minuto e mi sento male. Dopo queste 48 ore (che non son quelle che mi aveva promesso) è naturale e inevitabile che la reazione venisse e mi facesse cascare completamente à bout. Quando e come me ne rileverò? Nol so. Non sono quella affatto che lei crede – ho una grandissima forza morale, è vero, sono generalmente ferrée à glace su tutto e su tutti, ma certe cose... da certe persone, in certi momenti mi abbattono e mi tengono in una completa prostrazione di spirito e di corpo ... il mio cuore è ferito mortalmente e il più leggero colpo e la più piccola spina riapre profondamente le piaghe antiche».

Il Vecio si divertiva a incrudelire su di lei per il puro piacere di vederla soffrire, come quegli «innocenti bambini che hanno l'istinto della distruzione a torturare un povero insetto tenendolo per le pattes, prendendolo per le ali, tuffandolo nell'acqua, ma non abbastanza perché muoia, poi tirandoli fuori e lasciandoli in terra sur le dos, cosa che sanno che leva loro la vita di respiro in respiro se qualche mano pietosa non arriva in tempo a rivoltare i quadrupedi e ridarli la vita mettendoli in cammino o dando il volo ai volatili».

Ma lei non intendeva chiudere la partita senza chiedergli ragione del suo comportamento: «Un quarto d'ora di processo verbale e addio», con l'impegno «per quel quarto d'ora di non ridere di quel riso!», di quel terribile riso che le risuonava ancora «negl'orecchi».

Poi, con uno dei suoi tipici ripensamenti, si pentiva di avergli parlato con il cuore in mano invece di mandargli «la lettera strafottente di mezzanotte, che li diceva addio alla fiorentina, cioè lo mandava a farsi f. allegramente». Anche lei aveva voglia di farsi beffe della vita, ma gliene mancava la forza: «Ricasco in questo infame letto nero pensando ai tristi casi miei ... sono stanca, ho male, addio, al diavolo tutto. Mi volto dalla parte del muro e chiudo gl'occhi... ».[14]

Conoscendo Virginia, Poniatowski si guardò bene dall'accettare il confronto e tentò di rabbonirla con un telegramma pieno di lusinghe che le fece subito ritrovare il suo tono imperioso: «Finalmente ricevo 3 righe dove leggo che son bella, che son genia (coquille), e che son (anche) buona. Che ammiri, che t'inchini e che t'inginocchi!

Per una volta non c'è male, che Lei ne dica e ne pensi (o che ne pensi e ne dica) ... Meno male che al fin si ravveda, che si penta e che sia giusto (non dico riconoscente perché della riconoscenza degl'altri io non ne so che fare, mi basta per me la mia soddisfazione ed il mio godimento interno) ... Ma gli ingrati e gli ingiusti, li punisco severamente. Hai visto come t'hò trattato, quando hai voluto essere ingiusto per forza e affliggermene». Doveva ricordargli quello che aveva fatto per lui? «In affari però, ed in casi estremi, per salvarti (quantunque tu persista a dir di no e a calpestarmene) j'ai passé outre [ci sono passata sopra] anche al mio vivo risentimento e t'ho servito senza dirtelo». Doveva ricordargli la propria abnegazione? Lo aveva «servito non come un amico serve un altro, perché gl'amici si lasciano couler a vicenda, ma come solo una sorella maggiore che fa da madre a un orfano è talvolta capace di fare». E qui Virginia si spinge a un proclama di generosità, ma pretende ben più della gratitudine: «Ma come non lo sapevi che son tanto buona? Io che per far piacere darei tutto il mio piacere... e che per render servizio mi brucerei un dito – che per dar del pane ad altri me lo caverei di bocca, a condizione però di far piacere, di render servigio, di levar la fame, se no no. Non esigo che mi si dica ma voglio che si senta, che si pensi, che si creda, e che mai si osi dire, o lasciar dire il contrario, cioè male della Nicchia».[15] Ora toccava a lui dar conto dei suoi pensieri e delle sue azioni, per questo voleva vederlo: «Ne ho bisogno per capire, giacché capisco al volo. Capisco presto, capisco bene. Lei sa che io leggo a prima vista... (non la musica), ma negl'occhi e nei fatti...!! Poco m'importan le parole e nulla mi curo dei scritti quantunque le parole faccian fede e i scritti faccian prove, è facile cambiar le parole, è facile rovesciare gli scritti. Ma gli occhi non si cambiano e i fatti non si rovesciano, si denaturano solamente. Lei mi ammetterà ancora almeno la famosa coquille telegrafica di "Genia". Dunque capiva che capisco, e che tutto è tutta colpa sua. Passons et n'y revenons pas [Sorvoliamo e mettiamoci una pietra sopra]».[16] Anche se il comportamento del Vecio era imperdonabile, niente poteva cancellare il ricordo del giorno più bello della sua vita, quando aveva sentito che i loro due corpi « non facevano che un'anima ». E pazienza se la sola anima partecipe era stata la sua.

Per amaro che fosse il bilancio della sua relazione con Poniatowski, a cui la morte improvvisa del Vecio aveva negato un finale, Virginia non rinunciava alla speranza di poter stringere un nuovo patto di complicità con un uomo capace di capirla e di amarla. Quest'uomo era Paul de Cassagnac, che come abbiamo visto lei aveva incontrato nell'inverno del 1873.[17] Agli inizi dell'avventura con il giornalista, Virginia approfittava di un'assenza dell'amante per sondarne le intenzioni e aprirgli il cuore. Era venuto il momento di mostrargli quanto fosse diversa dalla propria immagine pubblica. L'impresa non era facile – Cassagnac era perfettamente al corrente delle sue relazioni d'affari e d'alcova con principi e banchieri –, ma Virginia ci provò lo stesso, dando un ennesimo saggio della sua abilità drammaturgica: la lettera in forma di diario, scandita in otto tempi, che gli scrisse nell'arco di tredici giorni, è infatti un monologo teatrale in piena regola.

Siamo a Parigi, alle dieci di sera di un imprecisato mercoledì dell'anno 1873. Nel corso della giornata, « con gentile sollecitudine », Cassagnac, in partenza per un viaggio di lavoro, è andato ad accomiatarsi portandole un mazzo di rose che le hanno fatto « un dolce piacere », e per ringraziarlo Virginia comincia a scrivergli, pregustando la prospettiva di raccontarsi all'amante. Per una volta non gli chiede di restituirle la lettera, ma si affida alla sua discrezione e gli si rivolge senza preoccupazioni di stile: « Vi avverto » precisa subito « che non mi rileggo mai, scrivo a briglia sciolta ».

Bastano tuttavia pochi giorni di lontananza per farle cambiare registro – « Ve l'ho già detto, questo viaggio mi arreca un presagio di sventura » – e confessare all'amante che: « La mia speranza è partita con voi, il mio coraggio è morto con le rose, e sono ancora qui ad annegare il dispiacere nelle lacrime ». L'arrivo a Dieppe, però, le ridà coraggio e le offre l'occasione di confidarsi a lui in un nuovo scenario dove ogni dettaglio acquista una valenza simbolica. La sua prima cura, gli scrive, è stata di «addobbare di rose» la camera da letto – camera «dei desideri passati, presenti e futuri» –, completando l'opera con «oggetti d'arte artisticamente disposti». Ne ha fatto una «piccola casa» conforme alla sua sensibilità e ai suoi gusti, dove manca solo l'essenziale, il «suo tutto»: l'uomo a cui ora dichiara il suo amore. Affinché lui sia sempre con lei, anche solo in forma di simulacro, ha portato da Parigi alcuni dei suoi doni: una Madonna da mettere in capo al letto, una croce e un pugnale che ha appeso alla parete, un dado e un sigillo a forma di ferro di cavallo che ha disposto insieme a un reliquiario e ad altri oggetti cari sul tavolino accanto all'alcova. Ed eccola in scena, intenta a scrivere, a letto come d'abitudine, sotto la coperta, questa lettera-diario in cui si mostra senza infingimenti.

Il giorno seguente Virginia esordisce difendendosi dalle accuse che l'amico le ha rivolto prima della partenza: anzi, confessa, i suoi sentimenti non hanno fatto «che crescere e affinarsi, sebbene talora i temporali le oscurassero la fronte senza però raffreddare il cuore, e la inducessero a chiudere la porta a chiave». Per una volta gli chiede di non fermarsi alle apparenze e di provare a scrutare dentro di lei in profondità: «Bisogna guardare oltre queste increspature e concentrarsi sul fondo, che è buono quanto grande, fair quanto assennato, e la mia spaurita tristezza merita il più ampio perdono morale». Quanto al « fisico », beninteso, ha il diritto di disporne come crede, e c'è una cosa che l'amante deve tenere presente: «bisogna prendermi al momento giusto, e soprattutto, dopo una separazione brusca, riscaldarmi a poco a poco», giacché ogni forzatura rischia di «spegnere» il suo desiderio. Ma sull'autenticità del suo sentimento per lui non possono esserci dubbi, e lei glielo ribadisce ritornando su quel mazzo di rose che ha portato con sé a Dieppe e che continua a calamitarle lo sguardo: «Voglio morire con questo bouquet, ma prima ne farò eseguire una copia, perché, ahimè, la realtà non può durare»; salvato dall'insidia del tempo, lo porterà sempre con sé, per non separarsene più.

Rimane il problema delle divergenze di carattere, delle

incomprensioni, dell'angoscia del domani... ma una lettera di lui è venuta insperatamente a rincuorarla: « Ieri mi ha fatto provare un'emozione dolce; credevo di essere impervia alle lacrime, ma l'altra notte ho inzuppato i cuscini ». Virginia ha colto nelle parole dell'amico « un fausto presagio », ma come può ancora nutrire speranze di sorta? « Mio Dio, mio Dio, che cosa sto dicendo? La parola felicità sulle mie labbra suona come una bestemmia ». E conclude con l'immagine di un'accorata richiesta di aiuto: « E ora chiudo le labbra e gli occhi, e li rivolgo nella vostra direzione ... dove sarete adesso? Lontano, lontano, e mi pare di essere là, è mezzanotte ».

La forza salvifica dell'amore ritorna nella pagina scritta il giorno dopo, in cui riporta una breve conversazione che ha il sapore dell'apologo: « Oggi un conoscente, vedendomi con l'aria afflitta, mi ha detto: "Dovreste avere qualcuno che vi ami, che vi sia sempre accanto!". "E se fosse lontano, che direste?" "Direi che non vi ama". "Ma se è per necessità?". "L'unica necessità quando si ama è l'amore. Se non è disposto a sacrificare tutto per vivere con voi, se gli stanno a cuore la carriera, il rango, l'onore, la fortuna, allora non vi ama!" ».

Davvero Virginia sperava che Cassagnac rinunciasse per lei alla sua missione politica, che mettesse a rischio la sua immagine pubblica ufficializzando una relazione così compromettente? Proprio lei, che non aveva mai rinunciato a niente per nessuno? Voleva davvero convincerlo che era del suo amore che aveva bisogno? Forse non è un caso se nelle sue parole risuonano gli accenti della *Traviata*: « Povera me, tutta sola in questo deserto di miserie, tristemente ammalata per giunta, perché oltre alla prostrazione fisica e ai travagli morali sono tormentata da una febbre che mi toglie ogni forza, perfino la forza di farmi forza. Mi sento talmente debole che ne ho paura. Paura di che cosa, direte voi? ».

Conosciamo troppo bene l'istrionismo di Virginia per prestare interamente fede alle sue parole, ma è difficile non credere alla sincerità di queste paure, così profondamente umane: « Paura di Dio, paura del Diavolo, paura degli uomini, paura delle cose, paura del caso, paura perfino di me stessa!!!... E poi paura della morte, proprio io!!!!!!!

«Ebbene sì, eccola, questa donna diventata paurosa per voi, per sé, per noi...».

Dopodiché, avendo portato la tragedia al culmine, Virginia cambia umore e apre nuovamente le porte alla speranza. Sente di stare meglio, ma il bisogno di avere accanto Cassagnac non l'abbandona. Perché, dunque, si trova «su questa terrazza da sola, libera, reclusa? ... Che sciocchezza, quando potremmo essere tanto felici!». Certo, la tranquillità, la solitudine, la malinconia di Dieppe le sono care, ma, ripete, le manca qualcosa di essenziale, quel «tutto» che ora propone al suo corrispondente sotto forma di un «friendly love»: non un' *amitié amoureuse* giocata sull'ambiguità sentimentale, ma un tacito patto tra due esseri liberi e capaci di accettarsi e amarsi per quello che sono.

Come tanti anni prima nelle lettere a Poniatowski, Virginia voleva dunque mostrarsi nella sua verità contraddittoria: abitudini, rituali, stati d'animo, paure, speranze, attaccamento alla vita. Ma se col Vecio non era stato necessario dare un nome a un sentimento palese, con Cassagnac bisognava rispettare le convenzioni. Si era così rassegnata a servirsi con lui della parola amore per chiedergli di volerle bene senza giudicarla. Si consegnava nelle sue mani, e aspettava ansiosamente una risposta: «Scrivetemi. Fate presto, presto».[18] Cassagnac avrebbe accettato di tentare l'esperimento, ma il loro «friendly love» non era destinato a durare.

IL FIGLIO RIBELLE
(1866-1879)

I buoni propositi non erano bastati a modificare il comportamento di Virginia, e Cassagnac, stanco dei suoi malumori e delle sue «arie da funerale»,[1] si era dileguato. Un epilogo che rafforzava in lei la convinzione che, incapaci di tenerle testa, anche i più fervidi tra i suoi spasimanti finissero per battere vilmente in ritirata. L'ultima cosa che si aspettava, però, era la ribellione di suo figlio. E questa le era intollerabile. Ma facciamo un passo indietro.

Come abbiamo visto, era toccato alla marchesa Oldoini l'ingrato compito di annunciare al nipote la tragica morte del padre. «Povero figlio, ne è stato disperato,» riferiva al marito, preoccupata come non mai delle possibili reazioni di Virginia «ma il dolore è doppio per lo spavento di sua madre. Questo non bisogna dirlo che se nò ne fa polpette».[2]

Qualche tempo dopo alla preoccupazione sarebbe subentrato lo sgomento: Isabella vede infatti arrivare a Firenze figlia e nipote «senza neppure una cameriera né un servitore, sudici e stracciati che fanno schifo», e al marchese Oldoini si dichiara indignata per il «modo veramente iniquo con cui è trattato quell'infelice Giorgio che fa una fatica improba per il rimpiazzo di tutti i servitori nel servirla. In compenso sono urli e botte e t'assicuro che quel figliolo non ne può più».[3]

Sbarazzatasi di Mademoiselle Rauch, che le era venuta in odio durante la permanenza di Giorgio in Italia,[4] Virginia aveva deciso di occuparsi personalmente del figlio. Era quello che il bambino aveva sempre sognato, ma purtroppo la madre tanto invocata si rivelò una terribile matrigna. Non solo lo trattava come uno schiavo ma « lo curava a modo suo quando era malato », e « se non lo ammazzava era un miracolo ».[5] Nei suoi ricordi, Jacques, il figlio minore del dottor Blanche, parla del « curioso metodo salutistico » a cui la contessa di Castiglione sottoponeva il figlio in villeggiatura a Dieppe: con la sua voce « roca, dura ed imperiosa » ordinava, dalla finestra, al « gracile fanciullo di correre intorno al prato, in pieno sole » al grido di: « Voglio che traspiriate ».[6] Per giunta, Isabella aveva trovato Giorgio « senza due denti sul davanti della bocca », e il nipote le aveva confidato in gran segreto che a Parigi la madre lo aveva mandato a portare una lettera a un dentista e quello, senza preavviso, « li strappò tutti e due i denti che erano assodati da cinque anni e forti ». Ma non è tutto: « Mi disse » racconta la marchesa al marito « che ha creduto di morire ed essendo solo, quando fu in strada per tornare a casa, si sentì svenire e montò in un fiacre. Arrivato a casa, lei vedendolo piangere e tutto sangue, lo domandò: "Qu'avez-vous, êtes-vous tombé?". Io non risposi, dice Giorgio, li buttai i denti sul letto e me ne andai ». Un racconto dell'orrore, a cui la stessa Isabella era impreparata: « Atrocità simili mi fanno rabbrividire e non posso perdonarmi d'aver messo al mondo una figlia con quel po' di cuore ».[7]

Ma anche quando, distratta da altri assilli, Virginia non incrudeliva sul figlio, la situazione rimaneva drammatica. A tredici anni Giorgio era costretto a vivere in una casa dove non vi era « né fuoco, né cuoco, né servitore »,[8] e passava il tempo a girovagare mangiando dove capitava. Contrariamente a quanto gli si imponeva di dire, non aveva più insegnanti, era stato per un anno senza aprire un libro, e la madre intendeva metterlo non già in collegio ma in una pensione, il che non lasciava prevedere nulla di buono. « Non è al mondo possibile che una madre faccia a un'innocente creatura le infamità che ella fa a Giorgio, » rincarava la dose Isabella « non mi sorprenderebbe che, preso dalla disperazione, una qualche pazzia la facesse lui. In questo caso molti avranno il rimorso della loro coscienza ».[9]

Negli anni successivi alla scomparsa del padre il ragazzo seguì la madre a Parigi, Torino e Firenze, e poi di nuovo a Parigi, tornata alla normalità dopo la fine della Comune. Ma per lui non c'era posto nell'appartamento ammobiliato che Virginia aveva affittato all'Hôtel de l'Alma e così, dopo essere stato a lungo ospite dei Rothschild, era andato a vivere in una piccola camera ammobiliata in rue Saint-Arnaud, dove la madre lo aveva praticamente abbandonato a se stesso. Era stata Betty de Rothschild a intervenire in suo favore. La baronessa conosceva Giorgio sin dall'infanzia,[10] provava affetto per lui e si arrischiò a esortare Virginia a prendersi maggiormente cura di quel figlio che, nonostante i suoi diciott'anni, lei trattava ancora come un bambino e che lasciava « senza istruzione, senza una guida morale, proprio nell'età più importante e decisiva ».[11]

Virginia teneva troppo all'amicizia della baronessa per incorrere nel suo biasimo e corse ai ripari. Su suggerimento dell'abate Maurette,[12] direttore spirituale di Giorgio fin dalla prima comunione,[13] ingaggiò un precettore che più che da un istituto scolastico sembrava uscito dalle *Scene della vita di Bohème.* Figlio di un esattore delle tasse, Genulphe Sol era nato nel 1841 a Beauregard, un paesino del Lot, aveva tentato senza successo vari mestieri tra cui il giornalismo e viveva a Parigi con Joséphine Bellande, una vedova che sbarcava il lunario affittando camere a ragazze di dubbia reputazione. Era un giovane prestante, dagli occhi scuri e dai tratti regolari, con una chioma artisticamente spettinata a dissimulare l'incipiente calvizie, folti baffi neri e un'aria spavalda tutt'altro che rassicurante.

Diventata, dopo la morte del conte, arbitra esclusiva del destino del figlio, Virginia, lo abbiamo visto, aveva preso a trattarlo come un domestico e se ne serviva tra l'altro per farsi copiare in bella calligrafia le lettere.[14] Ma nei mesi passati col padre a Torino e a Firenze, Giorgio aveva acquisito consapevolezza del posto che gli spettava in società in quanto gentiluomo piemontese, e per lui – finita l'età dell'innocenza – le stravaganze, i problemi finanziari e la giostra di amanti della madre non potevano che essere fonte di imbarazzo e umiliazione. Ogni tanto, di fronte a certe pretese materne, come l'ingiunzione di fare da copista al principe Poniatowski, si inalberava: « Se va avanti così, Contessa, finirò al cimitero. L'altra notte e ieri per tutto il giorno ho avuto una brutta crisi della malattia gravissima che avevo già avuto in passato e che torna a manifestarsi ogniqualvolta sono contrariato o lavoro troppo. *E il principe dice che mi diverto* [in italiano nel testo]. Finalmente sono fuori pericolo *dice il medico ci vuol riposo dolce far niente pace e gioia* [in italiano nel testo] ... Nel frattempo però mi tocca copiare questa lettera immediatamente per conto del Principe *nella stanza di fondo non perder tempo a chiacchiera* [in italiano nel testo] ».[15] Proteste inutili, come inutili dovevano rivelarsi i tentativi di ottenere dalla madre la libertà e il denaro per terminare gli studi. Giorgio chiese aiuto agli zii Castiglione e al nonno Oldoini, ma – come avrebbe poi ricordato non senza amarezza a quest'ultimo – nessuno di loro si era « degnato » di far uso della sua autorità per consentirgli « di intraprendere la vita morale e intellettuale » a cui aveva diritto.[16] Abbandonato dai parenti, timorosi di entrare in conflitto con Virginia, senza più l'amatissima nonna con cui confidarsi, Giorgio si rivolse allora al suo precettore. In effetti, Sol era la prima persona che aveva smesso di trattarlo come un bambino per stabilire con lui un rapporto di complicità maschile. Si guardava bene dal riferirne le inadempienze alla madre, gli faceva conoscere i suoi amici e, tramite Madame Bellande, gli dava probabilmente modo di incontrare ragazze compiacenti che avevano provveduto alla sua iniziazione erotica. Anche Sol, come già Mademoiselle Rauch e l'abate Maurette, disapprovava il trattamento che la contessa infliggeva al figlio ma, sprovvisto dell'etica professionale della prima e della rassegnazione cristiana del secondo, incitò l'allievo alla rivolta. Tanto più che, nell'eventualità di un contenzioso economico fra Giorgio e Virginia, il semplice insegnante avrebbe potuto trasformarsi nel mentore di un giovin signore dal futuro brillante. Certo è che senza il sostegno psicologico e i consigli di Sol, Giorgio non sarebbe mai riuscito a tenere testa alla sua terribile madre.

Ormai diciottenne, il contino reclamava la sua parte dell'eredità paterna: il capitale di una rendita di 4000 franchi che Castiglione aveva destinato alla sua educazione e i 100.000 franchi della « controdote »[17] matrimoniale che si era impegnato a garantire, in caso di morte, alla moglie e ai discendenti. Ma dato che Virginia aveva già disposto altrimenti della controdote,[18] come indurla a riconoscergli i diritti che gli spettavano?

Difficile dire se l'idea fosse stata del ragazzo o del precettore, fatto sta che il 25 novembre 1873 il giovane Verasis di Castiglione lasciò di nascosto Parigi dopo avere sottratto dalla casa materna e affidato alla custodia di Sol numerosi documenti scottanti della contessa, tra cui « corrispondenza commerciale, lettere private, oltre a due cifrari del Re ».[19]

Accortasi solo qualche giorno dopo della sparizione dei documenti, Virginia rimase sconvolta per il vergognoso latrocinio di colui che da quel momento in avanti chiamerà « le Tigre ». Le carte rubate erano troppo imbarazzanti per non gettarla nel panico, dal momento che costituivano la prova del suo passato di spia a favore del governo sabaudo e dei suoi rapporti personali con Vittorio Emanuele II. Fra le lettere c'erano forse anche quelle assai compromettenti di uno degli amanti del momento, Cassagnac, che Virginia si affrettò a mettere al corrente dell'accaduto. « Mia cara Nicchia, la vostra lettera mi ha fatto piangere, sono desolato di vedervi in quest'impasse senza potervi aiutare » rispose lui.[20]

Le missive di Giorgio al precettore durante la fuga, che la polizia sequestrò due anni dopo alla vedova Bellande,[21] ci permettono di ricostruire gli sviluppi della vicenda. La prima reazione di Virginia fu di mobilitare l'abate Maurette[22] e di incaricare Sol di andare in Italia a stanare il fuggiasco per riportarlo in Francia.[23] Fingendosi all'oscuro di tutto, e lautamente sovvenzionato dalla contessa, Sol si recò dunque a Torino e a Firenze, da dove la informò di non essere riuscito a rintracciare l'allievo, per poi annunciarle di averne avuto notizie a Pisa. Nel frattempo Giorgio, che da La Spezia era andato a Genova, aveva avuto il tempo di scrivere alla madre per formulare i termini del ricatto: le avrebbe restituito i documenti rubati solo in cambio dell'emancipazione e dell'eredità paterna.

Furibonda, Virginia decise di dare battaglia fino all'ultimo: Giorgio non era forse minorenne? Fino al compimento dei ventun anni, non dipendeva da lei? Questo le dava dunque il diritto di disporre della rendita a lui destinata. E il suo dovere di madre era quello « di conservargli tale rendita, che assicura l'indipendenza di un uomo e gli garantisce, indipendentemente dalla carriera, una vita onorevole ».[24] Ma Cléry, l'amico avvocato a cui si era subito rivolta, le sconsigliò vivamente di ricorrere a un'azione legale, perché lo scandalo sarebbe stato immenso e c'era anche il rischio che il tribunale accogliesse la richiesta di emancipazione. A sua volta Giorgio la avvertiva di essere pronto « a intentarle un processo alla scadenza della tutela, corroborata da una sentenza di emancipazione »,[25] adducendo le « mille sofferenze fisiche e morali »[26] che aveva patito. Virginia si rassegnò quindi a scrivere a Sol per dargli il mandato di concludere le trattative e « condurre Mr Georges a Torino presso l'avvocato Mongini, grazie al cui intervento la tutela sarà prolungata, e l'emancipazione fatta a tempo debito ». In cambio, la contessa raccomandava al precettore di farsi consegnare tutti i documenti sottratti e riportarglieli a Parigi.[27]

Benché verbosa – quattro pagine fitte – e piena di recriminazioni contro il figlio, la lettera ci mostra una Virginia lucida e determinata che, seguendo le istruzioni di Cléry, indica la procedura da seguire con un linguaggio giuridico perfettamente appropriato alla trattativa in corso. Viceversa, dalla brutta copia di un'altra lettera al precettore emerge il delirio di onnipotenza di una mitomane che reagisce alle difficoltà rifugiandosi in un mondo immaginario.

Infatti, di punto in bianco, Virginia confida a Sol di essere un'artista a tutto campo ma di non avere mai voluto arrogarsene il merito: « Ai miei tempi sono stata musicista e scrittrice, autrice di teatro, di canzoni e novelle che, forse a torto, non ho mai voluto firmare, pur dando, di me stessa, la cosa più importante: l'idea a beneficio altrui. Infatti sono stata la mente e l'anima della Storia Italiana, Prussiana e Francese, lasciando a Thiers la gloria apparente, e senza mai raccontarlo a nessuno». La figura del figlio si sdoppia: c'era un Giorgio «grande e pieno di buona volontà», a cui per l'appunto faceva appello, e ce n'era un altro, «piccolo» e «pieno di ostinazione nel far male, ritardare, rincominciare, confondere», che avrebbe scoperto a sue spese cosa significava esporsi alla sua collera. Quel figlio diciottenne che osava sfidarla rimaneva infatti per lei il bambino di un tempo, a cui poteva intimare di restare chiuso in camera, di non mentire, di obbedirle senza discutere. «La mia indole non tollera le manifestazioni della volontà altrui» afferma poi in un barlume di lucidità «e, insofferente ai ragionamenti, esige e impone un'obbedienza passiva». Infine, con un brusco ritorno al presente, si rammarica che quel figlio degenere non abbia né il suo cuore, né il suo coraggio, né la sua intelligenza.[28]

Mentre, a soli trentacinque anni, incapace di sopportare una realtà che non combaciava con i suoi desideri, Virginia si inventava un passato fittizio, il figlio lottava strenuamente per liberarsi dalla sua tirannia e gettare le basi del proprio futuro. Da Genova, dov'era ospite dei baroni di Morand – a cui Virginia aveva delegato provvisoriamente la sua tutela –, Giorgio scriveva quasi quotidianamente a Sol per informarlo delle sue occupazioni e delle novità sul fronte delle trattative, e chiedergli consiglio e guida. Il 9 dicembre 1873 gli riferisce: «La Contessa ha scritto ieri alla baronessa Morand di essere pronta ad accordare le condizioni richieste».[29] Ma come fidarsi di lei? Evidentemente non si dava per vinta, perché poco dopo chiedeva al barone Morand di convincere il figlio a incontrarla a Bordeaux insieme al marchese Oldoini. Forse consapevole di non poter sostenere un confronto diretto con la madre, ma anche timoroso di rimettere piede in Francia – dove correva il rischio di essere arrestato per furto –, Giorgio rispose di non voler lasciare l'Italia «senza garanzie certe».[30] Dal canto suo, il marchese comunicava alla figlia che non era disposto a ridiscutere con lei le decisioni prese:[31] come lo stesso Giorgio scriveva esultante a Sol, aveva abbandonato la consueta politica di neutralità e, di passaggio a Genova sulla via del Portogallo, aveva preso le sue parti, assicurandogli anche la protezione della vecchia marchesa Doria, madre del primo amante a cui Virginia aveva spezzato il cuore.[32] In cerca dell'appoggio di figure autorevoli, il giovane conte intendeva inoltre presentare i suoi omaggi al duca d'Aosta – tornato in Italia dopo la breve e sfortunata avventura spagnola –, che avrebbe certamente avuto un occhio di riguardo per il figlio di un ufficiale morto mentre scortava la sua carrozza. Anche se tutto lasciava sperare in un lieto fine, Giorgio conosceva troppo bene la madre per non temere un colpo di scena e, settimana dopo settimana, il protrarsi delle trattative e l'attesa snervante in una città sconosciuta lo mettevano a dura prova. Così, la notte di Natale, tentò di esorcizzare la solitudine e lo spaesamento scrivendo a Sol una lettera di undici pagine che, iniziata alle tre e mezzo del mattino, portò a termine dodici ore dopo. Questa volta non era di consigli che aveva bisogno, bensì di conforto, e sapeva che il precettore era l'unico a poterlo consolare. Gli raccontava dunque la « triste vicenda » del suo Natale solitario « in una grande città senza amici ». Dopo la messa di mezzanotte si era attardato in chiesa per un altro quarto d'ora, poi, « uscito nella strada piena di gente che cantava, rideva, festeggiava il Natale », era stato sopraffatto dalla tristezza ed era scoppiato in lacrime. « Oh, quando comincerà per me la vita che fino ad oggi non ho fatto che intravedere, senza mai poterla raggiungere? » si chiedeva, e quel grido dell'anima chiamava in causa la sua intera esistenza. Alle due e mezzo, dopo aver cenato in un ristorante affollato e festoso dove si era sentito ancora più solo e spaesato, era ritornato al palazzo dei baroni Morand, ma trovando il portone chiuso aveva ripreso il suo vagabondare, finché al porto era salito su una barca a noleggio chiedendo al marinaio di fare un giro nel golfo. Probabilmente sentiva il bisogno di toccare il fondo dello smarrimento per poter ritrovare se stesso: « Il cielo pieno di stelle, il mare calmo come un lago. In lontananza si scorgeva qualche lume a gas, a ricordarmi che laggiù c'era una città dove migliaia di abitanti festeggiavano allegramente il veglione, mentre io non avevo che il mare. No, è una cosa troppo triste, non voglio tornarci sopra, non potete immaginare tutto quello che ho capito e pensato in quell'ora solitaria nell'immensità del mare».[33]

Che la vita vera fosse finalmente sul punto di cominciare Giorgio lo capì qualche ora dopo dal dispaccio telegrafico della madre che lo aspettava a casa. Virginia aveva appena scoperto che non soltanto l'ignobile precettore si era preso gioco di lei, ma che anche l'abate Maurette e l'amica Rothschild avevano partecipato al complotto, e si era resa conto di aver perso.

Non avrebbe però rinunciato a vendicarsi di Sol. In un primo momento aveva minacciato di denunciare lui e quelli che considerava i suoi complici per circonvenzione di minore, ma richiamata alla ragione dagli avvocati aveva ripiegato sul solo precettore. Gli addebiti – concubinaggio, favoreggiamento, ricettazione, cattive frequentazioni – non erano infondati, e Giorgio fu costretto a separarsi da Sol. Dopo mesi di attività frenetica, viaggi e disagi, questi si ritrovava con un pugno di mosche e un'accusa di immoralità a pesare sul suo già incerto futuro. Ma la cosa non finì lì: abbandonata senza un soldo dall'amante, la vedova Bellande tentò di vendere alla contessa di Castiglione alcuni documenti che erano rimasti nelle sue mani; Virginia però non cedette al ricatto e denunciò anche lei alla polizia, che provvide a confiscare le carte in questione.

Il 27 gennaio 1874 Giorgio entrò finalmente in possesso dell'atto di emancipazione firmato per procura dalla madre, in cambio della restituzione di tutti i documenti in suo possesso. Si era convenuto di salvare le apparenze dichiarando che, in quanto residente in Francia, Virginia rinunciava sua sponte a esercitare la tutela sul figlio trasferitosi all'estero per ragioni di studio. Per il fuggiasco era la fine di un incubo: «Sono emancipato, ho il diritto di parlare, di esprimere la mia volontà, di lavorare ... godo degli stessi vantaggi di un maggiorenne, posso disporre delle mie rendite, fare tutto ciò che ritengo opportuno»[34] scrisse esultante al nonno. E avrebbe subito dimostrato di saper fare buon uso della libertà. Decise, innanzitutto, di stabilirsi a Torino, dov'era nato e dove viveva la famiglia paterna; dopodiché si dedicò a recuperare il tempo perduto. «Mi sono messo a lavorare alacremente,» annunciò al nonno «studio più che posso e faccio anche molto esercizio fisico. Equitazione, Ginnastica, Scherma, ecc. Imparo Storia, Geografia, Matematica, Economia politica, Legge, e intraprenderò ancora altre materie. La mia salute è eccellente».[35] Dimostrando forza di volontà e autodisciplina, oltre a una notevole capacità di apprendimento,[36] studiava «senza sosta, 9 o 10 ore al giorno»[37] per entrare in diplomazia e servire il suo paese.[38] All'inizio del 1875 superò brillantemente le prove, ma non avendo una laurea in Legge riuscì a entrare al ministero degli Esteri solo per la porta di servizio: grazie all'intervento personale di Vittorio Emanuele venne cooptato come «attaché onorario», e in attesa di diventare col tempo «attaché effettivo» si adattò ad avere come prima destinazione la lontana e disagiata Buenos Aires.[39] Nell'informarne il nonno, non ebbe modo di spiegargli che la scelta dell'Argentina non era dipesa da lui, e il marchese, che sperava di averlo con sé a Lisbona, lo prese come un tradimento. E poiché Virginia aveva rotto i ponti con lui, reo di essersi schierato con il nipote, il vecchio diplomatico si sentì abbandonato dall'intera famiglia. D'ora in poi, scrisse all'innocente Giorgio, «ognuno per sé e Dio per tutti».[40] Ma di lì a poco, placato dalle giustificazioni del giovane, riprese il suo ruolo di padre nobile, facendo appello alla bontà e all'intelligenza di Virginia per mettere fine alle dispute familiari.[41] Questa volta la figlia gli rispose con una lettera così lunga da «demolire il polso» del fidatissimo Passera, che le aveva fatto da amanuense. Fra mille recriminazioni lo informava di avere ricevuto una visita di «Mr Georges», con il quale aveva raggiunto un accordo sulla questione della controdote, rimasta ancora in sospeso dopo l'atto di emancipazione. Non per questo era disposta a perdonare l'affronto subìto: «Sappiate che in futuro chi vorrà essermi amico dovrà scegliere fra lui e me». E concludeva sibillina: «Quanto a lui, gli sono ancora madre, ma non è più mio figlio».[42]

Le loro due versioni dell'incontro, che aveva avuto luogo il 18 febbraio 1875 e si era concluso con un accordo su carta del consolato italiano,[43] presentano lo stesso dramma da prospettive opposte. Il racconto di Giorgio al nonno è incentrato sul desiderio di risolvere il contenzioso economico e riconciliarsi con la madre prima di lasciare l'Europa. Così, recatosi a Parigi ed essendo riuscito, dopo molte difficoltà, a farsi ricevere da Virginia, pur di evitare un processo[44] aveva accettato volentieri la proposta di ricevere solo metà della controdote, che gli sarebbe toccata per intero. Convinto di essersi assicurato in tal modo l'indulgenza materna, era ricaduto nella trappola di un'aspettativa impossibile: «Ebbene, dopo avere finito di discutere la questione (davanti agli avvocati) mia madre mi ha lasciato andare via senza dirmi una sola parola affettuosa, di quelle che una madre sa sempre trovare per un figlio. Ed è bastato questo per ferirmi come non potete immaginare».[45] Virginia invece mandò a Cléry un bollettino di vittoria: le Tigre aveva perso su tutta la linea. «Non è poi tanto forte, mi direte! Eh, perbacco, me l'hanno rincretinito questi Piemontesi. Sfido io, che non è più tanto forte. Anzi, l'ho trovato molto debole e sciocco, e brutto e disgraziato, poveretto ... Si era portato tre fazzoletti, preparandosi a piangere. Io, invece, l'ho fatto ridere tutto il tempo. Abbiamo parlato come due avvocati che si limitano a discutere una questione altrui, e per il momento ho vinto io. Accetta ogni cosa».[46] Ma Virginia era troppo intelligente per non capire che si trattava di una vittoria di Pirro: il figlio si era sottratto definitivamente al suo giogo, e lei non si sarebbe ripresa mai più.

Poco tempo dopo, in un'altra interminabile lettera al marchese Oldoini, Virginia faceva il punto della situazione: il quadro non poteva essere più fosco. Da sei mesi era inchiodata a letto con una gamba rotta: l'incidente era avvenuto nel sonno, ed era stato provocato, a detta del grande chirurgo che l'aveva in cura, dai «continui travasi e dal cattivo sangue» che le avevano «cristallizzato» le ossa. La diagnosi non la stupiva: dopo avere pagato « oltre un milione di debiti » del marito e sborsato tutto quello che aveva e tutto quel che non aveva, rimanendo senza un soldo e riducendosi ad abitare in « due miserabili stanzette d'albergo », le toccava anche essere tradita dal figlio! Con amara sorpresa aveva dovuto constatare che il padre parteggiava per il nipote, ma preferiva lasciar correre: « Non intendo né scagliare accuse né recriminare, io ho dato sempre tutto senza mai pensare a me stessa, e non chiedo niente a nessuno. Vivrò come potrò, succeda quel che succeda ». Ma l'addolorava il pensiero di non poter finire tranquillamente i suoi giorni sulla collina della sua infanzia, a La Spezia, il posto che più amava al mondo. Gli espropri, le ipoteche, le mille difficoltà, la mancanza di soldi, le disastrose condizioni di salute la costringevano infatti a mettere in vendita la sua parte di case e terreni e, per inciso, ne proponeva l'acquisto al padre. Bisognava rassegnarsi: « È il destino di certe persone, è inutile ribellarsi. Il mio è di non possedere nulla, non tenere a nulla, vivere da sola e lontano dal mio paese ».

Poi, contrariamente a quanto dichiarato poche righe più su, ritornava sull'affronto subìto dal figlio, cambiando registro. Desiderava solo che la storia venisse messa a tacere: « Ma siccome in Italia tutti questi ingrati e infami vi parlano e sparlano di me, almeno saprete che cosa rispondere. Quanto a me, non dico nulla a nessuno. Che vadano tutti sulla forca, Re, Principi, Ministri, amici e nemici, *ma che mi lascino stare. Se no mordo* [in italiano nel testo] ». E poiché le sue condizioni di salute le lasciavano poco tempo da vivere, non dubitava che Dio fosse pronto a renderle giustizia e ad accoglierla in cielo.

Dopo avere abilmente dosato aggressività e distacco, vittimismo e autocelebrazione, la contessa avrebbe potuto concludere la lettera con questo patetico e dignitoso auspicio. E invece, incapace di dominare più a lungo il risentimento e la disperazione, prorompe in una geremiade: le sventure si erano accanite su tutto ciò che lei aveva « di buono e di bello »; della Virginia di un tempo non vi era più traccia: « Oramai non sono altro che orrenda, annichilita, indifferente a tutto. Ecco il risultato delle disgrazie e della miseria»; e di nuovo tornava sulle «infamie orribili architettate» contro di lei dal figlio, da cui il marchese non aveva voluto prendere le distanze, e a dilungarsi sulle proprietà di La Spezia, non escludendo, questa volta, di volerle conservare. Prevedendo poi, in mancanza di un segretario adatto, di non essere più in grado di scrivergli per l'avvenire, si accomiatava da lui augurandogli ogni bene – «balli, feste, cene» – laggiù in Portogallo. Con la scomparsa della loro «cara Marchesa, qui était notre rassemblement à tous [che ci teneva uniti]», difficilmente si sarebbero presentate occasioni di vedersi. D'altronde, concludeva con sarcasmo, ormai la sua «perpetua solitudine e rifiuto categorico delle messe in scena e dello spettacolo del mondo» la privavano del piacere di essergli «di alcun aiuto per la carriera».[47]

Se la figlia aveva sperato nella solidarietà e nella compassione del padre, si sbagliava di grosso: la risposta del marchese Oldoini suonava come un *de profundis*: «Dovete essere veramente desolata, cara Niny, per scrivere delle lettere desolanti come le 24 pagine fitte che ho appena finito di leggere ... Per tutta la vita non ho fatto che mettervi in guardia dal vostro carattere intransigente, perfino al tempo del vostro matrimonio, a costo di passare quasi per un tiranno. Come i Titani che volevano scalare il cielo e sono finiti a gambe all'aria, anche voi avete preteso di cambiare il mondo invece di prenderlo così com'è, e vi siete distrutta». Insomma: per non aver voluto dargli ascolto si era scavata la fossa con le sue stesse mani. «Eravate bella come un ideale, intelligente, con tutte le virtù di un carattere di prim'ordine ... pronta a sacrificarvi ...; eccovi in lite con il mondo intero, isolata, reclusa, senza più legami, sempre sofferente, piena di dolori e rimorsi, insomma condannata all'infelicità». Sarebbe mai riuscita, la sua «buona Virginia», a cambiare atteggiamento? Il padre ne disperava, perché purtroppo le sue idee erano diventate ormai «una seconda natura».[48]

La diagnosi del marchese Oldoini era inoppugnabile, ma il peggio doveva ancora venire.

Nel mese di luglio il giovane conte di Castiglione ricevette l'ordine di partire per la sua destinazione sudamericana il 1° agosto, ma Oldoini pregò Artom, allora segretario generale al ministero degli Esteri, di rinviare la data al 1° settembre per dargli « la consolazione » di andare in Italia ad abbracciare il « suo Giorgio » e « parlare seco lui di Famiglia ».[49]

Per quanto strano possa sembrare, durante il soggiorno di Giorgio a Buenos Aires i suoi rapporti con la madre ridivennero affettuosi, e i due ripresero a scriversi; al figlio accadeva perfino di rievocare la loro simbiosi di un tempo, senza però riuscire a sottrarsi, anche dopo tanti anni, al perverso meccanismo dell'attesa eternamente delusa: « Oh, Mina ha già dimenticato il Demoiseau? L'oceano che ci separa ha già inghiottito perfino il ricordo del *Piccino*? *Me lo sarei aspettato da tutti ma da Mina no* [in italiano nel testo]. Se sapeste quanta gioia mi dà ricevere le vostre lettere, non me le fareste *sospirar invano* [in italiano nel testo] ».[50]

Ma Giorgio pensava al futuro. Dopo due anni di apprendistato in Argentina tornò a Torino, dove ormai si sentiva di casa. Fiero del nome che portava, era in ottimi rapporti con lo zio Clemente e la moglie Maria, che non avendo figli guardavano a lui come a un possibile erede, e anche se Vittorio Emanuele non aveva mantenuto la promessa di riscattargli il castello di Costigliole,[51] godeva ugualmente della protezione di Casa Savoia. Desideroso, dopo tanta solitudine, di trovare la felicità famigliare che gli era mancata, il 18 novembre del 1878 condusse all'altare la cugina Amalia Asinari di San Marzano e Caraglio;[52] per educazione e per indole, la giovane sposa era agli antipodi di sua madre, eppure la perfezione classica dei suoi lineamenti faceva inevitabilmente pensare proprio a Virginia. Un anno dopo il matrimonio la coppia partì per il Portogallo, dove Giorgio doveva prendere servizio come addetto alla legazione di Lisbona capitanata dal marchese Oldoini. Tutto lasciava presagire che fosse arrivato anche per lui il momento di assaporare la pienezza di quella vita per cui si era così tenacemente battuto, ma il destino decise altrimenti: il 14 novembre 1879, all'età di ventiquattro anni, Giorgio Verasis di Castiglione morì falciato in pochi giorni dal vaiolo, a Madrid.

« Perdita irreparabile per la famiglia Oldoini e Castiglione »[53] annotò il nonno sul retro dell'ultima lettera del nipote; e Virginia, in un estremo tentativo di rivendicarne il possesso, cercò di recuperarne la salma per potere, un giorno, tenerlo per sempre accanto a sé nella tomba. Ma le spoglie del Picchinicchi rimasero in Spagna, mentre a lei toccava affrontare da sola la discesa agli Inferi.

ODI ET AMO

La rottura con il figlio aveva segnato anche la fine della ventennale amicizia della contessa con Costantino Nigra, reo di aver preso le difese del ragazzo. In balìa dei suoi rancori, Virginia non esitò a recidere il legame con il suo compagno d'avventura di lungo corso. In fondo si trattava anche di un regolamento di conti con un uomo di cui non era mai riuscita ad assicurarsi la sudditanza.

Nell'inverno del 1856, giovani, belli, eleganti, erano partiti entrambi dal Piemonte per andare alla scoperta di Parigi, e per tramite di Cavour erano diventati amici. A Torino sarebbe stato impensabile: nella capitale sabauda, dove la nobiltà arroccata nei suoi privilegi formava ancora un mondo a parte, un funzionario di modesti natali come Nigra non avrebbe mai avuto modo di frequentare una dama dell'alta società come la contessa di Castiglione. Di uno come lui si potevano apprezzare i meriti professionali, la cultura, il garbo, ma era escluso che lo si invitasse a pranzo.[1] Nella Parigi del Secondo Impero, invece – con la sola eccezione per il Faubourg Saint-Germain –, il bel mondo e la corte esigevano come unica credenziale il successo, quale che ne fosse l'origine. Certo, nei primi due anni da loro trascorsi nella capitale francese la distanza sociale tra la Castiglione e Nigra rimase considerevole, e dei due era lei l'unica a brillare nell'alta società. « Noi sappiamo dai giornali i vostri balli e le feste vostre in cui, come dappertutto, voi regnate sovrana »[2] le scriveva, deferente, l'emissario di Cavour al tempo in cui operava dietro le quinte in un continuo viavai tra Torino e Parigi. Ma tra di loro si era ben presto stabilita un'intesa a tutta prova, ed era lui a trasmetterle le istruzioni in codice che arrivavano dal ministro.

Pochi anni dopo Virginia lo avrebbe ritrovato a Parigi, dove Nigra era stato promosso inviato straordinario e ministro plenipotenziario, per poi diventare, a soli trentatré anni, nell'agosto del 1861, il primo rappresentante del re d'Italia in Francia, con l'arduo compito di superare delusioni e rancori, ristabilire un rapporto di fiducia e convincere Napoleone III dell'opportunità di continuare a sostenere il processo di unificazione del Bel Paese. Uscito dall'ombra di Cavour, il giovane piemontese sarebbe rimasto nella capitale per ben quindici anni, dando prova di una capacità e di una tenuta professionale destinate a farne un vanto della diplomazia italiana. In lui, avrebbe scritto Federico Chabod, « il senso altissimo della dignità nazionale si sposava con un profondo senso di dignità personale, l'uno e l'altro intransigenti sull'essenziale ».[3]

Delle vicende private di questo celebre diplomatico abituato a vivere in pubblico sappiamo assai poco, anche perché il diretto interessato provvide per primo a cancellarne le tracce. Era nato a Villa Castelnuovo, un paesino del Canavese, in una famiglia della piccola borghesia con pochi mezzi ma molto unita. Partito volontario per la prima guerra d'indipendenza, fu ferito nella battaglia di Rivoli Veronese; al ritorno si laureò in Giurisprudenza, pur continuando a dedicarsi alla poesia, che aveva il compito di testimoniare la sua passione di patriota e l'attaccamento al mondo contadino dell'infanzia. *La rassegna di Novara*, poema sull'eroismo fecondo dei vinti (i cui versi « Usi obbedir tacendo / e tacendo morir » sarebbero diventati il motto dell'arma dei carabinieri), ne rappresentò il commovente atto di fede. « Figlio del Romanticismo, Nigra si era formato agli ideali liberali del 1848, in una Torino in piena effervescenza che vedeva nello Statuto concesso da Carlo Alberto l'inizio di quella "rivoluzione *italiana* con un re", di cui si faceva amaramente beffe Mazzini nel 1840 e che invece verrà concretizzandosi tra il 1859 e il 1860 ».[4] Nell'estate del 1852 entrò per concorso al ministero degli Esteri, dove fu nominato segretario di Massimo d'Azeglio, allora presidente del Consiglio, il quale, a conclusione del suo mandato, lo segnalò a Cavour. Era dunque con gli auspici di uno statista per vocazione romanziere e pittore che Nigra aveva mosso i primi passi dietro le quinte della politica italiana, per poi affrontare la grande diplomazia europea e suggellare così il suo destino.

Il primo prezzo che pagò alla carriera fu il naufragio del suo matrimonio. Nel 1855 aveva portato all'altare la figlia di Giovenale Vegezzi Ruscalla, cultore di studi filologici ed etnologici. Sembra che a incoraggiare il matrimonio fosse stato lo stesso Cavour, in stretti rapporti con la famiglia della sposa.[5] Degna figlia di un padre idealista e patriota, Emma era bella, colta, sensibile, appassionata di poesia e avversa ai compromessi; sperava che il marito seguisse la vocazione di poeta e filologo, e visse come un tradimento la sua scelta. La nascita di un bambino non riuscì a rasserenarla e Nigra tentò inutilmente di convincerla a seguirlo a Parigi. Rimasta a Torino, nella casa dei suoi, Emma avrebbe progressivamente tagliato i ponti con il mondo esterno e si sarebbe chiusa in un silenzio trasognato, scivolando a poco a poco nell'alienazione mentale.[6] Nonostante la lontananza, Nigra non avrebbe mai smesso di essere legato alla vasta famiglia dei Vegezzi Ruscalla, di occuparsi della moglie e vigilare sull'educazione del figlio, ma la fine del matrimonio era destinata a inaugurare una lunga serie di avventure senza domani.

Fin dall'arrivo a Parigi, il diplomatico si era dedicato a un'opera di seduzione a tutto campo della società del Secondo Impero: « Di contegno posato ma amabile, modi semplici e signorili, » ricorderà un politico che l'aveva visto in azione « era un negoziatore impareggiabile, tenace ma mai importuno, capace di dire ogni cosa senza ferire e ascoltare ogni cosa senza lasciarsi ferire, bravo a suggerire, veloce a indovinare, abile a convincere, ingegnoso nel ridimensionare e comporre le divergenze, mai scoraggiato da un insuccesso né inebriato da una riuscita, di sangue freddo davanti all'imprevisto, poco incline all'illusione anche se niente affatto pessimista. Forte del suo francese perfetto, per informarsi non si limitava alle conversazioni artificiose della diplomazia ufficiale ma era riuscito a introdursi nei salotti dell'alta società, aveva intessuto relazioni con diversi personaggi di spicco e, tra un ricevimento e un invito a cena, si dedicava a un'incessante e discreta captazione della simpatia pubblica».[7] Anche se non mancava chi, come Maxime Du Camp – snob, e forse anche invidioso, nonché ostile alla politica risorgimentale –, lo trattava con sufficienza: «Il bell'aspetto ... l'astuzia in luogo dello spirito, l'aria di sussiego che inalberava in determinate circostanze non bastavano a ingannarmi sul suo valore; mi pareva una di quelle persone che ti fanno dire "non gli darei quattro soldi"; e, a dire il vero, non gliene ho mai dato neppure uno».[8] Ma la sua personalità era tale che persino i difetti contribuivano ad aumentarne il fascino: «Scapolo, giovane, elegante, letterato, galante, bel cavaliere, sicuro di sé – sebbene, più che di un uomo di Stato, avesse l'aria di un artista – godeva di un notevole successo con le donne, a onta di un marcato accento piemontese e di una blesità che in fondo contribuiva al suo fascino». Pur inseguendo il successo mondano, essenziale per un diplomatico, Nigra non rinunciava alla sua vocazione originaria e coltivava ugualmente «rapporti assidui con i massimi esponenti dell'arte, della letteratura, nonché del teatro, ed era sempre al corrente dei retroscena della vita parigina».[9] Regista attento della propria immagine pubblica, Nigra adottò – tanto in politica e in diplomazia quanto nella vita privata – una linea improntata a riserbo, prudenza e misura. E poiché era discreto con il gentil sesso come nel suo mestiere, e quasi nulla è sopravvissuto della sua corrispondenza amorosa, dobbiamo accontentarci delle generiche testimonianze dei suoi contemporanei. Ma un biglietto della principessa Emanuela Pignatelli Potocka, che non aveva una reputazione da difendere, parla chiaro: «Autorizzo Sua Eccellenza, il Cavalier Nigra, a dichiarare, se lo desidera, che la presente fotografia ritrae una delle numerose vittime di Sua Eccellenza».[10] Stando al conte Ressmann, il seducente piemontese era capace di mandare lo stesso giorno a quindici grandi dame parigine altrettanti bouquet di fiori che faceva venire a sue spese da Firenze.[11] Quello, colossale, per il compleanno dell'imperatrice, senza biglietto d'accompagnamento, aveva come unica firma una «profusione di coccarde con i colori dell'Italia».[12]

Quando, all'inizio degli anni Sessanta, Virginia tornò a Parigi, il rapporto tra i due complici era destinato a cambiare: ora era Nigra a godere della benevolenza di Napoleone III e del favore dell'imperatrice, a essere ospite di riguardo alle Tuileries e a Compiègne[13] e conteso dal bel mondo parigino. Toccò quindi a lui offrire il suo appoggio all'affascinante compagna d'avventura caduta in disgrazia, cogliendo anche l'occasione per farle la corte. Estesa alla sfera erotica, la loro complicità si rafforzò, giacché entrambi praticavano l'amore come un gioco e non ne facevano mistero. Ma il libertinaggio rispondeva a esigenze diverse per ciascuno di loro. Nigra se ne serviva come di un euforizzante che gli faceva dimenticare l'infelice situazione familiare; viceversa, per Virginia, che di regola si concedeva agli uomini solo se potevano esserle utili, ed era pronta a punirli per averla costretta a concedersi, le partite di piacere erano il diversivo da una faticosa strategia che la vedeva impegnata su molti fronti nello stesso tempo. Non era facile incontrare giocatori all'altezza – ne avrebbe trovato uno in Estancelin –, ma nessuno più del bel Costantino aveva le carte in regola per tenerle testa. Pochi erano in grado quanto lui di giudicarla con occhio equanime. Di Virginia, al suo acume di scrittore e al suo talento di diplomatico non sfuggivano l'audacia intellettuale, l'intuito politico, la fierezza di servire una nobile causa, ma neanche la capricciosità, l'arroganza, la fiducia illimitata nella propria bellezza. E aveva subito indovinato la natura del tarlo che la rodeva. Fin dai primi tempi del loro sodalizio, nella primavera del 1857, dopo averne celebrato i successi, Nigra coglie l'inquietudine che non la abbandona neppure nella sua avanzata trionfale: « Mia bella Signora, » le scrive « non lasciatevi nel nome di Dio pigliare dalla nera malinconia, che traspare da una frase della vostra lettera cara ». E con altrettanta sagacia, constatandone la verve epistolare, le rivolge, sia pur scusandosene, una piccola « predica »: « Io vi suggerisco un mezzo, che credo ottimo, per liberarsene. Voi avete spirito e cultura. Voi scrivete bene, e potete scrivere benissimo con un po' d'attenzione. Voi esercitate sopra tutte le persone che vi circondano un vero fascino, effetto in parte della beltà vostra, ma più del vostro carattere, capriccioso a volte, ma infin de' conti mite e buono. Voi siete a contatto con persone che hanno qualche parte nelle cose di quaggiù. Il vostro criterio è giusto, sensato, esatto, per quanto ho potuto giudicare. Ebbene con tutti questi dati voi potete scrivere delle eccellenti memorie. Voi ci troverete il vantaggio di scacciare duramente qualche ora del giorno la malinconia e i tristi pensieri, e di prepararvi un gran conforto per l'avvenire. Perdonatemi la predica e lasciate che baciando la vostra mano bella mi dica di nuovo il vostro buon servitore ».[14]

Troppo dominata dall'urgenza espressiva e pericolosamente in bilico tra due lingue, Virginia non avrebbe mai avuto l'« attenzione » necessaria per fare miglior uso della vivacità e dell'originalità che contraddistinguono lo stile delle sue lettere, e avrebbe concepito il progetto di stendere le sue memorie quando ormai non aveva più la lucidità necessaria per mettere ordine tra i ricordi. Della sua sensibilità artistica, invece, Nigra avrebbe avuto un'indubbia conferma nel ricevere in regalo un « magnifico » album fotografico contenente venticinque immagini risalenti agli anni 1857-1859.[15] Incollati sulle due facciate di undici pagine di cartonato color avorio, i ritratti, di forme e dimensioni diverse, sono incorniciati da merletti di finto legno, probabilmente applicati dalla stessa Virginia. Anche le decorazioni della rilegatura in cartone sono in carattere con le cornici, e nel risvolto interno di copertina figura una tasca segreta vuota, forse destinata a custodire un'immagine più intima.[16] Scelte appositamente per Nigra, le fotografie – a tutt'oggi il solo album completo della Castiglione giunto intatto fino a noi – costituiscono una cronaca per immagini del primo soggiorno parigino di Virginia e documentano il suo camaleontico talento. Scatto dopo scatto, la vediamo impersonare aspetti assai diversi della femminilità: la maternità, la spiritualità, il raccoglimento, la seduzione, la giocosità. Sono pose improntate ai canoni pittorici allora in voga e ricordano le « teste d'espressione » del pittore Claude-Marie Dubufe.

« Vi ringrazio dell'album che è veramente magnifico. I ritratti son lungi dal rappresentare tutta la vostra bellezza divina, ma indicano che chi ha immaginato le pose, è artista nell'animo. E poi quanta espressione in quello sguardo! Dio! Dio! »[17] si estasia lui nel riceverlo. E non sarà l'unico a restare colpito dallo sguardo della modella nel più notevole di questi ritratti, che il barone Robert de Montesquiou battezzerà proprio *Le Regard* e che è considerato a giusto titolo uno dei più belli della storia della fotografia: « Emergendo seminuda da una corolla di tulle, seducente ma al tempo stesso distante, la contessa fissa lo spettatore. Emana quell'erotismo glaciale, quell'effetto di "fuoco freddo", di "inverno tropicale" che ha tanto colpito i suoi contemporanei. Offerto all'ammirazione, il braccio sembra un frammento di marmo antico. L'incredibile capacità della contessa di "reggere" l'obiettivo dipende in gran parte dalla potenza espressiva dello sguardo, che è in grado di modulare a suo piacimento e che Pierson riesce a trasmettere. Modella e fotografo danno prova di una perfetta collusione riguardo all'effetto da ottenere. *Le Regard* è il loro primo capolavoro ».[18]

Con quel dono, il neoambasciatore riceveva un segno di benevolenza che Virginia riservava solo a pochissimi eletti. E aveva voluto aggiungervi qualcosa di ancora più intimo: « Vi mando la bruna e la bionda con due capigliature degli stessi colori già tanto discussi da coloro che non avendomi mai vista né in un modo né nell'altro non credono a uno *scherzo di natura* [in italiano nel testo]. Ma proprio la natura mi ha concesso il privilegio di poter apparire di volta in volta imponente o minuta, ma sempre me stessa. Ecco il mio delitto! Il ritratto in bianco è arte, ma il terzo capello colto sul mio capo di 20 anni non è più artificiale degli altri. Tutto è vero in me, compresa la mia amicizia».[19]

Sia pur diversamente impegnati – lei in relazioni simultanee con Poniatowski, La Tour d'Auvergne e Laffitte, lui in una situazione politica intricatissima e in continua evoluzione –, i vecchi complici sembravano trovare il modo di vedersi sovente. E Virginia gli rivolgeva le richieste più disparate, compresa quella di un consiglio sulla *mise* da indossare a un ballo.[20] «Cara e bella contessina,» protestava Nigra «che diavolo mi pigliate a giudice del colore delle vostre vesti?». E, attingendo ai *Canti popolari toscani, corsi, illirici, greci* raccolti da Niccolò Tommaseo, la canzonava giocosamente: «Siete la più bella giovinetta / che in cielo e in terra si possa trovare / e colorita più che rosa fresca / e chi vi vede fate innamorare». Per poi aggiungere: «Se venite alle 4 discorreremo. Vi bacio la mano bella».[21]

Conoscendone l'imprevedibilità, il diplomatico le faceva una corte prudente, inviandole i canonici omaggi floreali. Quello ricevuto per l'onomastico le offriva l'occasione di invitarlo provocatoriamente a uscire allo scoperto: «Grazie per le rose benvenute a Sainte Virginie 21 mai. Un'altra volta fatemi il piacere di non usare di inutilità come quella di inventare una utilità per il piacere di vedermi». E poiché l'amico doveva avere sollecitato la sua presenza alla legazione senza spiegarne la ragione, insisteva in tono provocatorio e in un fantasioso franco-italiano: «Colla vostra comunicazione avete mancato vous faire croire e farmi prendere un mal di petto sortendo di letto col infredore parceque Nigra a dit "il le faut" ... je n'accepte pas les surprises, si vous voulez de moi il faut me dire pourquoi. Son diventata peggio di S. Tomaso, se non tocco non credo, se non vedo non vado. Tant pis pour ceux qui attendent. Se avete qualcosa a comunicarmi scrivete o venite a dirlo stasera. Ce que je vois de très clair c'est que vous n'acceptez ce que l'on vous offre, M. le Ministre!».[22]

Nigra cerca di rabbonirla facendo ricorso al suo stile più galante: «Siete adorabile come sempre, Contessa bella, da vicino o da lontano, presente o assente, a Passy come a Parigi. Stasera andrò alle Tuileries; ma al primo istante di libertà verrò a bussare alla vostra porta, e a dirvi a viva voce ciò che questo biglietto, per quanto profumato, non riesce a esprimere... ».[23]

Strappata al suo malumore, Virginia ritrova subito la civetteria, facendo persino « attenzione » al suo italiano: « Sareste voi innamorato! E vi sareste sbagliato di lettera? In questo caso fatene un'altra; quella è troppo carina perché ve la mandi e la tengo preziosa come un saggio de ce que vous pouvez être. Se tutti mi vogliono, venitemi a dir oggi qual giorno scegliete per rimetter la partita di ieri. Lundi soir pour mardi soir si vous pouvez ».[24] Allora Nigra ne approfittava per risponderle finalmente a tono in merito all'invito che tanto l'aveva irritata, mettendo le cose in chiaro quanto ai sentimenti. « Utilità vera che ci veniate non la veggo. Tuttavia mi par conveniente che almeno una volta vi facciate vedere. Quando vi deciderete, fatemelo sapere ed io sarò a vostra disposizione per darvi il braccio. Vi gira che io sia innamorato? Per Dio dovete conoscermi abbastanza. Vi bacio la mano bella, fatemi sapere quando ricevete, ovvero venite a vedermi! ».[25]

I loro incontri però si erano fatti più intimi: « Vi ho aspettato l'altra sera fino a mezzanotte; ma invano! Pazienza. Sarà per un'altra volta. Mi hanno detto che eravate molto bella e l'ho creduto ».[26] Presto Nigra non avrebbe più avuto bisogno dell'autorizzazione per andare a trovarla: « Verrò da voi questa sera alle 11. Non fatemi fare troppo lunga anticamera. Senza frasi inutili, mi dico vostro N. ».[27] O, ancora più spiccio: « Verrò a vedervi domani sera, a condizione però che non vi vestiate niente ».[28] Ma poteva anche bastare un: « A stasera, alle 9, Senza ».[29] E se lei si faceva desiderare, lui non ne faceva un dramma: « Verrò a vedervi quando potrete darmi una serata intiera per me e che non siate affaticata, e non vestita e non di cattivo umore. Se per domenica tanto meglio ».[30]

In attesa che riaffiorino da un archivio o da qualche collezione privata le « lettere appassionate » che Virginia gli avrebbe mandato,[31] abbiamo indizi sufficienti per supporre che a partire dall'estate del 1862[32] i due compatrioti giocassero, in libertà e in allegria, una partita erotica finalizzata al solo piacere. Ma l'intesa continuò anche a partita conclusa, e Nigra avrebbe sempre riservato a Virginia un'amicizia affettuosa e un'estrema pazienza. Era pronto a offrirle il braccio per il suo chiacchierato ritorno alle Tuileries nelle vesti di regina d'Etruria,[33] avvertendola di munirsi anche di uno chaperon;[34] ad accompagnarla per una visita «incognita» al principe [Napoleone] «senza inciampare in donne e ragazzi»;[35] a invitarla a cena con Plon-Plon;[36] a informarla che il principe Umberto di Savoia era di passaggio a Parigi;[37] a metterle a disposizione i servizi della legazione italiana. Fu sempre lui a comunicarle con delicatezza la fine imminente del nonno Lamporecchi[38] e la morte del marito; e ad andare a trovare, quando lei non era a Parigi, il piccolo Giorgio – che aveva solo un anno più del suo «bimbo»,[39] da cui viveva tristemente lontano.

Non meno significativi per la continuità del loro legame erano i pranzi a tre con l'intelligentissimo e fidatissimo Artom, l'ex segretario di Cavour ora distaccato alla legazione parigina, o semplicemente la condivisione di momenti di spensieratezza: «La primavera è venuta, tiepido è l'aere, limpido il cielo, perché non venite a spasseggiarmi alle 7?»;[40] «Volete venire a spasso oggi alle 2 al bois? Verrò a pigliarvi, se volete, in carrozza chiusa. R.S.V.P.»;[41] «Quando si va a teatro? Artom ed io siamo a vostra disposizione tutte le sere».[42] E in una domenica d'aprile del 1865 – anno funesto per Virginia, sul piano finanziario e familiare – sapendo della passione dell'amica per la musica lirica, le scriveva: «Secondo il vostro consiglio ho pigliato un biglietto per l'Opéra comique, faute de mieux. Vi aspettiamo adunque domani lunedì alle 6 precise pel pranzo. Ho una comunicazione a farvi. Non mancate. Tutto vostro N.!».[43] Di lì a poco, sarebbe stata Virginia a dover trovare le parole per confortare l'amico, tornato in Italia per seppellire il padre. «Cara Contessa» – le rispondeva lui – «sono arrivato dopo un viaggio ben tristo, come potete pensare. Ho ricevuto a Firenze, prima di partire, una lettera vostra, veramente amabile, e della quale vi sono riconoscentissimo. Credete che questa prova di simpatia per parte vostra mi ha commosso e ve ne conservo una gratitudine sincera. Se avete un po' di tempo lasciatevi vedere. Potrò darvi notizie del vostro figliuolo che ho visto a Firenze, Vostro affezionato Nigra ».[44]

Che le fosse realmente affezionato lo dimostrava preoccupandosi per lei, sopportandone gli scarti d'umore, la diffidenza, le ambiguità: « Sono desolato di sapervi ammalata » le scriveva « ma verrò domani, o nella giornata, o nella sera, a tenervi compagnia insieme con Artom, e à vous soigner ».[45] Depressione e malinconia erano patologie che gli erano tristemente note, ragione per cui raccomandava all'amica di non abbandonarsi all'inerzia, di costringersi a uscire,[46] e sapendola convalescente provava a distrarla raccontandole un incidente che gli era occorso la sera prima: « Ieri arrischiai di rompermi il collo in carrozza. Certo; caduta del domestico e rottura della gamba sua; caduta del cocchiere e contusioni; il cavallo senza cocchiere corre, passa il rondpoint des Ch. Elysées e lì si arresta ficcando una ruota nel ventre di un cavallo di fiacre che passava. Mentre ciò accadeva io stavo dentro, non con piacere come potete pensare, ma senza turbamenti. E appena vidi che l'incontro con il fiacre aveva diminuito il moto della carrozza saltai giù snello e leggero ».[47]

Ma Nigra sapeva bene che a Virginia bastava poco per sentirsi trascurata, tradita, abbandonata. D'altronde, come non essere gelosa del legame di simpatia che si andava stringendo tra l'amico e la coppia imperiale? Era solo per dovere e solo grazie all'eloquenza che il diplomatico era riuscito a smussare l'ostilità di Eugenia nei confronti dell'Italia (l'imperatrice, filoaustriaca e cattolica fervente, non voleva sentir parlare né di questione romana né di annessione di Venezia) e a conquistarne l'amicizia e la fiducia? La contessa era troppo perspicace per non capire che il diplomatico nutriva per la sovrana un sentimento di ammirazione cavalleresca che non rientrava nei suoi compiti professionali. Per di più, le arrivavano notizie che la irritavano profondamente.

I due problemi cruciali che il rappresentante italiano si era trovato ad affrontare a Parigi erano la questione romana e la mancata annessione del Veneto, che – in contrasto con gli impegni presi a Plombières – l'armistizio di Villafranca aveva lasciato sotto il dominio austriaco. Su entrambi i punti l'imperatrice era inflessibile. Nigra non si era però perso d'animo.

Una sera di giugno del 1863, mentre la corte era a Fontainebleau, Eugenia aveva invitato gli ospiti a fare un giro in gondola sul grande bacino d'acqua prospiciente il castello, ma si scoprì con disappunto che, afflitto da raucedine, il gondoliere non poteva intonare come di consueto le canzoni veneziane. Nigra aveva preso la palla al balzo e, nel corso della notte, come un trovatore antico, aveva composto per la sovrana i versi di una barcarola[48] in cui Venezia supplicava la « bionda Imperatrice » di liberarla dalle catene.[49]

Pubblicata pochi mesi dopo,[50] la barcarola suscitò una vasta eco, ma ignoriamo l'effetto che ebbe sulla destinataria. Inizialmente così sensibile alle sorti dell'Italia da ammirare il patriottismo di Felice Orsini e piangerne la condanna a morte, Eugenia vedeva ora i cambiamenti in atto nella penisola come una minaccia per l'equilibrio europeo e per la sicurezza dello Stato pontificio. Ma c'era di più: ad amareggiarla era l'ingratitudine « di tutto un popolo verso un paese e un sovrano che ha tutto arrischiato per dare alla nazione italiana una forma invece di un'utopia », il comportamento di un paese dove « si direbbe che la giustizia è bandita dai cuori ... fino al punto di corrispondere all'odio con l'odio ».[51] Gli avvenimenti degli anni successivi dovevano dimostrare che, pur senza mutare le convinzioni politiche di Eugenia, Nigra era riuscito a stemperarne l'astio. Resta da chiedersi a quali argomenti avesse fatto ricorso. Correva voce che « Cavour gli avesse affidato l'ambasciata italiana a Parigi più in virtù della sua prestanza fisica che per le doti di uomo politico, nella speranza – adiuvante fortuna – che riuscisse gradito all'Imperatrice almeno quanto la contessa di Castiglione all'Imperatore ».[52] Dobbiamo dar credito al principe Bernhard von Bülow, grande estimatore di Nigra, quando sosteneva che il bel Costantino « aveva saputo conquistare il cuore di Eugenia con i modi squisiti e le garbate poesie»?[53] Se così era, si trattava probabilmente di un'amicizia amorosa che non metteva in discussione la virtù e la reputazione dell'orgogliosa spagnola. Del resto, come abbiamo visto, a preservare Eugenia dalle insidie del cuore non erano solo una sincera fede religiosa e una forte consapevolezza dei propri doveri di sovrana, ma un'assoluta algidità. La storia riportata da Carlo Richelmy, cugino della moglie di Nigra, consente tuttavia di indulgere a fantasie romanzesche, ammesso che si voglia fare affidamento sui ricordi di un bambino di quattro anni. «Il figlio di Costantino, Lionello,» racconta Richelmy «ricordava di aver visto l'imperatrice giungere da sola, fra grandi veli in cui cercava di nascondersi, nell'appartamentino privato di suo padre. Una preoccupazione ben grave ha certo indotto Costantino a non separarsi dal figlio in una circostanza così intima: le sue titubanze egli le espresse in una lettera che cucì nel risvolto di una giacca di Lionello che poi spedì a Torino con l'istitutore. Fu lo stesso Cavour che accogliendo il bambino nel suo studio e accarezzandolo scoprì il documento».[54] Il grande statista avrebbe risposto a quelle «titubanze» con una lettera che terminava così: «Per il bene d'Italia non fare il casto Giuseppe».[55] Purtroppo ignoriamo il seguito, ma sappiamo che Nigra avrebbe sempre conservato in bella vista sulla scrivania il calco marmoreo della mano di Eugenia ricevuto in dono dalla stessa imperatrice. Né possiamo dubitare della tenera amicizia con cui lei ricambiava la sua devozione, visto che, nella primavera del 1907, ormai ottantenne, avendo appreso che Nigra era in fin di vita nella sua villa di Rapallo, accorse a dargli un ultimo saluto.

L'inviato di Vittorio Emanuele si sarebbe avvalso di altri argomenti per convincere il «muto Imperator» ad adoperarsi per la libertà di Venezia e del Bel Paese, attenendosi a una benevola neutralità di fronte all'alleanza italo-prussiana contro l'Austria, e a stipulare una convenzione[56] che prevedeva il ritiro delle truppe francesi, stanziate a Roma per proteggere il papa, in cambio dell'impegno del re a non invadere lo Stato pontificio e a trasferire la capitale da Torino a Firenze.

Prudente e discreto, Nigra non poteva certo arrischiarsi a informare Virginia degli accordi segreti che si andavano faticosamente intessendo tra Italia e Francia ed è probabile che la vecchia amica, ormai tagliata fuori dai giochi politici ma sempre a caccia di notizie, gliene serbasse rancore. Inoltre non è detto che il diplomatico, il quale era in contatto con i grandi banchieri parigini e non disdegnava di speculare in proprio,[57] fosse propenso a condividere con lei le sue lucrose informazioni. Non potendo tenerlo in pugno, Virginia non gli risparmiava acidità e sarcasmi. Talvolta, pur sollecitando una sua visita, non faceva mistero dell'accoglienza che lo aspettava: « Sì stasera... quantunque la serata sia brutta da me, désagréable, fatiguante e non havvi distrazioni di sorta di cui ha bisogno un ministro come lei dopo le seccature della giornata. Io non le domando di venire che proprio indispensabilmente perché capisco col gran caldo e il mio malessere il correre al sole per le piazze mi fa male, rabbia, e mi rende doppiamente insopportabile ».[58] Lo accusava anche di trascurarla indegnamente: « Se fossi morta v'avrei chiamato dopo per sotterrarmi, ciò essendo de toute nécessité cosa che non posso che far fare ad altri. Non voglio vedervi e se ci teneste vi direi che è dannoso non essendovi utilità ... però devo dire a voi per voi che è ridicolo facciate finta di non aver saputo nulla della mia malattia e vi prego per me di non avere l'aria di ignorarlo (quantunque il fatto sia vero) perché nessuno ci crede e si passa per volere coglionare la gente inutilmente ». E concludeva con una frase lapidaria: « Dite se ce n'è un'altra come me? Non ne troverete mai ».[59]

Di certo non ce n'era un'altra così insopportabile e anche la pazienza dell'amico aveva un limite. All'epoca in cui era in guerra con il marito per l'affidamento del figlio, la contessa venne a sapere che Nigra era in contatto epistolare con Castiglione e lo accusò di complottare contro di lei.[60] Era più di quanto il diplomatico fosse disposto a tollerare. Dopo averle spiegato che il conte gli aveva scritto « per una commissione particolare del re », la strigliò a dovere: « Se non vi conoscessi, se non sapessi che siete buona e se non vi volessi bene, vi avrei mandata al diavolo di cuore. Dovreste sapere per esperienza che non mi occupo dei vostri fatti. Non parlo mai di voi, se non coi Rothschild quando mi domandano delle vostre nuove, e rispondo che non so né quel che fate, né dove siate. Col vostro marito non parlai mai di voi né scrissi ... Adunque calmate la vostra testa, e non scrivetemi delle corbellerie come quelle che sono contenute nel vostro delizioso biglietto d'oggi. Ora che mi son sfogato anch'io, vi mando mille saluti affettuosi e sans rancune ».[61]

Ma all'inizio della terza guerra d'indipendenza, nell'informare Virginia della disastrosa sconfitta di Custoza, Nigra sapeva di parlare a un'amica fidata, capace di condividere il suo sgomento: « Oggi sono via tutto il giorno, non venite. Je suis d'une humeur de chien [Ho un diavolo per capello]. Non ci sono altre notizie oggi tranne quelle date dai giornali. Siamo stati battuti a Custoza e fummo costretti a ripassare il Mincio. Gli austriaci ci hanno fatto 2000 prigionieri, noi a loro 600. Lotta accanita. Il Principe Amedeo ferito, guaribile in 30 giorni. Il generale Villarey morto... ».[62]

A guerra finita e a processo unitario quasi concluso, il bel seduttore ritrovava leggerezza e galanteria. Deluso di non aver potuto festeggiare la fine del 1866 assieme a Virginia, il 1° gennaio le inviò un'incantevole strenna studiata appositamente per lei, con un biglietto squisito: « Cara Contessa, Vi abbiamo aspettato fino alle 10 passate. Volevo rimettervi un piccolo ventaglio etrusco. Ve lo mando pregandovi di accettarlo come souvenir d'amico. Avrei desiderato che il ritratto della regina di Etruria fosse riuscito più somigliante. Ma quando s'ha un visino così bello come il vostro, non v'è pennello che tenga ... Vi bacio le mani belle. Nigra ».[63]

Al crollo dell'Impero, il diplomatico non esitava a testimoniare la sua devozione per Eugenia precipitandosi alle Tuileries e offrendole il braccio, come un cavaliere antico, per abbandonare di nascosto la reggia prima dell'assalto della folla inferocita.[64] Il giorno dopo fu Clotilde di Savoia ad andare via da Parigi, ma la sua partenza sarebbe stata molto diversa da quella della cugina. La principessa lasciò infatti il Palais-Royal in un calesse con le sue insegne, scortata dalla guardia d'onore e dai valletti in livrea imperiale, e poté raggiungere la Gare de Lyon « senza ricevere altro che manifestazioni di simpatia e rispetto ».[65] Come aveva scritto al padre e al marito, che già si trovava in Italia, si era sentita in dovere di restare nella sua nuova patria nonostante l'andamento disastroso della guerra, perché non era « una Principessa di Casa Savoia per niente ».[66] Ma non i titoli dinastici bensì l'instancabile attività caritatevole verso i poveri e i derelitti le avevano conquistato il rispetto del popolo, consentendole di partire a testa alta.

Nella Parigi della Terza Repubblica, Virginia ritrovò Nigra nel medesimo incarico ma con animo profondamente mutato. Si trovava ora nella difficile posizione di rappresentare un paese che non aveva prestato soccorso al suo antico alleato, e se in Francia il diplomatico era ormai inviso al principe Napoleone e ai bonapartisti, che lo giudicavano un traditore passato ai repubblicani, in Italia era guardato con sospetto dagli uomini della sinistra, che vedevano in lui « l'incarnazione del bonapartismo italiano », ed era sgradito al suo stesso re. Come spiega Federico Chabod nel magistrale ritratto che gli ha dedicato,[67] Nigra aveva perso fiducia in se stesso, e nel giugno del 1871 annunciava all'amico Visconti Venosta l'intenzione di abbandonare Parigi e la carriera diplomatica: « Non ho più la felice confidenza della gioventù. Se capitasse il menomo screzio [tra l'Italia e la Francia] temerei che venisse attribuito alle mie buone relazioni che ebbi coll'Impero. Mi sento inoltre molto affaticato. La sfiducia, il pensiero di essere ormai impari al mio compito s'impadroniscono spesso del mio animo e mi lasciano turbato ».[68]

Avrebbe desistito dal proposito, e sarebbe rimasto a Parigi ancora cinque anni, per poi continuare a servire il suo paese a San Pietroburgo, Londra e Vienna, ma ormai era un uomo diverso: « Non che gli mancasse l'energia per far quel che doveva, per assumere posizione netta quando fosse necessario ... o che venisse meno la capacità di imporsi ovunque, perfino nel difficile ambiente di Vienna, con un prestigio personale che sopperiva entro certi limiti al non grande prestigio del paese che rappresentava. Ma sempre meno vibrava l'anima del politico e sempre più quella dell'uomo di studio e di mondo».[69]

Non si poteva dire lo stesso di Virginia la quale, come abbiamo visto, non aveva rinunciato alla speranza di esercitare un'influenza politica e di vedere un giorno gli Orléans nuovamente insediati sul trono. Non è dato sapere se le sue iniziative fossero incorse nella disapprovazione di Nigra, ma di certo a lei toccava rintuzzare i sospetti del duca di Chartres, che non nascondeva la sua gelosia nei confronti del diplomatico. La lunghissima lettera che lei gli scrisse costituisce un'appassionata rivendicazione di libertà, un autentico proclama femminista *ante litteram*; e al tempo stesso, tra ripetizioni, incoerenze, mistificazioni e intimidazioni che riflettono la crescente collera di Virginia, illustra il carattere conflittuale del suo legame con Nigra e il posto irrinunciabile che, malgrado tutto, occupava da molti anni nella sua vita.

«Mi chiedete se sono l'amante di N[igra] C[ostantino]? Che ne siate convinto o no, poco importa. Inutile tornarci sopra, è una questione che mi irrita e mi ripugna, non ne posso più!» gli scrive, e la collera che traspare dal suo tono, anche se come sempre un po' «drammatizzata», suona autentica. «Questa cosa mi offende e mi ferisce, perché francamente posso trovare di meglio, del resto se almeno ne avessi una buona opinione e non lo giudicassi malvagio, falso, dispettoso, perfido quantunque molto intelligente e abile, me lo sarei preso e lo direi chiaro e tondo – che cos'ho da nascondere io? e a chi? E poi non c'è niente da nascondere, non è un mistero che lui si comporta *a sbalzi* [in italiano nel testo], a seconda che bisticciamo o facciamo pace sempre a causa *di falsità* [in italiano nel testo] e furberie che mi rivoltano. Viene qui spesso, tutti i giorni e le notti a lavorare ... Si è liberi (ed è perfino naturale) di credere che lavoriamo alla moltiplicazione [della specie]...

«E con ciò? Questo non prova niente. E poi è un'idiozia da parte vostra, chi siete voi, il primo venuto, per chiedere a me, vedova, libera, alla mia età, chi mi ha avuta e con quanti uomini sono stata ... La verità è che sono libera e intendo restare libera, se no piuttosto mi sposo ... Lasciamo stare l'argomento e non sfioratelo più né da lontano né da vicino. Siamo intesi? Basta, basta, o finiremo per litigare irreparabilmente ... Guai a voi (*uomo avvertito mezzo salvato*) ».

Tuttavia l'accusa di Chartres la toccava su un punto troppo sensibile perché non avvertisse la necessità di ritornarci sopra: « Ma quando per l'ennesima volta vi rimettete a parlare di N.C. per qualcosa che è e non è amore tra lui e me ... allora torno a rispondervi quanto segue:

« 1. Non sono stata, e non sono, la sua amante

« 2. Non l'ho mai amato, e non lo amo

« 3. Non sono affatto dispiaciuta di non frequentarlo in questo periodo (anzi!)

« 4. Perciò non vedo perché dovrei essere in collera con lui, e infatti non lo sono ... Sono io che preferisco tenerlo a distanza, perché mi irrita tutto il tempo e mi disgusta con i suoi misteri, i trucchi, le bugie ».

Su quest'ultimo punto Virginia non mentiva, poiché era effettivamente molto « contrariata » dal riserbo professionale del diplomatico; questo però non pregiudicava una relazione che si era cementata nel corso degli anni, e per di più in circostanze straordinarie. Non era stato proprio Nigra a precipitarsi da lei dopo l'attentato notturno teso all'imperatore mentre usciva dalla sua casa, per impedirle « di bruciare le cervella della Spagnola e di denunciare e svelare i suoi complici nella sciagurata vicenda del ricatto »? Il duca di Chartres doveva capire che erano ragioni sufficienti per farle trovare « necessario e vantaggioso rimanere in buoni rapporti con lui, che con me non ha rapporti di altro tipo ... E poi dovrei mettere alla porta quest'uomo soltanto per il capriccio di un altro? O perfino di colui che amo di più, fosse pure il mio amante? Neanche per sogno ... Non domandate oltre e finitela con questa storia ».[70]

Con la partenza per San Pietroburgo, nella primavera del 1876, Nigra non avrebbe più avuto occasione di incontrarsi con Virginia, ma la « cara e bella contessina » non si sarebbe dimenticata di lui e, molti anni dopo, gli avrebbe fatto recapitare una sua fotografia. Alla lettera di ringraziamento di Nigra, che non aveva mancato di trascrivere nel suo diario, aggiunse di suo pugno alcune righe di commento che mostrano quanto fosse ancora vivo il ricordo del legame che li aveva uniti: «La lettera di Nigra (che da 20 anni non mi ha né scritto né veduto per la nostra brouille dans l'Enlèvement [lite dopo il Furto] e l'assassinio del figlio) è un bijou di alte, tristi o giovanili rimembranze che penetra, e come.

«"Cara Contessa, il conte della... mi ha rimesso la vostra lettera et la fotografia. La ringrazio di cuore per la buona memoria di me. Vedo dalla fotografia que siete sempre bella et giovane e mi congratulo, già come voi non ce ne sono et non ce ne saranno più ... Non scordatevi del vostro antico ammiratore e adoratore"».

Poche frasi cortesi e di circostanza, tra le quali però ce n'era una che solo lei era in grado di capire, dato che era stata proprio lei a scrivergli: «Dite se ce n'è un'altra come me? Non ne troverete mai». A distanza di tanto tempo, la conferma di Nigra era un raggio di sole nel buio della sua esistenza: «Carino! per un uomo privo di cuore, ma pieno di Poesia! Mi par d'essere fuori della galera di quà per oggi, nel ricevere questo dono».[71]

Incombeva su queste due personalità d'eccezione una vecchiaia diversa, ma ugualmente triste. Virginia l'affrontava come un'ultima sfida, sottraendosi alla curiosità malevola di un mondo che non aveva saputo renderle giustizia, mentre il diplomatico, pur sentendosi un sopravvissuto, continuò a mantenere con dignità ed eleganza il posto che si era assicurato in società grazie ai suoi soli meriti. Nel 1882 Umberto I gli concesse il titolo di conte con relativo stemma gentilizio, per il quale Nigra aveva scelto un motto piemontese, «Aut et Drit» (alto e diritto), che gli calzava perfettamente. Il 4 dicembre 1890 fu nominato senatore del Regno d'Italia, e due anni dopo insignito dell'Ordine Supremo della Santissima Annunziata. Con il passare degli anni aveva anche ripreso le ricerche di filologia comparata, linguistica ed etnologia per le quali a Parigi si era guadagnato il plauso di Mérimée.[72]

Ritornò anche alla poesia con la sua traduzione parallela di Catullo e Callimaco,[73] e nel 1893 pubblicò gli *Idilli*, mentre con la raccolta dei *Canti popolari del Piemonte* dava la misura della sua originalità, inaugurando nel campo della poesia popolare un nuovo metodo di studio che « segnava il passaggio dalla grammatica empirica o astratta o puristica alla linguistica comparata e storica ».[74] Eppure, in vecchiaia, non sarebbe tornato ad abitare a Villa Castelnuovo, il paese natale a cui era così profondamente legato. Come era accaduto, sia pure per ragioni diverse, anche a Virginia per La Spezia, i luoghi dell'infanzia erano paradisi irrimediabilmente perduti. La rottura con un figlio su cui, dopo il fallimento coniugale, aveva concentrato tutte le speranze affettive, e che lo aveva profondamente deluso, contribuì ad accentuarne la solitudine. I successi professionali e mondani non lo mettevano al riparo da un senso di estraneità, comune a molti coetanei, rispetto al corso preso dalla storia italiana ed europea dopo il 1870, e lui sentiva di appartenere ormai alla schiera « dei morti imbalsamati nei loro paramenti ».[75]

Si era persa la memoria dell'Italia per cui gli uomini della sua generazione si erano battuti ed era venuta meno la fede negli ideali liberali e riformatori di Cavour. E ora che, a cominciare da Vittorio Emanuele II, molti protagonisti della stagione conclusa con la morte del grande statista erano scomparsi, era venuto il momento di svelare i retroscena degli avvenimenti cruciali di cui era stato testimone diretto. Aveva lavorato per anni alla stesura dei *Ricordi diplomatici*, avvalendosi della preziosa documentazione in suo possesso, e nel 1903 li aveva finalmente condotti a termine.[76] Eppure, nonostante il moltiplicarsi dei libri di memorialistica che si andavano pubblicando in Europa, Nigra si era limitato ad anticipare solo qualche pagina del suo,[77] continuando a procrastinare il momento di darlo alle stampe. Non ritorneremo qui sulla *vexata quaestio* delle ragioni della sua reticenza, né sulla misteriosa scomparsa del manoscritto che portava sempre con sé in una valigetta. Fu Nigra stesso, preso dagli scrupoli, a darlo alle fiamme assieme alle sue carte private nella dimora veneziana sul Canal Grande? Oppure i *Ricordi* erano caduti nelle mani di chi temeva che potessero rimettere in discussione la vulgata ufficiale del Risorgimento?

Nell'apprendere che degli sconosciuti si erano introdotti nella villa di La Spezia, dove Virginia conservava parte del suo archivio, e avevano bruciato sul posto molte lettere di corrispondenti illustri, è assai probabile che Nigra fosse colpito. Certo è che, nel procedere all'autodafé dei propri documenti, il diplomatico salvò una cosa sola: l'album di fotografie che Virginia gli aveva offerto più di quarant'anni prima. Il gesto era un ultimo omaggio reso all'amica che lo aveva preceduto nella tomba ed era a suo modo riparatore: se il grande *commis d'État* non aveva potuto rendere giustizia al contributo dato da Virginia alla causa italiana, il dono che aveva sottratto alle fiamme consegnava ai posteri la prova tangibile della sua « bellezza divina ». A loro volta, cedendolo al Museo del Risorgimento di Torino, gli eredi di Nigra consentirono alla contessa di trovare finalmente posto nel tempio di memoria consacrato a coloro che avevano « fatto l'Italia ».

L'ONTA SUPREMA DELLA DECADENZA

... come quella contessa Castiglione
bellissima, di cui si favoleggia.

Allo sfiorire della sua stagione,
disparve al mondo, sigillò le porte
della dimora, e ne restò prigione.

Sola col Tempo, tra le stoffe smorte,
attese gli anni, senz'amici, senza
specchi, celando al Popolo, alla Corte
l'onta suprema della decadenza.

GUIDO GOZZANO, *I colloqui*

« Ci vogliono coraggio e fierezza per essere vittime o martiri. E i boia, di qualunque natura siano, vadano al diavolo »[1] scriveva al suo avvocato Virginia, costretta a mettere in conto la prospettiva di uscire perdente dal conflitto con il figlio. Quella di vittima e martire sarebbe stata l'ultima e più memorabile interpretazione della sua carriera teatrale. Aveva sempre prediletto le parti tragiche: all'asta degli effetti appartenuti a Rachel si era assicurata il pugnale di Adrienne Lecouvreur,[2] e la scena finale di *Le mariage et la mort*,[3] la sola di un dramma da lei abbozzato, ne è una conferma. Vi figura un'eroina pronta a salire sul patibolo per salvare l'amato, il quale assiste impotente al suo sacrificio. Ma il tempo che separava Virginia dalla fine della vita era ancora lungo, e lei lo avrebbe dedicato a raccogliere le prove necessarie a smentire le calunnie di cui era stata vittima, facendo trionfare la verità. Studiata con cura, l'uscita di scena doveva consegnarla alla leggenda, ma intanto il suo cammino si trasformava in un « calvario »[4] e la ragione si smarriva sotto il peso della sofferenza e dell'angoscia. E non aveva neanche quarant'anni.

Oltre al tramonto della sua bellezza, Virginia dovette affrontare una lunga serie di lutti. I più dolorosi furono il tradimento del figlio, la rottura definitiva con Cassagnac e l'allontanamento del padre, in procinto di convolare a nuove nozze con una nobildonna portoghese, per giunta più giovane di lei. Nell'arco di pochi anni scomparve anche la maggior parte delle persone che nel bene e nel male avevano contato nella sua vita: dopo il marito e la madre, tra il 1871 e il 1875 morirono, in rapida successione, La Tour d'Auvergne, Napoleone III, Poniatowski, Laffitte, e nel 1878 sarebbe stata la volta di Vittorio Emanuele.

«Il 48 è morto, fra ieri e oggi» scrive Virginia a Léon Cléry subito dopo la scomparsa di Laffitte. «Un altro amico da raggiungere fra poco. Che ci faccio, qui, ancora? Non ho più niente, e nessuno, di ciò e di coloro che ho avuto e mi sono appartenuti, dall'infanzia in poi.

«E ieri se n'è andato un altro dei miei, che amava il mio cuore e ammirava il mio cervello. – Tutti morti ormai!...

«Come si può essere amici intimi per vent'anni con qualcuno che si è conosciuto in gioventù senza rimpiangerlo amaramente? È tutto il passato che se ne va, e non ritorna più; anche se si ha la fortuna di trovare delle nuove amicizie, c'è una cosa che non si ritroverà mai: quel dialogo fra i ricordi di due vite; certo, è quasi impossibile che due persone di sesso diverso provino un interesse reciproco senza che vi si mescoli un po' di amore morale o materiale.

«Eppure anche gli amori più sublimi, con i loro litigi, le gelosie e le burrasche, non hanno che un tempo solo, mentre i semplici affetti, come quello che c'era fra il 48 e me, durano per sempre, senza nubi: attraversano la vita restandone al di fuori».[5]

Le ultime righe della lettera annunciano la tendenza a rivisitare il passato nella chiave per lei più lusinghiera – in questo caso quella di un'amicizia pura e disinteressata –, nell'attesa di adattarlo all'immagine che intendeva lasciare di se stessa.

Fortunatamente, per affrontare un presente di preoccupazioni pratiche e assilli finanziari, poteva contare sull'appoggio indefettibile dei due grandi amici che le erano rimasti: il generale Estancelin e quel Léon Cléry presentatole da Thiers nell'ottobre del 1870 a Firenze, dove l'avvocato rappresentava il Governo di Difesa Nazionale presso Vittorio Emanuele II. In quei giorni difficili Cléry aveva potuto stabilire un rapporto di stretta collaborazione con la bella italiana tanto desiderosa di aiutare la Francia,[6] e non avrebbe mancato di renderle giustizia dopo la sua scomparsa: « Non era affatto un'avventuriera. Al contrario, era una gran dama ... Era una donna molto intelligente, assai competente in tutto ciò che concerne la diplomazia e la politica, nelle quali si destreggiava con la disinvoltura e il talento di una vera fiorentina, con qualche goccia del sangue dei Medici nelle vene ».[7] Tra loro era nata un'amicizia « a tutta prova ». Nell'affettuoso tentativo di debellare le ansie di Virginia, di fugarne i sospetti e le paure, il celebre avvocato si sarebbe pazientemente applicato a decifrarne gli « scarabocchi infernali ».[8] Soprattutto non le avrebbe mai fatto mancare la propria assistenza professionale nei molteplici contenziosi – da quello con il figlio all'intrico di processi legati alle proprietà di La Spezia, fino al braccio di ferro con i proprietari della sua ultima dimora.

Pur riflettendo l'aggravarsi inarrestabile della sua patologia nervosa, la corrispondenza di Virginia ne rivela anche l'acume, lo spirito d'osservazione, l'ironia, la grazia, l'uso di mondo e, non ultimo, quell'indubbio talento di scrittrice già intravisto da Nigra. In particolare, il carteggio con i Cléry, di cui Montesquiou ha pubblicato un piccolo florilegio,[9] ce la mostra padrona dell'arte epistolare francese di stampo classico, che rifugge dalle formule d'uso delle lettere « da cinque soldi »[10] in nome dell'originalità e della sorpresa.

La nascita di una bambina in casa Cléry, per esempio, le offre l'occasione di esprimere la sua gratitudine con un dono prezioso, accompagnato da un messaggio che ne minimizza garbatamente il valore, ponendo l'accento sul significato beneaugurante. Ma nel formulare i voti per la bellezza della piccola, Virginia celebra ancora una volta il culto della propria: « Mi avete autorizzato a sgranare una <u>perla</u> per vostra figlia... tuttavia, no, non gliela darò, perché è un simbolo di <u>lacrime</u>. Deve conservarsi gli occhi per sfolgorare, sulle mie orme, e folgorare l'ultima parte del nostro secolo. Spero che diventerà bella; è necessario per affrontare il mondo; ecco perché non voglio adornare la sua culla con una perla. Preferisco, per lei, uno smeraldo che dica grazie, perché il verde è la speranza ».[11]

Gli auguri per l'ultimo dell'anno erano un esercizio retorico più difficile, ma Virginia se la cava con maestria, prendendo spunto dalla ricorrenza per ribadire il legame con i Cléry. Scritto sul finire del 1874 – l'anno funesto dell'emancipazione definitiva del figlio –, il biglietto prende spunto dall'omaggio che i Cléry le avevano fatto recapitare: « E credete che ci sia bisogno dell'edera per farmi attaccare a voi, che amo di un amore così forte, perché mi volete tanto bene!...

« No, non mi occorrono frutta e fiori per pensarvi. E che frutta, e che fiori, accostati con tanta grazia, magnifica corbeille che allieta, con mille sfumature, il mio angolino triste e solitario, sorprendendomi a meditare sull'anno triste appena trascorso!

« Ma durante i dodici rintocchi della mezzanotte mangerò dodici chicchi di buon augurio, pensando a voi, ai vostri, e ai nostri desideri esauditi, perché vi voglio fratelli nella felicità, ammesso che un po' di felicità sia possibile, nella vita! ».[12]

Tre anni dopo, l'orizzonte si era già fatto più cupo, e Virginia, consapevole dei fastidi che andava infliggendo all'amico avvocato, approfittava degli auguri per scusarsene: « L'ultimo giorno del 1877 ero troppo sofferente, confusa e malinconica per chiedervi di perdonarmi le trecentosessantacinque seccature arrecatevi dalle mie disgraziate vertenze, e non dalla mia volontà, sia nello scorso anno sia in quelli che lo hanno preceduto ... Quanto a me, non posso che rallegrarmi di questi otto anni di frequentazione piacevole e costante, che costituisce un'amicizia a tutta prova, ormai incrollabile; un'amicizia reciproca che è la mia forza, il mio diritto e il mio piacere, e che oltre ad offrirmi un appoggio sicuro mi consente di importunarvi anche dalla tomba (e ci arriverò presto, di questo passo...) ».[13]

Nel giugno del 1878 Virginia lasciò l'Hôtel de l'Alma per trasferirsi in un mezzanino a place Vendôme, dove, al numero 26 di quella che cent'anni prima il marchese Domenico Caracciolo aveva definito « la plus belle place au monde », la più bella donna del secolo cominciò a mettere a punto la scenografia della sua uscita di scena. Dalla morte del marito aveva preso a vestirsi prevalentemente di nero – il che, oltre a ricordare la sua condizione di vedova, aveva il vantaggio di valorizzare la sua carnagione –, e il nero regnava anche nell'appartamento che le offriva rifugio dalla luce impietosa del giorno e dagli sguardi indiscreti.

Dopo il classico rosso e oro della sua camera nuziale e il melenso rosa confetto di quella di rue Castiglione, Virginia anticipava genialmente architetti e decoratori moderni creando un effetto che fino ad allora era riservato agli apparati funebri. Si era forse ricordata della storia della contessa di Châteaubriant, grande passione di Francesco I di Valois e prima amante in carica di un re di Francia? Si raccontava infatti che, quando era stata abbandonata dal sovrano, il marito si fosse vendicato del tradimento rinchiudendo l'adultera in una stanza priva di luce, tappezzata di nero come una bara. Invece dell'infelice castellana, stavolta era l'amante dell'ultimo imperatore a celebrare le proprie esequie in vita scegliendo di segregarsi nel cuore di Parigi, di fronte alla colonna che commemorava le gesta di Napoleone il Grande.

Montesquiou avrebbe visitato l'appartamento dopo lo sfratto di Virginia, rilevando la coerenza dell'impianto decorativo: « Ho trovato un salotto in rovina, dai muri dipinti di nero come il fondo degli affreschi pompeiani, con una piccola greca bianca a mo' di fregio funebre, simile ai gioielli teatrali della regina d'Etruria ch'ella indossava al famoso ballo ».[14] Anche il pavimento era coperto da tappeti neri, e nero era il rivestimento di divani e poltrone. Ignoriamo se davvero, come vuole la leggenda, la padrona di casa avesse velato gli specchi per proteggersi dalla visione della propria decadenza, ma di certo non ce n'era bisogno: dalle persiane sempre chiuse poca luce filtrava nell'appartamento immerso nella penombra. D'altra parte Virginia non avrebbe potuto fare a meno di uno specchio per affrontare la macchina fotografica negli anni dell'estrema decadenza fisica.

Chiusa su se stessa, porte e finestre sbarrate al mondo, la dimora di place Vendôme non era solo il rifugio da un presente in cui non c'era più posto per lei, ma il forziere dove custodire il passato, il tempio edificato per la gloria futura. Le pareti interamente tappezzate di fotografie immortalavano la bellezza e i trionfi della contessa e, sparsi sui tavolini o disposti nelle vetrine, ventagli, ninnoli, oggetti preziosi ne celebravano il gusto raffinato. Lettere, telegrammi, dispacci, codici segreti e messaggi cifrati erano custoditi gelosamente in un baule – un altro si trovava a La Spezia –, a testimonianza del ruolo che Virginia aveva avuto nella grande storia.

L'evocazione del passato era però inseparabile dal ricordo delle persone scomparse che, come scriveva a Cléry, si faceva sempre più assillante: « Il Principe è morto, mia madre è morta, il nonno è morto, il marito è morto... Debbo, dunque, morire anch'io – disperatamente? ».[15] Dopo la scomparsa del figlio, il pensiero della morte non le avrebbe più dato requie. Eppure le rimanevano ancora vent'anni da vivere.

In realtà, non diversamente da com'era stato a Villa Gloria e a Passy, la reclusione di place Vendôme era meno rigorosa di quanto Virginia volesse far credere. A parte le visite di Cléry e di Estancelin, che quando era a Parigi si annunciava fischiando sotto le sue finestre, riceveva ancora con regolarità ospiti abbastanza importanti da attirare l'attenzione della polizia. Un rapporto del 1881 fa i nomi del principe Napoleone, del duca d'Aumale, dei principi Orléans. Ma ciò che più sconcertava i solerti funzionari erano i dispositivi di sicurezza dell'appartamento: grazie a un doppio ingresso – sulla piazza e su una strada laterale – i visitatori della contessa potevano andare e venire senza incontrarsi; inoltre, per accedere al mezzanino bisognava superare tre porte, poste su diversi livelli e dotate di un complesso sistema di serrature. I poliziotti sarebbero rimasti ancora più sconcertati se avessero saputo che le chiavi delle porte d'ingresso erano nascoste in una cavità segreta della croce finemente cesellata che faceva bella mostra di sé nell'appartamento, quella con incisa la doppia V di Virginia Verasis,[16] e che ciascuna di quelle porte veniva aperta solo dopo che il visitatore aveva fornito alla padrona di casa una parola d'ordine di volta in volta diversa. « Tali stravaganze » conclude il rapporto « sono note nel quartiere; alcuni dicono che è una pazza; secondo altri, in quella casa devono succedere cose poco chiare ».[17]

Per proteggere Virginia dalle sue ossessioni, invece, non c'erano lucchetti o catenacci abbastanza robusti. La mania di persecuzione di cui già decenni prima la madre aveva riconosciuto le avvisaglie era ormai cronica, e timori e sospetti non le davano tregua: aveva paura di essere spiata, derubata, assassinata, e la vita in generale le appariva carica di minacce, prima fra tutte quella di finire in miseria. Eppure non aveva paura di uscire da sola di notte, velata e avvolta in un'ampia mantella, e di girovagare con i suoi cagnolini nelle strade deserte, ora percorrendo rue Castiglione per andare a contemplare le rovine delle Tuileries di cui andava raccogliendo i frammenti di marmo,[18] ora spingendosi fino a rue Saint-Florentin, dove si fermava a fissare a lungo la finestra della camera da letto di Gustave de Rothschild, l'amico che non le aveva mai negato il suo appoggio...[19]

Durante il giorno e nelle lunghe ore di insonnia, distesa a letto o su una dormeuse, Virginia esorcizzava la solitudine annotando pensieri su fogli volanti, riempiendo pagine di diario, sfogandosi in lettere interminabili. Aveva sempre amato scrivere, ma, come confessava a Estancelin, l'attività epistolare, quel « dialogo fra i ricordi di due vite »[20] che era privilegio esclusivo dell'amicizia, costituiva ormai per lei la sola consolazione,[21] poiché le consentiva di evadere dalla reclusione, dare e ricevere notizie, commentare l'attualità, esprimere giudizi, raccontandosi a seconda degli stati d'animo e delle fantasie del momento. Ora incisiva e lapidaria, ora erratica, la sua prosa unisce il gusto della formula icastica al piacere dell'amplificazione, in una raffica di aggettivi, epiteti e sinonimi destinati a rafforzare – insieme alle frequenti sottolineature – le sue affermazioni. Cosa l'aveva dissuasa dal proposito di prendere la penna in mano e rivelare, una volta per tutte, la sua verità? In uno dei tanti fogli sparsi confessa: « Questo è uno dei miei sogni e delle poche grandi ambizioni che mi restano. Vorrei che restasse come leggenda ai posteri da me scritta in ricompensa Nazionale (ricordarsene a tempo e luogo) per la sola grande cosa che ho fatto da me... l'Italia! ».[22]

La decisione dell'imperatore di andare in soccorso del Regno sabaudo era stata presa tra le sue braccia, perché avrebbe dovuto negarlo? Si era perfino spinta ad annunciare minacciosa: « Questa volta, sola, vecchia e libera, non tacerò, ma mi vendicherò ferocemente di tutti, farò a pezzi quelli che hanno cercato di distruggermi, di derubarmi, di annientarmi, di seppellirmi viva, la mia giovinezza, la mia bellezza, la mia intelligenza, uccidere il mio potere e il mio sapere, fino a causare la mia rovina ».[23] Perché, infine, aveva taciuto e continuava a farlo?

Forse, semplicemente, per paura. In una situazione finanziaria sempre confusa e incerta, Virginia poteva contare su due introiti fissi: la pensione assegnatale da Vittorio Emanuele II e quella che continuavano a versarle i Rothschild in nome dell'amicizia e delle informazioni ricevute in passato. Ma ormai gli introiti che arrivavano dall'Italia dipendevano dal beneplacito di Umberto I, il quale non avrebbe certo apprezzato rivelazioni sui retroscena politici e privati di un Risorgimento in contrasto con l'immagine del padre di « re galantuomo » e con la vulgata dell'epopea nazionale. E anche con i Rothschild la prudenza era d'obbligo. Nella Francia repubblicana essere stata l'amante di Napoleone III era diventato un capo d'accusa. Quando, nel febbraio del 1873, i giornali avevano dato notizia di un furto alla legazione italiana in cui erano scomparsi anche dei documenti lasciati in deposito dalla contessa di Castiglione, tra cui degli « incartamenti riservati » avuti dall'imperatore,[24] Virginia si era affrettata a darne smentita sul « Pays ». Già a partire da Sedan, aveva deciso di tutelare la sua posizione in Francia escludendo nel modo più categorico di aver avuto una relazione con Napoleone III, e lo ribadiva sfacciatamente nel chiedere a Thiers che il nuovo governo tutelasse i suoi effetti rimasti in deposito a Parigi.[25] Da allora, davanti alle accuse periodiche della stampa scandalistica, avrebbe continuato a negare. Ma dopotutto anche i Rothschild non cercavano forse di far dimenticare il loro ruolo egemone nella vita finanziaria del Secondo Impero? Il diffondersi dell'antisemitismo e l'aleatorietà politica della Francia repubblicana non lasciavano presagire niente di buono per l'avvenire.

Essendosi convinta una volta per tutte dell'inopportunità di rivendicare in prima persona il posto che le spettava nella storia del Risorgimento, ma decisa a rintuzzare i giudizi malevoli e le calunnie che i testimoni del Secondo Impero andavano seminando nelle loro memorie,[26] pensò di affidare il compito a Estancelin. Il Normanno, che accarezzava l'idea di scrivere anche le proprie, di memorie, possedeva una vasta cultura storica, aveva seguito da vicino le vicissitudini politiche francesi dalla Monarchia di luglio alla Terza Repubblica, conosceva bene Virginia e le era sinceramente affezionato. Aveva accettato la proposta a condizione di avere nomi, fatti e date precisi su cui basarsi e di poter prendere visione dei documenti di cui l'amica vantava il possesso. Virginia non aveva intenzione di produrre alcuna prova, ritenendo che la bellezza, l'intelligenza e il talento diplomatico bastassero a spiegare lo straordinario prestigio di cui aveva goduto presso tutte le teste coronate d'Europa, papa compreso. E poiché Estancelin persisteva nel cercare di ottenere da lei informazioni più precise, finirono per litigare.

«Ma pretendete troppo;» protestava lei davanti alle insistenze dell'amico «finirò per gettare la spugna. Mi fate passare la voglia, con i vostri dubbi e confutazioni».[27] Se le chiedeva delucidazioni sull'attentato di Orsini, lei gli intimava: «Acqua in bocca! volete farmi passare per una complice di quell'assassino d'imperatori e del popolo?».[28] Se, ripiegando su un argomento più ameno, le domandava dei famosi costumi sfoggiati ai tempi della *fête impériale,* lei si indignava per «questi dettagli partoriti da odiosi calunniatori, quei costumi di nudità ostentate davanti a tutti». Lei, aver fatto vita mondana? Ma se aveva trascorso quasi tutto il suo tempo nella «remota solitudine della sua Passy»![29] Quando poi osava interrogarla sulle voci che correvano in merito alla sua vita privata arrivava a insultarlo: «È incredibile che un'intelligenza come la vostra si soffermi su questioni tanto infami. Smettetela, disgraziato! Sarebbe peggio di un uragano, sarebbe la fine di tutto. Lavorare così di fantasia sulle mie povere spalle d'inferma, troppo vecchia per replicare...».[30] E poiché Estancelin si ostinava a ripeterle: «Non so tutto, dunque non so niente»,[31] il progetto andò a monte, e del libro, che avrebbe dovuto chiamarsi *La plus belle femme du siècle*, rimase soltanto il titolo. Ma già un nuovo cimento l'attendeva.

«L'eremita di Passy, la solitaria di Dieppe, la reclusa di Parigi»[32] viveva ormai da una quindicina d'anni in place Vendôme, quando il padrone di casa le notificò di volere rientrare in possesso dell'appartamento. Alla prospettiva di abbandonare il rifugio in cui contava di finire i suoi giorni, Virginia perse la testa. Anche se il proprietario si era detto disposto a farle ponti d'oro pur di vederla andar via, ne nacque una guerra senza quartiere, fatta di iniziative legali, insulti, minacce e rappresaglie, in cui scendevano in campo perfino i topi. Nei *cahiers de doléances* che Virginia faceva recapitare a Cléry non mancano momenti di comicità: «Non appena il pollo è stato posato sul tavolo, i famosi topi l'hanno sbranato, e la stessa sorte è toccata ai documenti preziosi che avete visto sul mio scrittoio, e perfino a un bel mazzolino di fiordalisi; non se n'è salvato uno. E il mio letto ... di notte i topi ci ballano la contraddanza, sotto i miei cuscini, divorando pizzi, peluche, batista, fazzoletti; non si fanno mancare nulla, biancheria, pellicce e fisciù; quando rosicchiano le assi del pavimento il crepitio non ti fa chiudere occhio ... Ma non posso mica ipnotizzarli, i topi, come facevo con gli uomini dell'Impero!».[33]

Dopo tre anni di dispute estenuanti il padrone di casa ebbe la meglio, e Virginia fu costretta a lasciare il mezzanino, che in seguito – ironia della sorte – sarebbe stato occupato dal celebre gioielliere Boucheron, il cui negozio si trova tuttora al pianterreno dell'immobile.

« La condanna a morte mi ha fulminato ... Tutto è male quel che finisce male! »[34] scriveva a Cléry, che pure l'aveva esortata a fare di necessità virtù, a cambiare vita, a sceglierşi una casa più luminosa e salubre. In preda al *cupio dissolvi* – « È troppo tardi per ricominciare a vivere quando si è già cominciato a morire » –,[35] il 15 gennaio 1894 Virginia si trasferì con i due cagnolini al numero 14 di rue Cambon. Risoluta a non allontanarsi dalla « sua colonna », aveva ripiegato su un sinistro appartamentino, buio e senza aria, sopra il Voisin, il ristorante dove cenava abitualmente. Era scritto che dovesse « fare una fine brutta, misera e squallida »,[36] eppure lei chiedeva solo « un letto, la pace, il silenzio, e poi alla grazia di Dio; perché non è solo la mia dimora a cambiare, ma la mia vita... ».[37]

Negli anni in cui lottava disperatamente per non venire cacciata dal suo funereo mezzanino, Virginia era tornata spesso con il pensiero all'Italia e a quella che avrebbe potuto essere la sua vita: « Ero nata nella grandezza e per la grandezza » scrive a Estancelin. « Ah, se l'aveste visto coi vostri occhi, quel palazzo che come minimo vi immaginerete adagiato sulle nuvole, e le mie ville e le mie terre, con i vassalli inginocchiati per il baciamano! ».[38] Eppure da quando era tornata a vivere a Parigi si era limitata a rapidi soggiorni a La Spezia, rivelatisi tutt'altro che idilliaci.[39] Ogni volta si ritrovava alle prese con nuovi espropri, battaglie legali, ipoteche scadute, rivendicazioni dei contadini, e dopo essersi appellata al governo, avere litigato con il sindaco e affidato ad amministratori e avvocati il contenzioso con i creditori, non le rimaneva che la fuga. Ma la morte del padre[40] la costrinse a riprendere in mano la situazione. Pur avendo rotto con la figlia dopo essersi risposato, il marchese le aveva lasciato in eredità quel che rimaneva delle proprietà immobiliari e dei terreni su cui pendevano numerose ipoteche, delle quali, pur non potendo estinguerle, aveva sempre pagato gli interessi. Virginia si guardò dal fare lo stesso, ma quando, nel novembre del 1891, i suoi beni andarono all'asta non volle rassegnarsi, e l'anno seguente tornò a La Spezia per ricomprare case e terreni al nuovo proprietario.[41] I suoi sentimenti erano mutevoli, ma il senso del possesso rimaneva saldo. A La Spezia si fermò poi dal settembre del 1892 al febbraio dell'anno successivo, con il proposito di mettere ordine nei suoi affari. Per recuperare i suoi beni aveva dovuto stipulare un mutuo, accendendo una nuova ipoteca,[42] ma invece di pagare gli interessi a creditori vecchi e nuovi almanaccava progetti grandiosi come quello di rimodernare il castello di San Giorgio con l'obiettivo di farne un ricovero per dame decadute. Dopo il ritorno a Parigi, interamente assorbita dalla guerra del mezzanino, continuò a ignorare le diffide per gli interessi ipotecari non pagati e le citazioni in giudizio di amministratori, avvocati, ingegneri che si erano presi cura dei suoi problemi senza mai vedere l'ombra di un compenso. La giustizia fece il suo corso e si giunse a una nuova vendita all'asta dei beni Oldoini.[43]

In questo clima drammatico, culminato nel trasferimento in rue Cambon, Virginia tenta di riordinare i pensieri scrivendo a un ignoto corrispondente una cinquantina di pagine che testimoniano l'aggravarsi delle sue condizioni mentali.[44] Le troppe sconfitte hanno spezzato il fragile equilibrio fra slancio vitale e patologia nervosa, fra lucidità e allucinazione, e Virginia, ormai incapace di tenere a bada i suoi demoni, scrive *per intervalla insaniae.*

Le lettere, risalenti al maggio del 1894,[45] erano destinate a un amico devoto[46] a cui la contessa aveva affidato la complessa gestione delle proprietà spezzine. Sollecitata a prendere decisioni e a inviare denaro con urgenza per fare fronte ai nuovi guai giudiziari, si limita a dar voce al suo sconforto.

Lunga ben quattordici pagine, la prima lettera risale al 12 maggio 1894, sabato di Pentecoste: « Dopo la bomba di stanotte,[47] di cui mando giornale a cui ero vicina e la fatalità me ne schivò, con quella dello strangolamento a me promesso per scritto sotto la porta mia, decisamente la morte mia non vuole di me, e la vorrei la morte lenta bella e serena ma certa, presto, tanto la vita mi odia e ripudia da ogni lato, sotto ogni forma e genere». Qualche tempo prima un amico misterioso, che «aveva appeso il suo casco alla porta dei Cappuccini», le aveva giurato «di levare Mina da questo brutto mondo di propria mano se non ci potesse più stare in pace, e darle amore e dolcezza bella, per sottrarla al malessere, al dolore, al terrore della gente, al lordo, al vile, al disgusto, alla paura, alla malattia, e per levarla dai pericoli e toglierla alle minaccie e smettere di farla servire da cible [bersaglio]». Ma purtroppo l'uomo del casco era morto e lei non aveva più trovato nessuno «capace di un simile sacrifizio e virtù».

Perché, invece di tormentarla con problemi irrisolvibili, il suo corrispondente non l'aiutava a morire? «Vuoi tu venire? Tanto non ne posso più di sta vitaccia e sono al colmo e all'estremo della forza, del coraggio, della resistenza e della volontà phisica, morale e materiale tanto qua che là. Dunque smetti di attizzarmi anche tu con quelle lettere incisive, perplessive, confusive, tormentose e puntigliose, lamentose, sospettose, curiose, accusatrici, tatillonnes [cavillose], affareggiose, imperiose, pericolose per cose e fatti e donc rattristose, raffreddanti, rallontananti, entraînantes au silence ou à la révolte... [invitanti al silenzio o alla rivolta]». Tutto questo «aggravava all'ultimo grado» il suo «terribile stato psichico», impedendole «di dormire, di sognare, di riposare, di quietare, di pensare il bene, al punto che si è in voglia di fare il male e tutto alla rovescia». Riconosceva «che il volermi far fare come si vuole è il non volermi fare quel che si deve», e non si trattava «di capriccio né cattiveria», ma per sua natura le era impossibile di «reprimere i suoi sentimenti», concludendo che «ne sa più un matto a casa sua che un sano a casa degli altri».

Senza ordine né logica, il pensiero di Virginia vagava pericolosamente: «Io giro con il vento che mi spinge e non posso fermare la ruota della sfortuna e della disgrazia. Vado dove il destin mi porta, e mi porta via la corrente. Non so dove, né come, né quando mai, nessun luogo che mi dicesse cosa, ché e come sarà domani? Nemmeno ci crederei e mi accosterei. Sono come una nave in alto mare, en détresse, di cui mai se ne deve e può saper nulla ...

Dunque non mi tormentar più per nulla ... lasciami ire pel mio destino, lasciami fare, bene o mal fatto che sia e appaia ... non va con me né calcolo, né previdenza, né combinazioni, né concertazioni. Le hasard seul me guide, la fatalité me conduit [Solo il caso mi guida, la fatalità mi conduce] ».

Il ricordo del dolore provato nell'arrivare a La Spezia dopo la vendita all'asta dei suoi beni si confondeva con l'angoscia per le preoccupazioni finanziarie che non le davano requie anche a Parigi: « Ho trovato tutta la mia povera roba mobiliare venduta. Le mie bellissime gioie in pegno al Monte di Pietà (per averne pagato i debiti Oldoini l'altro anno che venni a La Spezia). Non trovo un soldo né a Parigi né a Londra. Come farò? Dio aiutatemi se no mi morirò dal dispiacere ... ho trovato tutti i miei preziosi ricordi, ritratti, libri, vestiario, oggetti d'arte, cristalli, porcellane, bronzi rotti, sporchi, rovinati, scompigliati per essere stati sgomberati da terzi e quarti alla diavola ... Dove sistemare tutto questo? ». Non aveva più « né reni né fiato per salire su e giù »[48] dalla collina dei Cappuccini per verificare lo stato delle sue ville e casali, e ovunque trovava in agguato contadini minacciosi e vendicativi, che l'avevano costretta, quando era a La Spezia, a uscire solo scortata dai domestici.

La seconda lettera è datata il giorno della festa di Pentecoste, e si apre con la delusione per non aver avuto un « qualcosa di buono, di profondo » in quel giorno speciale: « È precisamente perché ne volevo che non ne ho avuto! E questa festa generalmente gaia e verdeggiante a tutti, fino i bambini si rallegrano e si divertono, si veston delle feste grandi. Aimè ed io nel letto nemmeno nuda non avendo nulla di mio sano, né da vestirmi né da spogliarmi, né da distrarmi, né da occuparmi, né libri, né scritti, né ricordi, né ritratti, niente ». Nello squallore di rue Cambon, dove i mobili erano ammucchiati alla rinfusa in uno spazio troppo stretto, il pensiero andava alla casa spezzina della sua giovinezza dove tutto era « pulito, in ordine, e sano e bello ». Era sempre stata gelosissima delle « cose a cui tengo e di cui solo io so la provenienza e ne conosco le rimembranze e gli usi successivi ».[49] E aveva conservato religiosamente alcuni cimeli dell'infanzia che avevano il potere di far scattare il processo della memoria, liberandola dalle angosce del presente: « Voglio parlare qui della mia poltroncina, della poltronetta da bambina piccina, che me la portava sempre appresso Marietta sul posto ove Paolinella aveva la testa troppo grossa e cadea e sempre si faceva male. Io la rimettevo, le davo due schiaffi, poi due baci, poi la sedevo nella seggetta, e la legavo colla mia corda da saltare perché non cadesse più, e allora tanto si dimenava che cadeva colla seggiolina e si rompeva la testa e poi piangeva e se raggiava, tirava colpi di pugni e diceva: "È la Niny che mi ha legato e fatto cadere", e la Guglielmina la pazza rideva ». Il ricordo era così vivo che Virginia aveva l'impressione di trovarsi a La Spezia e, padronale, impartiva ordini per fare posto alla seggiolina nella sua camera da letto: « Io la voglio messa sotto la finestra del mio cabinet, dell'armadio a corni e del letto di Venezia ... ma se non ci sta il letto ... che lo si riporti in cappella. Scriva, li faccia. Badi in terrazza non rompere il vaso di Murano lavorato, che lo rientri in camera ». Poi, tornata in sé, si interrogava: « Ma cosa mi sono andata a pensare io qui che ho ben altro da pensare. Riminiscenze di innocente giovane, dal golgota immolata. Si vede proprio che son vicina a morte, e nel finire la vita nelle seccature pare che si vada ricordandosi la gioventù gradevole! Che sciocchezza umana nel mondo, non si fa che passare, strappare, amore che è un nulla ed è tutto; dunque non si deve tenere a nulla, né a nessuno; così ordina la religione ed i veri frati e monache l'eran sempre la mia vocazione e passione ... Si vede proprio che c'è un filo che tira ed attira verso la nostra culla nel momento di entrare nella bara. È un morir continuo che fa lacrimare, ammalare, lamentare e maledire. Aimè, aimè ».

Abituata a osservarsi e ad analizzarsi, Virginia constatava anche il progressivo distacco dei possidenti fondiari dalle loro radici: « Tutto quello che non fu mai mio né sarà mai a me, ora che debbo perderlo dopo averlo appena avuto, riveduto e goduto ... mi pare il ritorno al Paradiso terrestre sortendo dall'inferno ed invece sarebbe come sempre fu una galera ed i lavori forzati perpetui con tutto il corteo del disonore, del berretto rosso,[50] delle catene, dell'ancora, della morte. Lo so benissimo e l'Io fatale me l'ha predetto che anderò a finire e morire là dove e come hanno finito a cascare gli antichi Padroni, da due o tre generazioni successivamente tutti vivendo all'estero e facendosi rubare, malmenare, ridicolizzare; la mia come la loro condanna è scritta e più me l'ha ripetuta l'inesorabile fatalità. Siasi, ma sia presto, mi intendi? Tanto non ci faccio più nulla al mondo ».[51]

Nella terza lettera Virginia sembra aver ritrovato la calma, e ha parole piene di grazia per esprimere la sua malinconia evocando un'antica leggenda: « Per l'appunto miro un raggio di sole che inonda il cuore di profonda e triste tenerezza che trasportan tutto là il mio disperato Elcovan[52] ferito mortalmente dalle catene di qua da non aver più forza fisica, morale né materiale di volare sulle nostre cime ai Scapuccini! Deve far bello e dolce ... saisissement di paese celeste ».

Per ritemprare la salute fisica e psichica Virginia aveva sempre avuto bisogno della luce, dell'aria pura, del mare. La Spezia e Dieppe erano stati i luoghi dove riusciva a ritrovare se stessa. Aveva dovuto rinunciare a Dieppe, e adesso anche il *joli golfe* era diventato per lei una meta inaccessibile. Infine, la città che aveva tanto amato, la modernissima Parigi, si rivelava un « inferno », un luogo di alienazione collettiva: « Almeno qui tutto e tutti d'un realismo indifferente e banale. Non si vive né si muore! Si vegeta in seguito e fino alla fine si indurisce, si imbecillisce, si criminalizza la natura che non si vede né di giorno né di notte e si arriva a non sentirne più gli effetti sentimentali né sensitivi; come la pianta dalle foglie sensitive che si ritirano quando si tocca. Da bambina quella pianticella mi faceva spavento e non la capivo. Ne cercavo e non ne trovo più di quelle piante di Mors et Vita. Pianta rara ed incompresa. Io gli ho sempre somigliato e seguito ».

Consideratasi incomparabile, solo nel mondo vegetale trovava qualcosa di raro con cui identificarsi: « Fiore unico che nasce da sé nella natura arida sulle cime desolate delle

Alpi. L'Edelweise è il fiore del deserto, della bianca tristezza. Il fiore della pallida malinconia, le foglie della desesperanza, perché l'Edelweise rappresenta la desolazione e la disperazione... e perciò un ideale e pietoso poeta[53] me ne ha fatti i versi, rappresentandone il mio nome!!! scritto su carta nera aggiunge lagrime e freddo! Edelweise è un fiore che piange e che sorride (come me)!!! Edelweise fleur de bonheur fleur de malheur».

Ecco però che Virginia si vedeva estromessa dai «sogni vaghi, retrospettivi e a venire ... per ricascare più presto e più basso nella vile e brutta realtà, orrenda e tremenda d'affaracci disgustosi e irritanti...».[54] Ma ancora più intollerabile della realtà era l'impostura di una morale ipocrita che continuava ad accanirsi contro di lei: «Basta, basta non ne voglio più di simili né similanti, né simulanti amore, onore, affetto, stima, rispetto, deferenza, amicizia, fiducia, confidenza, sentimenti ... mi fa piagnere d'ira rabbiante da mordere come il cane se ne avessi i suoi bassi caratteri, ma la mia natura è alta e fiera, e franca, netta e chiara, non mi piacciono le mezze misure, le mezze parole, le mezze fiducie, i mezzi sospetti, le mezze accuse, le mezze ignoranze, i mezzi amori, o tutto o niente».[55]

La morte di Valentine Delessert, in quello stesso maggio del 1894, strappò Virginia ai suoi deliri e la indusse a lasciare il suo letto d'ammalata, «reggendosi appena», per andare al funerale della vecchia amica a Passy. «Mai assistetti né descrissi più tetra sepoltura, per ordine, sans fleurs et sans femmes» racconta nella quinta lettera: della grande famiglia Delessert, che vent'anni prima le aveva offerto amicizia, sopravviveva ormai il solo Édouard. La tristezza della cerimonia non impediva però a Virginia di constatare con soddisfazione di poter essere ancora al centro della scena: «Tutti mi guardavan, i fossayeurs [becchini], le monache che parevano voler farmi loro ... seria e sévère, passare sotto velo "negro". "Madame la Reine", mi presero per l'Imperatrice, al solito, a lutto, e fuori, ove vi era gente ... esaltavano "oh la jolie femme"». E si rivedeva nel fulgore della giovinezza: «Là fuori, al sole, tra le rose e il verde, sorridevo tristemente a quella folla, riveggendomi nello stesso mio fu e sarà cimitero, in quel Paese ove con la morta e i figli passai i miei più belli (e pur brutti) anni col bambino ... Lì rividi ieri l'autore fotografo pittore [Édouard Delessert] ancora innamorato e stonato rivedendomi ancora tale e quale! (piangeva povero Vecchio dalla consolazione) ».[56]

Quello di Valentine Delessert non era il primo funerale che riconduceva Virginia nel « verde » del XVI arrondissement. Dieci mesi prima la notizia che il dottor Blanche era in fin di vita l'aveva fatta indugiare davanti al cancello della villa di Auteuil senza trovare il coraggio di chiedere notizie ma riservandosi, il giorno delle esequie, di deporre sul feretro del suo « più vecchio e più prezioso amico » un fascio di fiori. Nella lunga lettera di condoglianze che scrive a Jacques Blanche un mese dopo la morte del padre, il dolore per la perdita dell'illustre clinico che si era preso paternamente cura di lei si mescola all'autocommiserazione. Si chiede per quale ragione continua a essere vittima della malevolenza altrui: « Perché dunque tanta curiosità della mia persona e delle mie immagini, di questa Dama sconosciuta d'altri tempi e altri costumi ... Ho tollerato, subito, sopportato abbastanza ». Con un guizzo d'ironia, Virginia conclude pregandolo di non mostrare a nessuno la sua lettera per non farla sembrare « una che è appena scappata dal manicomio del Dr Blanche ».[57]

Le persecuzioni di cui si lamentava non erano però solo frutto della sua immaginazione. Prendendo a pretesto il suo trasloco da place Vendôme, il quotidiano « Le Gaulois » aveva pubblicato un articolo oltraggioso con titoli di richiamo come *Una delle tante dame del Decameron imperiale, L'Impero della Bellezza, Salammbô alle Tuileries, L'onta della Vecchiaia, Murata viva?*. Profondamente amareggiata, Virginia aveva rotto il silenzio, affidando a un giornalista di « L'Événement » una risposta di grande dignità e senza un briciolo di follia: « Ditemi, Monsieur le François, da dove nasce questo bisogno di occuparsi di una donna che non si occupa di nessuno? ... Di consacrarsi alla denigrazione di una donna che non ha mai fatto altro che servire il proprio paese... e un po' anche il vostro? E ditemi, ancora, com'è possibile, in questa terra famosa per la cortesia e il buon gusto, che un uomo come il signor Arthur Meyer lasci pubblicare un pezzo in cui, con il pretesto del mio trasferimento, si sbeffeggiano crudelmente la mia vecchiaia e la mia bruttezza? Se sono vecchia e brutta non è colpa mia e fino ad oggi ho creduto che se non la bruttezza almeno la vecchiaia meritasse il rispetto delle persone perbene ».[58]

Privata del sostegno del dottor Blanche, Virginia fece ricorso per l'ultima volta a una terapia che nel passato si era rivelata infallibile: il 1° settembre 1893, a distanza di ventisei anni, ritornò da Pierson per una lunga serie di sedute che si sarebbe conclusa solo due anni dopo e che rappresenta la cartella clinica del suo ingresso nella follia.

Intitolato *Rachel*, in omaggio alla celebre interprete di *Phèdre* scomparsa nel 1858, il primo ritratto della serie « Sainte Cécile et Rachel » è assai suggestivo: simile a « una grande attrice che si concede graziosamente all'obiettivo per riprendere in qualche posa i ruoli che l'hanno resa celebre »,[59] Virginia si fa ritrarre a figura intera, su un fondale neutro, avvolta in un burnus, anch'esso nero,[60] decorato con preziosi ricami su cui spiccano paillette e *jais*; nero è il copricapo, fasciato da una sciarpa goffrata a bande orizzontali che ricade sul petto, dove si intravede la famosa collana di perle, e nera è la leggera veletta a pois che esalta il pallore del viso ancora bellissimo. I grandi occhi bistrati ci fissano con uno sguardo severo che ricorda quello dell'Eremita di Passy. Virginia, a quanto pare, non ha dimenticato i trucchi del mestiere. Provvede a slanciare la figura scegliendo un copricapo cilindrico e salendo su un panchetto celato dal lungo abito che sfiora il pavimento, mentre Pierson riesce a illuminarle il volto senza lasciar trasparire i segni dell'invecchiamento. Un'immagine che contrasta con l'aneddoto riferito da Jacques Blanche in quegli stessi giorni, secondo il quale poco dopo la morte di suo padre Virginia gli avrebbe chiesto di farle un ritratto. Convocato in una stanza tappezzata di tessuto scuro con le persiane chiuse, il pittore racconta di essersi trovato di fronte all'irreparabile: « La mia modella entrò senza far rumore, scivolando sul tappeto, come un'"apparizione" sulla scena. Si mise in posa di profilo, con il busto eretto. Nonostante l'alta acconciatura in foggia di diadema, era una povera cosa. Ad uno ad uno, i veli caddero a terra... e riconobbi la Regina d'Etruria, l'Eremita di Passy – idolo della Corte di Napoleone III –, un viso famoso ma imbellettato, rovinato, da bottegaia; un pezzetto di zucchero d'orzo mezzo succhiato nella mano di un bambino».[61] Blanche si era dato alla fuga, eppure quell'immagine tragica doveva aver lasciato il segno, se dieci anni dopo evocava Virginia in un ritratto[62] spettrale intitolato *Revenante* o *La comtesse de Castiglione. Souvenir de 1893*, ricalcato sulla *Rachel* ricevuta in dono dalla contessa.

La maestria di Pierson e l'amicizia profonda che nutriva per la sua cliente non riescono a impedire che la nuova serie di fotografie – la «Série des roses» – appaia sempre più inquietante, e risulta imperscrutabile il motivo che spinse Virginia, quasi calva, sdentata, con il viso gonfio, il corpo sfatto, a riesumare l'antico guardaroba e a mettersi in posa davanti allo stesso specchio che trent'anni prima aveva replicato la perfezione dei suoi tratti, o a farsi riprendere a mezzo busto, con la celebre mantella d'ermellino ormai spelacchiata e gli alamari di traverso, inalberando un cappellino a forma di elmetto. Si sentiva ancora bella e contava sulla maestria di Pierson e sui suoi abili ritocchi eseguiti a posteriori?[63] Chiusa nel suo isolamento e indifferente allo scorrere del tempo, aveva cristallizzato la percezione di sé in quella remota immagine? Eppure ne aveva avuto una crudele smentita quando, in visita a Parigi nel 1892, il suo fedele ammiratore Giorgio di Prussia l'aveva invitata a passeggiare al Bois de Boulogne. Per fargli cosa grata, si era vestita come all'epoca del loro primo incontro, quando il principe le aveva offerto il braccio per la visita all'Esposizione universale del 1867. Avvolta nello stesso prezioso scialle di cachemire di quella lontana primavera, con un cappellino da torero aureolato da un vaporoso velo bianco, si era avviata al fianco del suo antico cavalier servente lungo l'Avenue des Acacias, dove di lì a poco Boldini, Sem e Helleu si sarebbero appostati per studiare l'abbigliamento *modern style* della gente alla moda. La coppia aveva «fatto solo pochi passi quando alle loro spalle udirono risate ed esclamazioni, e si accorsero che qualcuno li seguiva. Senza capire il motivo di tale ilarità si rifugiarono nella loro carrozza che si avvicinava proprio in quel momento».[64] E già anni prima erano stati le risate e i lazzi dei monelli spezzini, che l'aspettavano al varco quando si avventurava per strada, a indurre Virginia a non mettere più piede nel suo paradiso perduto.[65]

Le ultime fotografie di Pierson documentano la sua resa davanti alla devastazione della vecchiaia e la furia masochistica che essa aveva scatenato. Non si trattava più di mascherare la decadenza fisica ma di metterla alla gogna in un'ultima sfida. All'apice della bellezza, la contessa aveva osato, con oltraggiosa impudicizia, sollevare le vesti fin sopra il ginocchio per immortalare la perfezione statuaria di gambe e piedi nudi in una serie di scatti destinati a diventare celebri. Tornava ora a esporli davanti all'obiettivo, appoggiati su un cuscino scuro, come quelli di un morto nella bara. «Eco crudele delle immagini libertine e spensierate di trent'anni fa», quei piedi gonfi – i piedi di cui era andata così fiera – le suggerivano il titolo *Le Pé. L'amputation du gruyère.* Come osserva giustamente Pierre Apraxine, «non è tanto la rappresentazione di un passato più o meno mitico, quanto un'anticipazione morbosa del futuro».[66]

Virginia sembrava compiacersi ugualmente della sua decadenza sociale. Aveva preso l'abitudine di passare molte ore in una saletta riservata del Voisin, il ristorante al pianterreno dell'abitazione di rue Cambon, chiacchierando con i camerieri e bevendo troppo champagne. E nella fotografia *Nostalgie* si fece ritrarre a tavola, inquadrata tra due bottiglie, come una prostituta di Toulouse-Lautrec. Ma il ritratto più atroce è quello del 1895, intitolato *Ti-fille brune*: vestita da popolana, con la bocca storta e lo sguardo folle, Virginia congiunge le mani all'altezza della cintura puntando gli indici in direzione del pube.

Prima che la macchina fotografica venisse ad attestare lo scandalo di quel declino, Virginia aveva coltivato un ultimo sogno: anziché raccontare la sua vita con le parole, lo avrebbe fatto attraverso le immagini, allestendo, in occasione dell'Esposizione universale che doveva inaugurarsi a Parigi nel 1900, una grande mostra delle sue fotografie. Si sarebbe intitolata « La donna più bella del secolo » e avrebbe consacrato il suo talento artistico. Di essere un'artista, Virginia lo sapeva da sempre: era un'attrice nata, la più brava a tenere la scena, a catturare l'attenzione del pubblico, a inventare costumi straordinari, a interpretare tutti gli stati d'animo e, in un momento di esaltazione, si era spinta a dichiarare di essere anche musicista e scrittrice;[67] ma a consentirle di aggirare gli interdetti della sua condizione sociale era stata la fotografia. Nelle sale di posa dell'atelier Mayer & Pierson, al riparo dagli sguardi indiscreti, aveva potuto mettere le sue doti al servizio di un'arte nata solo una decina d'anni prima di lei. Qui era Virginia a imporre le sue scelte, mettendo in scena la propria rappresentazione, decidendo pose, espressioni, vestiti, personaggi, e aveva trovato in Pierre-Louis Pierson il complice ideale, che si era preso personalmente cura di lei fin dal primo incontro, nel luglio del 1856. La loro intesa si era protratta per quattro decenni – la più lunga collaborazione del genere nella storia del ritratto – e aveva prodotto più di quattrocento cliché. « Fin dai suoi primi felici esperimenti davanti all'obiettivo, la contessa sa che il negativo fotografico registra fedelmente tutte le sfumature del suo sguardo. Il tempo di posa – pochi secondi – condanna le fisionomie all'immobilità, ma i suoi occhi fanno vivere l'immagine. Lei riesce a modularne l'espressione con maestria sbalorditiva ... Ma in un ritratto giustamente famoso, intitolato *Scherzo di follia* – omaggio all'opera *Un ballo in maschera* di Verdi –, arriva al punto di rendere lo sguardo protagonista assoluto. Accostando al viso una cornice vuota, la contessa si nasconde il viso e isola l'occhio. È un'immagine sorprendente. L'occhio così *incorniciato* sembra animarsi di vita propria, e lo sguardo che ne risulta è indefinibile. L'identità della contessa viene cancellata, e si sottrae al tempo. L'immagine si fa simbolo: la primazia della componente visuale preannuncia il ruolo di spicco che il secolo riserverà alla fotografia ».[68]

Iniziate per gioco, le sedute da « Papà Pierson » si erano rivelate un'esperienza cruciale: la fotografia non si limitava a immortalare la sua bellezza e a celebrarne i trionfi, ma le apriva le porte di un universo che obbediva solo alla sua immaginazione; e quel meraviglioso processo non si concludeva davanti all'obiettivo: si poteva farlo proseguire intervenendo sulle fotografie, ritoccandole, perfezionandole e trasformandole in *gouache*.[69]

Per strano che possa sembrare, Virginia mantenne sempre il massimo riserbo sulla sua impresa artistica,[70] limitandosi a regalare i ritratti e gli album a una ristretta cerchia di amici intimi e ad alcune personalità di rilievo da cui voleva farsi ricordare –[71] salvo poi pentirsene e chiederne la restituzione.

All'Esposizione universale del 1867, tuttavia, oltre ad autorizzare Pierson a esporre il suo ritratto in veste di *Dame de cœurs* – nella versione *à la gouache* di Aquilin Schad –, aveva chiesto invano la qualifica di espositore, rivendicando « il suo status di artista »;[72] all'approssimarsi della nuova Esposizione del 1900 contava dunque di ritornare in scena con lo spettacolo fotografico di cui sarebbe stata autrice, regista, scenografa, costumista e interprete. Ma la sorte avrebbe deciso altrimenti. Da molti anni la morte era diventata per Virginia un pensiero dominante, un'attrazione che prescindeva dai legami di amicizia, azzerava il tempo e la spingeva a uscire dal suo rifugio e ad affrontare la gente. Quando nel 1889, alla veglia funebre di Madame de Canrobert, ex dama d'onore dell'imperatrice Eugenia, i fedelissimi delle Tuileries l'avevano vista, a distanza di più di trent'anni, comparire inaspettatamente e scrivere il suo nome sulla lista dei visitatori, erano stati colti da un « fremito »: « Quella donna era un pezzo di storia vivente. La sua sola presenza bastava ad evocare un passato ormai lontano ». Fu però il caso a consentire a quel lontano passato di giungere al suo epilogo. Mentre Virginia usciva, incrociò un'altra donna vestita di nero che si accingeva a entrare. Riconoscendo l'imperatrice – la quale, trovandosi a Parigi, aveva deciso di dare l'estremo saluto alla fedele dama d'onore –, Virginia si fece rispettosamente da parte per lasciarla passare. Le due antiche rivali non si parlarono anche se, commentando poi l'incontro, Eugenia osservò con dolcezza: « Ma perché non mi ha salutato? L'avrei contraccambiata con piacere. È da tanto tempo, ormai, che non ce l'ho più con lei ».[73]

Anche il ricordo dei familiari scomparsi aveva preso a perseguitarla: via via che passavano a miglior vita, non poteva più esimersi dall'affrontare i molti conti rimasti in sospeso con loro. Ce n'era uno solo – a cominciare da madre, marito e figlio – nei cui confronti non avesse rimproveri da farsi? Cancellarli dalla memoria non poteva, ne aveva bisogno per ricordarsi quanto era stata amata. Adottava dunque la soluzione a lei più congeniale: se ne appropriava facendone dei numi tutelari. Emblematica l'ultima fotografia di Pierson, che ce la mostra seduta davanti a un cavalletto mentre ritocca il ritratto dei genitori. La necessità di reinventare i « suoi » morti, come reinventava di volta in volta la sua stessa vita, la convinceva della propria sincerità. Come avrebbe potuto altrimenti, già anni prima, trovare l'impudenza di rivendicare proprio con Poniatowski l'amore per il marito e per la madre? « Crede lei che uno di loro mi abbia, od avrebbe tormentata, contrariata, addolorata, abbandonata mai? No, mi volevano bene loro, la loro affezzione e il loro dévouement, la loro abnegazione, la loro idolatria era a tutta prova e per questo gl'amo tanto ».[74] Li amava perché non avevano posto limiti al loro amore: « Così erano i miei morti, per quello li voglio tanto bene? Ed ora come mi trovo? Alla vecchia età senza di loro che mi hanno conosciuto giovane, bella, benestante, potente, utile e servizievole a loro come a tutti i bisognosi conclamati. Per natura buona e generosa mi trovo sola, malata, miserabile, maltrattata impotente qua e là e non potendo più andare avanti né punto né poco. Mutar vita, cambiare morte, perdere il mio paese di cui Italia feci!, disfarla, rifarmi francese e religione Russa, e dire addio a tutti e tutto ».[75]

Eppure le era stata negata perfino la consolazione di potere un giorno averli vicini nella tomba. Non era riuscita a fare rimpatriare i resti del figlio morto in Spagna: avrebbe voluto riunirli a quelli del marito, per poi essere seppellita con loro. Invece aveva dovuto « abbandonare ai ratti le ossa del mio "Demoiseau" che s'era raccomandato morendo che Mina le rassemblasse. No sono cose truci e cose uniche dai secoli prima di Gesù Cristo. E quel che fu marito chi ne sa ove sia? Né gli avi illustri e zii chi dice che ne fu? Ed io? "che sola vissi e sola moio!". Amen! Amen! ».[76]

Non le rimaneva dunque che allestire lo spettacolo della propria morte. Lo preparò minuziosamente, affidando le ultime volontà, fra gli altri, ai coniugi Cléry, all'amico René Brizard, a Estancelin. « Niente eredi... e niente familiari, né in Francia né in Italia ». I giornali dovevano essere pagati affinché si astenessero dal dare notizia della sua morte. Le uniche persone che dovevano esserne messe al corrente erano il re d'Italia e i Rothschild. L'abbigliamento funebre era specificato minuziosamente: « Camicia da notte di Compiègne, 1857, batista merletti e vestaglia lunga a righe, velluto nero, peluche bianca (si trova al 14 di rue Cambon): al collo la collana di perle *petite fille* a nove giri, sei bianchi e tre neri, la solita collana, quella che ho sempre portato, con il soldo bucato di cristallo a mo' di fermaglio, con le iniziali e la corona, ben nota a tutte le mie vestitrici; alle braccia, nude e distese, i miei due braccialetti, un onice con perla al centro e uno smalto nero, stella e brillanti, che sono altrove ». Ai suoi piedi, come cuscini, voleva Sandouga e Kasino, i suoi due maltesi impagliati, « belli, vestiti di tutto punto, cappottini azzurri e viola con le [loro] iniziali, e i collari a motivi di fiori rosa e cipressi ». E per finire ricapitolava le sue ultime volontà: « 1) Niente Croce. 2) Niente Sacerdote. 3) Niente Chiesa. 4) Niente Cerimonia. 5) Niente Fiori. 6) Niente Esposizione. 7) Niente Veglia. 8) Niente Medico. 9) Niente Giudice. 10) Niente Commissario. 11) Niente Console. 12) Niente Ambasciatore. 13) Niente Incaricato speciale. 14) Niente Sigilli. 15) Niente Eredi. 16) Niente Corteo. 17) Niente Pompe funebri. 18) Niente Partecipazioni. 19) Niente Annunci. 20) Niente Giornali ».[77]

Invocata e temuta, la morte arrivò il 29 novembre del 1899, alle prime ore del mattino. Colpita da apoplessia cerebrale, Virginia si spense quietamente, vegliata dall'anziana domestica Luisa Corsi e dai camerieri del Voisin. Aveva sessantadue anni.

POST MORTEM

Nessuna delle disposizioni di Virginia sarebbe stata rispettata: non sarebbe andata a «incendiare il Paradiso»[1] indossando la camicia da notte di Compiègne e tutti i suoi gioielli, e non sarebbe neppure sfuggita a una cerimonia religiosa nella vicina chiesa della Madeleine. L'avrebbero sepolta non già a La Spezia, come aveva tante volte vagheggiato, bensì nel cimitero parigino del Père-Lachaise. Per giunta, alla notizia della sua scomparsa, l'ambasciatore italiano avrebbe subito inviato in rue Cambon un giovane diplomatico di grande avvenire, il conte Carlo Sforza, con l'ordine di apporre i sigilli e distruggere tutte le carte che si trovavano nell'appartamento. Anche la dichiarazione sull'assenza di eredi veniva prontamente smentita. Dei cugini di Genova, i Trigone, di cui la contessa aveva dimenticato l'esistenza, avrebbero rivendicato a giusto titolo il diritto di entrare in possesso dei suoi beni. Oltre alle proprietà di La Spezia, Virginia aveva lasciato, accatastati in ben quattro appartamenti in affitto – due in rue de Castiglione e due nel quartiere di Batignolles –, mobili, specchiere, porcellane, cristalli, argenti, oggetti da toilette e per il trucco, suppellettili di ogni tipo, e bauli su bauli straripanti di stoffe, merletti, vestiti, pellicce, preziosi scialli di cachemire indiani, accessori. Un baule conteneva una quantità di ombrellini dalle impugnature preziose, un altro « centinaia di ventagli di madreperla, d'argento e d'oro cesellato con splendidi acquerelli, ognuno corrispondente a un abito indossato in occasione di feste e ricevimenti ».[2] La grande vendita all'asta tenutasi da Drouot nel giugno del 1901[3] avrebbe disperso la straordinaria raccolta di reliquie di un passato glorioso da cui Virginia non si era mai voluta separare. Il pezzo forte erano ovviamente i suoi gioielli, e innanzitutto il celebre *collier* dell'imperatore « del peso di tremilaottocentotrentotto grani [quasi 300 grammi], composto di duecentosettantanove perle », che sarebbe stato acquistato per circa mezzo milione di franchi, un valore non lontano dai tre milioni di euro dei nostri giorni.

Virginia, tuttavia, non aveva bisogno di un corredo funebre per assicurarsi la sopravvivenza nell'immaginario collettivo, visto che nella leggenda era entrata già da viva. Fin dai primi anni Settanta un memorialista d'eccezione del Secondo Impero come Arsène Houssaye, attraversando a tarda sera place Vendôme, aveva un tuffo al cuore nel vedere « profilarsi a tarda ora una passante ... preceduta da due cagnolini ... due palle di grasso... ricoperta, piuttosto che vestita, da un mantello di stoffa leggera con un cappuccio pieno di fronzoli ... Attenzione, aguzza la vista, *Ecco la Castiglione*»[4] aveva sussurrato a Ferdinand Bac, arrivato da poco a Parigi, spiegandogli come quel nome bastasse a evocare un'epoca.

Una decina d'anni dopo sarebbe stato Robert de Montesquiou a essere colto dall'emozione il giorno in cui scoprì « che in un certo edificio di place Vendôme, dietro le persiane eternamente chiuse, viveva una donna, e che questa donna era colei il cui nome è diventato, per un determinato periodo storico ma forse anche per tutti i tempi, sinonimo di *bellezza*».[5] Da allora lo scrittore sarebbe ritornato più volte sotto le finestre del mezzanino nella speranza di cogliere uno sguardo o un gesto del suo idolo attraverso le fessure delle persiane chiuse. Venuta a conoscenza dell'interessamento di quel raffinato poeta di vent'anni più giovane di lei, Virginia lesse e annotò il suo *Les Perles rouges*,[6] si appropriò di lui ribattezzandolo l'« Hortensia bleu» dal titolo della sua ultima raccolta di versi, ma non volle mai incontrarlo. Fu solo alla morte della contessa che, grazie a uno dei medici[7] che ne aveva constatato il decesso, Montesquiou ebbe la possibilità di vederla: «Convocato da lui per la mattina seguente, all'ora in cui la salma doveva essere messa nella bara, entrai nello stabile di Voisin dove una piccola scala mi condusse nelle stanze modeste che già da molti anni erano il rifugio dell'esiliata. Infatti l'obbligo, cui non poté sottrarsi, di abbandonare la "sua" Colonna, come la chiamava, era stato per lei un vero esilio.

«Una porta stretta si aprì davanti a me; il mio introduttore venne ad accogliermi. Nella stanza c'erano una decina di persone disposte in crocchio, tra cui un rappresentante dell'Ambasciata italiana, e Maître Desouches, l'avvocato della Contessa ... poi fornitori, dipendenti.

«Per terra, al centro, era collocato il feretro, ancora scoperchiato.

«Di ciò che vidi, mi resta più un'impressione che un'immagine. Una maschera scultorea, dai tratti imponenti, scavati, sbozzata con severità, dove l'arcata sopracciliare, ampia e magnifica, attirava e catturava lo sguardo, come uno spazio di luce. La trita formula *un fulmine a ciel sereno* riprende qui tutta la sua portata, grandezza e precisione; fu davvero, per me, un fulmine a ciel sereno l'apparizione pallida e inesorabile di questo nobile, di questo austero, di questo bel viso di morta, sul punto di sparire per sempre.

«Ma questi aggettivi sono insufficienti; c'era anche, su quei tratti, qualcosa di *augusto* e di *eroico.* Sì, ciò che mi colpì con forza, nel corso di quel fuggevole minuto, e il ricordo che ne ho serbato, è che la sua facies sembrava più sovrumana che soprannaturale, quasi asessuata; si sarebbe potuto benissimo prenderla per quella di un grand'uomo, di un illustre condottiero, di un poeta famoso.

«Tutto torna, in fondo: era stata una donna dallo spirito virile; *dominazione* e, al tempo stesso, *poesia.* Il coperchio fu richiuso».[8]

Ossessionato da quella visione, Montesquiou avrebbe cercato in tutti i modi di richiamare in vita la *femme fatale* che non era riuscito a conoscere. Per ricostruirne la personalità, i sentimenti, i gusti, le scelte esistenziali, lo scrittore si lanciò in un'inchiesta a tutto campo, interrogando le persone che l'avevano conosciuta, ottenendo in visione le sue lettere, facendo incetta delle sue fotografie, acquistando gli oggetti che le erano appartenuti e servendosene per creare nel Palais Rose a Vésinet un sacrario dove celebrare il suo culto. Dodici anni dopo avrebbe coronato quella *quête* dando alle stampe *La divine comtesse*, il libro destinato a fondarne il mito. Un mito che rispecchiava l'immagine che lo scrittore aveva di se stesso. Perché molti, in effetti, sono i tratti che lo accomunano a Virginia: con un prestigioso albero genealogico e una fortuna sufficiente a soddisfare i suoi costosi capricci, Robert de Montesquiou aveva, non diversamente dalla *divine comtesse*, fatto della supremazia estetica la sua ragione di vita. « Un temperamento freddo, unito al perfezionismo, » scrive Philippe Jullian « ne fa uno dei rari dandy che la Francia abbia avuto ».[9] Alto, sottile, dai tratti aristocratici, il conte si presumeva inimitabile: tutto in lui, dalla gestualità all'intonazione della voce al modo di vestire, era studiato nei minimi dettagli; e, ancor prima di rivelare ambizioni di scrittore, era già un personaggio letterario. Sin dal 1884 Joris-Karl Huysmans lo aveva preso a modello per Des Esseintes, l'esteta decadente di *À rebours*, dando così il via a una serie di ritratti a chiave,[10] l'ultimo e più celebre dei quali sarebbe stato quello del barone di Charlus nella *Recherche*.

Instancabile promotore della propria immagine, e narcisista senza eguali, questo « sovrano delle cose transitorie », come si proclamò in una dedica a Proust,[11] « nell'arco di una vita si fece fotografare non meno di centottantanove volte. Tali fotografie sono incollate, ciascuna con la sua etichetta, in grossi album, con uno scrupolo di cui nessuna diva ha mai dato prova. Solo Mme de Castiglione posò altrettanto davanti all'obiettivo ».[12] E anche nel loro modo di mettersi in scena non mancano le analogie. Al pari di Virginia, Montesquiou sfoggiava in quelle occasioni il suo elegantissimo guardaroba, si faceva ritrarre in maschera, si travestiva da personaggio delle *Mille e una notte*, da Zanetto o da san Giovanni Battista, e si esibiva pure, come già Virginia, in un ampio repertorio di pose e di stati d'animo o, nel caso per esempio delle *Mains de Robert de Montesquiou*, si compiaceva di isolare un dettaglio anatomico di cui andava particolarmente fiero.[13] Non pago di perseguire la propria perfezione estetica, Montesquiou fece da Pigmalione alla giovane cugina, la bellissima Élisabeth Greffulhe, che Proust non avrebbe tardato a prendere a modello per il personaggio di Oriane de Guermantes, e ne propiziò il debutto sulla scena mondana. A partire dagli anni Ottanta, mentre Virginia sopravviveva a se stessa, era la contessa Greffulhe, di vent'anni più giovane, a diventare la bella tra le belle della nuova generazione, ad arrivare in ritardo alle feste per rapide e folgoranti apparizioni, a villeggiare a Dieppe, a dettare legge sulla moda *modern style* con vestiti di sua invenzione sapientemente confezionati dall'intramontabile Worth. Talvolta, però, preoccupata di dare adito alle critiche, Élisabeth si permetteva di non seguire i consigli del cugino, il quale trovò proprio nella contessa di Castiglione la libertà, l'irriverenza, l'originalità, la provocazione erotica che mancavano a quella sua cugina troppo perfetta e ligia alle forme, e di lei fece il simbolo della sua personale idea dell'eterno femminino. Evocandola, mettendola in scena, interpretandone i sentimenti, i desideri, le metamorfosi di moderna Maddalena, penetrava nella sua intimità e viveva attraverso di lei emozioni che gli erano precluse. E poteva farlo senza remore perché il suo idolo non era più in grado di smentirlo. Vestiti, gioielli, fotografie gli offrivano lo spunto per esercizi di stile dove il preziosismo linguistico andava di pari passo con le acrobazie esegetiche di una fantasia erudita. Come una principessa delle *Mille e una notte*, la *divine comtesse* viaggiava con lui su un tappeto volante attraverso le civiltà e i secoli per poi incarnarsi una volta per tutte nell'eroina per antonomasia del decadentismo *fin de siècle*. Il ritratto «*en Ermite de Passy*» diventa, a uno sguardo retrospettivo, il simbolo di una bellezza irraggiungibile: «La contessa di Castiglione, volontariamente reclusa per più di vent'anni nel chiostro laico del silenzio e nel convento secolare della solitudine, fu la carmelitana della propria bellezza, ritirata non in Dio ma in se stessa».[14] Chiamato a scrivere la prefazione al libro dell'amico francese, un perplesso D'Annunzio preferì trincerarsi prudentemente dietro l'affermazione generica che «a ogni passo, a ogni gesto, a ogni sguardo» l'eroina del libro «sembra imprimere la propria figura nella sostanza stessa della poesia». Ma, dopo avere a sua volta pervaso la contessa dell'aura solenne dell'umanesimo toscano, si domandava: «Quest'uomo che l'ama e la celebra nella perfezione della morte non sembra forse dimenticare ch'ella ebbe anche un'Aurora?», ricordando l'epoca in cui «portava la sua giovinezza come un'immortalità».[15]

Per la prima volta la seduttrice di lungo corso, la bellissima abituata a incatenare gli uomini al suo carro, si ritrovava prigioniera, posseduta da uno spasimante e alla mercé delle sue fantasie. Eppure, appropriandosi di lei, Montesquiou consacrava la leggenda di cui Virginia aveva posto le premesse, e trasformava la sua sconfitta in trionfo.

RINGRAZIAMENTI

Commosso e riconoscente, il mio primo pensiero va a Roberto Calasso per avermi accolta ancora una volta nel catalogo della sua casa editrice. Un grazie di cuore anche a Teresa Cremisi, che mi ha incoraggiata ad avventurarmi in una nuova biografia della contessa, ne ha seguito i progressi e ha sovrinteso all'edizione francese, e a Ena Marchi, che assistita da Daniela Salomoni ha curato l'editing del testo italiano.

Fra gli studiosi e amici desidero innanzitutto esprimere la mia gratitudine a Adriano Viarengo, che con generosità e inesauribile pazienza mi ha aiutato a orientarmi nel complesso quadro dell'Italia preunitaria, ma anche a Rosanna Roccia, mia guida nell'epistolario cavouriano. Benedetta Cibrario mi ha fornito informazioni sui suoi antenati e Duilio Cortassa precisazioni sulla toponomastica piemontese.

Sono grata alle amiche di La Spezia per avermi contagiata con un entusiasmo che mantiene vivo e suggestivo il ricordo di Virginia Oldoini nel suo *joli golfe*: a Giuliana Zecchini, che tutto sa di lei, a Marzia Ratti, per l'impeccabile edizione dei documenti conservati nell'archivio cittadino, e ad Annalisa Tacoli. Lucia Lazzerini mi ha offerto un'autorevole consulenza linguistica sui pittoreschi toscanismi di Virginia. Francesco Margiotta Broglio, prodigo di consigli sugli archivi da esplorare, mi ha affidato per quello fiorentino alla cortesia di Claudio Lamioni. Sempre a Firenze, Cosimo Ceccuti mi ha suggerito letture imprescindibili sulla Toscana ottocentesca. A tutti loro l'espressione della mia riconoscenza.

A Francesco Montanari debbo la diagnosi sulla patologia nervosa della mia eroina, a Nanà Cecchi la descrizione dei vestiti e delle acconciature, e alla storica Lia Lenti le indicazioni sui gioielli. Mariolina Bertini mi ha ragguagliato sui rapporti di Proust con Montesquiou, Daria Galateria e Giuseppe Scaraffia su mode, cortigiane, erotismo nella Francia dell'Ottocento, e Alberto Chiesa e Massimo Fino sulle vicissitudini degli autografi della Castiglione. A Napoli ho potuto contare sulla gentilezza indefettibile di Teresa Leo e Rosario Scuotto. E una volta di più un pensiero grato va a Pietro Corsi, che possiede la chiave d'accesso a tutte le referenze bibliografiche.

Non ringrazierò mai abbastanza Pierre Apraxine per i consigli illuminanti. Grazie inoltre a Georges-Henri Soutou per la segnalazione del Fonds Poniatowski; a Charlène Fanchon del Département des Archives Privées, Archives Nationales de France, per l'aiuto prezioso; a Philippe Levillain, che mi ha aiutato a identificare l'autore delle lettere a Virginia conservate nella Bibliothèque Historique de la Ville de Paris; a Laure Murat per le informazioni sull'archivio del dottor Blanche; a Éléonore Reverzy per quelle relative alle «notes préparatoires» di *Son Excellence Eugène Rougon*; a Jean-Claude Casanova e a Georges Liébert per le molte generose indicazioni; a Brigitta Laconte per le ricerche alla Bibliothèque Nationale. Un immenso grazie va ad Antonio Manfredi e Luca Carboni per le indagini nella Biblioteca Apostolica Vaticana e nell'Archivio Segreto Vaticano; a Rosanna Rummo e Anna Maria Buzzi per l'autorevole interessamento; a Carla Ceresa della Fondazione Camillo Cavour di Santena; a Isabel Costa e al provvidenziale Marco Testa dell'Archivio di Stato di Torino; a Edi Perino del Museo del Risorgimento di Torino; a Piero Marchi e Manuela Bardi dell'Archivio di Stato di Firenze; a Paola Businaro dell'Archivio Storico Diplomatico del ministero degli Affari Esteri; a Maurizio Serra per le precisazioni sulla carriera diplomatica di Costantino Ressmann; e infine a Peter Glidewell e Beppe Manzitti.

Pochi gli esponenti della mia famiglia che sono riusciti a sottrarsi alle mie richieste. Sono grata a mio fratello Piero per i molti suggerimenti, a Cinzia che mi ha aiutato nelle ricerche bibliografiche, a Masolino e alle mie figlie Margherita e Isabella che hanno letto per primi *La contessa*, a Caterina che mi ha confermato, fotografie alla mano, l'ipotesi che il burnus nero di Alida Valli in *Senso* abbia preso a modello quello di Virginia nel ritratto di Blanche. Un grazie coniugale a Benoît, che ha dato prova di un'insolita pazienza. Mi è impossibile concludere senza esprimere la mia gratitudine a Davide Tortorella che, prima ancora di contribuire con le sue belle traduzioni all'edizione italiana della *Contessa*, si è divertito, da appassionato di enigmistica, ad aiutarmi a decifrarne i «crayonnages infernaux» finendo, vittima della sua curiosità, per lasciarsi aggiogare al carro di Virginia.

NOTE

ABBREVIAZIONI

ADPP	Archives de la préfecture de Police de Paris
AFC	Archivio della Fondazione Camillo Cavour di Santena, Fondo Camillo Cavour, donazione Olivetti
AIA	Archivio Isacco Artom, Unione delle Comunità ebraiche italiane
ASD	Archivio Storico Diplomatico, ministero degli Affari Esteri, Fondo Filippo Oldoini 1848-1888
ASF	Archivio di Stato di Firenze
AST	Archivio di Stato di Torino, Sezione Corte, Carte Castiglione
BHVP	Bibliothèque Historique de la Ville de Paris
BNF	Archives de la Bibliothèque nationale de France, Département des Manuscrits, Archives de la comtesse de Castiglione
FP	Archives Nationales, Fonds Poniatowski

Per le lettere e i documenti d'archivio si è scelto di indicare nelle Note tra parentesi quadre la lingua originale, se diversa dall'italiano; fanno eccezione le citazioni provenienti da opere francesi o inglesi, che sono sempre tradotte.

FIRENZE (1837-1853)

1. Marco Tabarrini, *Ricordi biografici sul cavaliere avvocato Ranieri Lamporecchi*, Le Monnier, Firenze, 1863, pp. 10-11.

2. Cfr. Andrea Corsini, *I Bonaparte a Firenze*, Olschki, Firenze, 1961.

3. Matilde Bonaparte, *Mémoires inédits*, a cura di Carole Blumenfeld, Prefazione di Philippe Costamagna, Grasset, Paris, 2019, p. 45.

4. Quando il Piemonte era caduto sotto il dominio napoleonico, il padre di Massimo, il marchese Cesare Taparelli d'Azeglio, si era esiliato a Firenze assieme alla sua famiglia.

5. Massimo d'Azeglio, *I miei ricordi*, a cura di Massimo Legnani, Feltrinelli, Milano, 1963, p. 76.

6. *Ibid.*, pp. 548-49.

7. Il padre di Filippo, il marchese Grimaldo Oldoini, aveva sposato nel 1806 Elisabetta Antonia Isabella Lamporecchi, sorella di Ranieri, padre di Isabella.

8. Cfr. Atto di matrimonio di « Oldoini Filippo, possidente, di anni 19, celibe, figlio di Grimaldo e di Lamporecchi Elisabetta, sposa a Firenze, chiesa di S. Simone, il 31 gennaio 1836, Lamporecchi Isabella, possidente, di anni 19, nubile, di Ranieri Lamporecchi e di Chiari Luisa », ASF, Fondo Stato civile di Toscana 1808-1865, vol. 10683, n. interno 24, anno 1836.

9. Cfr. Atto di nascita, ASF, Fondo Stato civile di Toscana 1808-1865, vol. 10549, n. interno 876, anno (1837).

10. Si veda Alfredo Poggiolini, *La contessa Verasis di Castiglione nel romanzo e nella realtà, con documenti e particolari nuovi*, in « Rassegna Nazionale », CLXXXVIII, 34, 16 novembre 1912, pp. 194-222, e 1° dicembre 1912, pp. 343-69. Ristampa a cura di Gabriella Chioma, presentazione di Marzia Ratti, scheda bio-bibliografica di Rossana Piccioli, Edizioni del Tridente, La Spezia, 1993, p. 20.

11. 27 aprile 1848 e 28 gennaio 1849.

12. Cfr. lettera di Massimo d'Azeglio a Filippo Oldoini Rapallini, Torino, 12 maggio 1849: « Mi ricordo del vostro progetto di servire lo stato. Se nella mia nuova posizione posso esservi utile, ditemi le vostre idee ... e nei limiti dei miei poteri, mi metto ai tuoi ordini », in Massimo d'Azeglio, *Epistolario (1819-1866)*, a cura di Georges Virlogeux, 12 voll., Centro Studi Piemontesi, Torino, 1987-2021, vol. V, p. 3.

13. Lo stesso Emanuele d'Azeglio gli avrebbe dato, in una nota confidenziale al ministero, « la patente di povero di spirito » (cfr. lettera di Emanuele d'Azeglio a Camillo Cavour, Park Lane, 16 gennaio 1858, in Camillo Cavour, *Epistolario*, edizione a cura della Commissione Nazionale per la pubblicazione dei carteggi del Conte di Cavour, 21 voll., 34 tomi, Olschki, Firenze, 1962-2012, vol. XV, p. 43 [fr.]). Si vedano anche Francesco Bacino, *L'archivio di Filippo Oldoini*, in « Rassegna storica del Risorgimento », anno XXXVII (1950), pp. 40-45; Francesco Bacino, *La legazione e i consolati del Regno di Sardegna in Russia (1783-1861)*, Indici dell'Archivio storico, Ministero degli Affari Esteri, Roma, 1952, vol. V, pp. 47 e sgg.

14. Lettera di Camillo Cavour ad Alfonso La Marmora, s.l., 12 luglio 1852, in C. Cavour, *Epistolario*, cit., vol. IX, p. 163.

15. Il 15 luglio 1856, Cavour scriveva al nipote Ainardo, in procinto di partire per La Spezia: « Spero che apprezzerai il soggiorno alla Spezia, ma non occorre che t'innamori della madre di Ninì; solo chi ha la barba grigia come me può preferirla a sua figlia ». Si veda *ibid.*, vol. XIII, p. 597 [fr.].

16. Cavour avrebbe detenuto l'incarico di presidente del Consiglio dei ministri dal 4 novembre 1852 al 19 luglio 1859, e dal 21 gennaio 1860 al 6 giugno 1861.

17. Lettera di Camillo Cavour a Ruggero Gabaleone di Salmour, Leri, [26 settembre 1856], *ibid.*, p. 757. In dialetto piemontese, « ciola » (si pronuncia « ciula ») vuole dire sciocco, minchione.

18. Lettera di Isabella Oldoini alla figlia, 18 dicembre 1855, AST, mazzo 1, fascicolo 4, lettera 34.

19. Isabella era nata a Firenze il 26 marzo 1816. Cfr. ASF, Fondo Stato civile di Toscana 1808-1865, busta n. 1463, n. interno 2415.

20. Nato a Pietrasanta il 1° dicembre 1776 e morto a Firenze il 25 marzo 1866, Ranieri Lamporecchi era figlio di Vincenzo, fatto nobile di Pisa per decreto del 18 giugno 1794. Cfr. ASF, Fondo Nobili, tomo II, n. 54.

21. Opera di tutta una vita e intitolato *Il Bonaparte*, il poema era costituito da 12 canti in 948 ottave. Nel maggio del 1861 Lamporecchi lo sottopose alla lettura del cavaliere Marco Tabarrini. Cfr. ASF, Carte Tabarrini, Inv. 221, CP 5826, 2 tomi, tomo II.

22. Dal matrimonio di Ranieri Lamporecchi con l'attrice Luigia Teresa Chiari (1813) erano nati cinque figli: Vincenzo Carlo Giuseppe, nato il 13 ottobre 1814; Isabella Teresa Maria Antonia, nata il 28 [*sic*] marzo 1816; Antonia Giuseppina Aurelia, nata il 28 maggio 1818, sposata al cavaliere priore Baldino Baldini; Giovanni Grimaldo, nato l'11 luglio 1820; Alessandro Giulio, nato il 30 maggio 1824, morto nel 1886. Cfr. ASF, Raccolta Ceramelli Papiani, fascicolo 5826.

23. Lettera dell'avvocato di famiglia a Isabella Lamporecchi, s.l., 28 agosto 1852, ASD, « Lettere della famiglia Oldoini e affini e ricevute, a Londra, Parigi, Torino, Monaco e Dresda, 1851-52-53 », faldone 3.

24. « Il patrimonio di Oldoini è assai inferiore alla vostra stima, e lui non ne può disporre, giacché è sua moglie che tiene i cordoni della borsa » scriveva Alessandro Jocteau a Emanuele d'Azeglio, in Federico Curato, *Le relazioni diplomatiche fra il Regno di Sardegna e la Gran Bretagna*, 8 voll., III serie: *1848-1860*, Istituto storico italiano per l'età moderna e contemporanea, Roma, 1961-1969, p. 39, citato in M. d'Azeglio, *Epistolario*, cit., vol. VI, p. 256, nota 1 [fr.].

25. Donnaiolo impenitente, Filippo non disdegnava gli amori ancillari e una sua figlia naturale, Luisa Comparetti, si occuperà delle proprietà di La Spezia. Cfr. AFC, p. 11.

26. In una lettera a Massimo d'Azeglio del 9 agosto 1849 (in M. d'Azeglio, *Epistolario*, regesto n. 204, vol. V, pp. 423-24) Vincenzo Ricasoli scrive di averlo difeso « dalle accuse di lussuria » – che chiamavano in causa anche Isabella Oldoini – formulate contro di lui dalla moglie, senza però essere riuscito a convincerla della sua innocenza. Cfr. M. d'Azeglio, *Epistolario*, cit., vol. V, p. 201,

nota 1, in margine alla lettera di Massimo d'Azeglio a Giovan Battista Giorgini del 12 agosto 1849. Cfr. anche Georges Virlogeux, «Costantino Nigra "inventé" par Massimo D'Azeglio», in *L'alliance entre le Royaume de Sardaigne et l'Empire français dans le processus d'unification de l'Italie*, convegno all'Ambasciata d'Italia di Parigi, sabato 14 aprile 2018, sotto il patrocinio dell'Ambasciata d'Italia in Francia, dell'Università Sorbona e dell'Istituto Italiano di Cultura di Parigi.

27. Lettera di Massimo d'Azeglio a Teresa Targioni Tozzetti, La Spezia, 24 marzo 1849, in M. d'Azeglio, *Epistolario*, cit., vol. IV, p. 326.

28. Gabardo Gabardi, *Firenze elegante*, Ricci, Firenze, 1886, p. 146.

29. Nato a Roma nel 1816, Giuseppe Poniatowski aveva sposato a Firenze nel 1834 la contessa Matilda Perotti (1814-1875). Dall'unione sarebbe nato Stanislao Augusto Federico Giuseppe Telemaco (1835-1907).

30. In seguito al Congresso di Vienna solo le grandi potenze avevano diritto a detenere ambasciate, con a capo un ambasciatore, mentre gli Stati minori (designati con la perifrasi di «potenze con interessi limitati») erano rappresentati da legazioni, rette da un ministro plenipotenziario.

31. Alain Decaux, *La Castiglione, dame de cœur de l'Europe, d'après sa Correspondance et son Journal intime inédits*, Amiot-Dumont, Paris, 1953, p. 21.

32. ASD, faldone 3.

33. L'informazione viene da Alfredo Poggiolini che, dopo la morte della Castiglione, fece in tempo a raccogliere la tradizione orale degli abitanti di La Spezia. A. Poggiolini, *La contessa Verasis di Castiglione*, cit., p. 27.

34. Rubrica «Varietà», a firma di Aristide Cola, in «L'Arte, giornale letterario, artistico, teatrale», sabato 11 settembre 1852, p. 290.

35. Lettera di Isabella Oldoini al marito, [Firenze, settembre 1852], ASD, faldone 3.

36. *Ibidem*.

37. A. Decaux, *La Castiglione*, cit., p. 22. Costituito da circa 200 pagine rilegate in rosso, il *Journal intime* tenuto da Virginia in francese tra il 1854 e il 1856, e messo all'asta da Drouot nel giugno del 1951, fu acquistato da Gérard Magistry, a cui venne in seguito rubato. Per fortuna Alain Decaux, il quale aveva avuto modo di consultarlo prima del furto, ne ha illustrato le caratteristiche e trascritto molti passi significativi nella sua preziosa biografia *La*

Castiglione, dame de cœur de l'Europe. Le tre pagine autografe (dal 26 gennaio al 4 marzo 1856) parte della donazione Olivetti e conservate oggi alla Fondazione Cavour di Santena fanno supporre che il diario sia stato smembrato e le pagine vendute separatamente. Un destino analogo dev'essere toccato anche al *Journal intime* tenuto da Virginia nel febbraio-marzo 1863, e andato anch'esso all'asta da Drouot, visto che una pagina riguardante il ballo in maschera alle Tuileries del 6 febbraio 1863 è ugualmente conservata presso l'Archivio della Fondazione Cavour. Risale invece agli anni della vecchiaia il «giornale», scritto a matita, in italiano, e di ardua decifrazione, che si trova presso l'Archivio di Stato di Torino, Carte Castiglione, mazzo 16, fascicolo unico, sottofascicolo con annotazione a matita «Giornale pag. 78».

38. Lettera di Isabella Oldoini al marito, [1852?], ASD, faldone 3.

39. *Ibidem.*

40. *Ibidem.*

41. Fidanzatosi con Virginia, il conte Verasis esprimeva alla marchesa Oldoini la sua gratitudine per l'appoggio che gli aveva dato: «Siete stata di parola, e non posso che benedirvi mille volte per tutto quanto vi siete degnata di fare per la mia felicità», La Spezia, 3 settembre 1853, *ibidem* [fr.].

42. Cfr. Enrico Della Rocca, *Autobiografia di un veterano. Ricordi storici e aneddotici,* Zanichelli, Bologna, 1897, pp. 347-49.

43. Francesca Trotti (1829-1851).

44. Lettera di Francesco Verasis a Virginia, La Spezia, notte, [luglio 1853], AST, mazzo 14, fascicolo B, lettera non numerata [fr.].

45. Lettera di Francesco Verasis a Virginia, [La Spezia], dopo cena, *ibidem* [fr.].

46. Lettera di Francesco Verasis a Virginia, La Spezia, 23 luglio [1853], *ibidem.*

47. Lettera di Francesco Verasis a Virginia, [La Spezia], 8 di sera, *ibidem* [fr.].

48. Lettera di Clemente di Castiglione a Filippo Oldoini, 31 agosto 1853, ASD, faldone 3.

49. Lettera di Filippo Oldoini a Clemente di Castiglione, La Spezia, 3 [settembre 1853], *ibidem* [fr.].

50. Che si trattasse di un matrimonio di «inclinazione», peraltro, il marchese lo avrebbe ribadito a Virginia al momento della richiesta di separazione dal marito.

51. Il conte vi faceva riferimento in una lettera al suocero (Torino, 6 gennaio 1855, ASD, faldone 4), augurandosi tuttavia di guadagnarsi la sua fiducia. A sua volta, constatando la pessima riuscita del matrimonio, il marchese non avrebbe mancato di ricordare a entrambi i coniugi le riserve a suo tempo avanzate.

52. Suo padre, Vittorio Luigi, morto nel 1839, era stato gran maestro delle cerimonie di Carlo Alberto.

53. Cfr. Atto di matrimonio, ASF, Fondo Stato civile di Toscana 1808-1865, vol. (4969), n. interno (5). «Il matrimonio è stato celebrato nella Parrocchia della SS. Annunziata il 9 gennaio 1854. Verasis di Castiglione Francesco padre fu Luigi e madre di Sigala [*sic*] fu Vittoria, conte, di anni 28, vedovo di Francesca Tretti [*sic*], del popolo della Cattedrale di Torino, sposa il 9 gennaio, Olduini [*sic*] Virginia, possidente di anni 17 del Marchese Filippo e Isabella Lamporecchi. Testimoni Ponjatoschi [*sic*] Carlo, Lamporecchi Ranieri, Martini Giuseppe, Verasis Clemente».

54. Acquistato dal padre di Francesco, il palazzo di via Lagrange 29, in cui era nato nel 1736 il matematico e astronomo Joseph-Louis Lagrange, sorgeva in contrada dei Conciatori (o des Courroyeurs nel periodo francese) e il suo giardino, corredato di due grandi serre, confinava con via Carlo Alberto, allora contrada della Madonna degli Angeli o des Anges. Il palazzo dei Castiglione era contiguo a quello dei Cavour, progettato nel 1729 dall'architetto Gian Giacomo Planter su incarico del marchese Michele Antonio Benso, che si snodava intorno a due cortili. Quello d'onore apriva su contrada dell'Arcivescovado, rinominata all'epoca della nascita di Camillo rue d'Austerlitz, al numero 8 dell'attuale via Cavour, mentre quello rustico, al numero 27 dell'attuale via Lagrange, ancora oggi è collegato da un grande portone in legno al cortile di Palazzo Castiglione.

55. Lettera di Francesco Verasis a Filippo Oldoini, Torino, 20 marzo 1854, ASD, faldone 4 [fr.].

56. Lettera di Francesco Verasis a Filippo Oldoini, Torino, 8 aprile 1854, *ibidem*.

57. Lettera di Francesco Verasis a Filippo Oldoini, Costigliole, 24 agosto 1854, *ibidem* [fr].

58. Lettera di Francesco Verasis a Filippo Oldoini, Costigliole, 20 novembre 1854, *ibidem*.

59. Lettera di Isabella Oldoini al marito, s.l., s.d. [inverno 1854?], *ibidem*.

60. Lettera di Isabella Oldoini al marito, s.l., s.d. [inverno 1854?], *ibidem.*

61. Lettera di Isabella Oldoini al marito, s.l., s.d. [inverno 1854?], *ibidem.*

62. Citato in A. Decaux, *La Castiglione,* cit., p. 34.

63. Francesco parla del rifiuto della moglie di dargli del tu in una lettera a Virginia, Milano, 13 luglio 1854, AST, mazzo 2, fascicolo 5, lettera 8, e se ne lamenta con il suocero in una lettera del 25 ottobre 1854, ASD, faldone 3.

64. Lettera di Francesco Verasis a Filippo Oldoini, s.l., 29 giugno 1854, *ibidem* [fr].

65. Lettera di Francesco Verasis a Filippo Oldoini, s.l., 25 ottobre 1854, *ibidem* [fr.].

66. Lettera della madre a Virginia, AST, mazzo 1, fascicolo 4, lettera 5 [fr.].

67. Cfr. lettera di Francesco Verasis a Filippo Oldoini, Torino, 29 giugno 1854, ASD, faldone 3.

68. Lettera di Isabella Oldoini al marito, s.l., s.d., *ibidem* [fr.].

69. Lettera della madre a Virginia, AST, mazzo 1, fascicolo 4, lettera 12 [fr.].

70. Lettera della madre a Virginia, *ibidem,* lettera 5.

71. Lettera della madre a Virginia, *ibidem,* lettera 2.

72. Lettera della madre a Virginia, *ibidem,* lettera 23.

73. Lettera della madre a Virginia, *ibidem,* lettera 16.

74. Cfr. lettera di Isabella Oldoini a Francesco Verasis, *ibidem,* lettera 18.

75. Lettera di Costanza d'Azeglio al figlio Emanuele, Firenze, 19 marzo [1851], in Costanza d'Azeglio, *Lettere al figlio (1829-1862),* a cura di Daniela Maldini Chiarito, 2 voll., Istituto per la Storia del Risorgimento Italiano, Roma, 1996, vol. II, p. 1156.

76. Lettera di Filippo Oldoini alla figlia, Karlsruhe, 3 febbraio [1864], AST, mazzo 1, fascicolo 2, lettera 76.

77. La preoccupazione di Isabella per la fragilità nervosa del marchese è un Leitmotiv della sua corrispondenza. «In ogni modo non voglio che tu stia al solito con lo spleen» scriveva al marito nel 1853, ASD, faldone 4; come pure, il 3 gennaio 1860: «sento con dispiacere che hai sempre un grande attacco nervo-

so », *ibidem*, faldone 3. Si veda anche la lettera di Isabella Oldoini alla figlia, AST, mazzo 1, fascicolo 4, lettera 10.

78. Lettera di Virginia al padre, s.l., s.d., ASD, faldone 4 [fr.].

79. Lettera di Virginia al padre, Costigliole, 2 A[gosto 1854], *ibidem* [fr.].

80. Citato in A. Decaux, *La Castiglione*, cit., p. 53, nota 1.

81. *Ibid.*, p. 54.

82. *Loc. cit.*

83. *Ibid.*, p. 56.

84. Lettera del marito a Virginia, Costigliole, 5 settembre 1855, AST, mazzo 2, fascicolo 5, lettera 14 [fr.].

85. Citato in A. Decaux, *La Castiglione*, cit., p. 62.

TORINO (1854-1856)

1. Il marchese Lorenzo Litta Modignani (1797-1874) era cognato di Margherita Provana di Collegno, della quale aveva sposato la sorella, Carolina Trotti Bentivoglio. Fu studioso di filosofia e intimo amico di Manzoni.

2. *Diario politico di Margherita Provana di Collegno, 1852-1856*, a cura di Aldobrandino Malvezzi, Hoepli, Milano, 1926, pp. 158-59, nota del 12 gennaio 1854.

3. C. d'Azeglio, *Lettere al figlio*, cit., vol. II, p. 354 [fr.].

4. Cfr. Mario Mazzucchelli, *L'imperatrice senza impero (la contessa di Castiglione)*, Corbaccio, Milano, 1927, p. 30, nota 2.

5. Lettera di Massimo d'Azeglio a Teresa Targioni Tozzetti, Torino, 18 gennaio 1854, in M. d'Azeglio, *Epistolario*, cit., vol. VIII, p. 151.

6. Henry d'Ideville, *Journal d'un diplomate en Italie. Notes intimes pour servir à l'histoire du Second Empire. Turin, 1859-1862*, Librairie Hachette et Cie, Paris, 1872, p. 50.

7. C. d'Azeglio, *Lettere al figlio*, cit., vol. I, p. 258, citato in Adriano Viarengo, *Vittorio Emanuele II*, Salerno Editrice, Roma, 2017, p. 47.

8. Cfr. Conte di Reiset, *Mes souvenirs. Les débuts de l'indépendance italienne*, 3 voll., Plon, Nourrit et Cie, Paris, 1901-1903, vol. I, p. 441-42.

9. H. d'Ideville, *Journal d'un diplomate en Italie*, cit., pp. 56-57.

10. Conte di Reiset, *Mes souvenirs*, cit., vol. I, pp. 441-42.

11. Rosario Romeo, *Cavour e il suo tempo*, 3 voll., Laterza, Bari, 1969-1984, vol. III: *1854-1861*, pp. 109-112.

12. Salito sul trono, Vittorio Emanuele II diede l'incarico di formare un governo al generale conservatore Claudio Gabriele de Launay, ma meno di due mesi dopo, nel maggio del 1849, lo sostituì con Massimo d'Azeglio.

13. Il 2 dicembre 1851, il colpo di Stato di Luigi Napoleone in Francia aveva diffuso anche tra i liberali italiani la paura di un'ondata reazionaria e, nonostante i pareri contrari di Vittorio Emanuele II e di d'Azeglio, Cavour – che dall'ottobre del 1850 era ministro – apriva al centro-sinistra di Rattazzi, per rafforzare la base parlamentare sua e del governo in vista del mantenimento dello Statuto e del movimento nazionale italiano. Per questa via, capo ormai di una buona maggioranza alla Camera, il 4 novembre 1852 si assicurò la presidenza del Consiglio.

14. Nel 1713, in base agli accordi seguiti alla pace di Utrecht, il duca Vittorio Amedeo II di Savoia otteneva la cessione della Sicilia da parte della Spagna e il titolo regio. Cinque anni dopo, pur conservando la dignità regia, si vedeva però costretto a scambiare la Sicilia con la Sardegna.

15. A. Viarengo, *Vittorio Emanuele II*, cit., p. 9.

16. Citato in Nassau William Senior, *L'Italia dopo il 1848. Colloqui con uomini politici ed eminenti perseguitati italiani*, ediz. it. a cura di Adolfo Omodeo, Laterza, Bari, 1937, p. 284.

17. Celebre frase attribuita a Vittorio Amedeo II, secondo il quale il Piemonte avrebbe dovuto espandere i suoi territori come si mangia un carciofo, foglia dopo foglia.

18. Conte di Reiset, *Mes souvenirs*, cit., vol. II, p. 165 – da un rapporto del conte a Napoleone III.

19. All'inizio del conflitto si era sperato che l'Austria si schierasse con la Russia, creando i presupposti di una guerra europea contro i due pilastri della Santa Alleanza e dando al Regno sardo l'occasione di prendersi una rivincita contro l'Austria. Ma Vienna non era andata in soccorso della Russia e nell'aprile del 1854 aveva aderito a un accordo con Francia e Inghilterra, ottenendo in cambio la disponibilità da parte di Londra e Parigi di garantire lo *status quo* in Italia. Così, quando l'Inghilterra, in difficoltà in Crimea, chiese al Regno sardo l'invio di un contingente mili-

tare, quest'ultimo correva il rischio di trovarsi a combattere al fianco dell'Austria, alienandosi le simpatie dei patrioti italiani. Ma poiché Vittorio Emanuele intendeva a tutti costi battersi, Cavour non tenne conto delle resistenze del ministro della Guerra Dabormida – che chiedeva precisi compensi in cambio dell'aiuto – e si assunse la responsabilità di accettare la richiesta inglese. Per fortuna l'Austria si astenne dall'intervenire e dopo la caduta di Sebastopoli costrinse la Russia alla pace.

20. Il 12 gennaio la Russia aveva rotto le relazioni diplomatiche con Londra e Parigi.

21. Citato in A. Decaux, *La Castiglione*, cit., p. 32.

22. Lettera di Massimo d'Azeglio a Giuseppe Magnetto, [Torino], 27 [gennaio 1854], in M. d'Azeglio, *Epistolario*, cit., vol. VIII, p. 155.

23. Lettera di Massimo d'Azeglio a Filippo Antonio Gualterio, [Torino], 9 febbraio 1854, *ibid.*, p. 159.

24. Dal diario di Virginia, 5 giugno 1854, citato in A. Decaux, *La Castiglione*, cit., p. 37, nota 1.

25. Lettera di Francesco Verasis a Filippo Oldoini, 20 luglio 1855, ASD, faldone 4.

26. Cfr. la bella lettera del 27 giugno con cui il conte di Castiglione mette al corrente il suocero della morte della regina, a cui era estremamente affezionato, *ibidem.*

27. Citato in A. Decaux, *La Castiglione*, cit., p. 47.

28. Ribadito più volte da Cavour e da Virginia, il rapporto di parentela non è spiegato. Franco Della Peruta parla di «comune parentela» tra i Cavour e gli Oldoini – si veda *Un profilo della contessa Virginia di Castiglione*, in *La Contessa di Castiglione e il suo tempo*, catalogo della mostra a Palazzo Cavour, Torino, 31 marzo-2 luglio 2000, a cura di Martina Corgnati e Cecilia Ghibaudi, Silvana Editoriale, Cinisello Balsamo, 2000, p. 43 –, anche se l'origine lombarda degli Oldoini e il loro insediamento in Liguria fanno apparire l'ipotesi problematica. Ma come ci ha gentilmente indicato la dottoressa Rosanna Roccia, sapiente curatrice dell'*Epistolario* di Cavour, non ci sono nemmeno prove di una parentela tra i Cavour e i Castiglione, a parte un matrimonio, nel 1747, di una Bona Gabriella Birago con un Aurelio Michele Verasis di Castiglione e quello di un Francesco Lodovico Ignazio Birago (1719-1790) con Maria Felicita Benso di Cavour, morta nel 1767.

29. La morte della regina Maria Adelaide, il 20 gennaio, era stata

preceduta da quella della regina madre, Maria Teresa d'Asburgo-Lorena, il 12 gennaio. Il 9 febbraio fu il fratello minore di Vittorio Emanuele, il trentatreenne Ferdinando di Savoia-Genova, a scendere nella tomba, seguito, il 17 marzo, dall'ultimo figlio del re.

30. *Souvenirs du Général C^e Fleury*, 2 voll., Plon, Nourrit et Cie, Paris, 1897, 3^a ediz., vol. I, p. 350.

31. *Ibid.*, p. 351.

32. *Loc. cit.*

33. Intervento che, da clausola del 10 aprile 1854, era « disinteressato ».

34. Lettera di Camillo Cavour a Massimo d'Azeglio, Parigi, 9 dicembre 1855, in C. Cavour, *Epistolario*, cit., vol. XII, tomo II, p. 614.

35. R. Romeo, *Cavour e il suo tempo*, cit., vol. III, p. 199.

36. Lettera di Francesco Verasis a Filippo Oldoini, Torino, 30 marzo 1855, ASD, faldone 3.

37. Lettera di Francesco Verasis a Filippo Oldoini, [ottobre], *ibidem*.

38. Cfr. A. Decaux, *La Castiglione*, cit., pp. 71-72.

39. Ministro plenipotenziario del Regno sardo a Firenze dal 1848 al 1852, Villamarina era stato inviato a Parigi nel 1852.

40. Il marchese Lorenzo Centurioni, funzionario di legazione.

41. Grafia sbagliata per *fleuron*, termine francese che indica nel linguaggio araldico il « fiorone d'oppio » (di papavero) d'oro posto sulla corona marchionale (Piero Guelfi Camajani, *Dizionario araldico*, Arnaldo Forni, Bologna, 1940, p. 266). *Fleuron*, in forma di trifoglio, può riferirsi ugualmente alla corona comitale, ed essendo Virginia marchesa per nascita e contessa per matrimonio poteva fregiarsi delle due varianti. Nella seconda metà del XIX secolo i *fleurons* erano anche gioielli a forma di trifoglio con perla o altra gemma preziosa, ed è probabile che fosse questo il dono di Vittorio Emanuele.

42. A. Decaux, *La Castiglione*, cit., pp. 70-74.

43. Stanislao Bentivoglio (1821-1889), figlio di Prospero Bentivoglio e di Isabella Poniatowska. Fratellastro di Maria Anna Zanobi di Ricci Walewska, aveva sposato a Parigi, nel 1863, Thadée d'Ornano.

44. *Ibid.*, p. 77.

PARIGI (1856-1857)

1. « Sotto il Secondo Impero la situazione è ben diversa rispetto agli anni '30-'50. L'industria è in espansione. Dal 1850, nel giro di vent'anni, la rete ferroviaria francese passa da 3000 a 17.500 km. Nello stesso periodo la produzione dei filati di cotone aumenta da 140 a 220mila lire sterline, ecc. Nascono casse di risparmio e banche d'affari che favoriscono lo sviluppo delle imprese ». Jean-Jacques Perquel, *L'économie française (1830/1880) vue par Balzac et Zola*, conferenza destinata agli *alumni* dell'École des Hautes Études Commerciales (HEC) di Parigi, 17 febbraio 2021.

2. Xavier Mauduit, *La fête impériale et la comédie du pouvoir. Une histoire politique du Second Empire*, in *Spectaculaire Second Empire*, catalogo della mostra al Musée d'Orsay, Parigi, 27 settembre 2016-15 gennaio 2017, a cura di Guy Cogeval, Yves Badetz, Paul Perrin e Marie-Paule Vial, Skira, Milan, 2016, p. 46.

3. *Ibid.*, p. 42.

4. Georges Valance, *Haussmann le grand*, Flammarion, Paris, 2000, p. 191.

5. Théophile Gautier, *Paris démoli. Mosaïque de ruines, par M. Édouard Fournier*, in « Gazette nationale ou le Moniteur universel », 21 gennaio 1854.

6. Incaricato da Napoleone I di mettere a punto il cerimoniale della sua nuova corte, il conte di Ségur si era ispirato a quello della monarchia francese dell'Antico Regime. Napoleone III disponeva di un grande elemosiniere, un gran maresciallo di palazzo, un gran ciambellano, un grande scudiere, un gran cacciatore, un gran maestro delle cerimonie, un sovrintendente ai palazzi imperiali, un sovrintendente agli spettacoli di corte, un direttore della musica da cappella e da camera. Meno pletorica, la casa dell'imperatrice contava su una prima dama di compagnia, una dama d'onore, dodici dame di palazzo e due lettrici.

7. Edmond e Jules de Goncourt, *Journal. Mémoires de la vie littéraire*, a cura di Robert Ricatte, 3 voll., Robert Laffont, Paris, 1989, vol. I: *1851-1865*, p. 864.

8. Pierre Milza, *Napoléon III*, Perrin, Paris, 2004, p. 323.

9. Citato in Eugenio De Rienzo, *Napoleone III*, Salerno Editrice, Roma, 2010, pp. 22-23.

10. *Ibid.*, p. 22.

11. *Discours, messages et proclamations de S.M. Napoléon III, Empereur des Français. 1849-1860*, Humbert Mirecourt, Paris, 1860, p. 102.

12. Figlio del grande ministro austriaco, Richard von Metternich fu a Parigi prima come segretario di legazione (1855-1856), poi come ambasciatore (1859-1870).

13. *Souvenirs de la princesse Pauline de Metternich (1859-1871)*, Prefazione e note di Marcel Dunan, Plon, Paris, 1922, p. 63.

14. *Ibid.*, pp. 65-66.

15. Henri Bouchot, *Les Élégances du Second Empire*, Librairie illustrée, Paris, 1896, p. x.

16. Rose Fortassier, *Les Écrivains français et la mode. De Balzac à nos jours*, Presses universitaires de France, Paris, 1988, p. 13.

17. Honoré de Balzac, *Traité de la vie élégante*, Sillage, Paris, 2011, p. 27.

18. E. e J. de Goncourt, *Journal. Mémoires de la vie littéraire*, cit., vol. I, p. 843.

19. Stéphanie Tascher de la Pagerie, *Mon séjour aux Tuileries. Première série, 1852-1858*, Paul Ollendorff, Paris, 1894, 7e ediz., p. 164.

20. Cfr. Charles-Éloi Vial, *Une Altesse impériale en République: Mathilde, maîtresse de maison de l'Élysée*, in *Un soir chez la Princesse Mathilde. Une Bonaparte et les arts*, catalogo della mostra a Palazzo Fesch, Ajaccio, giugno-settembre 2019, a cura di Carole Blumenfeld, Philippe Costamagna, Adrien Goetz, Paul Perrin, Silvana Editoriale, Cinisello Balsamo, 2019, pp. 47-49.

21. Adrien Goetz, *Mathilde, une Bonaparte en quête d'auteurs*, in *Un soir chez la Princesse Mathilde*, cit., p. 229.

22. Émile Ollivier, *L'Empire libéral. Études, récits, souvenirs*, 18 voll. Garnier Frères, Paris, 1895-1918, vol. V, p. 432.

23. *Ibid.*, p. 534.

24. Cfr. P. Milza, *Napoléon III*, cit., p. 342.

25. É. Ollivier, *L'Empire libéral*, cit., vol. V, pp. 434-35.

26. Costruita dall'architetto Alfred-Nicolas Normand tra il 1856 e il 1860 sullo schema di una casa romana e interamente decorata in stile neogreco, la dimora era stata ideata dal principe Napoleone a partire dal *Pompeianum* di Luigi I di Baviera, costruito da Friedrich von Gärtner ad Aschaffenburg tra il 1840 e il 1848 sul modello della casa dei Dioscuri. Cfr. Audrey Gay-Mazuel, *Un décor néogrec: la maison pompéienne du Prince Napoléon*, in *Spectaculaire Second Empire*, cit., p. 148.

27. *Loc. cit.*

28. Sui rapporti fra Virginia e Plon-Plon si veda la loro corrispondenza conservata presso BNF, « Lettres du Prince Jérôme Napoléon à la comtesse, avec réponses », NAF 25068.

29. Cfr. S. Tascher de la Pagerie, *Mon séjour aux Tuileries*, cit., p. 130.

30. Incipriata, in stile Antico Regime.

31. Citato in A. Decaux, *La Castiglione*, cit., p. 82.

32. Ernest Barthez, *La famille impériale à Saint-Cloud et à Biarritz*, Callmann-Lévy, Paris, 1913, p. 72, citato in P. Milza, *Napoléon III*, cit., p. 324.

33. Rodolphe Apponyi, *De la Révolution au coup d'État, 1848-1851*, Introduzione e note di Charles Samaran, La Palatine, Genève, 1948, p. 114.

34. Cfr. *Souvenirs de la princesse Pauline de Metternich*, cit., p. 85: « Naturalezza e bonomia lo rendevano simpatico e amato da tutti. Era il tipo perfetto del gran signore, non aveva proprio nulla del parvenu ».

35. Lettera della regina Vittoria ad Augusta di Prussia, 29 aprile 1855, in Regina Vittoria, *Lettres intimes, 1848-1857*, parte I, in « Revue des Deux Mondes », XLC, 15 giugno 1938, pp. 721-38. Cfr. Laure Chabanne e Gilles Grandjean, *L'Impératrice Eugénie. Collections du château de Compiègne*, Prefazione di Rodolphe Rapetti, Flammarion, Paris, 2020, p. 42.

36. Citato in A. Decaux, *La Castiglione*, cit., p. 83. Cfr. anche Giuseppe Massari, *Diario dalle cento voci, 1858-1860*, Prefazione di Emilia Morelli, Cappelli, Bologna, p. 59: « 6 novembre 1858 ... il Visconti riferisce un bel motto di N. III sulla bella contessa di Castiglione: "Elle est très jolie, mais elle n'a pas de charme" ».

37. Dal diario di Virginia, sabato 26 [gennaio 1856], AFC.

38. Cfr. Madame Carette, *Deuxième série des Souvenirs intimes de la Cour des Tuileries*, Paul Ollendorf, Paris, 1890, p. 237.

39. Dal diario di Virginia, sabato 26 [gennaio 1856], AFC.

40. Arthur-Léon Imbert de Saint-Amand, *La Cour du Second Empire (1856-1868)*, Dentu, Paris, 1898, p. 171.

41. Citato in Robert de Montesquiou, *La divine comtesse. Étude d'après Madame de Castiglione*, Prefazione di Gabriele D'Annunzio, Goupil & Cie, Paris, 1913, p. 205.

42. Dal diario di Virginia, martedì 29, AFC.

43. Dal diario di Virginia, citato in A. Decaux, *La Castiglione*, cit., p. 90.

44. A.-L. Imbert de Saint-Amand, *La Cour du Second Empire*, cit., pp. 171-72.

45. Così, stando alla marchesa Oldoini, Cavour chiamava Virginia. Cfr. lettera della madre a Virginia, 18 dicembre 1855, AST, mazzo 1, fascicolo 4, lettera 34.

46. Cfr. i passi del diario di Virginia riportati da A. Decaux, cit., pp. 90-92, e ugualmente la pagina di diario del 5 marzo [1856], in AFC, p. 7.

47. Citato in A. Decaux, *La Castiglione*, cit., p. 90.

48. Lettera di Camillo Cavour a Luigi Cibrario, Parigi, 22 febbraio 1856, in C. Cavour, *Epistolario*, cit., vol. XIII, p. 105.

49. Lettera di Luigi Cibrario a Camillo Cavour, Torino, 25 febbraio 1856, *ibid.*, p. 122.

50. Lettera di Camillo Cavour a Urbano Rattazzi, [Parigi], 22 [febbraio 1856]: « Se non riesco non sarà per difetto di zelo. Visito, pranzo, vo in società, scrivo biglietti, intrigo col *Palais Royal*, faccio tutto quanto so, ho persino cercato di stimolare il patriottismo della bellissima Castiglione, onde seduca l'Imperatore », *ibid.*, p. 107.

51. Il 21 febbraio – lo stesso giorno del concerto – Virginia annotava nel diario di avere ricevuto la visita di Villamarina e di Cavour, e in quella occasione era stato deciso « di destinarlo in Russia in qualità di primo segretario »; citato in A. Decaux, *La Castiglione*, cit., p. 91.

52. « Mia cara cugina, ieri sera ho ricevuto da un alto personaggio una lettera per voi. Dopo averla intascata mi sono recato da Lady Holland dove speravo di incontrarvi. Ma essendo in uno dei vostri giorni di cattivo umore eravate già andata a dormire. Ve la mando stamattina ». Lettera di Camillo Cavour a Virginia, [Parigi, 12 marzo 1856], in C. Cavour, *Epistolario*, cit., vol. XIII, p. 215 [fr.].

53. Lettera di Camillo Cavour a Vittorio Emanuele II, Parigi, 16 marzo 1859, *ibid.*, p. 244 [fr.].

54. « Intanto sia buono con Ninì, non li faccia nessun dispiacere ed aggiusti il suo padre in qualche maniera ». Lettera di Vittorio Emanuele II a Camillo Cavour, 25 marzo 1856, in *Le lettere di Vittorio Emanuele II*, a cura di Francesco Cognasso, 2 voll., Deputazione Subalpina di Storia Patria, Torino, 1966, vol. I, p. 453.

55. Lettera di Camillo Cavour a Vittorio Emanuele II, Parigi, 4 marzo 1856, in C. Cavour, *Epistolario*, cit., vol. XIII, p. 171 [fr.].

56. P. Milza, *Napoléon III*, cit., p. 396.

57. A.-L. Imbert de Saint-Amand, *La Cour du Second Empire*, cit., p. 415.

58. A. Decaux, *La Castiglione*, cit., p. 86; cfr. anche P. Milza, *Napoléon III*, cit., p. 358. Detta probabilmente anche a voce, questa esortazione a «farcela», con qualunque mezzo, a cui la stessa Virginia fa più volte riferimento nelle sue lettere, viene riportata da numerosi storici.

59. Cfr. A. Decaux, *La Castiglione*, cit., p. 109.

60. Lettera di Costantino Nigra a Virginia, sabato, s.l., s.d., AST, mazzo 3, fascicolo 12, lettera 4 [fr.].

61. Lettera di Costantino Nigra a Virginia, Parigi, venerdì, s.l., s.d., *ibidem*, lettera 14.

62. Il generale Fleury riporta il racconto dell'incontro con Rothschild fatto da Cavour a Laffitte, finalizzato a «lui tirer les vers du nez», in *Souvenirs du Général C^e^ Fleury*, cit., vol. II, p. 412.

63. Adriano Viarengo, *Cavour*, Salerno Editrice, Roma, 2010, p. 324.

64. *Ibid.*, p. 327.

65. Lettera di Virginia al padre, [Parigi], 26 [maggio 1856], ASD, faldone 3 [fr.].

66. Cfr. lettera di Salvatore Pes di Villamarina al conte di Cavour, Parigi, 20 settembre 1856, in C. Cavour, *Epistolario*, cit., vol. XIII, p. 742 [fr.].

67. Nicole G. Albert offre un'ampia rassegna degli articoli a lei dedicati dalle cronache mondane nella biografia *La Castiglione. Vies et métamorphoses*, Perrin, Paris, 2011.

68. Cosmetico ricavato dalla mucillagine dei semi di mela cotogna che si usava per lisciare i capelli.

69. Lettera di Prosper Mérimée a Madame de Montijo, Parigi, 28 maggio [1856], in Prosper Mérimée, *Correspondance générale*, edizione stabilita e annotata da Maurice Parturier, II serie, Privat, Toulouse, 1957, vol. II: *1856-1858*, p. 51.

70. Lettera di Prosper Mérimée a Jean-Jacques Ampère, 8 marzo 1856, *ibid.*, p. 26.

71. *Souvenirs de la princesse Pauline de Metternich*, cit., pp. 60-61.

72. Lettera di Emanuele d'Azeglio a Camillo Cavour, Park Lane, 31 maggio 1856, in C. Cavour, *Epistolario*, cit., vol. XIII, p. 505 [fr.].

73. S. Tascher de la Pagerie, *Mon séjour aux Tuileries*, cit., vol. I, p. 131.

74. «Mercoledì 23 luglio ... All'ultima festa di Villeneuve-l'Étang,

la contessa di Castiglione è scomparsa per molto tempo in un isolotto al centro del lago insieme all'Imperatore; ne è riemersa, pare, un po' spiegazzata, e l'Imperatrice non ha potuto nascondere la stizza», Horace de Viel-Castel, *Mémoires sur le règne de Napoléon III (1851-1864)*, a cura di Éric Anceau, Robert Laffont, Paris, 2005, p. 494.

75. Henry Richard Charles Wellesley, conte di Cowley, *The Paris Embassy during the Second Empire, from the Papers of Earl Cowley, edited by Col. the Hon. F.A. Wellesley*, Thornton Butterworth, London, 1928, p. 130. Cfr. P. Milza, *Napoléon III*, cit., p. 360.

76. Citato in Éric Anceau, *Ils ont fait et défait le Second Empire*, Tallandier, Paris, 2019, p. 135.

77. Madame Carette, *Deuxième Série des Souvenirs intimes*, cit., pp. 12-13.

78. *Ibid.*, p. 138.

79. Lettera di Prosper Mérimée a Madame Xifré, 8 maggio 1855, in P. Mérimée, *Correspondance générale*, cit., vol. VI, p. 481. Il Bal Mabille era un popolare locale da ballo all'aperto, dove da alcuni anni era stato introdotto il cancan.

80. Cfr. Robert Sencourt, *The Life of the Empress Eugénie, with a Foreword by His Grace the Duke of Berwick and Alba*, Charles Scribner's Sons, New York, 1931, p. 116.

81. Nancy Mitford, *A Queen of France*, in *A Talent to Annoy. Essays, Journalism and Reviews, 1929-1971*, Capuchin Classics, London, 1986, pp. 147-50.

82. Citato in Raphaël Dargent, *L'Impératrice Eugénie. L'obsession de l'honneur*, Belin, Paris, 2017, p. 276.

83. Cfr. Madame Carette, *Deuxième Série des Souvenirs intimes*, cit., p. 155. Cfr. anche *Journal du docteur Prosper Ménière, publié par son fils le Dr. E. Ménière*, Plon, Paris, 1903, pp. 255-56, dove sono riportati i terribili dettagli del parto di Eugenia riferiti dal suo medico, il dottor Dubois.

84. P. Milza, *Napoléon III*, cit., p. 338.

85. Cfr. H.R.C. Wellesley, *The Paris Embassy during the Second Empire*, cit., p. 96.

86. Cfr. *Papiers secrets et correspondance du Second Empire. Documents authentiques annotés. Réimpression complète de l'édition de l'Imprimerie Nationale, annotée et augmentée de nombreuses pièces publiées à l'étranger et recueillies par A. Poulet-Malassis*, 13 volumi rilegati in un unico tomo, Office de Publicité, Bruxelles, 1870-1871. La Ca-

stiglione vi figura fra le persone controllate dalla polizia, così come risulta che le sue lettere venivano intercettate dal Cabinet noir: « Durante il soggiorno dell'Imperatore a Plombières e a Biarritz, le lettere di Mme de Castiglione sono state aperte e lette dagli agenti del Ministero dell'Interno » (vol. V, cap. VI, « Le Cabinet Noir », p. 34 e pp. 46-48). Cfr. anche Howard C. Payne, *Theory and Practice of Political Police during the Second Empire in France,* in « The Journal of Modern History », XXX, 1, marzo 1958, pp. 14-23.

87. Cfr. Nicole G. Albert, *La Castiglione,* cit.

88. Ferdinand Bac, in *Intimités du Second Empire,* 3 voll., Hachette, Paris, 1931, vol. II: *Les femmes et la comédie d'après des documents contemporains,* cap. « Souvenirs de Madame de Castiglione », p. 47. Su Ferdinand Bac si veda, qui, la nota 4 di p. 375.

89. A.-L. Imbert de Saint-Amand, *La Cour du Second Empire,* cit., p. 173.

90. *Souvenirs du Général Cte Fleury,* cit., vol. II, p. 210.

91. Madame Carette, *Deuxième Série des Souvenirs intimes,* cit., p. 236.

92. *Souvenirs de la princesse Pauline de Metternich,* cit., p. 61.

93. Laurent Theis, *François Guizot,* Fayard, Paris, 2008, p. 143.

94. Madame Carette, *Deuxième Série des Souvenirs intimes,* cit., p. 237.

95. Ferdinand Bac, *La Cour des Tuileries sous le Second Empire,* Hachette, Paris, 1930, p. 112.

96. La fotografia era destinata a Paul Granier de Cassagnac, che la mostrò a Loliée dopo la morte di Virginia. Cfr. Frédéric Loliée, *Les Femmes du Second Empire,* 2 voll., Tallandier, Paris, 1927, vol. I, p. 25.

97. Lettera di Salvatore Pes di Villamarina a Camillo Cavour, in C. Cavour, *Epistolario,* cit., vol. XIII, p. 778.

98. *Souvenirs du Général Cte Fleury,* cit., vol. II, p. 205.

99. *Souvenirs de la princesse Pauline de Metternich,* cit., pp. 78-79.

100. *Souvenirs du Général Cte Fleury,* cit., vol. II, p. 204.

101. *Souvenirs de la princesse Pauline de Metternich,* cit., pp. 88-89.

102. Cfr. *Souvenirs du Général Cte Fleury,* cit., vol. II, p. 213.

103. Madame Jules Baroche [Céleste Baroche Le Tellier], *Second*

Empire. Notes et Souvenirs, Les Éditions G. Gres et Cie, Paris, 1921, p. 45.

104. *Souvenirs du Général Cte Fleury*, cit., vol. II, p. 212.

105. Una lettera di Castiglione al suocero precisa che il mercoledì a Pierrefonds, dopo il « lunch fra le rovine, le Dame e i Cavalieri si sono messi a giocare a gatto e topo, è un gioco in cui bisogna correre ... a quanto pare Niny è inciampata nella gonna ed è caduta ... il Medico dell'Imperatore venuto a visitarla ha diagnosticato una brutta frattura, per tutta la notte Niny ha fatto impacchi di arnica e immerso il braccio nell'acqua ghiacciata », gettando così una luce nuova sulla vicenda. Decisa a non interrompere il soggiorno a Compiègne, Virginia aveva stretto i denti e, con il braccio fratturato al collo, aveva partecipato allegra e sorridente a tutti gli intrattenimenti mondani della *série*. « Finalmente, domenica mattina, dopo la Messa e la colazione », i coniugi Castiglione erano tornati a Parigi assieme a tutti gli altri invitati con il famoso treno « Espresso » messo a disposizione degli ospiti (Parigi, 7 novembre 1856, ASD, faldone 4 [fr.]).

106. Lettera della madre a Virginia, [Firenze], 9 novembre 1856, AST, mazzo 1, fascicolo 4, lettera 37.

107. Lettera della madre a Virginia, [Firenze], 22 novembre 1856, *ibidem*, lettera 38 [fr.].

108. Lettera del conte di Castiglione al suocero, Parigi, 14 novembre 1856, ASD, faldone 4.

109. Lettera del conte di Castiglione al suocero, Parigi, 24 dicembre 1856, *ibidem* [fr.].

110. Cfr. A. Decaux, *La Castiglione*, cit., p. 120.

111. L'originale della lettera figurava nella vendita di Drouot, e il catalogo d'asta (scheda 16, p. 22) ne riporta un ampio stralcio, ma senza indicazione della data. Decaux doveva averne preso visione prima della vendita, visto che nel suo libro ne offre una trascrizione più completa e riporta anche la data di giovedì 15 marzo, senza però specificare l'anno. Nel 1856 il 15 marzo cadeva di sabato, e per avere un giovedì che coincide con quella data bisogna aspettare il 1860; sappiamo tuttavia che nella primavera del 1860, epoca in cui ritornava brevemente a Parigi dopo una lunga assenza, Virginia non serviva più da tramite fra Torino e Parigi, e a tenere saldamente in mano i rapporti con l'imperatore era ormai Costantino Nigra. Di qui la supposizione che il pur scrupoloso Decaux possa avere trascritto una data inesatta e la missiva risalga invece alla primavera del 1857 o dell'anno successivo. A prescindere dalla datazione, ri-

mane una prova eloquente dell'attività di agente segreto di Virginia.

112. A.-L. Imbert de Saint-Amand, *La Cour du Second Empire*, cit., pp. 171-73.

113. Madame Jules Baroche, *Notes et Souvenirs*, cit., p. 58.

114. H. de Viel-Castel, *Mémoires sur le règne de Napoléon III*, cit., pp. 538-39.

115. Madame Jules Baroche, *Notes et Souvenirs*, cit., p. 60.

116. *Ibid.*, p. 59.

117. In «Les Modes parisiennes» Éliane de Marsy parla di «una sopravveste celeste di raso pesante a righe di seta écru, disseminate di garofani a trame broccate. L'abito era bianco, di raso anch'esso, velato da un'alta balza di merletto inglese ... Il corpetto, impreziosito dagli stessi merletti e da bei fili di perle, era decorato a sinistra con un bouquet di garofani enormi, così come piacciono alla bella contessa e come li confeziona così bene la Compagnie Floréale. Sul lato destro sfavillava un tripudio di pietre preziose, diamanti e smeraldi: una *ruche* leggera correva intorno alle spalle; sull'acconciatura incipriata, molto voluminosa, con sagace accostamento fermagli di diamanti e smeraldi si alternavano a semplici garofani» (citato in N.G. Albert, *La Castiglione*, cit., pp. 80-81).

118. Madame Jules Baroche, *Notes et Souvenirs*, cit., pp. 57 e 59.

119. *Ibid.*, pp. 61-62.

L'ATTENTATO (1857-1858)

1. Cfr. E. De Rienzo, *Napoleone III*, cit., p. 210.

2. L'indirizzo di avenue Montaigne 24 figura già in una lettera del conte Verasis al marchese Oldoini del 14 novembre 1856. Si trattava di un lussuoso *hôtel particulier* arredato di tutto punto, il cui affitto astronomico si aggirava sui 48.000 franchi all'anno.

3. Cfr. *Papiers secrets et correspondance du Second Empire*, cit., fascicolo 5, p. 64: «È ormai certo che nel Secondo Impero la polizia si era trasformata in una vera e propria fucina di complotti, concepiti, organizzati o provocati dai prefetti Lagrange e Piétri. Fatta eccezione per gli attentati di Orsini e Pianori e per l'ultima insurrezione della Villette, si riconosce la mano della polizia imperiale dietro tutti i processi che tanto hanno contribuito a consolidare l'ex regime». L'attentato di avenue Montaigne è stato

evocato in modo fantasioso e con dovizia di dettagli sia nei *Mémoires de Griscelli, Agent secret de Napoléon III (1850-58), de Cavour (1859-61), d'Antonelli (1861-62), de François II (1862-64), de l'Empereur d'Autriche (1864-67)*, s.e., Bruxelles, 1867, sia nei *Mémoires de Monsieur Claude, chef de la police de sureté sous le Second Empire*, 10 voll., Jules Rouff, Paris, 1881-1883. Entrambe le opere, benché probabilmente apocrife e inclini alla rielaborazione romanzesca, recano traccia di voci circolanti all'epoca sull'attività di servizi segreti di diversa specie e spesso rivali. Secondo Griscelli – che si vantava di avere salvato la vita all'imperatore uccidendo il sicario in agguato sulle scale della casa di avenue Montaigne – si trattava di un attentato di matrice italiana messo a punto con la complicità di Virginia, la quale venne di conseguenza arrestata dalla polizia ed espulsa dal paese. L'operazione non poteva che essere gradita a Eugenia. Diversa la tesi sostenuta nei *Mémoires* di Monsieur Claude (cit., vol. I, pp. 319-26): la dinamica è la stessa descritta da Griscelli, ma qui l'obiettivo dell'attentato sarebbe stato non l'imperatore, bensì Virginia. E la misteriosa Madame X***, che avrebbe ordito l'intrigo per ingraziarsi l'imperatrice, adombra una cugina dell'imperatore, Marie-Laetitia Bonaparte Wyse, poi Madame de Rute Giner, poi Madame Rattazzi, poi principessa Solms, avventuriera internazionale d'alto bordo, una multiforme dark lady di cui Lucia Lazzerini ha ricostruito le metamorfosi in *La fée et la diablesse. Histoire d'une hantise poétique et mondaine de «Flamenca» à «Calendau» et «Pinocchio» jusqu'à «La recherche du temps perdu»*, Carrefour Ventadour, Moustier-Ventadour, 2018.

4. Artista austriaco naturalizzato francese, Ferdinand-Sigismund Bach (1859-1952) era nipote di un figlio illegittimo di Girolamo Bonaparte. Stabilitosi a Parigi qualche anno dopo la caduta di Napoleone III, e adottato lo pseudonimo di Ferdinand Bac, aveva fatto tesoro dei ricordi di Arsène Houssaye, testimone chiave della società del Secondo Impero, il quale aveva, a sua volta, raccolto le confidenze di Prosper Mérimée.

5. F. Bac, *La Cour des Tuileries sous le Second Empire*, cit., pp. 105-15.

6. Cfr., qui, il capitolo «Odi et amo».

7. Che fra gli Holland e i Castiglione ci fosse una frequentazione assidua ce lo conferma anche questo passaggio del diario parigino di Nassau William Senior, economista inglese amico di Tocqueville: «A cena da Lord Holland ho incontrato ... il Conte e la Contessa di Castiglione. Mi è parsa straordinariamente bella, ancor più dell'anno scorso quando l'avevo ammirata a Holland House.

È una vera bellezza Luigi Quindici; alta, formosa, ben fatta, grandi occhi neri, ciglia lunghe, sopracciglia diritte, carnagione candida, e una bocca che quando sorride, come le ho visto fare per tutta la sera, è incantevole. Accomodata su un sofà che la sua crinolina riempiva per intero, riceveva con evidente piacere gli omaggi di tutti quanti». La bella visione è datata «Sabato, 11 aprile [1857]». *Conversations with M. Thiers, M. Guizot and other Distinguished Persons during the Second Empire by the Late Nassau William Senior, edited by his daughter M.C.M. Simpson*, 2 voll., Hurst and Blackett, London, 1878, vol. II, pp. 104-105.

8. Lettera di Emanuele Taparelli d'Azeglio a Camillo Cavour, 10 luglio [1857], 25 Park Lane, in C. Cavour, *Epistolario*, cit., vol. XIV, pp. 303-304 [fr.].

9. Toscanismo ottocentesco per «arrabbiare».

10. FP, «Correspondance du prince Joseph Poniatowski et de la princesse de Castiglione», entrée 2901, AP/340 (I)/21.

11. La moglie di Luigi Filippo era morta in esilio in Inghilterra il 24 marzo 1866. *Correspondances inédites et archives privées de Virginia Vérasis, comtesse de Castiglione*, con una Prefazione di André Maurois, catalogo dell'asta tenutasi all'Hotel Drouot l'11 giugno 1951 (G. Blaizot, Paris, 1951), scheda 21, p. 25 [fr.].

12. Maria Carolina Augusta di Borbone era morta a Twickenham il 6 dicembre 1869. *Loc. cit.*

13. Commentando il processo di unificazione della penisola che metteva in difficoltà la politica francese, Virginia cambiava sfacciatamente di posizione anche nei confronti del suo illustre cugino: «Io ero amica di Monsieur de Cavour, l'ammiravo, lo stimavo, ma adesso ce l'ho con lui, e parecchio, per tutte le sciocchezze che ha combinato – del resto, ormai abbiamo litigato. Mi ha fatto pervenire proposte di riconciliazione da ogni parte, ma non ne voglio sapere... Una volta amavo gli italiani, adesso li disprezzo, li trovo assurdi, senza princìpi morali, gonfi di stupide ambizioni, insopportabili; vorrebbero trascinarci con sé in un abisso pernicioso per il nostro paese». Lettera di Virginia al duca d'Aumale, in vendita con altri suoi autografi, che figura su uno dei cataloghi della Librairie Les Neuf Muses, a cura di Alain Nicolas [fr.].

14. «A fare assai più bello il dono stesso / è ciò che accoglierà nel suo riflesso». Lettera di Lord Holland alla contessa di Castiglione, Londra, 1° luglio [1857], citata in A. Decaux, *La Castiglione*, cit., p. 131 [ing.].

15. *Ibid.*, p. 132.

16. Il ritratto di Virginia, realizzato a partire da una sua fotografia, di Pierre François Eugène Giraud, uno dei pittori favoriti della principessa Matilde.

17. Citato in *La Divine Comtesse. Photographs of the Countess of Castiglione*, catalogo della mostra al Metropolitan Museum of Art, New York, 18 settembre-31 dicembre 2000, a cura di Pierre Apraxine e Xavier Demange, con la collaborazione di Françoise Heilbrun e Michele Falzone del Barnabò, Yale University Press, New Haven-London, 2000, scheda 1, p. 166.

18. Bernard Berenson, sapendolo in caccia di tutti i possibili documenti sulla contessa di Castiglione, gli aveva segnalato il ritratto di Watts nella collezione Holland. Cfr. R. de Montesquiou, *La divine comtesse*, cit., p. 51.

19. *Ibid.*, pp. 50-51, e, per la contessa Greffulhe, p. 199.

20. Lettera di Virginia a Costantino Nigra, AST, mazzo 3, fascicolo 12, lettera 11.

21. « Io sottoscritto dichiaro che la condotta del Signor Conte verso l'Egregia Signora Contessa Nicchia è da un mese portentosa essendo il prefato Conte paziente di molto, buono, bravino, senza furie... insomma un vero angelo. In fede a sua richiesta gli ha spedito questo certificato munito della debita legalizzazione. Parigi li 25 luglio 1858, Francesco Verasis », FP, fascicolo « Conte Verasis ».

22. *Souvenirs du Général Ce Fleury*, cit., vol. II, p. 210.

23. Cfr. H. de Viel-Castel, *Mémoires sur le règne de Napoléon III*, cit., p. 563; cfr. anche Madame Jules Baroche, *Notes et Souvenirs*, cit., p. 62.

24. Lettera di Francesco Verasis al suocero, Parigi, 24 dicembre 1856, ASD, faldone 4.

25. Lettere del marito a Virginia, Basilea, 17 agosto 1856, 10 di sera, e Genova, 21 agosto 1856, Hotel Feder, mezzanotte, AST, mazzo 2, fascicolo 5, lettere 21 e 22.

26. Lettera del marito a Virginia, Costigliole, 5 settembre 1856, *ibidem*, lettera non numerata [fr.].

27. Lettera del marito a Virginia, Nizza, 26 gennaio 1857, *ibidem*, lettera 28. Pollenzo era un'antica residenza di Casa Savoia.

28. Lettera di Francesco Verasis a Giuseppe Poniatowski, 27 marzo 1857, FP, fascicolo « Conte Verasis ».

29. Lettera del marito a Virginia, AST, fascicolo 5, lettera 20 [fr.].

30. Lettera del marito a Virginia, Parigi, 26 maggio 1857, *ibidem*, lettera 29 [fr.].

31. Francesco si impegnava per contro a pagare una pensione annuale alla moglie e le consentiva di vedere il figlio quando voleva, a condizione che lei non andasse ad abitare a Torino e che tenesse «una condotta onorevole, sì da non arrecare danno al nome che porta». In caso contrario il conte si riservava di adire le vie legali. «Acte de séparation», s.l., s.d., *ibidem*, lettera 30 [fr.].

32. «1) Rifiuto da parte della Contessa di adempiere ai doveri matrimoniali con il pretesto che non vuole più restare incinta ... 2) Mancanza assoluta di obbedienza nei confronti del marito, che la Contessa tratta con la massima durezza, avendo per di più, anche davanti agli estranei, l'aria di considerarlo un imbecille buono a nulla. 3) Assenza completa di sentimento religioso ... 4) Condotta spesso riprovevole, soprattutto in pubblico, con una continua ostentazione, da parte della Contessa, di modi confidenziali con il tale o il talaltro, forse anche in perfetta innocenza, ma dopotutto, agli occhi del mondo, ciò fa torto al marito, e pertanto gli è intollerabile. 5) Lusso sfrenato nella cura della persona e in mille altre cose ... che eccedono la disponibilità patrimoniale del marito ... 6) Carenza d'affetto per il figlio che tratta come un giocattolo, dedicandovisi soprattutto nei rari momenti di tempo libero e lasciandolo continuamente in mani estranee. 7) Accessi di collera immotivata nei quali la Contessa dice cose inaudite, mettendo a dura prova la pazienza del marito. 8) Insomma, totale mancanza di uso di mondo, per cui il marito stesso finisce per fare la figura dello screanzato». *Ibidem*, scheda 7, lettera 1 [fr.].

33. Lettera del conte di Castiglione alla marchesa Oldoini, Parigi, giugno 1857, *ibidem*, lettera 31 [fr.].

34. *Ibidem.*

35. Lettera della marchesa Oldoini al marito, 10 giugno 1857, ASD, faldone 3.

36. A raccogliere la testimonianza di Karl Philipp Bach è il figlio Ferdinand, in *Intimités du Second Empire*, cit., p. 52.

37. Conte di Reiset, *Mes souvenirs*, cit., vol. I, p. 429.

38. H. de Viel-Castel, *Mémoires sur le règne de Napoléon III*, cit., p. 624.

39. *Ibid.*, p. 714.

40. Cfr. Romano Paolo Coppini, *Cuori e denari: le amicizie intime dei*

Rothschild, in *Virginia Oldoini. I giorni e il mito della Contessa di Castiglione*, catalogo della mostra al Museo Lia, La Spezia, 1999, a cura di Adriana Beverini e Pia Spagiari, Luna, La Spezia, 1999, p. 31.

41. Andate all'asta da Drouot nel 1851, le diciassette lettere del conte di Nieuwerkerke sono riapparse recentemente sul mercato.

42. E. e J. de Goncourt, *Journal. Mémoires de la vie littéraire*, cit., vol. I, p. 797.

43. H. de Viel-Castel, *Mémoires sur le règne de Napoléon III*, cit., p. 624.

44. Da quanto emerge da una lettera di Virginia a Vittorio Emanuele, i servizi segreti italiani e francesi erano perfettamente al corrente delle intenzioni di Orsini e ritenevano di aver preso adeguati provvedimenti: «Oggi che da Torino hanno avvertito dell'arrivo di F. Orsini per assassinare l'Imperatore e qui tutto è in opera per scongiurare questa disgrazia ... È terribile che gli italiani non pensino ad altro che ad ammazzare!» (AST, mazzo 3, fascicolo 14, lettera 16). La lettera introduce un elemento sorprendente che sembra essere stato finora trascurato dalla storiografia risorgimentale.

45. A. Viarengo, *Cavour*, cit., p. 358.

46. Lettera di Vittorio Emanuele II a Enrico Morozzo Della Rocca, Torino, 8 febbraio 1858, in *Le lettere di Vittorio Emanuele II*, cit., vol. I, pp. 465-67, citata in A. Viarengo, *Cavour*, cit., p. 361.

47. *Lettere di Felice Orsini*, a cura di Alberto Maria Ghisalberti, Vittoriano, Roma, 1936, p. 255.

48. Fin dal 1851, quando Walewski era ambasciatore a Londra, Massimo d'Azeglio coglieva nel segno scrivendo al nipote: «Anch'io credo che W[alewski] non sia de' nostri amici. Non mi pare una cima del resto». Lettera a Emanuele d'Azeglio, [Torino], 2 ottobre 1851, in M. d'Azeglio, *Epistolario*, cit., vol. VII, p. 6.

49. Lettera di Camillo Cavour a Napoleone III, 25 agosto 1858, in C. Cavour, *Epistolario*, cit., vol. XV, tomo I, p. 598 [fr.].

50. Lettera del marito a Virginia, Parigi, 31 luglio 1858, AST, mazzo 2, fascicolo 5, lettera 36 [fr.].

51. Lettera di Camillo Cavour a Giuseppina Alfieri di Sostegno, [Chambéry], 13 luglio 1859, in C. Cavour, *Epistolario*, cit., vol. XV, p. 486.

52. Lettera del conte di Castiglione al suocero, Torino, 14 novembre 1858, ASD, faldone 4 [fr.].

53. Brutta copia della lettera inviata dal marchese Oldoini alla figlia, La Spezia, 1° novembre 1857, ASD, faldone 3 [fr.].

54. Lettera del conte di Castiglione al suocero, Parigi, 21 dicembre 1858, *ibidem.*

55. Se è la nostra contessa, come tutto lascia supporre, la Virginia che firma le due lettere indirizzate a Eugenio [di Carignano] e datate «Parigi, 28 marzo 1859», è giocoforza constatare che sono molte le cose che non sappiamo di lei. Se ne evincerebbe che la Castiglione, che credevamo reclusa a Villa Gloria, era tornata per qualche giorno nella capitale francese ed era alla disperata ricerca di denaro; che era in stretto rapporto con uno dei membri più autorevoli della famiglia reale sabauda, il quale non doveva ignorare la sua attività di agente segreto; che era a sua volta spiata dai suoi mandanti; e infine che, come le spie professioniste, giocava su più tavoli. Affidata a Cavour, che nell'ultima settimana di marzo era andato a Parigi per incontrare l'imperatore e scongiurare la convocazione di un congresso di pace, la lettera era stata aperta, copiata e forse tradotta dal segretario del conte, Isacco Artom, nel cui archivio a tutt'oggi si trova. Resta da chiedersi se l'originale fosse in francese e in codice, visto che il testo in nostro possesso è in italiano. Personaggio politico di primo piano, già comandante generale e poi ammiraglio della marina sarda, Eugenio Emanuele di Savoia-Villafranca, principe di Carignano (1825-1888), si preparava, in caso di guerra – come già era avvenuto con il cugino Carlo Alberto –, ad assumere la reggenza mentre Vittorio Emanuele era sul campo di battaglia. Virginia, lo vedremo anche in seguito, se ne era assicurata la protezione e i due erano in rapporti tanto intimi che lei gli si rivolgeva facendo uso del tu. Benché criptiche, le due lettere, che alludono forse alle trattative in corso tra Cavour e la Russia in previsione della guerra contro l'Austria, ce la mostrano alle prese con i suoi «nemici» – termine che può riferirsi tanto alla polizia francese come ai creditori di Virginia.

VILLA GLORIA (1859)

1. D'ora in avanti, tutte le citazioni tra virgolette e senza rinvio in nota sono prese dalla «Correspondance du prince Joseph Poniatowski et de la Comtesse de Castiglione», FP, Supplément 3: Famille Poniatowski, Joseph Poniatowski (340AP) - AP/340 (I)/21. Di tali lettere, conservate in uno scatolone contenente otto buste, non è ancora disponibile un inventario.

2. Si veda la voce «Poniatowski, Józef» in *Polski Słownik Bio-*

raficzny, Polska Akademia Nauk, Instytut Historii, Wrocław, vol. XXVIII, 1983, pp. 437-38.

3. Lettera di istruzioni (2 gennaio 1849) del segretario degli Esteri Giuseppe Mortarelli, FP, citata in Ryszard Daniel Golianek, *Politics, Music and Cosmopolitism: The Operatic Output in Joseph Poniatowski (1816-1873) in its Social and Political Contexts*, in « Studia Musicologica », LII, fascicolo 1/4, dicembre 2011, p. 160, nota 8.

4. Lettera di Stanislao Poniatowski a Virginia, s.l., s.d., AST, mazzo 4, fascicolo 1, scheda 5, lettera 1 [fr.].

5. In una lettera ad Alexandre Michaud, il gioielliere a cui aveva ordinato un anello da regalare a Virginia, d'Azeglio confermava: « Madame de Castiglione la chiamiamo *Nicchia*, diminutivo tipicamente fiorentino che significa conchiglia », in M. d'Azeglio, *Epistolario*, cit., vol. VIII, p. 303 [fr.].

6. Incluse nella vendita all'asta di Drouot del 1951, le 348 lettere autografe di Giuseppe Poniatowski a Virginia (scheda 71, pp. 52-55) non sono, a quanto risulta, attualmente reperibili.

7. Già nel luglio del 1857 Virginia gli scriveva da Londra lamentandosi di non avere sue notizie e aggiungendo: « Aspetto solo due righe ma un po' più salate ». E « sale » e « salato » erano i termini di cui si serviva spesso con lui per indicare l'intimità amorosa.

8. A. Decaux, *La Castiglione*, cit., p. 176.

9. « La mia sete della Nicchia comincia a farsi così ardente che temo di diventare pazzo furioso », *ibid.*, p. 175.

10. Lettera di Camillo Cavour a Giuseppina Alfieri di Sostegno, 15 dicembre 1858, in C. Cavour, *Epistolario*, cit., vol. XV, p. 926 [fr.].

11. Cfr. Atto notarile di vendita del 26 luglio 1859, FP, fascicolo « Conte Verasis ».

12. Il 16 settembre 1859; cfr. A. Decaux, *La Castiglione*, cit., p. 174.

BABY

1. Lettera di Giorgio alla madre, s.l., s.d., AST, mazzo 2, fascicolo 8, lettera 1 [ing.]. Sono una sessantina le lettere indirizzate da Giorgio a Virginia tra il 1859 e il 1866 conservate nel Fondo Castiglione dell'Archivio di Stato di Torino.

2. Lettera di Giorgio alla madre, s.l., s.d., *ibidem*, lettera 2 [ing.].

3. Virginia aveva la mania dei soprannomi: questo le fu forse suggerito da Poniatowski, che aveva svolto in Cina una missione diplomatica.

4. Lettera di Giorgio Verasis alla madre, s.l., s.d., *ibidem*, lettera 3 [ing.].

5. Lettera di Filippo Oldoini alla moglie, Parigi, 16 novembre [1854], ASD, faldone 4.

6. «Alle 10, quando le doglie sono diventate più forti, la Dominici mi ha invitata a coricarmi nel lettino accanto al mio, dove Francesco mi ha tenuto la mano e Luisa e la Dominici le gambe perché avevo molto male. A mezzogiorno ho partorito un figlio che è stato lavato e vestito. Quando tutto è finito mi sono alzata, mi sono cambiata la camicia e da sola sono tornata nel mio letto, dove ho preso il brodo. Ho dormito fino alle 6, quando il Parroco degli Angeli è venuto in camera per dare l'acqua benedetta al bambino che è stato chiamato Giorgio ed era nella culla rosa accanto al mio letto». Citato in A. Decaux, *La Castiglione*, cit., p. 48.

7. Lettera di Francesco Verasis al suocero, Torino, 22 marzo 1855, ASD, faldone 4 [fr.].

8. Lettera di Francesco Verasis al suocero, Torino, 9 marzo 1855, dieci del mattino, *ibidem* [fr].

9. *Ibidem* [fr.].

10. Lettera di Francesco Verasis al suocero, Torino, 30 marzo 1855: «Niny, che si annoia a restare sola, mi vuole sempre come dama di compagnia, e debbo pur rimeritare la mia sposa di avermi reso padre di un magnifico bambino». *Ibidem*, faldone 3 [fr.].

11. Si veda, qui, la nota 32 di p. 378.

12. H. d'Ideville, *Journal d'un diplomate en Italie*, cit., p. 94.

13. *Ibid.*, p. 84.

14. *Ibid.*, p. 94.

15. P. Apraxine e X. Demange, *La Contessa di Castiglione e il suo tempo*, cit., p. 161.

16. Anonimo, *Giorgio Verasis*, 1858, olio su tela, collezione privata, La Spezia; cfr. *Virginia Oldoini. I giorni e il mito della Contessa di Castiglione*, cit., scheda 26, p. 198.

17. P. Apraxine e X. Demange, *La Contessa di Castiglione e il suo tempo*, cit., p. 161.

LA GUERRA PER L'INDIPENDENZA (1859-1860)

1. Una delle tre bozze del famoso biglietto di Cavour è conservata presso la Fondazione Biblioteca Benedetto Croce, XCIV, C21, e costituisce, assieme all'altro autografo dello statista conservato all'Archivio di Stato di Torino e al testo del discorso riportato da Giuseppe Massari in *Diario dalle cento voci*, cit., p. 98, la terza lieve variante del famoso passo suggerito da Napoleone III. Le due minute piene di correzioni sono una riprova di quanto travagliata sia stata la redazione di questo testo. Cfr. *Tutti gli scritti di Camillo Cavour*, raccolti e curati da Carlo Pischedda e Giuseppe Talamo, 4 voll., Centro Studi Piemontesi, Torino, 1976-1978, vol. IV, pp. 2005-2006, nota.

2. Cfr. Piero Pieri, *Storia militare del Risorgimento*, Einaudi, Torino, 1962, p. 619.

3. Lettera di Virginia a Poniatowski, [Torino, 1° maggio 1859] FP: «Ho visto il conte che parte oggi con il Re per la guerra. Ci siamo abbracciati. Il Barba [lo zio Cigala] e tutti gli amici sono partiti».

4. Nel comunicare a Poniatowski la sua decisione, Virginia lo ragguaglia: «Le prince di Carignano mi scrive che hanno deciso di défendre Turin con la guardia nazionale. L'armata è pronta a farsi massacrare ma non ad abbandonare il paese. Cavour ha ragione di servirsi alla meglio di quello che ha di cittadini armati».

5. Lettera di Cigala a Virginia, Calcinato, 22 [maggio 1859], AST, mazzo 3, fascicolo 13, lettera 50.

6. Guido Rupigné vede, nelle lettere di Cigala dal fronte, indicazioni in codice sull'imminente fine della guerra. Guido Rupigné, *La storia ci aveva ingannati sulla contessa Castiglione*, in «L'Europeo», DLXV, 12 agosto 1956, p. 47.

7. «Sento che ti voglio troppo bene» (AST, mazzo 3, fascicolo 13, lettera 27); «Ti voglio un ben di vita. Scrivimi è il sol piacere che io m'abbia» (*ibidem*, lettera 29); «Vorrei vederti felice perché sei buona e qualche volta ben carina» (*ibidem*, lettera 34); «Ho baciato mille volte la tua cara faccina» (*ibidem*, lettera 36); «Penserò certamente a te nel più caldo dell'azione» (*ibidem*, lettera 40); «non tormentarti tanto buona, cara Nicchia...» (*ibidem*, lettera 50).

8. Lettera di Cigala a Virginia, [1859]: «La Salopa è qui col Farfo, che il diavolo se la portasse una volta. Nessuno deve sapere...»; «La Salopa sta bene e il Farfo fotte tutto il giorno. Bene. Viva l'Italia», *ibidem*, lettere 34 e 35.

9. Nel 1856 Cigala aveva suggerito al re di aprire un'indagine sul comportamento di quest'ultima. Cfr. A. Viarengo, *Vittorio Emanuele II*, cit., p. 206.

10. Lettera di Cigala a Virginia, [1859], AST, mazzo 3, fascicolo 13, lettera 39.

11. Sulle condizioni dell'esercito piemontese nel 1859 cfr. R. Romeo, *Cavour e il suo tempo*, cit., vol. III, pp. 583-96.

12. Ecco il testo della lettera: «Torrione, 1 [giugno 1859]. Mia cara amica, tutti bene, ma le due ultime giornate sono state calde, abbiamo molti feriti, nessuno di tua conoscenza, abbiamo fatto più di 800 prigionieri, 10 pezzi di cannone, molti ma molti morti dei nemici. Le nostre perdite sono assai forti. Pare che abbiamo certamente tra morti e feriti più di 1000 uomini. L'armata piemontese si fece molto onore. Ieri abbiamo respinto più di 40.000 nemici colla divisione Cialdini e un reggimento zuavi che l'Imperatore diede al nostro Re. Ieri si sono distinti con il loro attacco. Hanno preso 8 cannoni e cinque mortai di fanteria. Le cose vanno bene ma ci sarà molto sangue sparso. Non ti puoi figurare con qual furia tutti i nostri si battono contro i nemici sempre alla baionetta. I francesi sono stupiti di veder che i nostri soldati valgono ben i loro. Il conte sta bene ma oggi parte per Vercelli per riposare il suo piede per due o tre giorni. Io sto benissimo e ti vedo sempre dappertutto cara. Ieri l'Imperatore domandò di te al Re dove eri e il Re mi disse l'Imperatore va in calore. Quando può dirmi qualche cosa che possa farmi dispiacere su di te, lo fa con tanta malignità perché pensa che ti voglio bene. Porto pazienza. Ti abbraccio. Tuo sempre, B. Cigala», FP.

13. Lettera di Virginia a Poniatowski, s.l., s.d., *ibidem*.

14. Nell'ortografia della Castiglione «e» può valere «è» e viceversa.

15. Citato in A. Decaux, *La Castiglione*, cit., p. 150. Decaux data la lettera al 26 maggio 1859.

16. *Loc. cit.*

17. Protagonista dell'opera omonima di Donizetti.

18. Toscanismo per «confusione», «pasticcio».

19. «Se stanno a Milano, il Barba aspetta la visita di un giorno e la potrei fare convenientemente colla contessa Clemente [la cognata della Castiglione]», FP. Cfr. anche la lettera di Cigala a Virginia, Milano, in cui la informa che sta cercando un appartamento per lei, AST, mazzo 3, fascicolo 13, lettera 60.

20. Il ministro plenipotenziario inglese a Torino tra il 1852 e il 1863.

21. G. Massari, *Diario dalle cento voci*, cit., p. 264.

22. La lettera scritta da Virginia a Poniatowski inizia con le seguenti parole: « Mi dispiace di non lasciarlo dormire in pace colla buona speranza e far dei sogni beati ma contre le malheur, et pour l'empêcher, il vaut beaucoup mieux être prévenu à temps [contro la sventura, e per scongiurarla, è molto meglio essere avvisati in tempo] ».

23. Cfr. lettera di Ignace Bauer a Camillo Cavour del 29 aprile 1851, in C. Cavour, *Epistolario*, cit., vol. VIII, p. 121.

24. H. de Viel-Castel, *Mémoires sur le règne de Napoléon III*, cit., p. 863.

25. Lettera di Massimo d'Azeglio a Eugène Rendu, 24 luglio 1859, in M. d'Azeglio, *Epistolario*, cit., vol. IX, pp. 303-304, lettera 47 [fr.].

UN AMANTE INFELICE (1857-1862)

1. Lettera di La Tour d'Auvergne a Virginia, Berlino, 5 marzo 1860, AST, mazzo 14 C, lettera 7.

2. H. d'Ideville, *Journal d'un diplomate en Italie*, cit., pp. 2-3.

3. Cfr. A. Decaux, *La Castiglione*, cit., pp. 157-58.

4. *Correspondances inédites et archives privées*, cit., scheda 63, pp. 48-49.

5. Lettera di La Tour d'Auvergne a Virginia, Berlino, 18 luglio 1860, AST, mazzo 14 C, lettera 54 [fr.].

6. Lettera di La Tour d'Auvergne a Virginia, Genova, sabato [14 maggio 1859], *ibidem*, lettera 149 [fr.].

7. Lettera di La Tour d'Auvergne a Virginia, s.l., 16 gennaio [1860?], *ibidem*, lettera non numerata [fr.].

8. Lettera di La Tour d'Auvergne a Virginia, s.l., s.d., *ibidem*, lettera 154 [fr.].

9. Lettera di La Tour d'Auvergne a Virginia, s.l., s.d., *ibidem*, lettera 61 [fr.].

10. Lettera di La Tour d'Auvergne a Virginia, venerdì, s.l., s.d., *ibidem*, lettera non numerata [fr.].

11. Lettera di La Tour d'Auvergne a Virginia, s.l., s.d., *ibidem*, lettera 95 [fr.].

12. Cfr. H. d'Ideville, *Journal d'un diplomate en Italie*, cit., pp. 20-23.

13. Lettera di La Tour d'Auvergne a Virginia, [Torino], [22] gennaio [1860], AST, mazzo 14 C, lettera non numerata [fr.].

14. Lettera di La Tour d'Auvergne a Virginia, Berlino, 18 marzo [1860], domenica sera, *ibidem*, lettera 10 [fr.].

15. Lettera di La Tour d'Auvergne a Virginia, [Berlino], 25 luglio 1860, *ibidem*, lettera 57 [fr.].

16. Lettera di La Tour d'Auvergne a Virginia, [Berlino], 19 [?] febbraio [1860], *ibidem*, lettera 2 [fr.].

17. Lettera di La Tour d'Auvergne a Virginia, [Berlino], 22 febbraio 1860, *ibidem*, lettera 3 [fr.].

18. Lettera di La Tour d'Auvergne a Virginia, Berlino, 5 marzo 1860, *ibidem*, lettera 7 [fr.].

19. Lettera di La Tour d'Auvergne a Virginia, [Berlino], 22 febbraio [1860], *ibidem*, lettera 3 [fr.].

20. Lettera di La Tour d'Auvergne a Virginia, Berlino, 18 febbraio [1860], *ibidem*, lettera 1 [fr.].

21. Lettera di La Tour d'Auvergne a Virginia, [Berlino], 22 febbraio [1860], *ibidem*, lettera 3 [fr.].

22. Lettera di La Tour d'Auvergne a Virginia, Berlino, 5 marzo 1860, *ibidem*, lettera 7 [fr.].

23. « Ormai sei la sola a cui possa rivolgermi per provare emozioni ». Lettera di La Tour d'Auvergne a Virginia, [Berlino], 22 febbraio 1860, *ibidem*, lettera 3 [fr.].

24. Lettera di La Tour d'Auvergne a Virginia, [Berlino], 29 febbraio 1860, *ibidem*, lettera 5 [fr.].

25. Lettera di La Tour d'Auvergne a Virginia, [Berlino], 22 marzo 1860, *ibidem*, lettera 11 [fr.].

26. Lettera di La Tour d'Auvergne a Virginia, Berlino, 3 marzo 1860, *ibidem*, lettera 9 [fr.].

27. Lettera di La Tour d'Auvergne a Virginia, Berlino, 24 marzo 1860, *ibidem*, lettera 12 [fr.].

28. Lettera di La Tour d'Auvergne a Virginia, Berlino, 28 giugno 1860, *ibidem*, lettera 43 [fr.].

29. Lettera di La Tour d'Auvergne a Virginia, Berlino, 18 marzo [1860], *ibidem*, lettera 10 [fr.].

30. Lettera di La Tour d'Auvergne a Virginia, Berlino, 3 agosto 1860, *ibidem*, lettera 60 [fr.].

31. Lettera di La Tour d'Auvergne a Virginia, Berlino, 3 luglio 1860, *ibidem*, lettera 46 [fr.].

32. Lettera di La Tour d'Auvergne a Virginia, Berlino, 3 aprile [1860], *ibidem*, lettera 16 [fr.].

33. Lettera di La Tour d'Auvergne a Virginia, Berlino, 7 luglio 1860, *ibidem*, lettera 48 [fr.].

34. Lettera di La Tour d'Auvergne a Virginia, Berlino, 28 giugno 1860, *ibidem*, lettera 43 [fr.].

35. Lettera di La Tour d'Auvergne a Virginia, Berlino, 29 luglio [1860], *ibidem*, lettera 58 [fr.].

36. Lettera di La Tour d'Auvergne a Virginia, Berlino, 28 giugno 1860, *ibidem*, lettera 43 [fr.].

37. Cfr. lettera di La Tour d'Auvergne a Virginia, Berlino, 3 febbraio 1860: «Vorrei tanto che ti decidessi a chiamarmi sempre Henri e a darmi del tu», *ibidem*, lettera 9 [fr.].

38. Lettera di La Tour d'Auvergne a Virginia, Berlino, 27 novembre 1860, citata in *Correspondances inédites et archives privées*, cit., scheda 63, p. 48 [fr.].

39. Lettera di La Tour d'Auvergne a Virginia, Berlino, 7 luglio [1860], AST, mazzo 14 C, lettera 48.

40. Lettera di La Tour d'Auvergne a Virginia, Berlino, 29 luglio [1860], *ibidem*, lettera 58 [fr.].

INSEGUENDO L'IMPERATORE (1860)

1. A. Decaux, *La Castiglione*, cit., p. 166.

2. *Ibid.*, p. 147, nota 1.

3. Lettera di Virginia a Poniatowski, [Torino, 20 marzo 1859; datazione basata sulla frase «doman l'altro ho 22 anni»], FP.

4. Cfr. A. Decaux, *La Castiglione*, cit., p. 166.

5. In un'altra lettera, Virginia ricordava a Poniatowski di avergli affidato «in una piccola cassa di ferro, in un foglio rosa e blu, tutte le lettere di lui».

6. A. Decaux, *La Castiglione*, cit., p. 166. Poniatowski aveva chiesto anche alla principessa Matilde di intercedere per Virginia, ricevendo però un netto rifiuto. Cfr. Jérôme Picon, *Mathilde, princesse Bonaparte*, Flammarion, Paris, 2005, p. 175.

7. Cfr. G. Rupigné, *La storia ci aveva ingannati sulla contessa Castiglione*, cit., p. 47.

8. Dato il riferimento all'imminente sentenza di separazione dal marito (16 ottobre 1859), la lettera è databile al settembre 1859.

9. François Ponsard, con *L'Honneur et l'argent* (1853), e Dumas figlio, con *La Question d'argent* (1857), ne scrivono per il teatro; Jules Vallès ed Émile Zola ne fanno il tema centrale dei loro romanzi, rispettivamente del 1857 e del 1891, entrambi intitolati *L'Argent*.

10. Lettera della madre a Virginia, Genova, 10 marzo 1860, AST, mazzo 1, fascicolo 4, lettera 49.

11. È quanto sembra confermare anche il frammento di una lettera di Virginia all'imperatore: « In una lettera di qualche giorno fa, il nostro amico mi sembrava arrivato al punto in cui non rimane che partire in preda alla disperazione, e presto si vedrà costretto a cercare un'incerta via di salvezza in qualche terra lontana. La voragine già da tempo spalancata si allarga sempre più, e il poveretto ha appena lanciato il suo ultimo grido di soccorso. Ero davvero in angustie perché nutro un certo affetto per lui, ma l'arrivo del vostro biglietto mi ha distolto dal pensiero delle sue disgrazie », FP [fr.].

12. I debiti del conte ammontavano a 1.568.000 franchi, di cui 400.000 dovuti a Poniatowski. Cfr. A. Decaux, *La Castiglione*, cit., p. 145.

13. Probabile allusione al duetto del ricongiungimento di Elvira e Arturo nell'opera di Bellini: « Da quel dì ch'io ti mirai / avvampai d'un solo ardore, / per te fido insin che muore / il mio core avvamperà. / La mia vita io ti sacrai / nella gioia e nel dolore / e la morte per amore / cara e santa a me sarà... ».

14. A. Decaux, *La Castiglione*, cit., p. 173.

15. Diminutivo di Vincenzo Carlo Giuseppe, primogenito di Ranieri. Cfr. la lettera del 25 febbraio 1863 in cui la marchesa Oldoini ringrazia a nome di « tutta casa Lamporecchi » Virginia per avere consultato il dottor Blanche sulle cure da dare a Cencio, ormai « pazzo furioso », AST, mazzo 1, fascicolo 4, lettera 65.

UN'AMICIZIA LIBERTINA

1. BNF, « Comtesse de Castiglione. Lettres reçues », « Lettres du Général Estancelin », NAF 17774, foglio 243.

2. All'inizio del secolo scorso Frédéric Loliée, amico personale di Estancelin e primo biografo della Castiglione, ha potuto consultare più di 1500 lettere della contessa a Estancelin, pubblican-

done ampi stralci; cfr. Frédéric Loliée, *Le Roman d'une Favorite. La comtesse de Castiglione, 1840-1900, d'après sa correspondance intime inédite et les «Lettres des Princes»*, Émile Paul, Paris, 1912, pp. VIII-XI. Ma vuoi per rispetto alla memoria del generale, vuoi per *pruderie*, Loliée sostiene che l'amicizia tra Estancelin e la Castiglione fu puramente platonica.

3. Presumibilmente nel settembre del 1860, quando Virginia era tornata in Francia dopo la parentesi torinese a Villa Gloria.

4. Lettera di Estancelin a Virginia, s.l., s.d., BNF, «Lettres du Général Estancelin», foglio 99 [fr.].

5. Lettera di Estancelin a Virginia, s.l., s.d., *ibidem*, foglio 100 [fr.].

6. Cfr. F. Loliée, *Le Roman d'une Favorite*, cit., p. 219.

7. Lettera di Estancelin a Virginia, s.l., s.d., BNF, «Lettres du Général Estancelin», foglio 137 [fr.].

8. Lettera di Estancelin a Virginia, s.l., s.d., *ibidem*, foglio 110 [fr.].

9. Lettera di Estancelin a Virginia, s.l., s.d., *ibidem*, foglio 128 [fr.].

10. Lettera di Estancelin a Virginia, s.l., s.d., *ibidem*, foglio 122 [fr.].

11. *Ibidem* [fr.].

12. Lettera di Estancelin a Virginia, [fine 1872?], *ibidem*, foglio 36.

13. Lettera di Estancelin a Virginia, [1° ottobre 1869], *ibidem*, foglio 9 [fr.].

14. Scritta nel 1850, la *Lettre à la Présidente* venne pubblicata postuma nel 1890.

15. *Femme piquée par un serpent*, 1847, Musée d'Orsay, Parigi.

16. Lettera di Estancelin a Virginia, s.l., s.d., BNF, «Lettres du Général Estancelin», foglio 173 [fr.].

17. Lettera di Estancelin a Virginia, s.l., s.d., *ibidem*, foglio 162 [fr.]. Le stesse espressioni, «fille de marbre» e «fille de feu», furono impiegate in riferimento alle prostitute da Arsène Houssaye in una conversazione con Virginia riportata da Ferdinand Bac in *Intimités du Second Empire*, cit., p. 48.

18. Lettera di Estancelin a Virginia, s.l., s.d., BNF, «Lettres du Général Estancelin», fogli 163-65 [fr.].

19. Lettera di Estancelin a Virginia, s.l., s.d. [6 gennaio], *ibidem*, fogli 171-72 [fr.].

20. Lettera di Estancelin a Virginia, s.l., s.d., *ibidem*, fogli 167-68 [fr.].

21. Lettera di Estancelin a Virginia, s.l., s.d., *ibidem*, foglio 169 [fr.].

22. Lettera di Estancelin a Virginia, s.l., s.d., *ibidem*, foglio 136 [fr.].

23. Lettera di Estancelin a Robert de Montesquiou, Parigi, sabato 9 agosto [1900?], citata in R. de Montesquiou, *La divine comtesse*, cit., p. 29.

24. *Loc. cit.*

STRANIERA IN PATRIA (1859-1861)

1. Lettera del padre a Virginia, San Pietroburgo, 10 maggio [1859], AST, mazzo 1, fascicolo 2, lettera 3 [fr.].

2. Lettera del padre a Virginia, San Pietroburgo, 11 dicembre [1859], *ibidem*, lettera 25 [fr.].

3. Cfr. le lettere del 10 maggio, 3 giugno, 14-17-22 luglio, *ibidem*, lettere 3, 4, 5, 7 e 8.

4. Scritta da Torino e priva di data, questa lettera di Virginia a Poniatowski è abbastanza difficile da decifrare: Cavour le ha riferito di un colloquio con l'imperatore (« mi hanno domandato ») in cui si accenna alla bancarotta del conte di Castiglione. Si può dunque ipotizzare che la conversazione fosse avvenuta nel marzo del 1859, in occasione dell'ultimo viaggio fatto da Cavour a Parigi per ricordare all'imperatore i suoi impegni. Quale interesse potevano avere Vittorio Emanuele II e Cavour a rimandare la Castiglione in Francia? Intendevano continuare a utilizzarla come spia? Ma quale margine di manovra poteva avere Virginia, se come abbiamo visto l'imperatore la teneva alla larga?

5. Lettera del padre a Virginia, San Pietroburgo, 17 giugno 1859, e risposta di Virginia, 29 settembre 1859, ASD, faldone 4.

6. Lettera di Virginia al padre, [Torino], 7 gennaio [1860], *ibidem*. In effetti anche la famiglia di Emma Vegezzi Ruscalla aveva una villa, La Vigna, sulla collina di San Vito.

7. Cfr. lettera di Camillo Cavour a Virginia in cui si dichiara dispiaciuto « d'avoir si peu d'influence », Leri, 4 [dicembre] 1859, in C. Cavour, *Epistolario*, cit., vol. XVI, tomo III, p. 1277 [fr.].

8. Lettera di Virginia al padre, [Torino], 4 dicembre 1859, ASD, faldone 4 [fr., it.].

9. Lettera di Virginia al padre, [dicembre 1859], *ibidem* [fr.].

10. A. Viarengo, *Cavour,* cit., pp. 407-408.

11. Lettera di Virginia al padre, [Torino], 7 gennaio [1860], ASD, faldone 4.

12. Il marchese Oldoini le raccomandava senza successo di astenersi da un linguaggio criptico che lo esasperava: «Soprattutto non rispondetemi in stile oracolare come fate spesso, perché non siamo più ai tempi di Delfi, e mettetemi in condizioni di capire bene», lettera del padre a Virginia, San Pietroburgo, 10 maggio [1859], AST, mazzo 1, fascicolo 2, lettera 3 [fr.].

13. Lettera della marchesa Oldoini al marito, 11 settembre [1860], ASD, faldone 4.

14. *Ibidem.*

15. Lettera di Virginia al padre, s.l., s.d., *ibidem* [fr.].

16. *Ibidem.*

17. Castiglione ne dava notizia al suocero in una lettera del 4 settembre 1860, *ibidem.*

18. Lettera della madre a Virginia, Firenze, 21 settembre 1860, AST, mazzo 1, fascicolo 4, lettera 51.

19. Cfr. Laure Murat, *La maison du docteur Blanche. Histoire d'un asile et de ses pensionnaires de Nerval à Maupassant,* Gallimard, Paris, 2013. La Murat ricorda i legami di amicizia che avevano unito la Castiglione al dottor Blanche e alla sua famiglia (pp. 209-58).

20. H. de Viel-Castel, *Mémoires sur le règne de Napoléon III,* cit., p. 925. Di tutt'altro tenore i «si dice» su Virginia che la contessa d'Agoult, in visita in Italia, riceveva dalla Francia: «Quello che parrebbe indubbio è il ritorno trionfale della C[astiglione], la quale grazie a Fould è alloggiata in un palazzo degli Champs-Élysées. Donde le ire, le escandescenze e le minacce di Livia [Eugenia], che voleva ritornarsene in Spagna, ma le concedono solo la Scozia». Lettera a Félix Henneguy, [Nizza], 26 dicembre 1860, in Marie de Flavigny, contessa d'Agoult, *Correspondance générale,* a cura di Charles F. Dupêchez, 11 voll., Champion, Paris, vol. XI: *1860,* 2021, p. 396.

21. «Avete proprio ragione, mia cara, di essere in lutto; questa morte è una disgrazia per il mondo intero». Lettera di Valentine Delessert a Virginia, venerdì 7 [giugno 1861], AST, mazzo 15, fascicolo «Valentina de Laborde Delessert», lettera 1 [fr.].

22. Lettera di Valentine Delessert a Virginia, lunedì 18 [?], *ibi-*

dem, lettera 2, nella quale inoltre ringrazia Virginia per il dono di un ritratto fotografico: « Quei begli occhi che mi promettono il loro ricordo rivelano un cuore affettuoso quanto nessun altro mai ».

23. Cfr. le numerose lettere di Virginia a Poniatowski sull'argomento.

24. Lettera della madre a Virginia, [circa 1863], AST, mazzo 1, fascicolo 4, lettera 228 [fr.].

25. Cfr. *La comtesse de Castiglione par elle-même,* catalogo della mostra al Musée d'Orsay, Parigi, 12 ottobre 1999-23 gennaio 2000, a cura di Pierre Apraxine e Xavier Demange, con la collaborazione di Françoise Heilbrun, Éditions des musées nationaux, Paris, 1999, p. 171.

26. A partire dagli anni Sessanta la salute dell'imperatore era andata visibilmente declinando e nel 1865 il chirurgo Félix Hippolyte Larrey diagnosticava « la presenza di un calcolo nella vescica » che gli provocava terribili sofferenze. Nel giugno del 1870 l'illustre clinico Germain Sée confermava la diagnosi, insistendo sull'urgenza di un intervento chirurgico per estrarre il calcolo. L'imperatore avrebbe affrontato la guerra contro la Prussia in condizioni fisiche disastrose, non riuscendo neppure a montare a cavallo, e sarebbe morto in Inghilterra per il cattivo esito dell'operazione.

IL BANCHIERE SVALIGIATO

1. Lettera di Charles Laffitte a Virginia, [ottobre 1865?], BNF, « Comtesse de Castiglione. Lettres reçues », « Lettres de Charles Laffitte et minutes de quelques réponses de la comtesse », NAF 17775, foglio 112 [fr.].

2. Lettera di Laffitte a Virginia, 14 novembre 1866, *ibidem,* foglio 31 [fr.]. In totale i prestiti di Laffitte a Virginia ammontavano a 450.000 franchi.

3. Lettera di Virginia a Poniatowski, [Parigi, 1862?], FP.

4. *Ibidem.*

5. Dopo il fallimento della sua prima banca, la Charles Laffitte, Blount & Co. (1834-1848), Laffitte ne aveva fondata un'altra nel 1851, la Charles Laffitte & Co. Limited, « che non ha un ruolo di primo piano nel mondo finanziario ma gode tuttavia di una reputazione di serietà ». Cfr. Georges Gugliotta, *Le général de Gallif-*

fet. Un sabreur dans les coulisses du pouvoir, 1830-1909, Bernard Giovanangeli, Paris, 2014, pp. 65-66.

6. Cfr. R. Romeo, *Cavour e il suo tempo*, cit., vol. III, pp. 362-68.

7. Cfr. A. Viarengo, *Cavour*, cit., p. 93.

8. Lettera di Laffitte a Virginia, Parigi, 11 dicembre 1863, BNF, « Lettres de Charles Laffitte », foglio 1 [ing.].

9. Lettera di Laffitte a Virginia, [1862?], *ibidem*, foglio 66 [ing.]. Nelle missive del banchiere ricorrono accenni a possibili affari per i quali Virginia fungeva da tramite. « Credo che i vostri amici non vogliano, e non c'è niente di peggio che voler cavare sangue da una rapa. Comunque venite pure alle 5 meno un quarto (precise), e vi metterò in contatto con il mio uomo ». Le invia inoltre, tramite il suo collaboratore Louis Le Provost, delle « notes » per Torino (*ibidem*, foglio 141), e le fornisce informazioni segrete per giocare in borsa facendo appello alla sua discrezione: « Cara Nicchia, la mia fonte sulle obbligazioni messicane mi suggerisce di tenere d'occhio rue Laffitte [casa Rothschild] », *ibidem*, foglio 177 [ing.].

10. In una lettera a Virginia del 1865, Laffitte ricordava i « tre anni di devozione » che le aveva consacrato. *Ibidem*, foglio 162 [ing.].

11. *Ibidem*.

12. Si veda il biglietto di Laffitte a Virginia: « Da me non c'è anima viva », *ibidem*, foglio 131 [ing.].

13. Cfr. lettera di Laffitte a Virginia, mezzanotte, s.l., s.d., *ibidem*, foglio 148.

14. Lettera di Laffitte a Virginia, domenica [marzo 1865], *ibidem*, foglio 110 [fr.].

15. Lettera di Laffitte a Virginia, giovedì [1865], *ibidem*, foglio 162 [ing.].

16. Lettera di Virginia a Laffitte, [1865], *ibidem*, foglio 237 [ing., fr.].

17. Lettera di Laffitte a Virginia, Dieppe, domenica, [1865], *ibidem*, foglio 197 [fr.].

18. Cfr. lettera di Louis Le Provost a Virginia, [1865], BNF, « Comtesse de Castiglione. Lettres reçues », « Lettres de Louis Le Provost et minutes de quelques réponses de la comtesse », NAF 17775, foglio 263 [fr.].

19. Lettera di Le Provost a Virginia, [5 dicembre 1867], *ibidem*, foglio 270.

20. Lettera di Le Provost a Virginia, [1865], *ibidem*, fogli 261-62.

21. Lettera di Virginia a Laffitte, [agosto-settembre 1865], non spedita, BNF, « Lettres de Charles Laffitte », foglio 218 [ing., fr.].

22. Lettera di Virginia a Laffitte, [1865], *ibidem*, foglio 220 [fr.].

23. Lettera di Le Provost a Virginia, [1865], BNF, « Lettres de Louis Le Provost », foglio 263 [fr.].

24. Lettera di Le Provost a Virginia, [1865], *ibidem*, foglio 252 [fr.].

25. Lettera di Le Provost a Virginia, [1865], *ibidem*, fogli 311-12 [fr.].

26. Lettera di Virginia a Le Provost, [1865], *ibidem*, foglio 427 [fr.].

27. Cfr. lettera di Laffitte a Virginia, Salon de Compiègne, ore 11, [1865], BNF, « Lettres de Charles Laffitte », foglio 152.

28. Lettera di Virginia a Laffitte, s.l., s.d., *ibidem*, foglio 240.

29. Lettera di Virginia a corrispondente sconosciuto, 29 gennaio 1869, BNF, « Comtesse de Castiglione. Lettres reçues », « Varia », NAF 17775, foglio 433 [fr.].

30. Lettera di Laffitte a Virginia, [giugno 1872], BNF, « Lettres de Charles Laffitte », foglio 54 [fr.].

31. Cfr. le due lettere di Le Provost a Virginia del 6 gennaio e del 2 marzo [1869], in cui le chiede di indirizzare una lettera di raccomandazione ad Alphonse de Rothschild, BNF, « Lettres de Louis Le Provost », NAF 17775, fogli 273 e 276.

32. Lettera di Le Provost a Virginia, s.l., s.d., *ibidem*, foglio 307.

UN FIGLIO CONTESO (1861)

1. Lettera di Cavour a Vittorio Emanuele II, Torino, 3 dicembre 1860, in C. Cavour, *Epistolario*, cit., vol. XVII, p. 2834: « La duchessa di Genova mi incaricò di pregare Vostra Maestà a voler acconsentire che si approfittasse della morte della marchesa di Villahermosa per alloggiare in una parte dell'appartamento, che quell'evento lascia disponibile, la contessa di Castiglione. Questa richiesta mi pare ragionevole quindi io spero V.M. si degnerà accoglierla favorevolmente ». Risposta di Vittorio Emanuele II, Napoli, 9 dicembre 1860: « Riguardo all'alloggio in casa di mia cognata faccia pure », *ibid.*, p. 2894.

2. Lettera di Francesco Verasis al suocero, Milano, 19 dicembre 1859, ASD, faldone 4 [fr.].

3. Lettera di Francesco Verasis a Giuseppe Poniatowski, Torino, 4 novembre 1858, FP [fr.].

4. Lettera di Isabella Oldoini al marito, 15 maggio 1861, ASD, faldone 3.

5. Lettera di Isabella Oldoini al marito, s.l., s.d., *ibidem.*

6. Lettera di Filippo Oldoini a Giuseppe Poniatowski, La Spezia, 20 [?], FP.

7. Lettera di Virginia al padre, [Parigi, 1863], ASD, faldone 3.

8. Lettera di Francesco Verasis a Giuseppe Poniatowski, Torino, 1° maggio 1861, FP, fascicolo « Conte Verasis ».

9. Lettera di Virginia a Giuseppe Poniatowski, s.l., s.d., FP.

10. Copia di una lettera di S.A. il Principe Giuseppe Poniatowski al Sig. Conte Cigala, Parigi, [maggio 1861], *ibidem,* fascicolo « Conte Verasis ».

11. Copia della lettera del Conte F. Verasis al Principe J. Poniatowski, Torino, 6 maggio 1861, *ibidem.*

12. Il principe definiva la proposta di Castiglione « semplicemente ridicola ». Copia di una lettera di S.A. il Principe Poniatowski al Signor Conte Cigala a Torino, Parigi, 10 giugno 1861, *ibidem* [fr.].

13. Lettera di Giuseppe Poniatowski a Francesco Verasis, Parigi, maggio, *ibidem* [fr.].

14. Il 17 giugno « Le Temps » segnalava la presenza della contessa di Castiglione, della principessa Solms e della contessa d'Agoult alla cerimonia funebre. Cfr. L. Lazzerini, *La fée et la diablesse,* cit., p. 130. Si veda anche la lettera in cui la marchesa Oldoini si rallegra che la figlia abbia reso omaggio alla memoria del conte, come d'altronde aveva fatto lei stessa a Firenze, sfidando il biasimo dei « codini ». AST, mazzo 1, fascicolo 4, lettera 54.

15. Lettera di George Sand a Camillo Cavour, Parigi, 4 gennaio 1861, AIA, Inventario, p. 171.

L'ATTESA DEL BACIO MATERNO (1861-1865)

1. Nella lettera Virginia chiede consiglio a un amico su un possibile precettore di Giorgio; lettera di Virginia a corrispondente sconosciuto, s.l., s.d., AST, mazzo 3, fascicolo 13.

2. « Solo io ho il diritto di fargli vedere parenti o amici, e nessun altro ha quello di impedirlo, o di permetterlo, senza il mio beneplacito », lettera di 48 pagine di Virginia senza indicazione di destinatario (1869), citata in *Correspondances inédites et archives privées,* cit., scheda 15, p. 22.

3. Cfr. la « Confession générale » in cui, ancora bambino, Giorgio denunciava bugie, soldi spesi in dolci, francobolli, profumi, piccoli debiti contratti in collegio, citata *ibid.*, scheda 8, pp. 16-17.

4. Lettera di Isabella Oldoini al marito, [La Spezia, 11 settembre 1861?], ASD, faldone 3.

5. Lettera della madre a Virginia, 23 giugno 1865, AST, mazzo 1, fascicolo 4, lettera 271.

6. Lettera di Virginia a Giuseppe Poniatowski, s.l, s.d., FP.

7. Lettera di Giorgio Verasis alla madre, [Dieppe, autunno 1861], AST, mazzo 2, fascicolo 8, lettera 46.

8. « Mina carissima, mi scuso di non avere fatto il bravo quando Mina è andata via ma ero triste e arrabbiato di dover restare a Dieppe », lettera di Giorgio Verasis alla madre, s.l., s.d., AST, mazzo 2, fascicolo 8, lettera 49 [ing.].

9. Citato in A. Decaux, *La Castiglione*, cit., p. 288. Cfr. la lettera di 48 pagine di Virginia senza indicazione del destinatario, citata in *Correspondances inédites et archives privées*, cit., scheda 15, p. 22.

10. Lettera di Giorgio Verasis al nonno, Parigi, 24 maggio 1865, ASD, faldone 3.

11. Lettera di Lina Rauch a Filippo Oldoini, Parigi, 3 giugno 1865, *ibidem* [fr.].

12. Lettera di Giorgio Verasis alla madre, Dieppe, AST, mazzo 2, fascicolo 8, lettera 7 [ing.].

13. Lettera di Giorgio Verasis alla madre, Dieppe, *ibidem*, lettera 8 [ing.]. Il compleanno di Virginia cadeva il 22 marzo.

14. Passo di lettera databile al 1866, riportato in *Correspondances inédites et archives privées*, cit., scheda 54, p. 44.

15. Cfr. lettera di Isabella Oldoini alla figlia, 23 giugno 1865, AST, mazzo 1, fascicolo 4, lettera 271.

16. Cfr. lettera di Giorgio Verasis alla madre, Dieppe, 19 luglio 1865, *ibidem*, mazzo 2, fascicolo 8, lettera 39.

17. *Ibidem.*

18. Cfr. lettere di Giorgio Verasis alla madre, Dieppe, 3 luglio 1865 e domenica [s.d.], *ibidem*, lettere 31 e 34.

19. Cfr. lettera di Virginia a corrispondente ignoto: « Poco fa, mentre passeggiavamo in un cimitero, Baby ha colto questa bel-

la pansé che mi ha fatto pensare... a voi», citata in *Correspondances inédites et archives privées*, cit., scheda 32, p. 30.

20. Lettera di Giorgio Verasis alla madre, Dieppe, 19 luglio [1865], AST, mazzo 2, fascicolo 8, lettera 39 [ing.].

21. Cfr. lettera di Giorgio Verasis alla madre, Dieppe, domenica, *ibidem*, lettera 34.

22. Cfr. lettere di Giorgio Verasis alla madre, Dieppe, 11 e 19 luglio 1865, *ibidem*, lettere 37 e 39.

23. Lettera di Giorgio Verasis alla madre, Dieppe, 7 luglio 1865, *ibidem*, lettera 33.

24. Lettera di Giorgio Verasis alla madre, Dieppe, s.d., *ibidem*, lettera 8 [ing.].

25. Cfr. lettera di Giorgio Verasis alla madre, Dieppe, 5 luglio 1865, *ibidem*, lettera 32 [ing.].

26. Giorgio Verasis alla madre, Dieppe, 11 luglio 1865, *ibidem*, lettera 37 [ing.].

27. Lettera di Giorgio Verasis alla madre, [Dieppe], 13 luglio 1865, *ibidem*, lettera 35 [ing.].

28. Lettera di Giorgio Verasis alla madre, Dieppe, 15 luglio 1865, *ibidem*, lettera 38 [ing.].

29. Lettera di Giorgio Verasis alla madre, Dieppe, 19 luglio [1865], *ibidem*, lettera 39.

30. Lettera di Giorgio Verasis alla madre, Dieppe, 23 luglio 1865, *ibidem*, lettera 17 [ing.].

31. Lettera di Giorgio Verasis alla madre, Dieppe, 25 luglio 1865, *ibidem*, lettera 18 [ing.].

32. Lettera di Isabella Oldoini al marito, 12 dicembre 1865, ASD, faldone 4.

33. Lettera di Isabella Oldoini al marito, 4 maggio 1866, ASD, faldone 3.

34. *Ibidem*.

35. Cfr. lettera di Giorgio Verasis alla madre, Firenze, 12 marzo 1866, AST, mazzo 2, fascicolo 8, lettera 61.

36. Cfr. lettere di Giorgio Verasis scritte da Firenze alla madre fra marzo e aprile 1866, *ibidem*, lettere 60-70.

37. Lettera di Giorgio Verasis alla madre, [Firenze, maggio-giugno? 1866], *ibidem*, lettera 62. La lettera doveva essergli arrivata poco prima del 24 giugno, data in cui Giorgio aveva fornito al

nonno notizie sulla salute della madre. Cfr. lettera di Giorgio al marchese Oldoini, Torino, 24 giugno 1866, ASD, faldone 3.

38. Lettera di Giorgio Verasis alla madre, [Firenze, maggio-giugno? 1866], AST, mazzo 2, fascicolo 8, lettera 62 [ing.].

39. Terza guerra d'indipendenza (20 giugno-12 agosto 1866).

40. «Oggi sono tutto contento perché ho sentito che probabilmente ci sarà la guerra, in tal caso papà sarà obbligato a partire e allora io spero di venire da Mina, se Mina me lo permetterà». Lettera di Giorgio Verasis alla madre, [Firenze, maggio-giugno? 1866], *ibidem*, lettera 9 [ing.].

41. Marcel Proust, *Questionnaire*, in *«Contre Sainte-Beuve», précédé de «Pastiches et mélanges» et suivi d'«Essais et articles»*, «Bibliothèque de la Pléiade», Gallimard, Paris, 1971, p. 335.

AMBIZIONI D'UOMO (1861-1866)

1. Bozza di lettera non inviata di Virginia al marito, AST, mazzo 1, nuove accessioni, lettera 4 [fr., ing.].

2. Lettera di Francesco Verasis alla moglie, Milano, 11 giugno 1861, *ibidem*, mazzo 2, fascicolo 5, lettera 15 [fr.].

3. Si veda la lettera con cui Virginia invitava il principe Napoleone per una colazione in rue Marivaux, BNF, «Lettres du Prince Jérôme Napoléon à la comtesse, avec réponses», NAF 25068.

4. F. Bac, *Intimités du Second Empire*, cit., vol. II, p. 61.

5. F. Bac, *La Cour des Tuileries sous le Second Empire*, cit., p. 123.

6. Cfr. *Correspondances inédites et archives privées*, cit., scheda 11, p. 19.

7. H. de Viel-Castel, *Mémoires sur le règne de Napoléon III*, cit., pp. 538-39.

8. Cfr. F. Bac, *La Cour des Tuileries sous le Second Empire*, cit., p. 60.

9. *Ibid.*, p. 19.

10. Anche se il nome della contessa di Castiglione non figura mai né nell'epistolario dello scrittore né nelle *notes préparatoires* di *Son Excellence Eugène Rougon* (cfr. la bella edizione critica a cura di Éléonore Reverzy, Classiques Garnier, Paris, 2019), gli indizi che fanno di Clorinda Balbi – il principale personaggio femminile del romanzo – un ritratto a chiave di Virginia sono numerosi. Chi altri poteva essere la bellissima e misteriosa avventuriera italiana introdotta nel bel mondo parigino, emissa-

ria di Cavour, che sfoggia toilettes e gioielli straordinari, diventa l'amante di Napoleone III e si adopera per organizzare « un abboccamento segreto fra l'Imperatore e un uomo di Stato straniero, il progetto di un trattato di alleanza i cui articoli erano ancora in via di discussione, una guerra per la primavera successiva » (p. 350)? Anche senza avere mai incontrato Virginia, Zola aveva potuto raccogliere – a cominciare da quelle dell'amico Edmond de Goncourt – le innumerevoli dicerie che circolavano sui suoi intrighi politici. E sbalordisce la precisione con cui la evoca mentre posa per un ritratto, seminuda, travestita da Diana cacciatrice: « Con l'altra mano si appoggiava al suo arco, l'aria tranquilla e forte dell'antica cacciatrice, incurante della nudità, sdegnosa dell'amore degli uomini, fredda, altera, immortale » (p. 114). O ne penetra il talento d'attrice: « Raccontava che le sarebbe tanto piaciuto recitare in teatro; avrebbe saputo rendere tutti i sentimenti: collera, tenerezza, pudore, terrore » (p. 115). O perfino anticipa – visto che il romanzo era uscito nel 1876 – la scenografia del mezzanino di place Vendôme: « Un giorno le era venuto lo strano capriccio di drappeggiare di nero la sua camera ... e di ricevere gli intimi distesa sul letto e sepolta sotto le coperte, nere anch'esse » (p. 71). O ancora insiste sul cafarnao di mobili, sugli oggetti d'ogni tipo e sulla sporcizia e l'abbandono che avrebbero caratterizzato l'appartamento di rue Cambon.

11. Lettera della marchesa Oldoini a Virginia, s.l., 8 febbraio 1862, AST, mazzo 1, fascicolo 4, lettera 56 [fr.].

12. « Atto di accomodamento tra il signor Conte e la signora Contessa coniugi Verasis di Castiglione », Torino, 8 febbraio 1862, *ibidem*, mazzo 3, fascicolo 9, documento 8. Virginia doveva « corrispondere al signor Conte una somma annua di 2500 lire sulle sostanze dotali, pagabili a semestri maturati a cominciare dal 1° gennaio 1862 », fin quando avesse tenuto in custodia il figlio, e continuare a pagare le rate per l'assicurazione di Georges, « facendo rimettere le quietanze al signor Conte ». Cfr. anche il « Progetto di separazione con correzioni a lato di Virginia », *ibidem*.

13. In una lettera al padre del 17 febbraio [1862], Virginia lo informava: « Ieri abbiamo firmato per telegrafo ... l'atto di accomodamento, controfirmato dal Conte con testimoni, in cui è scritto che potrò vivere dove voglio tenendo con me il bambino e che glielo cederò per un mese all'anno ». In questo modo il suo "avere", a cominciare dalla famosa dote, poteva finalmente

« uscire dalla famiglia Castiglione, cioè godere di una posizione autonoma e a mio nome, ed essere davvero a casa mia », ASD, faldone 4 [fr.].

14. Lettera di Isabella Oldoini al marito, s.l., 22 febbraio 1862, *ibidem.*

15. Lettera di Francesco Verasis al suocero, s.l., 23 marzo 1862, *ibidem* [fr.].

16. Lettera di Virginia al padre, [Parigi, marzo 1862], *ibidem* [fr.].

17. Lettera della madre a Virginia, s.l., [27 marzo 1862], AST, mazzo 1, fascicolo 4, lettera 59.

18. Si veda, qui, la nota 21 di p. 357.

19. Lettera della madre a Virginia, s.l., [27 marzo 1862], AST, mazzo 1, fascicolo 4, lettera 59.

20. Lettera di Francesco Verasis alla moglie, [Torino, 10 aprile 1862], *ibidem,* mazzo 14, fascicolo B, lettera non numerata [fr.].

21. « Cara Contessa, il Re verrà da voi fra le 10 e le 11. Gli ho promesso che lo riceverete con tutta la vostra buona grazia. Ha ammirato assai il ritratto di fronte e di spalle. Vostro devotissimo », citato in A. Decaux, *La Castiglione,* cit., p. 176 [fr.].

22. Cfr. lettera di Francesco Verasis, citata in *loc. cit.*

23. Lettera di Giuseppe Poniatowski a Virginia, 13 luglio 1862, citata in *loc. cit.*

24. *Loc. cit.*

25. Lettera di Virginia a corrispondente sconosciuto, s.l., s.d., citata in *Correspondances inédites et archives privées,* cit., scheda 31, p. 29.

26. Cfr. A. Poggiolini, *La contessa Verasis di Castiglione,* cit., p. 86.

27. A. Decaux, *La Castiglione,* cit., p. 178.

28. *Ibid.,* p. 179.

29. Il matrimonio era stato celebrato per procura a Torino il 27 settembre 1862.

30. Si veda, qui, la nota 55 di p. 380.

31. L'indirizzo della dimora parigina del principe.

32. Citato in A. Decaux, *La Castiglione,* cit., pp. 183-84.

33. P. Apraxine, *Le modèle et le photographe,* in *La comtesse de Castiglione par elle-même,* cit., p. 33.

DI NUOVO IN SCENA (1863-1866)

1. A. Decaux, *La Castiglione*, cit., p. 186. La bozza autografa di questo biglietto della contessa di Castiglione al conte Baciocchi è ricomparsa recentemente sul mercato antiquario.

2. Probabilmente Virginia aveva potuto ammirare i gioielli etruschi e della Magna Grecia provenienti dalla celebre collezione Campana e acquistati nel 1861-1862 da Napoleone III per il Louvre. La moda dei gioielli a imitazione di quelli antichi era stata lanciata a Roma dall'orafo Fortunato Pio Castellani già nel 1814, e nel 1860 il figlio Alessandro aveva aperto una succursale della gioielleria anche a Parigi. Fin dalla Repubblica romana, Alessandro e suo fratello Augusto avevano aderito alla causa unitaria, facendosi portatori dell'idea della rinascita dell'oreficeria italiana attraverso la riscoperta e la proposta di modelli antichi. Reo di cospirazione ai danni dello Stato pontificio, Alessandro nel 1860 aveva dovuto riparare all'estero, dove aveva continuato a vivere anche grazie al commercio dei monili prodotti dall'atelier di famiglia. Da questo punto di vista i gioielli « etruschi » indossati da Virginia potevano essere interpretati come patriottici e incoraggiare anche a Parigi la moda del gioiello « archeologico », che dopo l'esempio dei Castellani venne seguita anche da noti gioiellieri parigini, come lo stesso Mellerio (peraltro di origini italiane) e Fontenay. Cfr. Lia Lenti e Maria Cristina Bergesio, *Dizionario del gioiello italiano del XIX e XX secolo*, s.v. « Oldoini Virginia, contessa di Castiglione », Umberto Allemandi, Torino, 2005.

3. Cfr. Xavier Demange, *A Nineteenth-Century Photo-Novel*, in *La comtesse de Castiglione par elle-même*, cit., p. 61. Scritta nel 1854 per la celebre attrice Rachel, la tragedia in tre atti di Ernest Legouvé era stata riproposta due anni dopo, sempre a Parigi ma in traduzione italiana, con Adelaide Ristori nella parte di Medea.

4. R. de Montesquiou, *La divine comtesse*, cit., p. 78.

5. Dal diario di Virginia, AFC; cfr. anche A. Decaux, *La Castiglione*, cit., p. 186. Virginia, il cui primo diario si interrompeva nel 1856, ne aveva tenuto un secondo nel febbraio-marzo 1863.

6. Dal diario di Virginia, citato in Elena Henrisch e Costantino Nigro, *Virginia di Castiglione. La contessa della leggenda, attraverso la sua corrispondenza intima, diari e documenti inediti, 1837-1899*, Marzocco, Firenze, 1912, p. 186.

7. Henri de Pène, citato in A. Decaux, *La Castiglione*, cit., p. 187.

8. Il romanzo omonimo di Flaubert era apparso l'anno prima.

9. Lettera di Mérimée a Madame de Montijo, Parigi, 7 marzo [1863], in P. Mérimée, *Correspondance générale*, cit., vol. V, pp. 356-57.

10. Lettera della madre a Virginia, 20 febbraio [1863], AST, mazzo 1, fascicolo 4, lettera 214 [fr.].

11. *Correspondances inédites et archives privées*, cit., scheda 5, p. 15.

12. Lettera di Francesco Verasis alla moglie, 1° giugno [1863], AST, mazzo 2, fascicolo 5 [fr.].

13. Lettera di Francesco Verasis alla moglie, citata in A. Decaux, *La Castiglione*, cit., p. 189.

14. Lettera di Virginia al marito, AST, mazzo 3, fascicolo 9, lettera 9 [fr.].

15. *Journal de la comtesse de La Pagerie*, citato in R. de Montesquiou, *La divine comtesse*, cit., pp. 82-83.

16. *Ibid.*, pp. 83-84.

17. BHVP, MS 3036, fogli 305-306.

18. Cfr. il referto negativo inviato alla contessa, in data 14 marzo 1864, dal Laboratoire de Chimie et Cabinet d'Ingénieur di Frédéric Weill, *ibidem*, foglio 307.

19. Lettera della madre a Virginia, [Firenze], 10 ottobre 1863, AST, mazzo 1, fascicolo 4, lettera 69.

20. Lettera di Isabella Oldoini al marito, s.l., 12 dicembre 1863, ASD, faldone 4.

21. Lettera di Isabella Oldoini al marito, s.l., 3 luglio [1866], *ibidem*, faldone 3. «Cattività» nel senso di mala disposizione degli altri contro di lei.

22. Lettera di Isabella Oldoini al marito, s.l., [23 agosto 1866], *ibidem*, faldone 4. La datazione è basata sulla menzione della vittoria di Garibaldi ad Azzo il giorno prima.

23. Si veda, qui, la nota 15 di p. 388.

24. Lettera della madre a Virginia, s.l., [1863?], AST, mazzo 1, fascicolo 4, lettera 228.

25. È quanto sostiene Alain Decaux (*La Castiglione*, cit., p. 170).

26. Cfr. gli estratti delle lettere che Virginia e il dottor Arnal si scambiarono tra il 1864 e il 1870, che figurano in *Correspondances inédites et archives privées*, cit., scheda 42, pp. 33-34. Eccone un esempio: «Sono disperata, non dormo più, non mangio più, da sei giorni non alzo nemmeno la testa dal cuscino... adesso l'occhio è talmente infiammato che niente, né acqua di rosa né col-

lirio, arresta più le lacrime. Il dolore dei capelli nell'occhio è terribile... non lo sopporto più... non ho la forza di sollevare un braccio per vestirmi... Se poteste venire... ». Si veda anche la lettera di Arnal a Virginia, AST, mazzo 12, fascicolo 34, lettera 13.

27. Cfr. A. Decaux, *La Castiglione*, cit., p. 178.

28. « Domani Gounod verrà a trascorrere la serata del sabato a Passy. Gli ho promesso che avrà la gioia di vedervi. Mi aiuterete a mantenere la promessa? » le scriveva Blanche il 24 marzo 1865. *Correspondances inédites et archives privées*, cit., scheda 47, p. 37.

29. Lettera di Charles-Adolphe Huteau al marchese Filippo Oldoini, Parigi, 3 ottobre 1864, ASD, faldone 4.

30. Lettera di Isabella Oldoini al marito, s.l., [estate 1862], *ibidem*.

31. Lettera di Virginia al padre, s.l., s.d., *ibidem* [fr.].

32. F. Bac, *Intimités du Second Empire*, cit., pp. 58 e 55.

33. Lettera di Virginia al padre, s.l., s.d., ASD, faldone 4.

34. Lettera di Virginia al padre, s.l., s.d., *ibidem*.

35. F. Bac, *Intimités du Second Empire*, cit., p. 63.

36. *Ibid.*, p. 55.

37. Lettera della marchesa Oldoini alla figlia, [31 ? 1865], AST, mazzo 1, fascicolo 4, lettera 92.

38. Cfr. A. Decaux, *La Castiglione*, cit., p. 224.

39. Lettera di Virginia al marito, AST, mazzo 3, fascicolo 10, lettera 5 [fr.].

40. Lettera di Isabella Oldoini al marito, Firenze, [11 luglio 1866], ASD, faldone 4.

41. Tra il 1871 e il 1878, quando Costantino Ressmann si trovava a Parigi come segretario di legazione, Virginia avrebbe avuto con lui un'intensa relazione amorosa « di quattro anni ». Cfr. la lettera di addio di Virginia a Ressmann: « Parigi ci fe'... Disfececi Sulina... Evviva Ressman! », s.l., s.d., AST, mazzo 16, fascicolo unico, sottofascicolo con annotazione in camicia « Ultime lettere dei suoi amori », lettera 1.

42. Lettera di Virginia al conte Puliga, s.l., s.d. [1866?], *ibidem*, mazzo 4, fascicolo 2, scheda 3, lettera 1.

43. Nella lettera all'avvocato Cléry citata da Montesquiou a cui si rimanda nella nota 11 di p. 424, Virginia osserva tra l'altro: « La giustizia è fatta per gli uomini, l'ingiustizia lo è per le donne » [fr.].

1. Lettera di Costantino Nigra a Virginia, Parigi, 31 maggio 1867, AST, mazzo 3, fascicolo 12, lettera 66.

2. «Ero venuto io stesso per darvi l'amara novella e per farvi coraggio» recitava un altro biglietto scritto a breve distanza dal precedente (Costantino Nigra a Virginia, Parigi, 31 maggio 1867, *ibidem*, lettera 65).

3. Amedeo d'Aosta, secondogenito di Vittorio Emanuele II, aveva sposato la principessa Maria dal Pozzo della Cisterna.

4. Cfr. lettera di Cigala a Virginia, Torino, domenica [giugno 1867], *ibidem*, fascicolo 13, lettera 67.

5. Citato in A. Decaux, *La Castiglione*, cit., p. 218.

6. Lettera di Virginia al padre, Parigi, 12 giugno 1867, ASD, faldone 4 [fr.]. Dato che il marchese si lamentava della sua scrittura indecifrabile, vista la solennità della circostanza Virginia si era servita dell'amico Puliga come scrivano.

7. Lettera di Isabella Oldoini al marito, La Spezia, 5 giugno [1867], *ibidem*, faldone 3.

8. Lettera della madre a Virginia, [Firenze, maggio 1867], AST, mazzo 1, fascicolo 4, lettera 87 [fr.].

9. Lettera di Isabella Oldoini al marito, [Firenze, giugno 1867], ASD, faldone 3.

10. Lettera di Virginia al marito, s.l., venerdì [s.d.], AST, mazzo 3, fascicolo 9, lettera 2 [fr.].

11. «Io sola conosco le vere piaghe del suo cuore» scriveva alla sua morte la marchesa Oldoini al marito, La Spezia, 5 giugno [1867], ASD, faldone 3.

12. Lettera di Francesco Verasis a Giuseppe Poniatowski, Lombardia, Quartier Generale di Vimercate, 12 giugno 1859, FP, fascicolo «Conte Verasis».

13. Lettera di Virginia al marito, s.l., venerdì [s.d.], AST, mazzo 3, fascicolo 9, lettera 2 [fr.].

14. Come Vittorio Emanuele scriveva al principe Napoleone, la morte di Verasis gli aveva dato «un profondo dolore»; si veda A. Viarengo, *Vittorio Emanuele II*, cit., p. 358.

15. C. d'Azeglio, *Lettere al figlio*, cit., vol. II, p. 1762, lunedì 16 gennaio 1860 [fr.].

16. Conte di Reiset, *Mes souvenirs*, cit., vol. I, p. 332.

17. Carlo Dossi, *Note azzurre*, a cura di Dante Isella, Adelphi, Milano, 2010, pp. 616-17.

18. Lettera della contessa Mary Casanova al marchese Oldoini, ASD, faldone 4.

19. Il re allude probabilmente a una messa commemorativa della morte di Carlo Alberto (28 luglio 1849), tenutasi a La Spezia nel 1853.

20. Lettera di Virginia al padre, da lui ricevuta il 4 agosto [1868], *ibidem* [fr.].

21. *La comtesse de Castiglione par elle-même*, cit., foto e scheda 69, pp. 179-80.

22. Telegramma di Vittorio Emanuele a Virginia, 15 settembre [1867], AST, mazzo 3, fascicolo 14, lettera 31 [fr.].

23. Lettera di Virginia a Vittorio Emanuele, [1867], *ibidem*, lettera 13.

24. Cfr. A. Decaux, *La Castiglione*, cit., p. 226.

25. Lettera di Virginia a Vittorio Emanuele II, AST, mazzo 3, fascicolo 14, lettera 9 (cifrata).

26. *Ibidem*.

27. Cfr. lettere di Filippo Antonio Gualterio a Virginia, *ibidem*, mazzo 4, fascicolo 1, scheda 23, lettere 1-24.

28. A. Viarengo, *Vittorio Emanuele II*, cit., pp. 345-46.

29. *Ibid.*, p. 354.

30. Citato in A. Decaux, *La Castiglione*, cit., p. 239.

31. *Loc. cit.*

32. Telegramma di Vittorio Emanuele II a Virginia, s.l., 15 settembre [1868?], AST, mazzo 3, fascicolo 14, lettera 32.

33. Lettera di Virginia a Vittorio Emanuele II, s.l, s.d., *ibidem*, lettera 21.

34. Il marchese Giacomo Filippo Spinola (1828-1872), che nel 1868 aveva sposato Vittoria, figlia di Vittorio Emanuele II e della Bela Rosin, era al servizio diretto del suocero.

35. Lettera di Virginia a Vittorio Emanuele II, s.l., domenica sera [s.d.], *ibidem*, lettera 15.

36. Lettera di Virginia a Vittorio Emanuele II, s.l., 31 dicembre 1869, *ibidem*, lettera 27.

37. *Ibidem*.

38. Cfr. A. Viarengo, *Vittorio Emanuele II*, cit., p. 346, ed E. De Rienzo, *Napoleone III*, cit., pp. 461-62.

39. Lettera di Virginia a Vittorio Emanuele II, s.l., s.d., AST, mazzo 3, fascicolo 14, lettera 33.

40. Sulla «pagella diplomatica» insoddisfacente si veda il telegramma cifrato di protesta di Virginia a Vittorio Emanuele II, La Spezia, 5 giugno 1870, *ibidem*, lettera 82.

41. Il 4 gennaio 1871 la contessa aveva ottenuto la concessione «di un tratto di terreno arenile e sito acqueo nel Comune di Spezia per anni quindici mediante il pagamento alle Finanze dello Stato di un canone annuo di L. 100». Il suo obiettivo era quello di «trasformare una parte della vasta area di terreni di sua proprietà, estesa all'intera collina dei Cappuccini, sulle cui pendici si collocava la bella villa Oldoini, sino alle mura del Castello di San Giorgio, in un parco comunale che avrebbe dovuto portare il suo nome ed essere aperto al pubblico due volte alla settimana ... Tali progetti mirati a una valorizzazione turistica furono vanificati da una serie di espropri a favore dell'"Amministrazione della Guerra", iniziati a partire dal '77 e continuati sino all'86 e oltre, per costruire la parte alta e quella bassa della Batteria dei Cappuccini», Gabriella Chioma, *La Contessa di Castiglione e le «Joli Golfe»: splendore e decadenza. Il mistero dei documenti scomparsi*, in *Virginia Oldoini. I giorni e il mito della Contessa di Castiglione*, cit., pp. 80-83.

42. Cfr. Marzia Ratti, *I documenti relativi alla contessa di Castiglione conservati nelle Civiche Istituzioni Culturali*, *ibid.*, p. 65.

43. Lettera di Auguste-Charles-Joseph de Morny a suo padre Charles-Joseph, conte di Flahaut, citata in Jean-Marie Rouart, *Morny. Un voluptueux au pouvoir*, Gallimard, Paris, 1995, p. 200.

44. Lettera di Virginia a Vittorio Emanuele II, [Firenze, 1871?], mazzo 3, fascicolo 14, lettera 41.

45. Il nome della contessa di Castiglione non risulta però né negli indici dell'Archivio storico della Segreteria di Stato della Città del Vaticano, né in quelli dell'Archivio Apostolico Vaticano.

46. «P.ché insistere su nascita? figlia dei Napoleoni di Firenze? delle case Savoia, Torino e dei Gran Duchi di Toscana? E perché non del Papa? di Antonelli? Occulta, imperscrutabile; indecente accusare madre». Copia anastatica di una lettera autografa al generale Estancelin (che le chiedeva precisazioni sulla sua nascita in vista di un'eventuale biografia), riprodotta in F. Loliée, *Le Roman d'une Favorite*, cit., p. 318.

47. Cfr. Federico Engel Janosi, *La questione romana nelle trattative diplomatiche del 1869-1870*, in «Nuova Rivista Storica», XXV, 1941, pp. 28-38; Renato Mori, *Il tramonto del potere temporale, 1866-1870*, Edizioni di Storia e Letteratura, Roma, 1967, pp. 521-30; Giacomo Martina, *Pio IX*, 3 voll., Pontificia Università Gregoriana, Roma, 1990, vol. III: *1867-1878*, pp. 234-47.

48. Cfr. R. de Montesquiou, *La divine comtesse*, cit., pp. 26-27.

49. La Legge delle guarentigie venne promulgata il 13 luglio 1871.

L'ASSEDIO (1870-1872)

1. Il governo presieduto da Émile Ollivier che si era insediato il 2 gennaio 1870.

2. Cfr. lettera di Virginia a Adolphe Thiers [gennaio-febbraio 1870], BNF, «Lettres d'Adolphe Thiers et de Mme Thiers à la comtesse de Castiglione», NAF 25068, fogli 113-115 [fr.].

3. Citato in A. Decaux, *La Castiglione*, cit., p. 248.

4. L'incontro si era tenuto il 19 e il 20 settembre a Ferrières, nel castello dei Rothschild, che Napoleone III aveva inaugurato nel 1862 e dove Bismarck si era acquartierato.

5. Cfr. Charles de Moüy, «La délégation des Affaires étrangères à Tours et à Bordeaux (1870-1871)», in *Souvenirs et causeries d'un diplomate*, Plon-Nourrit, Paris, 1909, 2ª ediz., pp. 1-37.

6. Citato in A. Decaux, *La Castiglione*, cit., p. 257.

7. Joseph Maria Anton Brassier de Saint-Simon-Vallade (1798-1872), ambasciatore presso il re di Sardegna dal 1854 al 1862, a Firenze nel 1869 e del Reich a Roma nel 1871.

8. Bismarck vi era stato brevemente ambasciatore nel 1862.

9. Lettera di Adolphe Thiers a Virginia, 21 dicembre 1872, citata in R. de Montesquiou, *La divine comtesse*, cit., p. 150.

10. Cfr. lettera di Virginia a Adolphe Thiers, BNF, «Lettres d'Adolphe Thiers», foglio 40.

11. Cfr. A. Decaux, *La Castiglione*, cit., p. 251.

12. Cfr. BNF, «Lettres d'Adolphe Thiers», «Chiffres Thiers, Bonne Copie», 12 ottobre 1870, fogli 40-47 [fr.].

13. F. Loliée, *Le Roman d'une Favorite*, cit., p. 118.

14. Telegramma di Adolphe Thiers a Virginia, BNF, «Lettres

d'Adolphe Thiers», foglio 87 [fr]. Cifrario alla mano, possiamo tradurre «sano e salvo» con «trovato disposizioni favorevoli al mio incontro con Bismarck e alla pace»; «con i bagagli» con «necessario conferire a Parigi con Favre, mandatemi il necessario [un lasciapassare] per attraversare Parigi, entrarci e uscirne»; «senza bagagli» con «ottenuto l'incarico a Tours senza bisogno di andare a Parigi. Mandatemi il necessario [un secondo lasciapassare] per attraversare le linee prussiane e andare a Versailles senza passare da Parigi». Probabilmente i due lasciapassare (uno per entrare e uscire da Parigi e l'altro per poter viaggiare da Tours a Versailles) sarebbero stati fatti avere a Thiers per il tramite di Brassier de Saint-Simon.

15. Cfr. A. Decaux, *La Castiglione*, cit., p. 257.

16. Cfr. il testo del dispaccio, BNF, «Lettres d'Adolphe Thiers», foglio 38 [fr.].

17. Lettera di Virginia a Adolphe Thiers, [Firenze], s.d., *ibidem*, foglio 60 [fr.].

18. Lettera di Virginia a Adolphe Thiers, [Firenze], s.d., *ibidem*, fogli 107-108 [fr.].

19. I repubblicani estremisti che non volevano arrendersi minacciavano di mettere Parigi a ferro e fuoco, cosa che non volevano nemmeno i prussiani.

20. Lettera di Virginia a Bismarck, citata in A. Decaux, *La Castiglione*, cit., pp. 258-59. Cfr. anche *Correspondances inédites et archives privées*, cit., scheda 24, p. 26.

21. Lettera di Virginia a Costantino Ressmann, AST, mazzo 3, fascicolo 12, lettera 9.

22. Era ospite della Pension Comte, al 124 di rue Malakoff.

23. Lettera di Virginia a Ettore Calderai, Firenze-Venezia, sabato 23 settembre 1870, BNF, dossier «Calderai, questeur à Venise. Lettre(s) reçue(s)», foglio 171.

24. Cfr. A. Decaux, *La Castiglione*, cit., p. 263, nota 1.

25. Cfr. BNF, dossier «Lualdi, Raffaello» e dossier «Cecchi, Giuseppe», fogli 162-282.

26. Lettera di Virginia a Costantino Nigra, s.l., 14 agosto 1870, AST, mazzo 3, fascicolo 12, lettera 68.

27. Lettera di Costantino Nigra a Virginia, Parigi, 17 agosto 1870, *ibidem*, lettera 69.

28. Lettera di Costantino Nigra a Virginia, Parigi, 21 agosto 1870,

ibidem, lettera 70. Il 21 ottobre il ministro degli Esteri Emilio Visconti Venosta comunicava alla contessa che Nigra, prima di lasciare Parigi per Tours, aveva provveduto a mettere ogni sua cosa in salvo alla legazione; *ibidem*, mazzo 4, fascicolo 1, scheda 1, lettera 4.

29. Lettera di Virginia a Adolphe Thiers, Torino, 8 settembre 1870, BNF, « Lettres d'Adolphe Thiers », foglio 94 [fr.].

30. Ch. de Moüy, *Souvenirs et causeries d'un diplomate*, cit., p. 11.

31. Il riconoscimento della Repubblica francese da parte del Regno d'Italia sarebbe stato comunicato ufficialmente da Nigra il 17 febbraio 1871.

32. Lettera di Virginia a Adolphe Thiers, s.l., s.d., BNF, « Lettres d'Adolphe Thiers », fogli 74-75 [fr.].

33. Lettera di Virginia a Adolphe Thiers, Torino, 20 febbraio 1871, *ibidem*, fogli 101-102 [fr.].

34. Citato in A. Decaux, *La Castiglione*, cit., p. 76.

35. Cfr. le due lettere di Poniatowski a Virginia sul caso Bentivoglio, [12 e 24 settembre 1871], BNF, fogli 121-123.

36. Lettera di Virginia a Adolphe Thiers, Firenze, 29 luglio 1871, *ibidem*, « Lettres d'Adolphe Thiers », fogli 159-160 [fr.].

37. Lettera di Virginia a Adolphe Thiers, brutta copia a matita di Virginia con segnato a penna « Copié par Demoiseau [soprannome di Giorgio], Firenze 2 luglio 1871 », *ibidem*, dossier « Imbert de Saint-Amand, Arthur-Léon dit Baron de, ministre plénipotentiaire », foglio 140 [fr.].

38. *Correspondances inédites et archives privés*, cit., scheda 60, pp. 45-46.

39. Citato in A. Decaux, *La Castiglione*, cit., p. 235.

40. « Io t'amo ancora, triste, desolata / tu parli piano, senza più cantare, / regina dal dolore consacrata, / oh, no, ti prego, non mi abbandonare! / Pensosa e grave nell'anima mia / vieni, Musa della Malinconia, / ad accoglierti, vedi, sono pronto. / Ti avevo amato al sorger dell'aurora, / il giorno già si fugge, t'amo ancora, / Musa ritorna, ecco, è già il tramonto... », citato in *Correspondances inédites et archives privés*, cit., scheda 60, pp. 45-46.

41. Lettera di Virginia a Imbert de Saint-Amand, Firenze, 2 luglio 1871, brutta copia a matita di mano di Virginia con segnato a penna « Copié par Demoiseau », BNF, dossier « Imbert de Saint-Amand », foglio 142. Cfr. anche A. Decaux, *La Castiglione*, cit., p. 270.

42. Secondo Decaux, la presenza tra le carte della Castiglione

tanto della lettera a Thiers quanto di quella di accompagnamento a Saint-Amand dimostrerebbero che lo scrittore aveva rinviato le due missive al mittente (*loc. cit.*). In realtà Virginia aveva l'abitudine di conservare una copia delle sue lettere, sia autografe sia trascritte dal figlio.

43. Citato in *loc. cit.*

44. Cfr. A.-L. Imbert de Saint-Amand, *La Cour du Second Empire (1856-1858)*, cit., pp. 171-73.

MADRE E FIGLIA

1. In una lettera del 2 giugno 1871, Nigra le aveva fatto sapere che « tutte le cose sue, cioè: 1) le casse deposte alla Legazione, 2) gli effetti di rue de Castiglione [dove Virginia conservava dei locali in affitto], 3) tutto quello che era rimasto a rue Nicolò. Tutto ciò si trova in perfetto stato, ben conservato e in ordine. Nessuno ci toccò. Nessun guasto avvenne ... e nessuno ci toccherà senza un ordine vostro. In compenso mi darete quando vi vedrò la più bella vostra fotografia », AST, mazzo 3, fascicolo 12, lettera 79.

2. Cfr. A. Decaux, *La Castiglione*, cit., p. 271.

3. Telegramma di Giorgio Verasis al nonno, ASD, faldone 4.

4. Lettera di Isabella Oldoini al nipote, Firenze, 22 [gennaio 1868], AST, mazzo 1, fascicolo 4/2, lettera 167.

5. Lettera di Isabella Oldoini al marito, 6 agosto 1871, ASD, faldone 4.

6. Lettera del padre a Virginia, s.l., s.d., citata in *Correspondances inédites et archives privées*, cit., scheda 2, pp. 10-11.

7. Lettera di Virginia a Carlo Poniatowski, citata in A. Decaux, *La Castiglione*, cit., p. 272.

8. « Nell'intento di assicurarsi una vecchiaia serena », Virginia affrontava il problema della suddivisione delle proprietà spezzine già in una lunga lettera al padre nell'estate di quell'anno, ASD, faldone 4 [fr.].

LA TERZA REPUBBLICA (1872-1879)

1. Benedetto Croce, *Storia d'Italia dal 1871 al 1915*, a cura di Giuseppe Galasso, Adelphi, Milano, 1991, p. 147.

2. Lettera di Virginia al padre, [Parigi, estate 1872], ASD, faldone 4 [fr.].

3. Telegramma di Virginia al padre, Roma, 29 settembre 1872, ASD, faldone 4.

4. Cfr. lettere di Félix Martelli alla contessa di Castiglione, AST, mazzo 15, fascicolo « Joseph Poniatowski ».

5. Lettera di Giuseppe Poniatowski a Virginia, febbraio 1865, *ibidem*, lettera 5.

6. Lettera di Giuseppe Poniatowski a Virginia, febbraio 1865, *ibidem*, lettera 6. Come abbiamo visto, il termine « Lisetta » alludeva a una parte intima di Virginia.

7. Lettera di Virginia a Giuseppe Poniatowski, [Torino, 1858], FP.

8. Lettera di Virginia a Giuseppe Poniatowski, [Parigi, 1865], AST, mazzo 16, fascicolo unico, sottofascicolo con annotazione in camicia « 3 lunghe lettere della Nicchia che si riferiscono al principe », lettera 1.

9. Citato in A. Decaux, *La Castiglione*, cit., pp. 272-73.

10. Cfr. la lettera conclusiva del capitolo « Inseguendo l'imperatore », in cui Virginia gli chiede conto di essersi vantato di avere fatto l'amore con lei.

11. Lettera della principessa Poniatowski a Virginia, s.l., s.d., citata in *Correspondances inédites et archives privées*, cit., scheda 71, p. 54.

12. Quattro anni dopo la morte di Virginia, Jacques Bainville annotava che il Secondo Impero era stato « un misto di Offenbach, Mérimée, Mme de Castiglione e del duca di Morny, di Biarritz, del boulevard e di Compiègne, che aleggia vagamente nelle immaginazioni, ma basta per ammaliarle... ». Jacques Bainville, *Journal, 1901-1918*, Plon, Paris, 1948, p. 10.

13. È possibile cogliere l'eco delle discussioni politiche fra la contessa e il duca d'Aumale nel già citato libro di Frédéric Loliée.

14. F. Loliée, *Le Roman d'une Favorite*, cit., p. 127.

15. *Ibid.*, p. 128.

16. Lettera di Henri d'Orléans, duca d'Aumale, alla contessa di Castiglione, Chantilly, 25 settembre 1872, citata in *Correspondances inédites et archives privées*, cit., scheda 43, p. 34.

17. F. Loliée, *Le Roman d'une Favorite*, cit., p. 128.

18. *Ibid.*, p. 172, nota 1.

19. Il biglietto è conservato in cinque copie: quattro scritte a matita dalla Castiglione (BNF, « Comtesse de Castiglione. Lettres reçues », « Lettres du Général Estancelin », fogli 252-255) e una, a penna, di mano di Giorgio (foglio 257) [fr.].

20. F. Loliée, *Le Roman d'une Favorite*, cit., p. 168, nota 1.

21. *Ibid.*, p. 171, nota 1.

22. *Correspondances inédites et archives privées*, cit., scheda 21, p. 24.

23. I pochi stralci delle loro lettere che figurano nel catalogo della vendita all'asta di Drouot bastano a farci desiderare di potere un giorno leggerle per intero. Il catalogo menziona novantadue lettere autografe, per un totale di circa duecento pagine. *Ibid.*, scheda 50, p. 39.

24. A. Decaux, *Amours, Second Empire*, Hachette, Paris, 1958, p. 73.

25. Citato in A. Decaux, *La Castiglione*, cit., p. 278.

26. Citato *ibid.*, p. 279.

27. *Correspondances inédites et archives privées*, cit., scheda 50, p. 39.

28. Lettera di Virginia a Estancelin scritta sotto dettatura dal figlio Giorgio, s.l., s.d., BNF, « Comtesse de Castiglione. Lettres reçues », « Lettres du Général Estancelin », foglio 250 [fr.].

29. Citato in F. Loliée, *Le Roman d'une Favorite*, cit., p. 217.

30. Lettera di Virginia a Estancelin, s.l., s.d., BNF, « Comtesse de Castiglione. Lettres reçues », « Lettres du Général Estancelin », foglio 259 [fr.].

31. Citato in A. Decaux, *La Castiglione*, cit., p. 283.

32. Si veda Alain Decaux, il quale fece in tempo, prima che fosse venduto all'asta, a prendere visione anche del carteggio tra Virginia e Cassagnac, costituito da quarantacinque lettere di quest'ultimo e tre lettere autografe della Castiglione. Cfr. anche *Correspondances inédites et archives privées*, cit., scheda 48, p. 38.

33. Citato in A. Decaux, *La Castiglione*, cit., p. 286.

34. *Ibid.*, pp. 286-87.

L'ESCLAVE

1. BHVP, MS 3036, lettera 246 [fr.].

2. La sola lettera datata dell'Esclave, che vive e lavora a Parigi, è

del 1° gennaio 1874 (*ibidem*, lettera 283), e a ridosso di questa data lui annuncia a Virginia l'uscita del suo nuovo giornale, «Le Nouvelliste». Negli anni Settanta appaiono, soprattutto in provincia, varie testate con questo titolo, e nel 1874 esce nella capitale «Le Nouvelliste de Paris», il cui direttore è appunto Xavier Eyma.

3. *Ibidem*, lettera 245 [fr.].

4. *Ibidem*, lettera 246 [fr.].

5. Cfr. *ibidem*, lettera 248.

6. *Ibidem*, lettera 249 [fr.].

7. *Ibidem*.

8. *Ibidem*, lettera 253 [fr.].

9. *Ibidem*, lettera 255 [fr.].

10. *Ibidem*, lettera 260 [fr.].

11. *Ibidem*, lettera 261 [fr.].

12. *Ibidem*, lettera 266 [fr.].

13. *Ibidem*.

14. *Ibidem*, lettera 278 [fr.].

15. *Ibidem*, lettera 298 [fr.].

«AMORE CHE È UN NULLA ED È TUTTO»

1. «... con questo tutto si puole tutto, si vuole tutto, tutto par bello, tutto par buono. Con questo tutto tutto si fa, tutto s'accetta, tutto si dona, tempo, azioni, discorsi e scritti». Lettera di Virginia a Costantino Ressmann, [Parigi, 1878?], AST, mazzo 16, fascicolo unico, sottofascicolo con annotazione in camicia «Lettere e appunti della Nicchia», lettera 12.

2. Delle quattrocento lettere autografe che Ignace Bauer inviò a Virginia tra il 1862 e il 1872 conosciamo solo, grazie a Decaux e al catalogo d'asta di Drouot, alcuni passi. Cfr. A. Decaux, *La Castiglione*, cit., pp. 182-84 e pp. 203-206 e *Correspondances inédites et archives privées*, cit., scheda 46, pp. 36-37.

3. Lettera di Virginia a corrispondente sconosciuto, s.l., s.d., citata *ibid.*, scheda 32, p. 29.

4. Lettera di Virginia al conte Puliga, [1866], AST, mazzo 4, fascicolo 1, scheda 43, lettera 1.

5. Cfr. *Correspondances inédites et archives privées*, cit., schede 26-35, pp. 27-31.

6. Lettera di Virginia a Ignace Bauer, citata *ibid.*, scheda 27, p. 27.

7. Riportata da Loliée, l'affermazione non può che provenire dalla corrispondenza tra Virginia ed Estancelin a cui il biografo aveva avuto accesso. F. Loliée, *Les femmes du Second Empire*, cit., vol. I, p. 48.

8. Il barone di Malaret raccontava di averla ammirata nuda in una « esibizione da bella statuina ... per spettatori privilegiati », citato in F. Loliée, *Le Roman d'une Favorite*, cit., pp. 112-13. Circolava anche la voce di un'esibizione davanti al genero di Laffitte, il generale de Galliffet, il quale, interrogato dagli amici sull'emozione provata, aveva dichiarato che « puzzava di sudore ». Cfr. A. Decaux, *La Castiglione*, cit., pp. 210-11 e G. Gugliotta, *Le général de Galliffet*, cit., pp. 73-74.

9. *Correspondances inédites et archives privées*, cit., scheda 27, p. 27.

10. *Ibid.*, scheda 33, p. 30.

11. *Ibid.*, scheda 29, p. 28.

12. Lettera di Virginia a Giuseppe Poniatowski, s.l., mercoledì a mezzogiorno [s.d.], AST, mazzo 16, fascicolo unico, sottofascicolo con annotazione in camicia « Decisamente ragione », lettera non numerata.

13. AFC, lettera II.

14. Bozza di lettera a matita di undici pagine, s.l., s.d., AST, mazzo 16, fascicolo unico, sottofascicolo con annotazione in camicia « Lettera di un'anima inquieta », lettera 1. L'ignoto corrispondente è da me identificato con Poniatowski.

15. Lettera di Virginia a Giuseppe Poniatowski, s.l., 1° dicembre, *ibidem*, sottofascicolo con annotazione in camicia « lettera scritta 1° dicembre », lettera non numerata.

16. Lettera di Virginia a Giuseppe Poniatowski, *ibidem*, sottofascicolo con annotazione in camicia « Ora che sta buono », lettera non numerata.

17. In effetti non è indirizzata « a un amante sconosciuto », bensì a Cassagnac (che vi figura con il soprannome di Pays), la lettera-diario di trentotto pagine, senza firma, senza luogo e senza data, andata all'asta da Drouot (*Correspondances inédites et archives privées*, cit., scheda 26, p. 27) e oggi conservata in AST, mazzo 1, fascicolo 4, scheda H, lettera 25 [fr.].

18. *Ibidem*.

IL FIGLIO RIBELLE (1866-1879)

1. *Correspondances inédites et archives privées*, cit., scheda 48, p. 38.

2. Lettera di Isabella Oldoini al marito, Firenze, [giugno 1867], ASD, faldone 3.

3. Lettera di Isabella Oldoini al marito, [Firenze, estate 1868], *ibidem*, faldone 4.

4. Cfr. la lettera di Isabella al marito, Firenze, [11 luglio 1866], *ibidem*, in cui Virginia è infuriata con Mademoiselle Rauch e Huteau, il suo fidatissimo intendente, colpevoli di essere passati dalla parte del marito e di amoreggiare.

5. Lettera di Isabella Oldoini al marito, [Firenze, estate 1868], *ibidem*.

6. Citato in L. Murat, *La maison du docteur Blanche*, cit., p. 219.

7. Lettera di Isabella Oldoini al marito, [Firenze, estate 1868], ASD, faldone 4.

8. Lettera di Isabella Oldoini al marito, [Firenze, estate 1868], *ibidem*, faldone 3.

9. Lettera di Isabella Oldoini al marito, [La Spezia, estate 1868], *ibidem*, faldone 4.

10. Cfr. lettere di Giorgio Verasis al nonno, Ferrières, 8 e 15 dicembre 1867, *ibidem*.

11. Lettera di Betty de Rothschild a Virginia, citata in *Correspondances inédites et archives privées*, scheda 76, cit., p. 56.

12. Cfr. la deposizione della vedova Bellande alla polizia, ADPP, dossier «Comtesse de Castiglione de Verazi [*sic*] (Virginie)», B a/1002.

13. Pierre-Dominique-Omer Maurette, cappellano del Refuge de Sainte-Anne, era molto affezionato a Giorgio e se ne prendeva cura quando era malato o la madre era in Italia. Cfr. la lettera di Giorgio a Filippo Oldoini del 15 aprile 1870, in cui prega il nonno, allora in servizio a Lisbona, di far conferire all'abate in segno di gratitudine la decorazione portoghese dell'Ordine di Cristo. ASD, faldone 4.

14. Di mano di Giorgio sono, per esempio, le lettere della contessa a Thiers (conservate presso la Bibliothèque nationale de France), come tutta la corrispondenza relativa alla sorveglianza della casa di Passy e alla spedizione dei bagagli durante la guerra franco-prussiana.

15. Lettera di Giorgio Verasis alla madre, s.l., s.d., AST, mazzo 2, fascicolo 8, lettera 56.

16. Lettera di Giorgio Verasis al nonno, Torino, 27 gennaio 1874, ASD, faldone 4.

17. Cfr. la lettera di Giorgio Verasis al nonno, Parigi, 29 gennaio 1875, *ibidem*, in cui fa il punto sulla questione.

18. *Ibidem.*

19. Citato in *Correspondances inédites et archives privées*, cit., p. 17. Cfr. ADPP, dossier « Comtesse de Castiglione de Verazi [*sic*] (Virginie) ».

20. A. Decaux, *La Castiglione*, cit., p. 190.

21. Si veda il dossier trasmesso il 1° maggio 1875 al prefetto della polizia da « M. Macé, Commissaire de Police, Préfecture de Police, Délégations judiciaires », ADPP. Il dossier conteneva documenti relativi a Sol, facenti parte della « procedura istruita sulla vedova Bellande, imputata di ricatto e istigazione di minore al vizio ».

22. Cfr. le lettere inviate dall'abate all'allievo e al precettore nel tentativo di richiamarli all'ordine, AST, mazzo 12, fascicolo 34, « Pacchetto interessante », lettere 86-97.

23. Cfr. lettera di Genulphe Sol a Virginia Verasis, 14 dicembre 1873, ADPP, dossier « Comtesse de Castiglione de Verazi [*sic*] (Virginie) ».

24. Lettera di Virginia a Cléry, citata in R. de Montesquiou, *La divine comtesse*, cit., p. 118.

25. Lettera di Giorgio Verasis al nonno, Genova, 21 dicembre 1873, ASD, faldone 4 [fr.].

26. Lettera di Giorgio Verasis al nonno, 29 gennaio 1874, *ibidem* [fr.].

27. Copia di amanuense della lettera inviata da Virginia a Genulphe Sol, s.l., s.d., AST, mazzo 14, fascicolo C, sottofascicolo con annotazione in camicia « Giorgio Verasis », lettera 1.

28. Lettera di Virginia a Genulphe Sol, [Parigi, fine novembre-inizio dicembre 1873], *ibidem*, lettera non numerata [fr.]; cfr. anche la copia a matita di un'altra lettera a Sol, s.l., s.d., mazzo 14, documento « Famiglia Verasis di Castiglione », mazzo 4, V475p.

29. Lettera di Giorgio Verasis a Genulphe Sol, Genova, 9 dicembre 1873, ADPP, foglio 122 [fr.].

30. Lettera di Giorgio Verasis a Genulphe Sol, s.l., 15 dicembre 1873, *ibidem*, foglio 127 [fr.].

31. Lettera di Giorgio Verasis a Genulphe Sol, 16 dicembre 1873, *ibidem*, foglio 131 [fr.].

32. Lettera di Giorgio Verasis a Genulphe Sol, 20 dicembre 1873, *ibidem*, foglio 132 [fr.].

33. Lettera di Giorgio Verasis a Genulphe Sol, Genova, 25 dicembre 1873, giorno di Natale, 3 ore ½ del mattino, *ibidem*, foglio 139 [fr.].

34. Lettera di Giorgio Verasis al nonno, s.l., 29 gennaio 1874, ASD, faldone 4 [fr.].

35. Lettera di Giorgio Verasis al nonno, Torino, 20 marzo 1874, *ibidem* [fr.].

36. Cfr. lettera di Lina Rauch a Isabella Oldoini, s.l., 23 maggio 1872, *ibidem*, faldone 3.

37. Lettera di Giorgio Verasis al nonno, Torino, 12 giugno 1875, *ibidem*, faldone 4 [fr.].

38. Lettera di Giorgio Verasis al nonno, Torino, 28 dicembre 1874, *ibidem*.

39. Lettera di Giorgio Verasis al nonno, Torino, 15 febbraio 1875, *ibidem*.

40. Lettera di Filippo Oldoini al nipote, brutta copia, Lisbona, 3 febbraio 1875, *ibidem* [fr.].

41. Si veda l'originale di questa lettera, inviata a Virginia il 9 marzo 1875, dove il marchese ripete il motto « ognuno per sé », in *Correspondances inédites et archives privées*, cit., scheda 2, p. 11.

42. Lettera di Virginia al padre, Parigi, 31 marzo 1875, ASD, faldone 4 [fr.].

43. Virginia avrebbe restituito al figlio quanto gli spettava dell'eredità paterna e questi si impegnava a non immischiarsi più negli affari della madre.

44. Cfr. lettera di Giorgio Verasis al nonno, Torino, 17 marzo 1875, *ibidem*.

45. Lettera di Giorgio Verasis al nonno, Torino, 15 febbraio 1875, *ibidem* [fr.].

46. Citato in A. Decaux, *La Castiglione*, cit., pp. 299-300.

47. Lettera di Virginia al padre, Parigi, 31 maggio 1875, ASD, faldone 3 [fr.].

48. Bozza di una lettera del marchese Oldoini alla figlia, *ibidem*, faldone 4 [fr.].

49. Lettera di Filippo Oldoini a Isacco Artom, Lisbona, 5 luglio 1875, AIA, fascicolo 138.

50. Lettera del figlio a Virginia, Buenos Aires, 9 ottobre 1875, citata in *Correspondances inédites et archives privées*, cit., scheda 8, p. 16.

51. Cfr. lettera di Isabella Oldoini al marito, ASD, faldone 4.

52. Da due lettere all'amico spezzino Agostino Fossati si desume che Virginia si era recata a Torino per presenziare alle nozze del figlio. Per l'occasione gli aveva fatto dono dei famosi 100.000 franchi ricevuti in dote dal padre al momento del suo matrimonio. Cfr. Adriana Beverini, *La contessa di Castiglione: momenti di una vita. Gli anni Settanta tra Parigi e la Spezia. Lettere inedite*, in *Virginia Oldoini. I giorni e il mito della contessa di Castiglione*, cit., pp. 72-75.

53. Citato in *Correspondances inédites et archives privées*, cit., scheda 8, p. 17.

ODI ET AMO

1. Cfr. H. d'Ideville, *Journal d'un diplomate en Italie*, cit., p. 240. Cfr. anche *Souvenirs du Général Cte Fleury*, cit., vol. II, p. 214.

2. Lettera di Costantino Nigra a Virginia, Torino, 23 marzo [1856], AST, mazzo 3, fascicolo 12, lettera 2.

3. Federico Chabod, «Costantino Nigra», in *Storia della politica estera italiana dal 1870 al 1896*, Laterza, Bari, 1962, 2a ediz., p. 673.

4. Adriano Viarengo, *Il '48 in Piemonte e le élites giovanili*, in *L'opera politica di Costantino Nigra*, a cura di Umberto Levra, il Mulino, Bologna, 2008, p. 108. Cfr. anche Luigi Mascilli Migliorini, *Il racconto della formazione giovanile di Nigra*, *ibid.*, pp. 53-61.

5. Cfr. Carlo Richelmy, *Il silenzio di Costantino Nigra*, in «Il Mondo», 16 luglio 1949, pp. 11-12. Giovenale Vegezzi Ruscalla aveva partecipato ai moti del '21 e si batteva con i suoi scritti e in parlamento per l'indipendenza di tutti i popoli; lo zio Saverio Vegezzi era un grande avvocato, fedelissimo di Cavour, che aveva fatto parte del suo governo come ministro delle Finanze e poi di Grazia e Giustizia.

6. Si veda il ritratto che di Emma traccia Flore Richelmy Bonnet, moglie di un cugino dei Vegezzi, in *Second Empire et Unité Italienne*, A.L.E.C., Rome, 1981, pp. 47-140.

7. É. Ollivier, *L'Empire libéral*, cit., vol. V, p. 187.

8. Maxime Du Camp, *Souvenirs d'un demi siècle. Au temps de Louis-Philippe et de Napoléon III, 1830-1870,* 2 voll., Paris, Hachette, 24ª ediz., 1949, vol. II, p. 99.

9. Conte di Maugny, *Souvenirs du Second Empire. La fin d'une société,* Ernest Kolb, Paris, 1889, pp. 122-23.

10. Citato in F. Richelmy Bonnet, *Second Empire et Unité Italienne,* cit., p. 135.

11. *Loc. cit.*

12. Lettera di Prosper Mérimée a Filippo Palizzi, Château de Compiègne, 16 nov[embre 1861], citata in *Correspondance générale de Prosper Mérimée,* cit., vol. IV, p. 397 [fr.].

13. *Ibid.*, pp. 397-98.

14. Lettera di Nigra a Virginia, Torino, 23 marzo [1856], AST, mazzo 3, fascicolo 12, lettera 2.

15. Le fotografie vengono dallo studio parigino Mayer & Pierson, tranne alcuni ritratti eseguiti da un fotografo piemontese.

16. Cfr. Michele Falzone del Barbarò, *Nota sull'album fotografico,* in *L'album della contessa di Castiglione,* presentazione di Lietta Tornabuoni, Longanesi, Milano, 1980, pp. 105-11.

17. Lettera di Nigra a Virginia, mercoledì, s.l., s.d., AST, mazzo 3, fascicolo 12, lettera 41.

18. P. Apraxine, *Le modèle et le photographe,* cit., p. 32.

19. Lettera di Virginia a Nigra, s.l., s.d., AST, mazzo 3, fascicolo 12, lettera 11 [fr.].

20. Nella fattispecie, sul colore – bianco o nero? – dell'abito per un ballo dato dal generale prussiano barone Wilhelm Leopold Colmar von der Goltz. Cfr. *Correspondances inédites et archives privées,* cit., scheda 18, p. 23.

21. Lettera di Nigra a Virginia, AST, s.l., s.d., mazzo 3, fascicolo 12, lettera 13.

22. « Con la vostra comunicazione avete rischiato di farvi credere e farmi prendere un mal di petto facendomi alzare da letto mentre ero raffreddata perché Nigra ha detto "è necessario" ... ma io non tollero le sorprese, se mi volete è necessario anche dirmi perché. Son diventata peggio di S. Tommaso, se non tocco non credo, se non vedo non vado. Tanto peggio per quelli che aspettano. Se avete qualcosa da comunicarmi scrivete o venite a dirlo stasera. Vedo fin troppo bene che non accettate quanto vi viene

offerto, signor Ministro! », [Parigi], domenica 22 maggio [1864], *ibidem*, lettera 53.

23. Lettera di Nigra a Virginia, [Parigi], lunedì [23 maggio 1864?], *ibidem*, lettera 5 [fr.]. La datazione è ricostruita in base ai giorni della settimana che figurano in testa alle varie lettere.

24. Lettera di Virginia a Nigra, s.l., lunedì [maggio 1864?], *ibidem*, lettera 7.

25. Lettera di Nigra a Virginia, s.l., s.d., *ibidem*, lettera 51.

26. Lettera di Nigra a Virginia, s.l., s.d., *ibidem*, lettera 27.

27. Lettera di Nigra a Virginia, [Parigi], giovedì, *ibidem*, fascicolo 4, lettera 19.

28. Lettera di Nigra a Virginia, s.l., mercoledì, *ibidem*, fascicolo 12, lettera 41.

29. Lettera di Nigra a Virginia, s.l., domenica, *ibidem*, lettera 47 [fr.].

30. Lettera di Nigra a Virginia, s.l., venerdì, *ibidem*, lettera 40.

31. A darne notizia – riferendosi presumibilmente all'abitudine di Virginia di conservare copia della sua corrispondenza mediante un copialettere – è Flore Richelmy Bonnet, che ha ricostruito con scrupolo la vita di Nigra fino al 1870. Si veda F. Richelmy Bonnet, *Second Empire et Unité Italienne*, cit., pp. 222-23.

32. Possiamo prendere come data *post quem* una lettera in cui Nigra comunica a Virginia di dovere « rinunziare a Dieppe » e dove si fa riferimento alla nomina del marchese Oldoini a incaricato d'affari a San Pietroburgo, avvenuta per l'appunto nell'agosto del 1862.

33. Lettera di Nigra a Virginia [febbraio 1863]: « Non andate di furia. Il mio braccio è a vostra disposizione. Se volete venire alla Legazione vi condurrò. Se mi aspettate sulla scala, vi piglierò sulla scala. Solo vi prevengo che una volta dentro, vi lascerò andare a salutare lei [l'imperatrice]. Vi dirò a voce perché io non farò altrettanto », AST, mazzo 3, fascicolo 12, lettera 15.

34. In quest'occasione Nigra scrive a Virginia: « Ho visto il padrone oggi. Stasera andrò alle Tuileries. Credo che fareste bene a mettervi sotto la scorta di una donna per la vostra entrata. Ad ogni modo il mio braccio è a vostra disposizione fin sopra le scale. Una volta dentro, vi lascio all'ammirazione altrui. Io non ci vo che per far atto di presenza e mi ritirerò subito. Io starò alla Legazione fino alle 9 1/2 », *ibidem*, lettera 12.

35. Lettera di Virginia a Nigra, s.l., s.d., *ibidem*, lettera 18.

36. Lettere di Virginia a Nigra, *ibidem*, lettere 20, 51, 55.

37. *Ibidem*, lettere 23, 25, 30. Nell'agosto del 1864, il figlio primogenito di Vittorio Emanuele era andato in visita a Parigi ed era stato ricevuto a Saint-Cloud. La cronaca mondana aveva segnalato la presenza della contessa di Castiglione, vestita in modo «chiassoso», al pranzo ufficiale dato da Napoleone III e dalla moglie in onore dell'erede al trono italiano. «Fu una delle sue ultime apparizioni a Corte. Era vestita in modo appariscente, con un'alta acconciatura a sbuffo ... Irresistibilmente bella di figura e di viso, gli occhi magnifici, la bocca incantevole, la fronte bombata e appena sfuggente, ma l'aria d'alterigia che emanava da tutta la sua persona non aiutava a perdonarle quella bellezza di cui si è tanto parlato», in «Le Gaulois», 24 agosto 1890, citato in N.G. Albert, *La Castiglione*, cit., p. 167.

38. Lettera di Nigra a Virginia, Parigi, 23 m[arzo], 186[2]: «Armatevi di coraggio per leggere l'unito dispaccio. Le nuove continuano ad essere cattive e i medici conservano poca speranza», AST, mazzo 3, fascicolo 12, lettera 70.

39. Lettera di Nigra a Virginia, Parigi, 21 settembre 1863, *ibidem*, lettera 64.

40. Lettera di Nigra a Virginia, s.l., 27 maggio 186[?], *ibidem*, lettera 26.

41. Lettera di Nigra a Virginia, s.l., sabato [s.d.], *ibidem*, lettera 36.

42. Lettera di Nigra a Virginia, s.l., 30 marzo 1865, *ibidem*, lettera 66.

43. Lettera di Nigra a Virginia, s.l., domenica [aprile 1865], *ibidem*, lettera 67.

44. Lettera di Nigra a Virginia, 19 dicembre [1865], *ibidem*, lettera 33.

45. Lettera di Nigra a Virginia, s.l., martedì [s.d.], *ibidem*, lettera 34.

46. Lettera di Nigra a Virginia, s.l., sabato [s.d.], *ibidem*, lettera 43.

47. Lettera di Nigra a Virginia, s.l., s.d., *ibidem*, lettera 44.

48. Cfr. il rendiconto di Prosper Mérimée a Filippo Panizzi, 25 giugno [1863], sera, Castello di Fontainebleau, in P. Mérimée, *Correspondance générale*, cit., vol. V, pp. 406-407.

49. «Me battezzò dell'Adria / L'irata onda marina, / Me la fatal regina / Dei Dogi a te inviò. / Ire, speranze e lagrime / D'un popolo infelice, / O bionda Imperatrice, / Innanzi a te porrò: / Il fier leone aligero / D'aspre catene è carco, / La terra di San Marco / Calpesta lo stranier; / L'infido mar le mistiche / Nozze e l'anello ha infranto; / Più non risuona il canto / Sul labbro al gondolier. / Lenta su l'auree cupole / Passa la mesta luna; / È

muta la laguna, / È senza vele il mar. / Sopra il suo letto d'alighe / Posa il leone e aspetta / Che il dì della vendetta / Lo venga a ridestar. / Donna, se a caso il placido / Tuo lago, a quando a quando / Teco verrà solcando / Il muto Imperator, / Digli che in riva all'Adria / Povera, ignuda, esangue / Geme Venezia e langue, / Ma è viva... e aspetta ancor», in Costantino Nigra, *Poesie originali e tradotte, aggiuntovi un capitolo dei suoi «Ricordi diplomatici»*, a cura di Alessandro D'Ancona, Sansoni, Firenze, 1914, pp. 29-31.

50. La barcarola *Sopra una gondola* fu poi messa in musica per pianoforte da Antonio Santacroce e pubblicata a Milano da Francesco Lucca nel 1864.

51. Lettera di Eugenia de Montijo a Francesco Arese, Saint-Sauveur, 26 agosto 1859, in *Napoleone III, Eugenia de Montijo e Francesco Arese in un carteggio inedito,* Direzione della «Nuova Antologia», Roma, 1921, p. 23.

52. M. Du Camp, *Souvenirs d'un demi-siècle*, cit., vol. I, p. 243.

53. Citato in C. Richelmy, *Il silenzio di Costantino Nigra*, cit., p. 12.

54. *Loc. cit.*

55. Lettera di Cavour a Nigra, 9 maggio 1860, citata *ibid.*, p. 11. Andata probabilmente dispersa, la lettera non figura nell'epistolario di Cavour. Richelmy indica come fonte un articolo di Costantino Rinaudo apparso sulla «Domenica del Corriere» negli anni Venti del Novecento.

56. Convenzione del 15 settembre 1864.

57. Cfr. M. Du Camp, *Souvenirs d'un demi-siècle*, cit., vol. I, p. 242.

58. Lettera di Virginia a Nigra, brutta copia a matita non firmata, giovedì 1° giugno, AST, mazzo 3, fascicolo A, lettera 53.

59. Lettera di Virginia a Nigra, brutta copia a matita non firmata, s.l., s.d., *ibidem*, fascicolo 12, lettera 73.

60. Si veda la lunga requisitoria di Virginia contro Nigra e «il suo brutto, infame, porco vizio di non essere franco mai», *ibidem*, mazzo 16, fascicolo unico, sottofascicolo con annotazione a matita «Domenica, lunedì neve, neve, neve».

61. Lettera di Nigra a Virginia, Parigi, 14 settembre [1863-1864], *ibidem*, mazzo 3, fascicolo 12, lettera 63.

62. Lettera di Nigra a Virginia, s.l., martedì [26 giugno 1866], *ibidem*, lettera 68.

63. Lettera di Nigra a Virginia, Parigi, 1° gennaio 1867, *ibidem*, lettera 69.

64. Madame Carette, *Deuxième série des Souvenirs intimes*, cit., pp. 297-98.

65. *Ibid.*, p. 284.

66. A. Viarengo, *Vittorio Emanuele II*, cit., pp. 373-74.

67. F. Chabod, «Costantino Nigra», cit., pp. 672-82.

68. Lettera di Nigra a Visconti Venosta, 24 giugno 1871, *ibid.*, p. 677.

69. *Loc. cit.*

70. Lettera di Virginia al duca di Chartres [databile tra la fine del 1873 – rientro a Parigi della contessa – e il maggio 1876, fine del mandato francese di Nigra], copia manoscritta di mano ignota, eseguita a Genova per concessione dei Trigone, eredi genovesi della contessa, prima della vendita all'asta del suo archivio, AFC, lettera VIII [fr.].

71. Di questo diario, certamente successivo alla morte del figlio (14 novembre 1879), l'Archivio della Fondazione Cavour di Santena conserva la trascrizione di qualche pagina.

72. Per le sue *Glossae Hibernicae veteres Codicis Taurinensis* (1869), cui avrebbero fatto seguito le *Reliquie celtiche* (1872) e la *Fonetica del dialetto di Val Soana* (1874). Cfr. la lettera di Prosper Mérimée ad Antonio Panizzi, Parigi, 9 giugno 1869, in P. Mérimée, *Correspondance générale*, cit., vol. XIV, p. 514.

73. *La chioma di Berenice*, traduzione e commento di Costantino Nigra, col testo latino di Catullo riscontrato sui codici, Hoepli, Milano, 1891; *Inni di Callimaco su Diana e sui lavacri di Pallade*, recensione, traduzione e commento di Costantino Nigra, Loescher, Torino, 1892.

74. Vittorio Santoli, *I canti popolari italiani: ricerche e questioni*, Sansoni, Firenze, 1940, nuova ediz., 1968, p. 90, citato in G. Galasso, *Nigra: una veduta d'insieme*, in *L'opera politica di Costantino Nigra*, cit., pp. 191-92. Cfr. Costantino Nigra, *Canti popolari del Piemonte*, a cura di Franco Castelli, Emilio Jona e Alberto Lovatto, Neri Pozza, Vicenza, 2020.

75. Lettera di Melchior de Vogüé a Nigra, 9 settembre 1892, citata in F. Chabod, *Storia della politica estera italiana*, cit., pp. 617-18.

76. Cfr. Delfino Orsi, *Il mistero dei «Ricordi diplomatici» di Costantino Nigra*, in «Nuova Antologia», LXIII, fascicolo 1360, 16 novembre 1928, pp. 137-54.

77. Cfr. «Nuova Antologia», LVI, marzo 1895, pp. 5-25.

1. Lettera di Virginia a Léon Cléry, [Parigi, 1874], citata in R. de Montesquiou, *La divine comtesse*, cit., p. 118.

2. Cfr. AST, mazzo 15, fascicolo « Ricevuta per l'acquisto del pugnale di Mlle Rachel », 28 aprile 1858.

3. *Ibidem*, mazzo 14, fascicolo C, sottofascicolo con annotazione in camicia « Importante documento dove si accusa della separazione con il marito ».

4. Citato in R. de Montesquiou, *La divine comtesse*, cit., p. 120.

5. Lettera di Virginia a Léon Cléry, [Parigi, 29 dicembre 1895], citata *ibid*, pp. 142-43.

6. Cfr. le lettere di Cléry a Virginia, AST, mazzo 12, fascicolo 34, « Pacchetto interessante », lettere 106-107.

7. Léon Cléry, *Notes et Souvenirs*, citato in R. de Montesquiou, *La divine comtesse*, cit., pp. 22-23.

8. Così Cléry definiva le lettere dell'amica, *ibid.*, p. 109.

9. Nell'inchiesta condotta dopo la morte della Castiglione, Montesquiou aveva potuto avvalersi della testimonianza di Cléry e prendere visione di alcune lettere che Virginia aveva scritto all'avvocato.

10. Lettera di Madame de Sévigné alla figlia, 18 maggio 1671, in Madame de Sévigné, *Correspondance*, a cura di Roger Duchêne, 3 voll., « Bibliothèque de la Pléiade », Gallimard, Paris, 1972-1978, vol. I, p. 258. Lo stile « da cinque soldi » era quello dei manuali epistolografici da bancarella.

11. R. de Montesquiou, *La divine comtesse*, cit., p. 138.

12. *Ibid.*, pp. 141-42.

13. *Ibid.*, p. 114.

14. *Ibid.*, p. 135.

15. *Ibid.*, p. 139.

16. *Ibid.*, p. 133.

17. ADPP, Préfecture de Police, Police municipale, Brigade Recherches, Rapport, Paris, 13 février 1881.

18. Nell'inventario degli oggetti redatto dopo la sua morte « si notavano 21 fermacarte di marmo provenienti dalle rovine delle Tuileries », R. de Montesquiou, *La divine comtesse*, cit., p. 167.

19. In una notte di Carnevale, al ritorno da un ballo, Lady Wal-

burga Paget racconta che lei e il suo accompagnatore avevano visto « un'ombra che scivolava rasente ai muri dei palazzi; dopo essersi arrestata per un attimo, attraversò la strada mostrandosi alla luce della luna ». L'uomo che è con lei, continua a raccontare Lady Paget, accelera il passo: « "Credo di saperlo! Dev'essere lei" mi dice mentre ci avviciniamo, e posando una mano sul braccio della donna esclama: "Ninì! da quanto tempo siete arrivata?".

« Lei si volta, e al chiarore della luna rivela il famoso volto che per dieci anni ha richiamato moltitudini di persone in tutte le capitali d'Europa.

« Mentre alzava il braccio come per tenere il mio compagno a distanza, la lunga mantella nera si dischiuse e vidi che sotto indossava la famosa collana di perle bianche e nere che la ricopriva dal collo alla vita e, come sapevo, non poteva che appartenere alla leggendaria Contessa di C.

« "Ma che cosa fate qui da sola a quest'ora e con tutte quelle perle addosso? Che cos'è questa nuova follia?" esclamò spazientito il mio amico. Ma invece di rispondere, la Contessa trasse dal petto un pugnale ». Lady Walburga Paget, *Scenes and Memories*, Murray, London, 1913, pp. 278-79.

20. Si veda la lettera sulla morte di Laffitte citata a p. 317.

21. « Ho dei guai da bruciarmi le cervella ... perché come sai scrivere è la mia unica consolazione », citato in F. Loliée, *Le Roman d'une Favorite*, cit., p. 282.

22. Lettera di Virginia a un ignoto corrispondente [Costantino Ressmann?], AST, mazzo 16, fascicolo unico, « All'alba (supplemento di una notte di sogni acquatici) », sottofascicolo con annotazione in camicia «Lettere e appunti della Nicchia ».

23. Citato in R. de Montesquiou, *La divine comtesse*, cit., p. 132.

24. Cfr. ADPP, Cabinet de M. Macé, 9 febbraio 1873.

25. Cfr. la corrispondenza con Thiers citata alle pp. 234-49.

26. Il primo a consacrarle un lungo ritratto era stato Henry d'Ideville nel suo *Journal d'un diplomate en Italie*, cit., pp. 83-94, apparso nel 1872. Nel far pervenire il libro a Virginia, che gliene aveva fatto espressa richiesta, il ministro degli Esteri Visconti Venosta le scriveva: « Non so quale sarà la piega che prenderà il suo sorriso quando leggerà le pagine sulla Contessa di Castiglione. Il mio avviso non glie lo dico per iscritto, preferirò dirlo a voce, quando avrò il piacere di vederla », [Roma], 1° giugno 1872, AST, mazzo 4, fascicolo 22, lettera 3. Destinato a diventare una

referenza d'obbligo per tutti i biografi della Castiglione, il ritratto di Ideville era in realtà più che lusinghiero – il diplomatico francese la ricorda misteriosa, altera e già delusa dalla vita fin dall'epoca di Villa Gloria –, tanto più che, quando le aveva sottoposto le pagine a lei dedicate, Virginia vi aveva inserito poche righe, che l'autore definisce giustamente «curiose»: «Il Padre eterno non sapeva cosa si faceva quel giorno che l'ha messa al mondo; ha impastato tanto e tanto e quando l'ha avuta fatta ha perso la testa vedendo la sua meravigliosa opera, e l'à lasciata lì, in un canto, senza metterla a posto. In tanto, l'hanno chiamato da un'altra parte e quando è tornato l'ha trovata fuori posto» (p. 90). A inaugurare la serie delle opinioni sfavorevoli sono invece i *Mémoires sur le règne de Napoléon III* del conte di Viel-Castel (1884), seguiti dai *Souvenirs intimes de la Cour des Tuileries* (1889) di Madame Carette, prima lettrice di Eugenia. Montesquiou, che aveva avuto tra le mani la copia del libro dove Virginia rettificava, a margine del testo, le affermazioni che la riguardavano, riporta il «duetto comicamente dissonante, canto alternato, da una parte d'inesattezza noncurante piuttosto che di deliberata malevolenza, dall'altra parte di recriminazioni furenti, scaturite dal fondo di un pozzo, come la voce della Verità tramutata in Collera», *La divine comtesse*, cit., p. 40. Furono poi dati alle stampe *Mon Séjour aux Tuileries (1852-1858)* di Stéphanie Tascher de la Pagerie (1894), e i *Souvenirs du Général Cte de Fleury* (1897-1898). Un anno prima della morte di Virginia uscì *La Cour du second Empire (1856-1858)* di Imbert de Saint-Amand (1898).

27. F. Loliée, *Le Roman d'une Favorite*, cit., p. 241.

28. *Ibid.*, p. 242.

29. *Ibid.*, p. 246, nota 2.

30. *Ibid.*, nota 1.

31. *Ibid.*, p. 247.

32. *Ibid.*, p. 231.

33. Citato in R. de Montesquiou, *La divine comtesse*, cit., pp. 125-26.

34. *Ibid.*, p. 134.

35. Citato in A. Decaux, *La Castiglione*, cit., p. 315.

36. R. de Montesquiou, *La divine comtesse*, cit., p. 147.

37. *Ibid.*, p. 135.

38. F. Loliée, *Le Roman d'une Favorite*, cit., p. 255, nota 2.

39. Il forte e problematico legame affettivo di Virginia con La

Spezia è al cuore dei numerosi contributi critici che figurano in *Virginia Oldoini. I giorni e il mito della Contessa di Castiglione*, cit., l'importante catalogo della mostra che la città ligure le ha consacrato nel primo centenario della morte. Sulla scorta dei documenti conservati nelle collezioni pubbliche e private della città, Carlo Biossi, Marzia Ratti, Pia Spagiari, Adriana Beverini, Gabriella Chioma e Graziano Tonelli ricostruiscono i suoi progetti e la sua lotta contro la trasformazione della piccola cittadina di agricoltori e pescatori in un importante centro mercantile e militare, i suoi contrasti con l'amministrazione cittadina e l'ingarbugliata situazione amministrativa dei suoi beni. Un contributo prezioso per la comprensione del rapporto di amore-odio della «rapallina» – come Virginia veniva chiamata dagli spezzini – con il *joli golfe*.

40. Il marchese Oldoini era morto a La Spezia il 14 gennaio 1889.

41. L'intera vicenda giudiziaria è stata ricostruita in dettaglio da Alfredo Poggiolini: «Il palazzo avito, la villa denominata "Isabella", residuo del patrimonio Lamporecchi, con gli adiacenti terreni e case rustiche vennero aggiudicati a un comandante di marina, il cav. Emanuele de Negri, per 167.000 lire», A. Poggiolini, *La contessa Verasis di Castiglione nel romanzo e nella realtà*, cit., pp. 74-75.

42. Il 7 gennaio 1893 il Credito fondiario dell'Opera Pia di S. Paolo di Torino le aveva concesso un mutuo di 80.000 lire, cfr. *ibid.*, p. 76.

43. Cfr. *ibid.*, pp. 76-80.

44. Cfr. AFC. Si tratta di sei lettere, giunte a noi per mano di un copista di cui ignoriamo il nome, ma che poté, per concessione degli eredi della contessa, prendere visione delle sue carte quando si trovavano ancora a Genova. Le pagine che aveva fatto in tempo a trascrivere comprendono tra l'altro alcune lettere dirette a uno stesso destinatario nel maggio del 1894 e vari frammenti di altre missive riconducibili allo stesso periodo.

45. Possiamo fissarne la data al 1894 sulla base dell'indicazione di Virginia che la domenica della Pentecoste cadeva il 13 maggio, quindi lo stesso giorno della morte di Valentine Delessert, il cui funerale viene evocato nella quinta lettera.

46. Potrebbe trattarsi di Agostino Fossati, pittore e vedutista di talento che, oltre a essere amministratore e devoto consigliere di Virginia, le era legato da una lunga e sincera amicizia. Cfr.

Ferruccio Battolini, *Agostino Fossati, consigliere della Contessa, artista da consacrare* e Maria Giuliana Zucchini, *Agostino Fossati in una lettera della Contessa a Léon Cléry*, in *Virginia Oldoini. I giorni e il mito della Contessa di Castiglione*, cit.

47. Uno degli attentati anarchici che si registrarono a Parigi in quegli anni.

48. Lettera di Virginia a corrispondente sconosciuto, [maggio 1894], AFC, lettera I.

49. Lettera di Virginia a corrispondente sconosciuto, [13 maggio 1894], *ibidem*, lettera II.

50. Nelle colonie penali della Restaurazione, i condannati a tempo determinato portavano un berretto verde, i condannati a vita un berretto rosso. Probabilmente la distinzione durò a lungo, tanto da divenire proverbiale. Si veda André Zysberg, *Galere, bagni penali, deportazione in Francia tra Settecento e Ottocento*, in *La scienza e la colpa. Crimini, criminali, criminologi: un volto dell'Ottocento*, a cura di Umberto Levra, Electa, Milano, 1985, p. 206.

51. Lettera di Virginia a corrispondente sconosciuto, [13 maggio 1894], AFC, lettera II.

52. Cfr. Édouard Grenier, *L'Elkovan*, in *Petits Poèmes*, Charpentier, Paris, 1859. Ispirato probabilmente al mito di Ceice e Alcione, il poemetto racconta dell'amore infelice fra un barcaiolo e un'odalisca, la sventurata Aina, la quale sul punto di annegare affida la propria anima a un alcione che va poi a posarsi sul braccio dell'amato.

53. Il riferimento potrebbe essere a Robert de Montesquiou, *Les Vraies immortelles*, XXXIV, in *Les Paons*, Charpentier, Paris, 1901.

54. Lettera di Virginia a corrispondente sconosciuto, [maggio 1894], AFC, lettera III.

55. Lettera di Virginia a corrispondente sconosciuto, *ibidem*, lettera VII.

56. Lettera di Virginia a corrispondente sconosciuto, *ibidem*, lettera V.

57. Lettera di Virginia a Jacques Blanche, 15 settembre 1893, Bibliothèque de l'Institut de France, Fonds Blanche, MS 6281, citata in L. Murat, *La maison du docteur Blanche*, cit., pp. 455-57.

58. Citato in A. Decaux, *La Castiglione*, cit., p. 316.

59. P. Apraxine, *Le modèle et le photographe*, cit., p. 47.

60. Marcel Escoffier se ne ricorderà facendone indossare uno analogo ad Alida Valli in *Senso* di Visconti.

61. Jacques-Émile Blanche, *Propos de Peintre. IIe série: Dates*, Émile-Paul Frères, Paris, 1921, pp. XXV-XXVI, citato in L. Murat, *La maison du docteur Blanche*, cit., p. 457.

62. Esistono due versioni del ritratto. La prima, intitolata *La Comtesse de Castiglione, souvenir de 1893*, conservata al Musée Carnavalet, è posteriore alla pubblicazione della biografia di Loliée e di Montesquiou, e si basa sul ritratto fotografico *Rachel*. Il quadro « ha il merito di fissare a beneficio della posterità una certa immagine della contessa, quella di una donna vestita di nero, eccentrica e solitaria, con uno sguardo in cui è contenuta tutta la disperazione del mondo ». La seconda, *Comtesse de Castiglione 1893*, si trova in una collezione privata e fu dipinta tra il 1921 e il 1925. Sul retro reca l'indicazione: « J.É. Blanche – ricavato dallo studio fatto nell'agosto 1893 a Auteuil in camera mia quando la contessa venne a trovarmi dopo la morte di mio padre ». Si ispira a una fotografia della Castiglione di profilo, sempre della serie « Sainte Cécile et Rachel ». Cfr. *La Comtesse de Castiglione par elle-même*, cit., schede 91 e 93, p. 185.

63. *Ibid.*, scheda 88, p. 184.

64. R. de Montesquiou, *La divine comtesse*, cit., p. 163.

65. Cfr. A. Poggiolini, *La contessa Verasis di Castiglione nel romanzo e nella realtà*, cit., p. 80.

66. P. Apraxine, *Le modèle et le photographe*, cit., p. 47 e scheda 85, p. 183. La fotografia era stata scattata il 1° agosto 1894.

67. Cfr. la già citata lettera di Virginia a Sol, p. 416, nota 28.

68. P. Apraxine, *Le modèle et le photographe*, cit., p. 35.

69. « La fotografia dipinta è una delle caratteristiche dell'atelier Mayer & Pierson, che mette a disposizione della clientela un'équipe di ritoccatori, miniaturisti e pittori ... Inoltre, il procedimento della fotografia dipinta autorizza la contessa a intervenire direttamente sull'immagine, con la matita o il pennello, e le conferisce i pieni poteri sulla forma definitiva del suo ritratto », *ibid.*, pp. 42-43.

70. I negativi delle fotografie rimasero tutti nello studio di Pierson.

71. In una lettera del 24 [gennaio] 1861, Lord Clarendon la ringrazia per il dono di una sua fotografia con scritto « Remember », AST, mazzo 15, fascicolo « Lord Clarendon », lettera 1. Nel

2019 il museo del castello di Compiègne ha acquisito un album, composto nel 1866 per Maria Anna Walewska e contenente diciassette fotografie, che proveniva dalla collezione di Robert de Montesquiou. Cfr. *+Photographie#2: les acquisitions des collections publiques,* Le Bec en l'air, Marseille, 2021, pp. 234-35.

72. N.G. Albert, *La Castiglione,* cit., p. 167.

73. Ernest Daudet, *Les Coulisses de la Société Parisienne,* Ollendorff, Paris, 1895, pp. 181-85.

74. Lettera di Virginia a corrispondente ignoto [Giuseppe Poniatowski], s.l., s.d., AST, mazzo 16, fascicolo unico, sottofascicolo con annotazione in camicia « Lettera di un'anima inquieta », lettera 1. Si veda, qui, la nota 14 di p. 414.

75. Lettera di Virginia a un corrispondente sconosciuto [Giuseppe Poniatowski], s.l., s.d., *ibidem,* mazzo 16, fascicolo unico, sottofascicolo con annotazione in camicia « Questo è uno dei miei sogni », lettera 12.

76. AFC, frammento.

77. A. Decaux, *La Castiglione,* cit., pp. 320-22.

POST MORTEM

1. « Questa notte ho avuto la febbre così alta che se non sono morta è perché Dio non mi vuole: teme che incendi il Paradiso », foglio sparso, citato in R. de Montesquiou, *La divine comtesse,* cit., p. 173.

2. *Virginia Oldoini. I giorni e il mito della Contessa di Castiglione,* cit., scheda 53, p. 204.

3. « *Catalogo di gioielli bellissimi:* MAGNIFICA COLLANA A CINQUE GIRI DI PERLE, *belle perle su carta, parure, braccialetti, spille, orecchini, anelli, spille di brillanti e pietra colorata; gioielli di fantasia, argenteria, ventagli, oggetti da vetrina, merletti, libri, souvenir del Secondo Impero, quadri, ritratti, mobili, oggetti d'arte, saranno messi in vendita in seguito al decesso di* MADAME LA COMTESSE DE CASTIGLIONE, Hôtel Drouot, sala n. 1, nei giorni di mercoledì 26, giovedì 27, venerdì 28 e sabato 29 giugno 1901, alle due ». Cfr. F. Loliée, *Le Roman d'une Favorite,* cit., p. 263, nota 1.

4. F. Bac, *Intimités du Second Empire,* cit., pp. 16-17.

5. R. de Montesquiou, *La divine comtesse,* cit., p. 10.

6. Montesquiou avrebbe acquistato il volume all'asta del 1901.

7. Il medico si chiamava Arthur Christophe Hugenschmidt, era un dentista di fama e assistette Virginia negli ultimi mesi di vita. Nato a Parigi il 22 settembre 1861, era il terzogenito di un impiegato e di una guardarobiera delle Tuileries; i suoi fratelli maggiori erano morti in fasce. Dopo Sedan, il padre continuò a servire come maggiordomo il sovrano in esilio mentre Arthur, rimasto a Parigi con la madre, studiò odontoiatria sotto la guida di Thomas W. Evans, il chirurgo dentista americano che aveva avuto in cura la famiglia imperiale, nascosto a casa sua Eugenia il 4 settembre 1870 e organizzato la sua fuga in Inghilterra. Il giovane Arthur si era recato più di una volta in visita a Chislehurst quando l'imperatore era ancora in vita, e dopo la morte del figlio, nel 1889, Eugenia lo invitò spesso nella nuova residenza di Farnborough Hill, accogliendolo nella cerchia dei suoi intimi. La somiglianza di Arthur con il principe imperiale era palese, e corroborava le voci che lo dicevano figlio naturale di Napoleone III. Il diretto interessato avrebbe sempre evitato di parlarne, salvo confidare a un collega che la Castiglione era sua madre. Non sono mancati i fautori (pochi) di questa ipotesi, che Alain Decaux ha provveduto a smontare (*La Castiglione*, cit., pp. 324-26), e Sampiero Sanguinetti, che ha rilanciato di recente la tesi di una maternità segreta di Virginia in *L'Enfant* (Le Charmoiset, Montacher-Villegardin, 2017), non si avvale di documenti in grado di provarla. La contessa ribattezzava puntualmente amici, conoscenti e domestici con fantasiosi soprannomi, e il fatto che chiamasse Arthur « l'Enfant » non è di per sé significativo; e non lo è neppure l'amicizia di Virginia con il dottor Evans, per il quale, tra l'altro, chiese a Nigra un'onorificenza italiana: era in stretto rapporto anche con il dottor Arnal, medico di fiducia della famiglia imperiale. Non si capisce neppure come Virginia avrebbe potuto nascondere la sua gravidanza in un periodo (1860-1861) in cui la sua vita era sotto scrutinio. Se nella sua corrispondenza dall'Italia con Poniatowski si accenna fugacemente a un « Baby » è perché aveva fatto credere all'imperatore che i suoi disturbi ginecologici erano i postumi di una gravidanza interrotta. Inoltre, se davvero avesse messo al mondo un figlio di Napoleone, il suo silenzio sarebbe stato comprato a peso d'oro, e non si vede perché lei non avrebbe dovuto farne il suo erede, o almeno lasciargli una prova tangibile di riconoscenza per le cure che questi le aveva prodigato. Beninteso, non possiamo escludere che la scoperta di nuovi documenti ci induca a cambiare idea.

8. R. de Montesquiou, *La divine comtesse*, cit., pp. 16-17.

9. Philippe Jullian, *Robert de Montesquiou, un prince 1900*, Librairie Académique Perrin, Paris, 1965, p. 63.

10. Dorian Gray nel romanzo di Oscar Wilde (1890), il conte Muzarett in *Monsieur de Phocas* di Jean Lorrain (1901), il visconte Jacques de Serpigny in *Le Mariage de Minuit* di Henri de Régnier (1903).

11. « Souverain des choses transitoires »: il verso che apre *Maëstro*, una poesia delle *Chauves-souris*, è ripreso da Montesquiou nella dedica a Proust in calce a una sua fotografia. Cfr. M. Proust, *Contre Sainte-Beuve*, cit., p. 409.

12. Élisabeth de Clermont-Tonnerre, *Robert de Montesquiou et Marcel Proust*, Flammarion, Paris, 1925, p. 73.

13. Cfr. *Robert de Montesquiou ou l'art de paraître*, catalogo della mostra al Musée d'Orsay, Parigi, 12 ottobre 1999-23 gennaio 2000, a cura di Philippe Thiébaut e Jean-Michel Nectoux, Réunion des Musées Nationaux, Paris, 1999.

14. R. de Montesquiou, *La divine comtesse*, cit., pp. 3-4.

15. Prefazione di Gabriele D'Annunzio, *ibid.*, pp. I-II.

NOTA BIBLIOGRAFICA

Il rogo perpetrato in rue Cambon per ordine del governo italiano all'indomani della scomparsa della contessa di Castiglione – un vero autodafé, avrebbe ricordato anni dopo Carlo Sforza – fu preceduto e seguito da manomissioni e furti dei documenti che lei conservava a La Spezia. Perfettamente riuscita, l'operazione censoria mirava a eliminare ogni traccia del suo ruolo nella storia del Risorgimento; in Francia, al contrario, la Divina Contessa assurse a simbolo della Parigi del Secondo Impero. Per ricostruirne la personalità, le abitudini, i gusti, Robert de Montesquiou raccolse le testimonianze di quanti l'avevano conosciuta, ne poté consultare l'illuminante corrispondenza con Léon Cléry, fece incetta delle fotografie, partecipò alle aste dei gioielli e degli oggetti che le erano appartenuti. Sia *La divine comtesse. Étude d'après Madame de Castiglione* (Prefazione di Gabriele D'Annunzio, Goupil & Cie, Paris, 1913) sia il minuzioso dossier preparatorio conservato alla Bibliothèque nationale de France sono fondamentali per chiunque si interessi a lei. Pubblicato l'anno prima e assai utile è anche *Le Roman d'une Favorite. La comtesse de Castiglione, 1840-1900 d'après sa correspondance intime inédite et les «Lettres des Princes»* (Émile-Paul, Paris, 1912) di Frédéric Loliée. Specialista della società del Secondo Impero, il biografo ha potuto leggere, prima che andassero distrutte, le lettere scritte da Virginia all'amico Estancelin nell'arco di un quarantennio, e riportarne numerosi e significativi stralci, aiutandoci a ricostruire i rapporti della contessa con i duchi d'Aumale e di Chartres.

A loro volta, Elena Henrish e Costantino Nigro, autori di *Virginia di Castiglione. La contessa della leggenda, attraverso la sua corrispondenza intima, diari e documenti inediti, 1837-1899* (Marzocco, Firenze 1912), avevano potuto prendere visione di numerose carte di Virginia ancora in mano agli eredi Trigone e ad altri corrispondenti, oggi irreperibili. Nel 1951 la vendita, per iniziativa di Carlo Alberto Chiesa, dei documenti rinvenuti a La Spezia dopo la morte della Castiglione, e conservati dai Trigone a Genova, ha rivelato l'esistenza di migliaia di lettere (cfr. Carlo Alberto Chiesa, *«Un mestiere semplice». Ricordi di un librario antiquario. Per i novant'anni di Gianni Antonini*, Officina Libraria, Milano, 2016, pp. 18-19). Diviso in 94 lotti, il catalogo dell'asta parigina di Drouot contiene le *Correspondances inédites et archives privées de Virginia Vérasis, comtesse de Castiglione, Préface d'André Maurois* (G. Blaizot, Paris, 1951) e basta scorrerne l'elenco per rendersi conto della loro importanza: *Lettres de Personnages politiques, et de diplomates français et italiens, du XIXe siècle: Thiers - Cavour - Nigra - Walewski - Fould - Baciocchi - Cassagnac - F. de Lesseps – d'Ideville - Imbert de St. Amand - La Tour d'Auvergne - J. Poniatowski - Nieuwerkerke - Charles Laffitte - Louis Estancelin - etc. - Lettres de Napoléon III et de sa famille, des Princes d'Orléans (Duc d'Aumale, Duc de Chartres, etc...). - Important Dossier de la famille Rothschild. - La famille et les amis de la «Divine Comtesse», son Journal intime (autographe inédit). - Nombreuses LETTRES D'AMOUR reçues par elle ou adressées à divers correspondants. - Correspondance des hommes d'affaires (Léon Cléry, de Morand, etc.). - Souvenirs et reliques diverses. - Collection de photographies de la Comtesse de Castiglione et des personnages célèbres. Peintures et Aquarelles: «Le peignoir rose», etc... Coffret contenant les bas de dentelles portées par la célèbre favorite.*

Prima che questo tesoro di manoscritti, riemerso inaspettatamente dopo cinquant'anni, andasse smembrato e disperso, un giovane storico non ancora trentenne riuscì a prenderne visione e a entrare in contatto con alcuni degli acquirenti, mettendo così a punto la prima biografia solidamente documentata e attendibile: *La Castiglione, dame de cœur de l'Europe, d'après sa Correspondance et son Journal intime inédits* (Amiot-Dumont, Paris, 1953; Perrin, Paris, 1999). Il libro di Alain Decaux rimane a tutt'oggi un'irrinunciabile fonte di notizie, fra cui spiccano gli ampi stralci del *Journal intime* tenuto tra il 1854 e il 1856, acquistato da Gérard Magistry e poi andato perduto.

Il centenario della morte della contessa ha portato alla riscoperta delle sue fotografie, come attestano le mostre di Parigi (*La comtesse de Castiglione par elle-même*, Musée d'Orsay, 12 ottobre

1999-23 gennaio 2000); di New York (*La Divine Comtesse: photographs of the Countess of Castiglione*, Metropolitan Museum of Art, 18 settembre-31 dicembre 2000); di Torino (*La Contessa di Castiglione e il suo tempo*, Palazzo Cavour, 31 marzo-2 luglio 2000). Una straordinaria autobiografia per immagini, che ha aperto nuove prospettive di ricerca e ispirato artisti e scrittori. Sia il penetrante saggio di Nathalie Léger *L'Exposition* (P.O.L., Paris, 2008) sia il pregevole *La Castiglione. Vies et métamorphoses*, di Nicole G. Albert (Perrin, Paris, 2011) illustrano la varietà delle chiavi di lettura cui si presta l'impresa fotografica di Virginia. Ma il rinnovato interesse per la sua figura e per la storia del costume e del gusto del Secondo Impero non ha portato a un approfondimento della sua complessa vicenda biografica. Data per irreparabile la dispersione dei documenti, ci si è per lo più attenuti al libro di Decaux e ai passi delle lettere che figurano nel catalogo d'asta del 1951.

Come ho potuto constatare nel corso delle mie ricerche, anche se molte importanti corrispondenze di Virginia tuttora non risultano reperibili, fortunatamente negli archivi italiani e francesi sono custoditi migliaia di documenti che la concernono. Nel ricchissimo fondo Castiglione dell'Archivio di Stato di Torino possiamo prendere visione dei molti preziosi lotti acquistati dallo Stato italiano all'asta di Drouot e in aste successive. Mi limito qui a segnalare le lettere a lei indirizzate dal padre, dalla madre, dal marito, dal figlio, dall'amante La Tour d'Auvergne, e quanto rimane della sua corrispondenza con Nigra e Vittorio Emanuele II, oltre alle innumerevoli bozze di lettere, agli appunti, ai frammenti di diario di mano di Virginia. Conservato a Roma, nell'Archivio Storico Diplomatico del ministero degli Esteri, il fondo del marchese Filippo Oldoini raccoglie a sua volta le molte centinaia di lettere che la figlia gli scrisse fin dagli anni della fanciullezza, e le copie di alcune risposte. Di particolare interesse, i carteggi con la moglie, il genero, il nipote gettano una luce nuova sul carattere e i comportamenti di Virginia. Purtroppo non mi è stato possibile trovare, fatte salve quelle conservate nell'Archivio di Stato di Torino, le lettere di Giuseppe Poniatowski a Virginia, di cui la biografia di Decaux e il catalogo dell'asta di Drouot bastano a farci intuire l'importanza; quelle di lei al Principe, depositate negli Archives Nationales di Parigi – e di cui Decaux non sembra essere stato a conoscenza – sono a dir poco sconcertanti. Così, già segnalate ma per lo più trascurate, le corrispondenze con Estancelin, Thiers, Laffitte conservate presso il Département des Manuscrits della Bibliothèque nationale de France, quella del figlio Giorgio con il precettore Genulphe Sol presso gli Archives de la préfecture de Police di Parigi, e le lettere, a tutt'oggi inedite, dell'« Esclave » conservate nella Bibliothèque Historique de la Ville de Paris rivelano nuove e sorprendenti sfaccettature del carattere di Virginia. A mano a mano che ricompaiono sul mercato antiquario gruppi di lettere provenienti dall'asta di Drouot, e nell'attesa di veder riaffiorare ulteriori importanti tasselli del corpus dell'infaticabile epistolografa, va segnalato che i fondi degli Archivi di Torino, di Roma e di Parigi riservano ancora molte scoperte. Mi auguro dunque che, per quanto improba sia l'impresa di decifrare gli « scarabocchi infernali » di Virginia, questo libro incoraggi a proseguire la ricerca.

CREDITI FOTOGRAFICI

Controfrontespizio Archivio di Stato di Torino, Sezione Corte, Carte Castiglione, mazzo 16, fascicolo unico, sottofascicolo con annotazione in camicia « Ora che sta buono ».

Fig. 1 Collezione privata

Fig. 2 The Metropolitan Museum of Art

Fig. 3 The Metropolitan Museum of Art

Fig. 4 Roger-Viollet/Archivi Alinari, Firenze

Fig. 5 PVDE/Bridgeman Images

Fig. 6 akg-images/Mondadori Portfolio

Fig. 7 Musée Unterlinden - Dépôt aux Archives d'Alsace, Colmar © C. Kempf

Fig. 8 The Metropolitan Museum of Art

Fig. 9 The Metropolitan Museum of Art

Fig. 10 The Metropolitan Museum of Art

Fig. 11 Musée Unterlinden - Dépôt aux Archives d'Alsace, Colmar © C. Kempf

Fig. 12 Musée Unterlinden - Dépôt aux Archives d'Alsace, Colmar © C. Kempf

Fig. 13 akg-images/Mondadori Portfolio

Fig. 14 © Sovrintendenza Capitolina ai Beni Culturali, Museo Napoleonico

Fig. 15 © 2021 Compiègne, Musée du Château/RMN-Grand Palais/Franck Raux/Dist. foto SCALA, Firenze

Fig. 16 Archivi Alinari, Firenze

Fig. 17 Archivi Alinari, Firenze

Fig. 18 Collezione privata

Fig. 19 The Metropolitan Museum of Art

INDICE DEI NOMI

LA COLLANA DEI CASI

ULTIMI VOLUMI PUBBLICATI:

100. Temple Grandin, *Il cervello autistico*
101. Michael Pollan, *Cotto*
102. Rachel Polonsky, *La lanterna magica di Molotov*
103. David Quammen, *Spillover*
104. Norman Lewis, *Un viaggio in sambuco*
105. Anna Bikont-Joanna Szczęsna, *Cianfrusaglie del passato*
106. Tatti Sanguineti, *Il cervello di Alberto Sordi*
107. *A pranzo con Orson. Conversazioni tra Henry Jaglom e Orson Welles*
108. Suzanne Corkin, *Prigioniero del presente*
109. Azar Nafisi, *La Repubblica dell'immaginazione*
110. Iosif Brodskij, *Conversazioni*
111. Lawrence Wright, *La prigione della fede*
112. Benedetta Craveri, *Gli ultimi libertini*
113. Michael Pollan, *Una seconda natura*
114. Gerard Russell, *Regni dimenticati*
115. Reiner Stach, *Questo è Kafka?*
116. Daniele Rielli, *Storie dal mondo nuovo*
117. *Le battute memorabili di Feynman*
118. Emmanuel Carrère, *Propizio è avere ove recarsi*
119. Heda Margolius Kovály, *Sotto una stella crudele*
120. Rachel Cohen, *Bernard Berenson*
121. Lawrence Wright, *Gli anni del terrore*
122. Andrew O'Hagan, *La vita segreta*
123. V.S. Naipaul, *Lo scrittore e il mondo*
124. Samuel Beckett, *Lettere 1929-1940*
125. W. Stanley Moss, *Brutti incontri al chiaro di luna*
126. Simon Winchester, *Il professore e il pazzo*
127. Curzio Malaparte, *Il buonuomo Lenin*
128. Mark O'Connell, *Essere una macchina*
129. Laurens van der Post, *Il cuore del cacciatore*
130. Michael Pollan, *Come cambiare la tua mente*
131. Michał Rusinek, *Nulla di ordinario*
132. E.M. Cioran - Mircea Eliade, *Una segreta complicità*
133. John M. Hull, *Il dono oscuro*
134. William Dalrymple - Anita Anand, *Koh-i-Nur*
135. David Quammen, *L'albero intricato*
136. Michele Masneri, *Steve Jobs non abita più qui*
137. Brian Phillips, *Le civette impossibili*
138. *La guerra di Gadda*
139. Samuel Beckett, *Lettere 1941-1956*
140. Patrick Leigh Fermor, *Rumelia*

STAMPATO DAL CONSORZIO ARTIGIANO «L.V.G.» - AZZATE
NELL'OTTOBRE 2021